PAROLA
DEL
SIGNORE

IL NUOVO TESTAMENTO

Traduzione interconfessionale
dal testo greco
in lingua corrente

ELLE DI CI   ALLEANZA BIBLICA UNIVERSALE
10096 Leumann (TO)   Via dell'Umiltà 33 - 00187 Roma

ISBN 88-01-14637-X (BROSSURA)
ISBN 88-01-14638-8 (CARTONATA)

© ELLE DI CI Leumann (TO) - UNITED BIBLE SOCIETIES 1976

PRESENTAZIONE

Questa traduzione è stata preparata da alcuni studiosi specializzati, esegeti e linguisti, che si sono serviti della revisione e della consulenza anche di altri studiosi. Essa risponde a uno scopo limitato, ma assai preciso: sull'esempio di iniziative già realizzate dall'Alleanza Biblica Universale in molte altre lingue, si è voluto presentare un testo del Nuovo Testamento che fosse fedele e, insieme, si esprimesse in un italiano corrente.

La fedeltà non significa necessariamente « traduzione letterale »: per le moderne scienze del linguaggio, questo è un dato ormai acquisito. Una traduzione si dimostra fedele, anche se è in grado di offrire ai lettori un testo che essi riescano agevolmente a comprendere, come avveniva per i primi destinatari del Nuovo Testamento. Non è perciò il caso di ricercare in queste pagine ciò che altre traduzioni offrono già da tempo e autorevolmente, conservando con cura molte caratteristiche delle lingue originali. Di fronte alla duplice possibilità: mantenere piuttosto gli aspetti formali o soprattutto guardare al contenuto, qui si privilegia la seconda.

Come duemila anni fa, il Nuovo Testamento è un libro ancor oggi invitante, e risulta attuale, se riesce a esprimersi in un linguaggio accessibile all'uomo contemporaneo. Di conseguenza, questa traduzione si distingue dalle altre perché cerca di rendere il testo greco con parole e forme della lingua italiana di tutti i giorni, quella consueta e più familiare, che le persone usano per comunicare tra loro.

Non per questo la traduzione diventa una parafrasi. Infatti si propone rigorosamente di non aggiungere o togliere alcuna informazione rispetto ai testi originali. Se la forma, a volte, può sembrare molto diversa, la modifica segue un criterio coerente: quello di fare al lettore estraneo al linguaggio tradizionale un discorso che dica a lui, in modo equivalente, ciò che il testo originale diceva agli antichi lettori. Ciò non significa che sia stata trascurata o dimenticata la distanza che ci separa dal Nuovo Testamento: tutti i riferimenti al mondo palestinese o greco-romano rimangono, anche se si è cercato di ridurre il più possibile le difficoltà puramente culturali. Il lettore viene così a trovarsi non di fronte a scritti moderni, ma a scritti antichi, tradotti in modo da renderne più facile la comprensione.

Questa prima esperienza potrà aprire la strada a chi vorrà affrontare traduzioni più impegnative e, eventualmente, gli stessi testi originali. In definitiva, si tratta di una traduzione che cerca di seguire l'esempio degli autori del Nuovo Testamento i quali, per lo più, scrissero adoperando la lingua greca corrente. Anche in passato, alcune tra le più famose e autorevoli traduzioni, ispirate da una preoccupazione prevalentemente pastorale, rappresentano esempi classici di fedeltà non tanto formale, quanto e soprattutto di contenuto.

INTRODUZIONE

Il Nuovo Testamento si apre con i quattro vangeli che sono il racconto della vita di Gesù, riferiscono il suo insegnamento, le opere da lui compiute, la sua morte e la sua risurrezione.

La caratteristica principale dei primi tre vangeli — quelli di Matteo, Marco e Luca — è questa: che presentano sorprendenti somiglianze e, in alcuni casi, vere e proprie coincidenze. Malgrado ciò, ogni vangelo conserva una sua inconfondibile fisionomia e offre all'intero messaggio del Nuovo Testamento un suo tipico contributo.
Il vangelo di Giovanni si distingue dagli altri perché l'autore mette in luce alcuni aspetti centrali della persona di Cristo, e ne propone una meditazione profonda.

Ai vangeli seguono gli Atti degli Apostoli: quasi un « diario » (diremmo oggi) della prima comunità cristiana, steso da Luca.

Vengono poi, nell'ordine, le lettere di Paolo che, però, sono i primi scritti del Nuovo Testamento: Paolo infatti è morto prima che gli evangelisti scrivessero il loro vangelo. Queste lettere, nello stile del tempo, espongono e sviluppano gli atteggiamenti diversi della fede, e dicono come questa deve tradursi nella vita.
Seguono ancora nell'ordine: la lettera agli ebrei che è un appello rivolto ai cristiani di origine ebraica molto legati alle loro antiche tradizioni, perché rimangano fedeli a Gesù, l'unico vero Messia; e le lettere chiamate « cattoliche » o « universali », che affrontano temi e problemi che riguardano la condotta delle prime comunità.

L'ultimo libro del Nuovo Testamento, l'Apocalisse, si stacca dai precedenti, perché il suo autore, con potente simbolismo, schiude il nostro sguardo sulla fine dei tempi, in base a quanto gli ha rivelato Cristo, centro della storia.

È fuori dubbio che nel Nuovo Testamento s'incontrano differenze anche marcate di stile e di contenuto: perché raccoglie ventisette scritti (comunemente chiamati libri); e c'è in esso, nell'arco di cinquant'anni, la mano di una dozzina di autori. Eppure il Nuovo Testamento (è questa la sua singolare originalità) s'incentra tutto su un solo motivo: l'amore di Dio per gli uomini rivelato nella persona di Gesù Cristo. Sì che le sue pagine, altro non sono che variazione del medesimo tema. Come in una sinfonia.

* * *

Questa traduzione è la prima iniziativa del genere in Italia. Essa è stata realizzata, secondo i principi direttivi interconfessionali, da un gruppo di studiosi cattolici e protestanti che hanno lavorato insieme per circa quattro anni, seguiti dai responsabili delle rispettive chiese. Il progetto è stato approvato separatamente dalle varie confessioni cristiane, quelle che hanno impegnato gli esperti nel lavoro; il testo finale, dall'Alleanza Biblica Universale e, da parte cattolica, dall'autorità ecclesiastica.

* * *

I versetti tra parentesi quadre [ ] mancano in molti manoscritti antichi del Nuovo Testamento.
La numerazione dei versetti introdotta nel secolo XVI, talvolta disturba la coerenza del testo; per cui, la traduzione non ha sempre potuto rispettare questi limiti artificiali. In tali casi, la numerazione dei versetti è stata raggruppata (3-4; 27-28).
L'asterisco (*) che precede una parola rinvia alla spiegazione data nel piccolo vocabolario contenuto in appendice.

INDICE

VANGELO DI MATTEO

Gli antenati di Gesù
(vedi Luca 3, 23-38)

1 ¹ Gesù è un discendente di Davide, il quale a sua volta è un discendente di Abramo. Ecco l'elenco degli antenati della sua famiglia:

² Abramo fu il padre di Isacco;
Isacco di Giacobbe;
Giacobbe di Giuda e dei suoi fratelli;

³ Giuda fu il padre di Fares e Zara (loro madre fu Tamar);
Fares di Esròm;
Esròm di Aram;

⁴ Aram fu il padre di Aminadàb;
Aminadàb di Naassòn;
Naassòn di Salmòn;

⁵ Salmòn fu il padre di Booz (la madre di Booz fu Racab);
Booz fu il padre di Obed (la madre di Obed fu Rut);
Obed fu il padre di *Iesse;

⁶ Iesse fu il padre del re Davide.
Davide fu il padre di Salomone (la madre era stata moglie di Urìa);

⁷ Salomone fu il padre di Roboamo;
Roboamo di Abìa;
Abìa di Asàf;

⁸ Asàf fu il padre di Giòsafat;
Giòsafat di Ioram;
Ioram di Ozia;

⁹ Ozia fu il padre di Ioatam;
Ioatam di Acaz;
Acaz di Ezechia;

¹⁰ Ezechia fu il padre di Manasse;
Manasse di Amos;
Amos di Giosia;

¹¹ Giosia fu il padre di Ieconia e dei suoi fratelli, al tempo in cui il popolo di Israele fu deportato in esilio a Babilonia.

¹² Dopo l'esilio a Babilonia, Ieconia fu il padre di Salatiel;
Salatiel fu il padre di Zorobabèle;

¹³ Zorobabèle fu il padre di Abiùd;
Abiùd di Elìacim;
Elìacim di Azor;

¹⁴ Azor fu il padre di Sadoc;
  Sadoc di Achim;
  Achim di Eliùd;
¹⁵ Eliùd fu il padre di Eleàzar;
  Eleàzar di Mattan;
  Mattan di Giacobbe;
¹⁶ Giacobbe fu il padre di Giuseppe;
Giuseppe sposò Maria e Maria fu la madre di Gesù, chiamato Cristo.
¹⁷ Così da Abramo a Davide ci sono quattordici generazioni; dal tempo di Davide fino all'esilio di Babilonia ce ne sono altre quattordici; infine, dall'esilio in Babilonia fino a Cristo ci sono ancora quattordici generazioni.

Come nacque Gesù
(vedi Luca 2, 1-7)

¹⁸ Ecco come è nato Gesù Cristo. Maria, sua madre, era fidanzata con Giuseppe; essi non vivevano ancora assieme, ma lo *Spirito Santo agì in Maria ed ella si trovò incinta. ¹⁹ Ormai Giuseppe stava per sposarla. Egli voleva fare ciò che era giusto, ma non voleva denunciarla di fronte a tutti. Allora decise di rompere il fidanzamento, senza dir niente a nessuno. ²⁰ Ci stava ancora pensando, quando una notte in sogno gli apparve un *angelo del Signore e gli disse: « Giuseppe, discendente di Davide, non devi aver paura di sposare Maria, la tua fidanzata: il bambino che lei aspetta è opera dello Spirito Santo. ²¹ Maria partorirà un figlio e tu gli metterai nome Gesù, perché egli salverà il suo popolo da tutti i peccati ».
²² E così si avverò quello che il Signore aveva detto per mezzo del profeta Isaia:
        ²³ *Ecco, la vergine sarà incinta*
            partorirà un figlio ed egli sarà chiamato Emmanuele.
Questo nome significa: « *Dio è con noi* ».
²⁴ Quando Giuseppe si svegliò, fece come l'angelo di Dio gli aveva ordinato e prese Maria in casa sua. ²⁵ E senza che avessero avuto fin'allora rapporti matrimoniali, Maria partorì il bambino e Giuseppe gli mise nome Gesù.

Alcuni uomini sapienti vengono dall'oriente

2 ¹ Gesù nacque a Betlemme, una città nella regione della Giudea, al tempo del re *Erode. Dopo la sua nascita, arrivarono a Gerusalemme alcuni uomini sapienti che venivano dall'oriente ² e domandarono: « Dove si trova quel bambino, nato da poco, il re dei giudei? In oriente abbiamo visto apparire la sua stella e siamo venuti qui per onorarlo ».
³ Queste parole misero in agitazione tutti gli abitanti di Gerusalemme, e specialmente il re Erode. Il quale appena lo seppe, ⁴ radunò tutti i capi dei sacerdoti e i *maestri della legge e domandò: « In quale luogo deve nascere il *Messia? ».
⁵ Essi risposero: « A Betlemme, nella regione della Giudea, perché nella *Bibbia è scritto:

⁶ *Tu Betlemme*, del paese di Giudea,
non sei certo *la meno importante*
tra le città della Giudea,
perché da te uscirà un capo
che guiderà il mio popolo, Israele ».

⁷ Allora il re Erode chiamò in segreto quei sapienti venuti da lontano e si fece dire, con esattezza, quando era apparsa la stella. ⁸ Poi li mandò a Betlemme dicendo: « Andate e cercate con ogni cura il bambino. Quando l'avrete trovato, fatemelo sapere, così anch'io andrò a onorarlo ».
⁹⁻¹⁰ Ricevute queste istruzioni da parte del re, essi partirono. In viaggio, apparve ancora a quei sapienti la stella che avevano visto in oriente, ed essi furono pieni di grandissima gioia. La stella si muoveva davanti a loro fino a quando non arrivò sopra la casa dove si trovava il bambino: là si fermò. ¹¹ Essi entrarono in quella casa e videro il bambino e sua madre, Maria. Si inginocchiarono e adorarono il bambino. Poi aprirono i bagagli e gli offrirono regali: oro, incenso e *mirra.
¹² Più tardi, in sogno, Dio li avvertì di non tornare dal re Erode. Essi presero allora un'altra strada e ritornarono al loro paese.

Giuseppe e Maria fuggono in Egitto

¹³ Dopo la partenza dei sapienti, Giuseppe fece un sogno: l'*angelo di Dio gli apparve e gli disse: « Alzati, prendi con te il bambino e sua madre e fuggi in Egitto. Erode sta

cercando il bambino per ucciderlo. Tu devi rimanere là, fino a quando io non ti avvertirò».
[14] Giuseppe si alzò, di notte prese con sé il bambino e sua madre e si rifugiò in Egitto. [15] E vi rimase fino a quando non morì il re Erode. Così si realizzò quello che il Signore aveva detto per mezzo del *profeta Osea: «Ho chiamato mio figlio dall'Egitto».

Erode fa uccidere i bambini di Betlemme

[16] Il re *Erode si accorse che i sapienti dell'oriente lo avevano ingannato e allora si infuriò. Ricordando quel che si era fatto dire da loro, calcolò il tempo; e quindi fece uccidere tutti i bambini di Betlemme e dei dintorni, dai due anni in giù.
[17] Allora si adempì ciò che aveva detto il profeta Geremia:
[18] *Un grido si è sentito nella regione di Rama,*
pianti e lunghi lamenti.
È Rachele che piange i suoi figli,
e non vuole essere consolata
perché essi sono morti.

Giuseppe e Maria tornano dall'Egitto

[19] Dopo la morte di *Erode, un *angelo del Signore apparve in sogno a Giuseppe, in Egitto. [20] Gli disse: «Alzati, prendi il bambino e sua madre e torna con loro nella terra di Israele. Perché ormai sono morti quelli che cercavano di far morire il bambino». [21] Giuseppe si alzò, prese con sé il bambino e sua madre, e ritornò nella terra d'Israele. [22] Ma venne a sapere che al posto di Erode era diventato re della Giudea suo figlio Archelao. Ebbe paura di fermarsi in quella regione e, informato da un sogno, partì allora verso la Galilea [23] e andò ad abitare in un villaggio che si chiamava Nàzaret. Così si realizzò quello che avevano detto i *profeti: «Egli sarà chiamato *Nazareno».

Giovanni il Battezzatore predica nel deserto
(vedi Marco 1, 1-8; Luca 3, 1-9; Giovanni 1, 19-28)

3 [1] In quei giorni Giovanni il Battezzatore venne a predicare nel deserto della Giudea. [2] Diceva: «Cambiate vita, perché il *regno di Dio è ormai vicino!».

³ A lui si riferiva il *profeta Isaia quando scriveva queste parole:

> Una voce grida nel deserto:
> preparate la via per il Signore,
> spianate i suoi sentieri!

⁴ Giovanni aveva un vestito fatto di peli di cammello e attorno ai fianchi portava una cintura di cuoio; mangiava *cavallette e miele selvatico. ⁵ La gente veniva a lui da Gerusalemme, da tutta la regione della Giudea e da tutti i territori lungo il fiume Giordano. ⁶ Essi confessavano pubblicamente i loro peccati ed egli li battezzava nel fiume.

⁷ Venivano a farsi battezzare anche molti che appartenevano ai gruppi dei farisei e dei sadducei; Giovanni se ne accorse e disse: « Razza di vipere! Chi vi ha fatto credere che potrete sfuggire a quel castigo di Dio che sta per giungere? ⁸ Vivete da persone sinceramente pentite ⁹ e non fatevi illusioni dicendo dentro di voi: " Noi siamo discendenti di Abramo! ". Perché vi assicuro che Dio è capace di far sorgere veri figli di Abramo perfino da queste pietre. ¹⁰ Già la scure è alle radici degli alberi, pronta per tagliare: ogni albero che non dà frutti buoni sarà tagliato e gettato nel fuoco.

¹¹ Io vi battezzo soltanto con l'acqua, per spingervi a cambiar vita; ma dopo di me viene uno che vi battezzerà con lo *Spirito Santo e con il fuoco; egli è più potente di me, e io non sono degno neppure di portargli i sandali. ¹² Egli tiene in mano la pala per pulire il suo frumento e farà così: metterà da parte, nei granai, il grano buono e brucerà invece la paglia con un fuoco senza fine ».

Gesù viene a farsi battezzare
(vedi Marco 1, 9-11; Luca 3, 21-22)

¹³ In quel tempo, Gesù dalla Galilea venne fino al fiume Giordano e si avvicinò a Giovanni per farsi battezzare da lui. ¹⁴ Ma Giovanni non voleva e cercava di convincerlo dicendo: « Sono io che avrei bisogno di essere battezzato da te; e tu invece vieni da me? ».

¹⁵ Ma Gesù gli rispose: « Lascia fare, per ora. Perché è bene che noi facciamo così la volontà di Dio, fino in fondo ». Allora Giovanni accettò.

¹⁶ Appena battezzato, Gesù uscì dall'acqua: all'improvviso il cielo si aprì ed egli vide lo Spirito di Dio che, come

una colomba, scendeva e veniva su di lui. [17] E dal cielo
venne una voce: «Questo è il Figlio mio, che amo. Io
l'ho mandato».

Le tentazioni di Gesù
(vedi Marco 1, 12-13; Luca 4, 1-13)

4 [1] Poi lo Spirito di Dio fece andare Gesù nel deserto,
per essere tentato dal *diavolo. [2] Per quaranta giorni
e quaranta notti Gesù rimase là, e non mangiava né beveva;
alla fine aveva veramente fame.
[3] Allora il diavolo tentatore si avvicinò a lui e gli disse:
«Se tu sei il *Figlio di Dio, comanda a queste pietre di
diventare pane!».
[4] Gesù rispose: «Nella *Bibbia è scritto:
        L'uomo non può vivere di solo pane;
        egli vive anche di ogni parola che viene da Dio».
[5] Allora il diavolo lo portò a Gerusalemme, la città santa;
lo mise sul punto più alto del tempio, [6] poi gli disse: «Se
tu sei il Figlio di Dio, buttati giù; perché nella Bibbia è
scritto:
        *Dio darà per te un ordine ai suoi *angeli*
        ed essi ti porteranno sulle loro mani,
        perché tu non inciampi contro alcuna pietra».
[7] Gesù gli rispose: «Ma nella Bibbia c'è scritto anche:
        Non devi mettere alla prova il Signore, il tuo Dio».
[8] Il diavolo lo portò ancora su una montagna molto alta,
gli fece vedere tutti i regni del mondo e il loro splendore,
[9] poi gli disse: «Io ti darò tutto questo che vedi, se ti
metti in ginocchio davanti a me per adorarmi».
[10] Ma Gesù disse a lui: «Vattene via Satana! Perché nella
Bibbia è scritto:
        Adora il Signore, il tuo Dio;
        soltanto a lui rivolgi le tue preghiere».
[11] Allora il diavolo si allontanò da lui, e subito alcuni angeli
vennero a servire Gesù.

Gesù inizia la sua missione in Galilea
(vedi Marco 1, 14-15; Luca 4, 14-15)

[12] Quando Gesù seppe che Giovanni il Battezzatore era
finito in prigione, si recò in Galilea. [13] Non rimase a Nàzaret, ma andò ad abitare nella città di Cafàrnao, sulla riva
del lago di Galilea, nei territori di Zàbulon e di Nèftali.

[14] Così si realizzava quel che Dio aveva detto per mezzo del *profeta Isaia:

[15] *Terra di Zàbulon e terra di Nèftali,
strada verso il mare, al di là del Giordano,
Galilea abitata da gente pagana:*
[16] *il tuo popolo che vive nelle tenebre,
vedrà una grande luce.
Per chi abita il buio paese della morte
è venuta una luce.*

[17] Da quel momento Gesù cominciò a predicare il suo messaggio. Diceva: «Cambiate vita, perché il *regno di Dio è vicino!».

Quattro pescatori sono i primi *discepoli
(vedi Marco 1, 16-20; Luca 5, 1-11)

[18] Un giorno, mentre camminava lungo la riva del lago di Galilea, Gesù vide due pescatori che stavano pescando con la rete: erano Simone (che poi sarà chiamato Pietro) e suo fratello Andrea. [19] Disse loro: «Venite con me, vi farò diventare pescatori di uomini». [20] E quelli, subito, abbandonarono le reti e lo seguirono.
[21] Poco più avanti, Gesù vide altri due fratelli: erano Giacomo e Giovanni, i figli di Zebedèo. Essi stavano nella barca con il padre e riparavano le reti. Quando li vide, Gesù li chiamò; [22] ed essi lasciarono subito la barca e il padre, e andarono dietro a Gesù.

Gesù in Galilea

[23] Gesù percorreva tutta la regione della Galilea; insegnava nelle *sinagoghe, annunziava il *regno di Dio e guariva tutte le malattie e le infermità della gente. [24] Così, si parlava di lui anche in tutto il territorio della Siria.
Gli portavano malati di ogni genere, anche indemoniati, *epilettici e *paralitici; ed egli li guariva. [25] Grandi folle lo seguivano: venivano dalla Galilea, dalla regione delle *Dieci Città, da Gerusalemme, dalla Giudea e dai territori al di là del fiume Giordano.

IL DISCORSO DELLA MONTAGNA
(Luca 6, 17-49)

5 [1] Vedendo che c'era tanta gente Gesù salì verso il monte. Si sedette, i suoi *discepoli si avvicinarono a lui [2] ed egli cominciò a istruirli con queste parole:

Le beatitudini
(vedi Luca 6, 20-23)

³ « Beati quelli che sono poveri di fronte a Dio,
  perché Dio offre a loro il suo regno.
⁴ Beati quelli che sono nella tristezza,
  perché Dio li consolerà.
⁵ Beati quelli che non sono violenti,
  perché Dio darà loro la terra promessa.
⁶ Beati quelli che desiderano ardentemente ciò che Dio vuole,
  perché Dio esaudirà i loro desideri.
⁷ Beati quelli che hanno compassione degli altri,
  perché Dio avrà compassione di loro.
⁸ Beati quelli che sono puri di cuore,
  perché vedranno Dio.
⁹ Beati quelli che diffondono la pace,
  perché Dio li accoglierà come suoi figli.
¹⁰ Beati quelli che sono perseguitati
  per aver fatto la volontà di Dio,
  perché Dio darà loro il suo regno.
¹¹ Beati siete voi quando vi insultano e vi perseguitano,
quando dicono falsità e calunnie contro di voi per il fatto
che siete miei discepoli. ¹² Siate lieti e contenti, perché Dio
vi ha preparato una grande ricompensa: infatti, prima di
voi, anche i *profeti furono perseguitati ».

I discepoli di Cristo sono sale e luce del mondo
(vedi Marco 9, 50; Luca 11, 33-36; 14, 34-35)

¹³ « Siete voi il sale del mondo. Ma se il sale perde il suo
sapore, come si potrà ridarglielo? Ormai non serve più a
nulla; non resta che buttarlo via, e la gente lo calpesta.
¹⁴ Siete voi la luce del mondo. Una città costruita sopra una
montagna non può rimanere nascosta. ¹⁵ Non si accende una
lampada per metterla sotto un secchio, ma piuttosto per metterla in alto, perché faccia luce a tutti quelli che sono in casa.
¹⁶ Così deve risplendere la vostra luce davanti agli uomini,
perché vedano il bene che voi fate e ringrazino il Padre
vostro che è in cielo ».

La legge di Dio
(vedi Luca 16, 17)

¹⁷ « Non dovete pensare che io sia venuto ad abolire la *legge
di Mosè e l'insegnamento dei *profeti. Io non sono venuto

per abolire, ma per dare loro il vero significato. ¹⁸ Perché
vi assicuro che fino a quando ci sarà il cielo e la terra,
nemmeno la più piccola parola, anzi nemmeno una virgola,
sarà abolita dalla legge di Dio; e così fino a quando tutto
non sarà compiuto.
¹⁹ Perciò, chi disubbidisce al più piccolo dei comandamenti
e insegna agli altri a fare come lui, sarà il più piccolo nel
*regno di Dio. Mentre chi mette in pratica tutti i coman-
damenti e li insegna agli altri, sarà grande nel regno di
Dio. ²⁰ Una cosa è certa: se non fate la volontà di Dio più
seriamente di come fanno i *farisei e i *maestri della legge,
voi non entrerete nel regno di Dio ».

La collera e la pace

²¹ « Sapete che è stato detto ai nostri padri: " Non uccidere.
Chi ucciderà un altro sarà portato davanti al giudice ".
²² Ma io vi dico: anche se uno va in collera contro suo
fratello sarà portato davanti al giudice. E chi dice a suo
fratello " sei un cretino ", sarà portato di fronte al tribunale
superiore. Chi gli dice " traditore " può essere condannato
al fuoco dell'inferno.
²³ Perciò, se stai portando la tua offerta all'*altare di Dio e
ti ricordi che tuo fratello ha qualcosa contro di te, ²⁴ lascia
lì l'offerta davanti all'altare e vai a far pace con tuo fratello; poi torna e presenta la tua offerta.
²⁵ Se uno è in lite con te e ti porta in tribunale, fa' presto
a metterti d'accordo con lui mentre tutti e due siete ancora
per strada; perché lui può consegnarti al giudice, e il
giudice può consegnarti alle guardie per farti mettere in
prigione. ²⁶ Io ti assicuro che non uscirai di là, fino a quando
non avrai pagato anche l'ultimo centesimo ».

Adulterio e scandalo

²⁷ « Sapete che la *Bibbia dice: " Non commettere adulterio ". ²⁸ Ma io vi dico: se uno guarda la donna di un altro
perché la vuole, nel suo cuore egli ha già peccato di adulterio con lei.
²⁹ Se il tuo occhio destro ti fa compiere il male, strappalo e
buttalo via: ti conviene perdere soltanto una parte del tuo
corpo, piuttosto che essere gettato tutto intero all'inferno.
³⁰ Se la tua mano destra ti fa compiere il male, tagliala e

buttala via: ti conviene perdere soltanto una parte del tuo
corpo, piuttosto che andare tutto intero all'inferno ».

Il divorzio

³¹ « Dice la Bibbia: *" Chi vuole abbandonare la propria moglie, deve darle una dichiarazione scritta di divorzio ".* ³² Ma
io vi dico: chi manda via la propria donna — salvo il caso
di relazione illegale — la mette in pericolo di diventare adultera. E chi sposa una donna abbandonata dal marito, commette adulterio anche lui ».

Il giuramento

³³ « Ancora, sapete che è stato detto ai nostri padri: *" Non
giurare il falso, ma fai quello che hai promesso con giuramento di fronte a Dio ".* ³⁴ Ma io vi dico: non giurate mai:
né per *il cielo, che è il trono di Dio*; ³⁵ né per *la terra, che
è lo sgabello dei suoi piedi*; né per Gerusalemme, che è
la città del Signore. ³⁶ Non giurare nemmeno sulla tua testa,
perché tu non hai neanche il potere di far diventare bianco
o nero uno dei tuoi capelli.
³⁷ Semplicemente, dite " sì " e " no ": tutto il resto viene
dal diavolo ».

Vendetta e perdono
(vedi Luca 6, 29-30)

³⁸ « Sapete bene ciò che dice la Bibbia: *" Occhio per occhio, dente per dente ".* ³⁹ Ma io vi dico: non vendicatevi
contro chi vi fa del male.
Se uno ti dà uno schiaffo sulla guancia destra, tu presentagli
anche l'altra. ⁴⁰ Se uno vuol farti un processo per prenderti
la tunica, tu lasciagli anche il mantello.
⁴¹ Se uno ti costringe ad accompagnarlo per un chilometro,
tu va' con lui per due chilometri.
⁴² Se qualcuno ti chiede qualcosa, dagliela. Non voltare le
spalle a chi ti chiede un prestito ».

L'amore verso i nemici
(vedi Luca 6, 27-28. 32-36)

⁴³ « Sapete che si dice: *" Ama i tuoi amici, odia i tuoi
nemici ".* ⁴⁴ Ma io vi dico: amate i vostri nemici, pregate
per quelli che vi perseguitano. ⁴⁵ Facendo così, diventerete

veri figli di Dio, vostro Padre, che è in cielo. Perché egli fa
sorgere il suo sole sui cattivi e sui buoni, e fa piovere per
quelli che fanno il bene e per quelli che fanno il male.
46 Se voi amate soltanto quelli che vi amano, che merito
avete? Anche i malvagi si comportano così!
47 Se saluterete solamente i vostri amici, fate qualcosa di
meglio degli altri? Anche quelli che non conoscono Dio
si comportano così! 48 Siate dunque perfetti, così come è
perfetto il Padre vostro che è in cielo».

Elemosina e ipocrisia

6 1 «Attenti a non fare il bene in pubblico per il desiderio di essere ammirati dalla gente; altrimenti non
avrete alcuna ricompensa dal Padre vostro che è in cielo.
2 Dunque, quando dai qualcosa ai poveri, non fare come
gli ipocriti, non farlo sapere a tutti. Essi fanno così nelle
*sinagoghe e per le strade, perché cercano di essere lodati
dalla gente. Ma io vi assicuro che questa è l'unica loro
ricompensa.
3 Invece, quando aiuti qualcuno, non farlo sapere a nessuno,
neanche ai tuoi amici. 4 La tua elemosina rimarrà segreta;
ma Dio, tuo Padre, vede anche ciò che è nascosto, e ti
ricompenserà».

Preghiera e ipocrisia

5 «E quando pregate, non fate come gli ipocriti che si mettono a pregare nelle *sinagoghe o negli angoli delle piazze
per farsi vedere dalla gente. Vi assicuro che questa è l'unica
loro ricompensa.
6 Tu invece, quando vuoi pregare, entra in camera tua e
chiudi la porta. Poi, prega Dio, presente anche in quel luogo
nascosto. E Dio, tuo Padre, che vede anche ciò che è
nascosto, ti darà la ricompensa».

Gesù insegna come pregare
(vedi Luca 11, 1-4)

7 «Quando pregate, non usate tante parole come fanno i
pagani: essi pensano che a furia di parlare Dio finirà per
ascoltarli. 8 Voi non fate come loro, perché Dio, vostro
Padre, sa di che cosa avete bisogno, prima ancora che voi
glielo domandiate.

[9] Dunque, pregate così:
Padre nostro che sei in cielo,
fa' che tutti ti riconoscano come Dio,
[10] che il tuo regno venga,
che la tua volontà si compia
in terra come in cielo.
[11] Dacci oggi il pane necessario.
[12] Perdona le nostre offese
come noi perdoniamo a chi ci ha offeso.
[13] Fa' che non cadiamo nella tentazione,
ma liberaci dal maligno.
[14] Perché se voi perdonerete agli altri le loro colpe, il Padre
vostro che è in cielo perdonerà anche a voi. [15] Ma se non
perdonerete agli altri il male che hanno fatto, neppure il
Padre vostro perdonerà le vostre colpe ».

Digiuno e ipocrisia

[16] « E quando fate un *digiuno religioso, non agite come gli
ipocriti. Essi mostrano la faccia triste perché vogliono che
tutti vedano che stanno digiunando. Ma io vi assicuro che
questa è l'unica loro ricompensa.
[17] Tu invece, quando fai un digiuno, lavati la faccia e pro-
fumati i capelli, [18] perché la gente non si accorga che tu
stai digiunando. Ma Dio, tuo Padre, vede anche ciò che
è nascosto; se ne accorgerà e ti ricompenserà ».

Le vere ricchezze
(vedi Luca 12, 33-34)

[19] « Non accumulate ricchezze in questo mondo. Qui i tarli
e la ruggine distruggono ogni cosa e i ladri vengono e
portano via. [20] Accumulate piuttosto le vostre ricchezze in
cielo. Là, i tarli e la ruggine non le distruggono e i ladri
non vanno a rubare. [21] Perché, dove sono le tue ricchezze,
là c'è anche il tuo cuore ».

Gli occhi e la luce
(vedi Luca 11, 34-36)

[22] « Gli occhi sono come la lampada del corpo: se i tuoi
occhi sono buoni, tutto il corpo è illuminato. [23] Ma se i
tuoi occhi sono cattivi, tutto il corpo sarà tenebroso. Se

dunque la tua luce è tenebra, come sarà nera quella tenebra! ».

Dio e i soldi
(vedi Luca 16, 13)

24 « Nessuno può servire due padroni: perché, o amerà l'uno e odierà l'altro; oppure preferirà il primo e disprezzerà il secondo. Così, non potete servire nello stesso tempo e Dio e i soldi ».

La vita e le vere preoccupazioni
(vedi Luca 12, 22-31)

25 « Perciò io vi dico: non preoccupatevi troppo del mangiare e del bere che vi servono per vivere, o dei vestiti che vi servono per coprirvi. Non è forse vero che la vita è un dono ben più grande del cibo e che il corpo è un dono ben più grande del vestito?
26 Guardate gli uccelli che vivono in libertà: essi non seminano, non mietono e non mettono il raccolto nei granai... eppure il Padre vostro che è in cielo li nutre! Ebbene, voi, non siete forse molto più importanti di loro?
27 E chi di voi, a forza di preoccupazioni, può fare in modo di vivere anche solo un giorno più di quel che Dio ha stabilito?
28 Anche per i vestiti, perché vi preoccupate tanto? Guardate come crescono i fiori dei campi: non lavorano, non si fanno vestiti... 29 eppure vi assicuro che nemmeno Salomone, con tutta la sua ricchezza, ha mai avuto un vestito così bello! 30 Ma se Dio veste così l'erba, che oggi è fresca nel campo e domani è buttata nel fuoco, a maggior ragione non darà un vestito a voi? Gente di poca fede!
31 Dunque, non state a preoccuparvi troppo, dicendo " che cosa mangeremo? " o " che cosa berremo? " o " come ci vestiremo? "; 32 perché sono i pagani, che non conoscono Dio, che cercano continuamente tutte queste cose. Il Padre vostro che è in cielo sa che avete bisogno di tutte queste cose.
33 Voi, invece, cercate il *regno di Dio e fate la sua volontà: tutto il resto vi sarà dato in più. 34 Perciò, non preoccupatevi troppo per il domani: ci pensa lui, il domani, a portare altre pene. Per ogni giorno, basta la sua pena ».

Non giudicare
(vedi Luca 6, 37-42)

7 ¹ « Non condannate e Dio non vi condannerà. ² Infatti
Dio vi giudicherà con lo stesso criterio che usate voi per
giudicare gli altri, vi misurerà con lo stesso metro che usate
voi con loro.
³ Perché stai a guardare la pagliuzza che è nell'occhio di un
tuo fratello, e non ti preoccupi della trave che è nel tuo
occhio? ⁴ Come puoi dire al tuo fratello: " Lascia che tolga
la pagliuzza dal tuo occhio ", mentre nel tuo occhio hai
una trave? ⁵ Ipocrita! Togli prima la trave dal tuo occhio;
allora vedrai chiaramente e potrai levare la pagliuzza dal-
l'occhio di tuo fratello ».

Il valore del vangelo

⁶ « Non date ai cani ciò che è santo, perché non si rivoltino
contro di voi per sbranarvi. Non gettate le vostre perle ai
porci, perché non le calpestino con le zampe ».

Preghiera e risposta
(vedi Luca 11, 9-13)

⁷ « Chiedete e vi sarà dato. Cercate e troverete. Bussate e
la porta vi sarà aperta. ⁸ Perché chiunque chiede riceve, chi
cerca trova, a chi bussa sarà aperta la porta.
⁹ Chi di voi darebbe una pietra al figlio che chiede un pane?
¹⁰ Chi gli darebbe un serpente se chiede un pesce? ¹¹ Ecco,
voi, per quanto siate cattivi, sapete dare cose buone ai
vostri figli. A maggior ragione, dunque, il Padre vostro
che è in cielo darà cose buone a quelli che gliele chiedono! ».

Una regola pratica

¹² « Fate agli altri tutto ciò che volete che essi facciano a
voi: così comanda la *legge di Mosé e così hanno insegnato
i profeti ».

La porta piccola
(vedi Luca 13, 24)

¹³ « Entrate per la porta piccola! Perché grande è la porta
e larga la strada che conduce alla morte, e sono molti
quelli che ci entrano. ¹⁴ Al contrario, piccola è la porta

e stretta è la via che conduce alla vita, e sono pochi quelli che la trovano ».

I falsi profeti
(vedi Luca 6, 43-44)

15 « Attenti ai falsi *profeti! Quando vi vengono incontro, all'apparenza sembrano pecorelle, ma sotto sotto, essi sono lupi feroci. 16 Li riconoscerete dalle loro azioni. Si può forse raccogliere uva dalle spine o fichi da un cespuglio? 17 Se un albero è buono, dà frutti buoni; ma se un albero è cattivo, dà frutti cattivi. 18 Un albero buono non può dare frutti cattivi, così come un albero cattivo non può dare frutti buoni. 19 Ma se un albero non dà frutti buoni, allora lo si taglia e si butta nel fuoco. 20 Dunque, è dalle loro azioni che riconoscerete i falsi profeti ».

Condizioni per entrare nel regno di Dio
(vedi Luca 13, 25-27)

21 « Non tutti quelli che mi dicono: " Signore, Signore! " entreranno nel *regno di Dio. Vi entreranno soltanto quelli che fanno la volontà del Padre mio che è in cielo. 22 Quando verrà il giorno del *giudizio, molti mi diranno: " Signore, Signore! Tu sai che noi abbiamo parlato a tuo nome, e invocando il tuo nome abbiamo scacciato *demoni e abbiamo fatto molti *miracoli ".
23 Ma allora io dirò: " Non vi ho mai conosciuto. Andate via da me, gente malvagia! " ».

Le due case
(vedi Luca 6, 47-49)

24 « Chi ascolta queste mie parole e le mette in pratica, sarà simile a un uomo intelligente che ha costruito la sua casa sulla roccia. 25 È venuta la pioggia, sono straripati i fiumi, i venti hanno soffiato con violenza contro quella casa, ma essa non è crollata, perché le sue fondamenta erano sulla roccia.
26 Al contrario, chi ascolta queste mie parole e non le mette in pratica, sarà simile a un uomo sciocco che ha costruito la sua casa sulla sabbia. 27 È venuta la pioggia, sono straripati i fiumi, i venti hanno soffiato con violenza contro quella casa, e la casa è crollata. E la sua rovina è stata completa ».

Gesù insegna con autorità
(vedi Marco 1, 22; Luca 4, 32)

²⁸ Quando Gesù ebbe finito di parlare, la folla era molto meravigliata per questi suoi insegnamenti. ²⁹ Infatti egli era diverso dai loro *maestri della legge, perché insegnava come uno che possiede autorità.

Gesù guarisce un lebbroso
(vedi Marco 1, 40-45; Luca 5, 12-16)

8 ¹ Poi Gesù scese dal monte e molta gente lo seguì. ² Allora un *lebbroso si avvicinò, si mise in ginocchio davanti a lui e disse: « *Maestro, se vuoi, tu puoi guarirmi ». ³ Gesù lo toccò con la mano e gli disse: « Sì, lo voglio: guarisci! ». E subito la sua lebbra fu guarita. ⁴ Poi Gesù gli disse: « Ascolta! Non dire a nessuno quello che ti è capitato. Va' invece dal sacerdote e fatti vedere da lui: poi offri il sacrificio che Mosè ha stabilito nella *legge, per mostrare a tutti loro che sei guarito ».

Gesù guarisce il servo dell'ufficiale
(vedi Luca 7, 1-10; Giovanni 4, 46-54)

⁵ Quando Gesù entrò nella città di Cafàrnao, gli si avvicinò un ufficiale dell'esercito romano e si mise a chiedergli aiuto: « ⁶ *Maestro, il mio servitore è a casa paralizzato e soffre terribilmente ». ⁷ Gesù gli dice: « Verrò, e lo guarirò ». ⁸ Ma l'ufficiale rispose: « No, Signore, io non sono degno che tu entri in casa mia. Basta che tu dica una parola, e il mio servo sarà guarito. ⁹ Perché anch'io ho i miei superiori e ho dei soldati ai miei ordini: se dico a uno: " Vai! " egli va; se dico a un altro: " Vieni! ", quello viene; se dico al mio servitore: " Fai questo! ", egli lo fa ». ¹⁰ Ascoltando queste parole, Gesù rimase ammirato e disse a quelli che lo seguivano: « Vi assicuro che non ho incontrato nessuno, tra quelli che appartengono al popolo d'Israele, con una fede così grande! ¹¹ E io vi dico che saranno molti quelli che verranno da fuori, da oriente e da occidente, e si metteranno a tavola con Abramo, Isacco e Giacobbe nel *regno di Dio. ¹² Invece, quelli che dovevano restare nel regno saranno gettati fuori, nelle tenebre: là piangeranno come disperati ».

¹³ Poi disse all'ufficiale: « Torna a casa tua. Hai creduto,

e così sarà». E in quello stesso momento il servo fu
guarito.

Gesù guarisce la suocera di Pietro e molti altri
(vedi Luca 4, 38-41; Marco 1, 29-34)

[14] Poi Gesù entrò nella casa di Pietro. La suocera di Pietro
era a letto con la febbre: Gesù la vide, [15] toccò la sua
mano e la febbre se ne andò. Allora la donna si alzò e si
mise a servirlo.
[16] Quando fu sera, portarono a Gesù molte persone inde-
moniate. Con la sua parola, egli scacciò gli *spiriti maligni
e guarì tutti i malati.
[17] Così si adempiva ciò che Dio aveva detto per mezzo del
profeta Isaia:

Egli ha preso su di sé le nostre debolezze,
si è caricato di tutte le nostre sofferenze.

Gesù risponde a due che vogliono seguirlo
(vedi Luca 9, 57-62)

[18] C'era molta gente attorno a Gesù. Allora egli ordinò ai
*discepoli di andare all'altra riva del lago.
[19] Un *maestro della legge gli si avvicinò e disse: «Maestro,
io verrò con te dovunque andrai».
[20] Gesù gli rispose: «Le volpi hanno le loro tane e gli
uccelli i loro nidi; il *Figlio dell'uomo invece non ha un
posto dove possa riposare».
[21] Un altro dei discepoli disse a Gesù: «Signore, lascia che
prima vada a seppellire mio padre». [22] Ma Gesù gli rispose:
«Vieni con me! E lascia che i morti seppelliscano i loro
morti».

Gesù calma la tempesta
(vedi Marco 4, 35-41; Luca 8, 22-25)

[23] Gesù salì in barca e i suoi *discepoli lo accompagnarono.
[24] Improvvisamente sul lago si scatenò una grande tempesta,
e le onde erano tanto alte che coprivano la barca. Ma
Gesù dormiva. [25] I discepoli si avvicinarono a lui e lo
svegliarono gridando: «Signore, salvaci! Stiamo per morire!».
[26] Gesù rispose: «Perché avete paura, uomini di poca fede?».
Poi si alzò in piedi, sgridò il vento e l'acqua del lago, e
allora ci fu una grande calma.

²⁷ La gente rimase piena di stupore, e diceva: « Ma chi
è mai costui? Anche il vento e le onde del lago gli ubbidiscono! ».

Gesù guarisce gli indemoniati di Gadara
(vedi Marco 5, 1-20; Luca 8, 26-39)

²⁸ Quando Gesù arrivò sull'altra riva del lago, nel territorio
vicino a Gadara, due uomini uscirono da un cimitero e
gli vennero incontro. Erano due indemoniati, ma tanto fu-
riosi che nessuno poteva passare più per quella strada. ²⁹ Si
misero a urlare: « Che vuoi da noi, *Figlio di Dio? Sei
venuto qui a tormentarci prima del tempo? ».
³⁰ In quel luogo, a una certa distanza, c'era un branco di
porci al pascolo. ³¹ I *demoni chiesero con insistenza: « Se
ci vuoi scacciare, mandaci nel branco dei porci! ».
Gesù disse loro: « Andate! ».
³² Essi uscirono, ed entrarono nei porci. Subito tutto il
branco si mise a correre giù per la discesa e gli animali
morirono nell'acqua.
³³ Allora i guardiani dei porci fuggirono e andarono in città
a raccontare quello che era successo, anche il fatto degli
indemoniati.
³⁴ Allora tutta la gente della città venne a cercare Gesù;
quando lo videro, lo invitarono ad andar via dal loro
territorio.

Gesù guarisce un uomo paralitico
(vedi Marco 2, 1-12; Luca 5, 17-26)

9 ¹ Gesù salì in barca, rifece la traversata del lago e
tornò nella sua città. ² Qui, gli portarono un uomo
paralizzato steso su una barella. E Gesù, vedendo la fede
di questa gente, disse al *paralitico: « Coraggio, figlio mio,
i tuoi peccati sono perdonati ».
³ Allora alcuni *maestri della legge pensarono: « Costui bestemmia! ». ⁴ Ma Gesù capì subito i loro pensieri e disse:
« Perché pensate male di me? ⁵ È più facile dire: " I tuoi
peccati sono perdonati " o dire: " Alzati e cammina? ".
⁶ Sappiate che il *Figlio dell'uomo ha il potere sulla terra
di perdonare i peccati ». Poi si voltò verso il paralitico e
gli disse: « Alzati, prendi la tua barella e va' a casa ».
⁷ L'uomo si alzò e andò a casa sua.

⁸ Vedendo queste cose la folla fu presa da timore, e lodava Dio perché aveva dato un tale potere agli uomini.

Gesù chiama Matteo
(vedi Marco 2, 13-17; Luca 5, 27-32)

⁹ Passando per la via, Gesù vide un uomo, un certo Matteo, il quale stava seduto dietro il banco dove si pagavano le tasse. Gesù disse: « Vieni con me! », e quello si alzò e cominciò a seguirlo.

¹⁰ Più tardi, Gesù si trovava in casa di Matteo a mangiare. Erano venuti anche certi agenti delle tasse e altre persone di cattiva reputazione e si erano messi a tavola insieme con Gesù e i suoi discepoli. ¹¹ Vedendo questo fatto, i *farisei dicevano ai suoi discepoli: « Perché il vostro *maestro mangia con questi sfruttatori e con questa gentaglia? ».

¹² Gesù sentì e rispose: « I sani non hanno bisogno del medico; i malati, invece, ne hanno bisogno. ¹³ Andate a imparare che cosa significa quello che Dio dice nella *Bibbia: *Io desidero la misericordia, non i sacrifici.* Perché io non sono venuto a chiamare quelli che si credono giusti, ma quelli che si credono peccatori ».

La questione del digiuno
Il nuovo e il vecchio
(vedi Marco 2, 18-22; Luca 5, 33-39)

¹⁴ Un giorno si avvicinarono a Gesù i *discepoli di Giovanni il Battezzatore e gli domandarono: « Perché noi e i *farisei facciamo *digiuno e i tuoi discepoli, invece, non lo fanno? ».

¹⁵ Gesù rispose: « Vi pare possibile che gli invitati a un banchetto di nozze se ne stiano tristi mentre lo sposo è con loro? Ma verrà il tempo in cui lo sposo sarà portato via da loro: allora faranno digiuno.

¹⁶ Nessuno mette una pezza di stoffa nuova sopra un vestito vecchio; perché il tessuto nuovo strappa il vecchio, e il danno è anche peggiore.

¹⁷ E ancora: il vino nuovo non si mette in otri vecchi, altrimenti gli otri scoppiano, il vino si rovescia e gli otri sono rovinati. Invece, il vino nuovo si mette in otri nuovi, così si conservano sia l'uno che gli altri ».

La figlia del capo-sinagoga e la donna che tocca il mantello di Gesù

(vedi Marco 5, 21-43; Luca 8, 40-56)

[18] Mentre Gesù parlava di queste cose, arrivò un tale, un capo-sinagoga. Si avvicinò, si mise in ginocchio e disse: « Poco fa è morta mia figlia. Ti prego, vieni, metti la tua mano su di lei e vivrà di nuovo ». [19] Gesù si alzò e lo seguì insieme con i *discepoli. [20] Intanto, da dietro, una donna si accostò a Gesù e toccò la frangia del suo mantello. Da dodici anni questa donna perdeva sangue; [21] ma aveva pensato: « Se riesco anche solo a toccare il suo mantello, sarò guarita ».

[22] Gesù si voltò, la vide e le disse: « Coraggio, figlia mia, la tua fede ti ha salvata ». E da quel momento la donna fu guarita.

[23] Poi arrivarono alla casa del capo-sinagoga; Gesù vide la folla che faceva lamenti funebri e i suonatori di flauto. [24] Disse: « Andate via! La bambina non è morta, dorme ». Ma quelli ridevano di lui. [25] Quando la folla fu mandata fuori, Gesù entrò, prese la bambina per mano e quella si alzò. [26] E in tutto quel territorio la gente parlò di Gesù.

Gesù guarisce due ciechi

[27] Gesù passava di là, e due ciechi si misero a seguirlo gridando: « Pietà di noi, *Figlio di Davide! ». [28] Quando arrivò a casa, i ciechi gli andarono vicino e Gesù chiese: « Credete che io possa fare quello che mi domandate? ». Essi risposero: « Sì, Signore ».

[29] Allora egli toccò i loro occhi e disse: « Come avete creduto, così avvenga! ». [30] E i loro occhi cominciarono a vedere. Poi Gesù, parlando severamente disse loro: « Ascoltatemi bene: fate in modo che nessuno lo sappia! ». [31] Ma quelli, appena usciti, parlarono di lui in tutta la regione.

Gesù guarisce un muto

[32] Dopo che i due ciechi furono usciti, portarono a Gesù un uomo che non poteva parlare a causa di uno *spirito maligno. [33] Quando Gesù scacciò questo spirito, il muto si mise a parlare. La gente era piena di meraviglia e diceva: « Non si è mai visto niente di simile in Israele! ». [34] I *fa-

risei invece dicevano: « È il capo degli spiriti maligni che
gli dà il potere di scacciare gli spiriti! ».

Gesù si commuove vedendo la folla

35 Gesù passava per città e villaggi, insegnava nelle *sinagoghe e annunziava il *regno di Dio, guariva tutte le malattie e tutte le sofferenze. 36 Vedendo la folla, Gesù ebbe
compassione di quella gente, perché erano stanchi e sco-
raggiati, come pecore che non hanno un pastore. 37 Allora
disse ai *discepoli: « La messe da raccogliere è molta, ma
i contadini sono pochi. 38 Pregate dunque il padrone del
campo perché mandi contadini a raccogliere la sua messe ».

DISCORSO MISSIONARIO

I dodici apostoli
(vedi Marco 3, 13-19; Luca 6, 12-16)

10 1 Gesù chiamò i suoi dodici *discepoli e diede loro
il potere di scacciare gli *spiriti maligni, di guarire
tutte le malattie e tutte le sofferenze. 2 I nomi dei dodici
*apostoli sono questi: innanzitutto Simone, detto Pietro, e
suo fratello Andrea; Giacomo e Giovanni, figli di Zebedèo;
3 Filippo e Bartolomeo; Tommaso e Matteo, l'agente delle
tasse; Giacomo figlio di Alfeo e Taddeo. 4 Simone lo *zelota
e Giuda l'Iscariota, che poi fu il traditore di Gesù.

Gesù manda i discepoli in missione
(vedi Marco 6, 7-13; Luca 9, 1-6)

5 Gesù mandò questi dodici in missione dopo aver dato queste istruzioni: « Non andate fra gente straniera e non entrate nelle città della Samaria. 6 Andate invece fra la gente
smarrita del popolo d'Israele. 7 Lungo il cammino, annunziate che il *regno di Dio è vicino. 8 Guarite i malati, risu-
scitate i morti, sanate i *lebbrosi, scacciate i *demòni. Come
avete ricevuto gratuitamente, così date gratuitamente. 9 Non
procuratevi monete d'oro o d'argento o di rame da portare con voi. 10 Non prendete borse per il viaggio né abiti
di ricambio, né sandali, né bastone. Perché l'operaio ha
diritto di ricevere quello che gli è necessario.
11 Quando arrivate in una città o in un villaggio, informa-
tevi se c'è qualcuno adatto a ospitarvi, e restate da lui fino

a quando partirete da quel luogo. [12] Entrando in una casa dite: " La pace sia con voi! ". [13] Se quelli che vi abitano vi accolgono bene, la pace che avete augurato venga su di loro; se invece non vi accolgono bene, togliete il vostro saluto di pace. [14] Se qualcuno non vi accoglie e non ascolta le vostre parole, uscite da quella casa o da quella città e scuotete via la polvere dai vostri piedi. [15] Vi assicuro che nel giorno del *giudizio gli abitanti di quella città saranno puniti più severamente che quelli di *Sòdoma e *Gomorra ».

Gesù annunzia dolori e persecuzioni
(vedi Marco 13, 9-13; Luca 21, 12-17)

[16] « Ascoltate: io vi mando come pecore in mezzo ai lupi. Perciò siate prudenti come serpenti e semplici come colombe. [17] State in guardia, perché vi porteranno nei tribunali e nelle *sinagoghe e vi tortureranno. [18] Sarete trascinati davanti a governatori e re per causa mia, e sarete miei testimoni di fronte a loro e di fronte ai pagani. [19] Ma quando sarete arrestati, non preoccupatevi di quel che dovrete dire e di come dirlo. In quel momento Dio ve lo suggerirà. [20] Non sarete voi a parlare, ma sarà lo Spirito del Padre vostro che parlerà in voi.
[21] Allora ci sarà chi tradirà un fratello per farlo morire; i padri faranno lo stesso con i loro figli; i figli si ribelleranno contro i genitori e li faranno morire. [22] E voi sarete odiati da tutti per causa mia. Ma Dio salverà chi avrà resistito sino alla fine.
[23] Quando vi perseguiteranno in una città, fuggite in un'altra. Vi assicuro che il *Figlio dell'uomo verrà prima che siate passati in tutte le città d'Israele.
[24] Un *discepolo non è più grande del suo *maestro e un servo non è più grande del suo padrone. [25] È sufficiente che un discepolo diventi come il suo maestro e che un servitore diventi come il suo padrone. Se hanno chiamato " *Demonio " il capo-famiglia, useranno nomi anche peggiori per quelli della sua casa ».

Gesù invita a non aver paura
(vedi Luca 12, 2-7)

[26] « Dunque, non abbiate paura degli uomini. Tutto ciò che è nascosto sarà messo in luce, tutto ciò che è segreto sarà conosciuto. [27] Quello che io vi dico nel buio, voi ripetetelo

alla luce del giorno; quello che ascoltate sottovoce, gridatelo dai tetti. [28] Non abbiate paura di quelli che uccidono il corpo, ma non possono uccidere l'anima. Temete piuttosto Dio che può mandare in rovina sia il corpo che l'anima, all'inferno.
[29] Due passeri valgono un soldo: eppure nessun passero cade a terra se Dio, vostro Padre, non vuole. [30] Quanto a voi, Dio conosce anche il numero dei vostri capelli. [31] Perciò non abbiate paura, perché voi valete più di molti passeri! ».

Condizioni per seguire Gesù
(vedi Luca 12, 8-9.51-53; 14, 26-27)

[32] « Tutti quelli che dichiareranno pubblicamente di essere miei *discepoli, anch'io dichiarerò che sono miei, davanti al Padre mio che è in cielo. [33] Ma tutti quelli che pubblicamente diranno di non essere miei discepoli, anch'io dirò che non sono miei, davanti al Padre mio che è in cielo.
[34] Non pensate che io sia venuto a portare la pace nel mondo: io son venuto a portare non la pace, ma la discordia. [35] Infatti sono venuto a separare

il figlio dal padre,
la figlia dalla madre,
la nuora dalla suocera.
[36] *E ognuno avrà nemici*
anche nella propria famiglia.

[37] Perché chi ama suo padre e sua madre più di quanto ama me, non è degno di me; chi ama suo figlio o sua figlia più di me, non è degno di me. [38] Chi non prende la sua croce e non viene dietro a me, non è degno di me. [39] Chi cercherà di conservare la sua vita, la perderà; chi avrà perduto la propria vita per me, la ritroverà ».

La ricompensa
(vedi Marco 9, 41)

[40] « Chi accoglie voi, accoglie me; e chi accoglie me, accoglie il Padre che mi ha mandato. [41] Chi accoglie un *profeta per il fatto che è profeta di Dio, riceverà una ricompensa degna di un profeta. Chi accoglie un uomo giusto per il fatto che è giusto, riceverà una ricompensa degna di un giusto. [42] Chi darà anche solo un bicchiere d'acqua fresca a uno di questi piccoli perché è mio *discepolo, vi assicuro che riceverà la sua ricompensa ».

11 ¹ Quando ebbe finito di insegnare ai suoi dodici *discepoli, Gesù partì per andare a predicare e ad insegnare nelle città di quella regione.

Giovanni manda alcuni discepoli a interrogare Gesù
(vedi Luca 7, 18-23)

² Giovanni era in prigione, ma sentì parlare di quello che faceva il *Cristo. Allora gli mandò alcuni dei suoi *discepoli per domandargli: ³ « Sei tu quello che deve venire, o dobbiamo aspettare un altro? ».
⁴ Gesù rispose: « Andate a raccontare a Giovanni quello che udite e vedete: ⁵ *i ciechi vedono*, gli zoppi camminano, i *lebbrosi sono risanati, i sordi odono, i morti risorgono e *la salvezza viene annunziata ai poveri*. ⁶ Beato chi non perderà la fede in me ».

Gesù parla di Giovanni il Battezzatore
(vedi Luca 7, 24-30; 16, 16)

⁷ Mentre quelli se ne tornavano da Giovanni, Gesù cominciò a parlare di lui con la folla. Diceva: « Che cosa siete andati a vedere nel deserto? Una canna sbattuta dal vento? No? ⁸ Che cosa, allora? Un uomo vestito con abiti di lusso? Ma quelli che portano abiti di lusso stanno nei palazzi dei re! ⁹ Che cosa siete andati a vedere? Un *profeta? Sì. Anzi, ve l'assicuro, qualcosa di più che un profeta.
¹⁰ Dio dice di lui nella *Bibbia:
    Ecco il mio messaggero; io lo mando davanti a te:
    egli ti preparerà la strada.
¹¹ E vi assicuro che, tra gli uomini, nessuno è mai stato più grande di Giovanni il Battezzatore. Eppure, il più piccolo nel *regno di Dio è più grande di lui.
¹² Dal tempo di Giovanni il Battezzatore fino ad oggi, *il regno di Dio subisce violenza e sono i violenti che cercano di impadronirsene. ¹³ Tutti i profeti e tutta la *legge di Mosè hanno parlato del regno di Dio, fino al tempo di Giovanni. ¹⁴ E se volete credermi, è Giovanni quel profeta *Elia che deve tornare. ¹⁵ Chi ha orecchi, cerchi di capire! ».

Gesù giudica la gente del suo tempo
(vedi Luca 7, 31-35)

¹⁶ « A chi possiamo paragonare la gente d'oggi? Sono come bambini seduti in piazza, che dicono gli uni agli altri: ¹⁷ " Vi

abbiamo suonato col flauto una musica allegra, e non avete
ballato; vi abbiamo cantato un lamento funebre, e non avete
pianto ". [18] Allo stesso modo, è venuto Giovanni il Battezzatore il quale non mangiava e non beveva, e hanno detto
che era un indemoniato; [19] poi è venuto il *Figlio dell'uomo,
il quale mangia e beve, e dicono: " Questo è un mangione
e un beone, amico di quelli delle tasse e dei peccatori ".
Eppure la Sapienza di Dio è giunta e si manifesta nelle sue
opere ».

Gesù rimprovera e minaccia le città della Galilea
(vedi Luca 10, 13-16)

[20] Poi Gesù si mise a parlare severamente contro quelle città
nelle quali aveva compiuto la maggior parte dei suoi fatti
miracolosi: le rimproverava perché i loro abitanti non avevano cambiato vita. [21] Diceva: « Guai a te, città di Corazin!
Guai a te Betsàida! Perché, se i *miracoli avvenuti in mezzo
a voi fossero avvenuti a Tiro e a Sidone, da tempo, gli abitanti di quelle città pagane si sarebbero vestiti di sacco e
avrebbero messo cenere sul capo per mostrare che volevano
cambiar vita. [22] Perciò, vi assicuro che nel giorno del *giudizio le città di Tiro e Sidone saranno punite meno severamente di voi. [23] E tu, città di Cafàrnao,

> credi forse
> che Dio ti innalzerà fino al cielo?
> No, fino all'inferno precipiterai!

Perché, se i miracoli avvenuti in te fossero avvenuti a *Sòdoma, quella città esisterebbe ancora oggi. [24] Perciò, ti assicuro che nel giorno del giudizio Sòdoma sarà punita meno
severamente di te ».

Gesù ringrazia Dio Padre
(vedi Luca 10, 21-22)

[25] Allora Gesù pregò cosí: « Ti ringrazio Padre, Signore di
tutto l'universo. Ti ringrazio perché hai voluto far conoscere
a gente povera e semplice quelle cose che hai lasciato nascoste ai sapienti e agli intelligenti. [26] Sì, Padre, così tu hai
voluto.
[27] Il Padre ha messo tutto nelle mie mani. Nessuno conosce
il Figlio, se non il Padre. E nessuno conosce il Padre, se
non il Figlio e quelli ai quali il Figlio lo fa conoscere ».

Gesù offre riposo

[28] « Venite con me, tutti voi che siete stanchi e oppressi: io vi farò riposare. [29] Accogliete le mie parole e lasciatevi istruire da me. Io non tratto nessuno con violenza e sono buono con tutti. Voi troverete la pace, [30] perché quello che vi domando è per il vostro bene, quel che vi do da portare è un peso leggero ».

Gesù e la questione del sabato
(vedi Marco 2, 23-28; Luca 6, 1-5)

12 [1] Un giorno Gesù passava attraverso i campi di grano. Era *sabato, e i suoi *discepoli strapparono alcune spighe e le mangiarono perché avevano fame. [2] I *farisei se ne accorsero, e allora dissero a Gesù: « Guarda! I tuoi discepoli fanno ciò che la nostra *legge non permette di fare quando è sabato! ».

[3] Gesù rispose: « Ma non avete letto, nella *Bibbia, che cosa fece Davide un giorno che lui e i suoi compagni avevano fame? [4] Entrarono nel *santuario del tempio e mangiarono i pani offerti a Dio. Non avrebbero potuto mangiarli, perché la legge dice che soltanto i sacerdoti possono mangiare quei pani. [5] Oppure non avete letto nei libri della legge di Mosè che cosa fanno i sacerdoti? Quando è sabato, essi nel tempio non seguono la legge del riposo, eppure non sono colpevoli.

[6] Ebbene, io vi assicuro che qui c'è qualcuno che è più importante del tempio! [7] Se voi sapeste veramente il significato di queste parole della Bibbia:

   Voglio la misericordia, non i sacrifici,

non avreste condannato uomini senza colpa.

[8] Il Figlio dell'uomo è padrone del sabato ».

Gesù guarisce un uomo in giorno di sabato
(vedi Marco 3, 1-6; Luca 6, 6-16)

[9] Gesù andò via di là ed entrò nella *sinagoga. [10] Tra la gente c'era anche un uomo che aveva una mano paralizzata. Alcuni *farisei che cercavano il modo di accusare Gesù, gli fecero questa domanda: « La nostra *legge permette di guarire un uomo in giorno di *sabato? ». [11] Gesù rispose: « Se uno di voi ha soltanto una pecora e questa va a cadere in una fossa, in giorno di sabato, certo non l'abbandona nella

fossa, ma va e la tira fuori. ¹² E un uomo non vale molto
più di una pecora? Perciò, la nostra legge permette di fare
del bene a qualcuno, anche se è sabato».
¹³ Poi Gesù disse all'uomo malato: «Dammi la tua mano».
Egli ubbidì, e la sua mano ritornò perfettamente sana, come
l'altra.
¹⁴ Allora quei farisei uscirono dalla sinagoga e si radunarono
per decidere come far morire Gesù.

Gesù è il «servo di Dio» descritto dalla *Bibbia

¹⁵ Quando Gesù venne a sapere queste cose, andò in un altro
luogo. Molta gente lo seguì; ed egli guarì tutti i malati, ¹⁶ ma
raccomandò severamente di non dirlo a nessuno. ¹⁷ A questo
modo si realizzavano le parole contenute nel libro del profeta Isaia:
   ¹⁸ *Ecco il mio servo, quello che io ho scelto,*
      — *dice il Signore;*
      È lui che io amo, lui ho mandato.
      A lui darò il mio Spirito,
      e dirà a tutti i popoli che io li giudicherò.
   ¹⁹ *Non farà discussioni, non griderà,*
      non terrà discorsi nelle piazze.
   ²⁰ *Se una canna è incrinata, non la spezzerà;*
      se una lampada è debole, non la spegnerà.
      Farà sempre così, fino a quando non avrà fatto
         trionfare la giustizia;
   ²¹ *ed egli sarà per tutti i popoli una speranza.*

Gesù e il demonio
(vedi Marco 3, 22-30; Luca 11, 14-23)

²² Portarono a Gesù un uomo che era cieco e muto, perché
uno *spirito maligno era dentro di lui. Gesù lo guarì, e quello
si mise a parlare e a vedere. ²³ Le folle erano piene di meraviglia e dicevano: «Non sarà lui il *Figlio di Davide che
aspettiamo?».
²⁴ Ma quando i *farisei furono informati, dissero: «È con
l'aiuto di Beelzebùl, il capo dei *demòni, che egli riesce
a scacciare i demòni».
²⁵ Gesù conosceva i loro pensieri, e allora disse: «Se gli
abitanti di una nazione si dividono e si combattono tra
loro, quel regno viene distrutto. Se una città o una fa-

miglia si divide e le persone litigano tra loro, non potrà più durare. ²⁶ Se dunque Satana scaccia Satana, è in lotta contro se stesso, e il suo potere non può continuare. ²⁷ Voi dite che io scaccio i demoni con l'aiuto di Beelzebùl, il capo dei demòni, ma allora, con l'aiuto di chi li scacciano i vostri *discepoli? Perciò saranno proprio loro a mostrare che avete torto. ²⁸ Ma se invece è con lo Spirito di Dio che io scaccio i demòni, allora vuol dire che è giunto per voi il *regno di Dio.

²⁹ Come si può entrare nella casa di un uomo forte e portar via i suoi beni? Prima si deve legare quell'uomo forte! Poi si potrà portar via tutto dalla sua casa.

³⁰ Chi non è con me, è contro di me; e chi non raccoglie insieme con me, getta via il raccolto.

³¹ Perciò vi dico una cosa: tutti i peccati e tutte le cattive parole degli uomini potranno essere perdonati, ma chi parla contro lo *Spirito Santo non potrà essere perdonato. ³² Se uno avrà detto una parola contro il *Figlio dell'uomo potrà essere perdonato; ma chi avrà detto una parola contro lo Spirito Santo non troverà perdono, né ora né mai ».

L'albero e i frutti
(vedi Luca 6, 43-45)

³³ « Se prendete un albero buono, anche i suoi frutti saranno buoni; se prendete un albero cattivo, anche i suoi frutti saranno cattivi. Perché è dai frutti che si conosce la qualità dell'albero. ³⁴ E voi, razza di vipere, come potete dire cose buone, se siete cattivi? Perché dalla bocca esce quello che si ha nel cuore. ³⁵ L'uomo buono ha in sé un tesoro di bene, dal quale tira fuori cose buone; l'uomo cattivo ha in sé un tesoro di male, dal quale tira fuori cose cattive.

³⁶ Vi assicuro che nel giorno del *giudizio tutti dovranno render conto di ogni parola inutile che hanno detto. ³⁷ Perché saranno le vostre parole che vi porteranno a essere condannati o riconosciuti innocenti ».

Alcuni chiedono a Gesù un miracolo
(vedi Marco 8, 11-12; Luca 11, 29-32)

³⁸ Alcuni *maestri della legge e alcuni *farisei dissero a Gesù: « *Maestro, vorremmo che tu ci facessi vedere un segno *miracoloso ». ³⁹ Gesù rispose: « Siete malvagi e non siete fedeli a Dio, eppure volete vedere un segno miracoloso! No,

a voi non sarà dato nessun segno, eccetto uno: il segno del profeta Giona. [40] Come Giona rimase nel ventre del grande pesce tre giorni e tre notti, così il *Figlio dell'uomo rimarrà sepolto nella terra tre giorni e tre notti.

[41] Nel giorno del *giudizio, gli abitanti di *Nìnive si alzeranno e vi condanneranno; perché essi hanno cambiato vita quando hanno ascoltato la predicazione di Giona. Eppure, di fronte a voi c'è uno che è più grande di Giona!

[42] Nel giorno del giudizio la regina del sud si alzerà a condannarvi; perché ella venne da molto lontano per ascoltare le sagge parole del re Salomone. Eppure di fronte a voi c'è uno che è più grande di Salomone!».

Quando lo spirito maligno ritorna
(vedi Luca 11, 24-26)

[43] «Quando uno *spirito maligno è uscito da un uomo se ne va per luoghi deserti in cerca di riposo; ma non lo trova. [44] Allora dice: "Tornerò nella mia casa, quella che ho lasciato". Egli ci va e la trova vuota, pulita e bene ordinata. [45] Allora va a chiamare altri sette spiriti, più maligni di lui; poi, tutt'insieme, entrano e restano in quella casa. Così alla fine quell'uomo si trova in condizioni peggiori di prima. E così sarà anche per voi, gente malvagia».

La madre e i fratelli di Gesù
(vedi Marco 3, 31-35; Luca 8, 19-21)

[46] Gesù stava parlando alla folla. Sua madre e i suoi fratelli volevano parlare con lui, ma erano rimasti fuori. [47] Un tale disse a Gesù: «Qui fuori ci sono tua madre e i tuoi fratelli che vogliono parlare con te». [48] Gesù rispose: «Chi è mia madre? e chi sono i miei fratelli?». [49] Poi, con la mano, indicò i suoi *discepoli e disse: «Guardate: questi sono mia madre e i miei fratelli! [50] Perché se uno fa la volontà del Padre mio che è in cielo, egli è mio fratello, mia sorella e mia madre».

IL DISCORSO DELLE PARABOLE

Parabola del seminatore
(vedi Marco 4, 1-9; Luca 8, 4-8)

13 [1] Quel giorno, Gesù uscì di casa e andò a sedersi in riva al lago per insegnare. [2] Attorno a lui si radunò

una folla tanto grande che egli salì su una barca e si sedette. Tutta la gente rimase sulla riva.
³ Gesù parlava di molte cose servendosi di *parabole. Diceva: « Un contadino andò a seminare; ⁴ e mentre seminava,
alcuni semi andarono a cadere sulla strada: vennero gli uccelli e li mangiarono. ⁵ Altri semi, invece, andarono a finire
su un terreno dove c'erano molte pietre e poca terra: germogliarono subito perché la terra non era profonda, ⁶ ma il sole,
quando si levò, bruciò le pianticelle ed esse seccarono perché non avevano radici robuste. ⁷ Altri semi caddero in mezzo
alle spine e le spine, crescendo, soffocarono i germogli. ⁸ Ma
alcuni semi caddero in un terreno buono e diedero un frutto
abbondante: cento o sessanta o trenta volte di più.
⁹ Chi ha orecchi, cerchi di capire! ».

Perché Gesù usa le parabole
(vedi Marco 4, 10-12; Luca 8, 9-10)

¹⁰ Allora i *discepoli di Gesù si avvicinarono a lui e gli domandarono: « Perché, quando parli alla gente, usi le *parabole? ».
¹¹ Gesù rispose: « A voi Dio rivela i misteri del suo regno,
ma agli altri no. ¹² Perché chi ha molto, riceverà ancor di
più; a chi ha poco, invece, porteranno via anche quello che
ha. ¹³ Per questo parlo in parabole. Così guardano e non vedono, ascoltano e non capiscono. ¹⁴ Si realizza per loro la
profezia che è scritta nel libro del profeta Isaìa:

Ascolterete e non capirete — dice il Sìgnore —.
Guarderete e non vedrete.
¹⁵ Perché il cuore di questo popolo è diventato insensibile:
sono diventati duri d'orecchi,
hanno chiuso gli occhi,
per non vedere con gli occhi,
per non sentire con gli orecchi,
per non comprendere con il cuore,
per non tornare verso di me,
per non lasciarsi guarire da me.

¹⁶ Voi invece siete beati, perché i vostri occhi vedono e i vostri orecchi ascoltano. ¹⁷ Vi assicuro che molti *profeti e molti
uomini giusti desideravano vedere quello che voi vedete, ma
non l'hanno visto; desideravano udire quello che voi ascoltate, ma non l'hanno udito ».

Gesù spiega la parabola del seminatore
(vedi Marco 4, 13-20; Luca 8, 11-15)

¹⁸ Poi Gesù disse: « Ascoltate il significato della *parabola del seminatore. ¹⁹ Quelli che sentono parlare del *regno di Dio ma non capiscono, sono come la strada: viene il maligno e porta via quello che è stato seminato nel loro cuore. ²⁰ Altri sono come il terreno pietroso: ascoltano, sì, la parola che è seminata in loro e subito l'accolgono con gioia. ²¹ Ma non sono costanti, non lasciano che la parola metta veramente radici: se incontrano difficoltà o persecuzioni a causa della *parola di Dio, subito si lasciano andare. ²² Altri ancora sono come il terreno coperto di spine: ascoltano la parola di Dio, ma poi si lasciano prendere dalle preoccupazioni di questo mondo, dai piaceri e dalle illusioni della ricchezza; tutto questo soffoca la parola di Dio ed essa rimane senza frutto. ²³ Infine, alcuni sono come il terreno buono: ascoltano la parola, la capiscono e la fanno fruttificare, ed essa produce cento o sessanta o trenta volte di più ».

Parabola dell'erba cattiva

²⁴ Poi Gesù raccontò un'altra *parabola: « Il *regno di Dio è come la buona semente che un uomo fece seminare nel suo campo. ²⁵ Ma una notte, mentre i contadini dormivano, un suo nemico venne a seminare erba cattiva in mezzo al grano e poi se ne andò. ²⁶ Quando il grano cominciò a spuntare e a formare le spighe, si vide che era cresciuta in mezzo al grano anche erba cattiva. ²⁷ I contadini allora dissero al padrone: " Signore, tu avevi fatto seminare del buon grano nel tuo campo. Da dove viene questa erba cattiva? ".
²⁸ Egli rispose: " È stato un nemico a far questo! ".
I contadini gli domandarono: " Vuoi che andiamo a strapparla via? ".
²⁹ Ma egli rispose: " No! Perché così rischiate di strappare anche il grano buono insieme con l'erba cattiva. ³⁰ Lasciate che crescano insieme fino al giorno del raccolto. A quel momento io dirò ai mietitori: raccogliete prima l'erba cattiva e legatela in fasci per bruciarla; il grano invece mettetelo nel mio granaio " ».

Parabola del granello di senape
(vedi Marco 4, 30-32; Luca 13, 18-19)

31 Poi Gesù raccontò un'altra *parabola: « Il *regno di Dio
è simile a un granello di *senape che un uomo prese e se-
minò nel suo campo. 32 Esso è il più piccolo di tutti i semi,
ma quando è cresciuto, è più grande di tutte le piante del-
l'orto; diventa un albero, tanto grande che gli uccelli vengono a fare il nido in mezzo ai suoi rami ».

Parabola del lievito
(vedi Luca 13, 20-21)

33 Gesù disse ancora una *parabola: « Il *regno di Dio è simile a un po' di *lievito che una donna ha preso e ha mescolato in una grande quantità di farina, e a un certo punto
tutta la pasta è lievitata! ».

Gesù e le parabole
(vedi Marco 4, 33-34)

34 Gesù raccontava alla folla tutte queste cose usando sempre *parabole: e non parlava mai senza parabole. 35 A questo modo realizzava quello che dice un profeta nella *Bibbia:

> Io parlerò loro in parabole,
> annunzierò cose nascoste fin dalla creazione del
> mondo.

Gesù spiega la parabola dell'erba cattiva

36 Poi Gesù si allontanò dalla folla e andò a casa. Allora
i *discepoli si avvicinarono a lui e gli dissero: « Spiegaci
la *parabola dell'erba cattiva cresciuta nel campo ».
37 Gesù rispose: « Quello che semina la buona semente è il
*Figlio dell'uomo. 38 Il campo è il mondo. La buona semente
rappresenta quelli che appartengono al *regno di Dio. L'erba
cattiva rappresenta quelli che appartengono al *diavolo. 39 Il
nemico che l'ha seminata è il diavolo stesso. Il giorno del
raccolto è la fine di questo mondo. I mietitori sono gli
*angeli.
40 Come l'erba cattiva è raccolta e bruciata nel fuoco, così
si farà alla fine di questo mondo. 41 Il Figlio dell'uomo manderà i suoi angeli, ed essi porteranno via dal suo regno tutti
quelli che sono di ostacolo agli altri e quelli che fanno il

male. ⁴² Li getteranno nel grande forno di fuoco. Là piangeranno come disperati. ⁴³ Quelli che fanno la volontà di Dio,
invece, quel giorno, saranno splendenti come il sole nel regno di Dio Padre. Chi ha orecchi, cerchi di capire ».

Tre parabole

⁴⁴ « Il *regno di Dio è simile a un tesoro nascosto in un
campo. Un uomo lo trova, lo nasconde di nuovo, poi, pieno
di gioia corre a vendere tutto quello che ha e compera quel
campo.
⁴⁵ Il regno di Dio è simile anche a un mercante che va in
cerca di perle preziose. ⁴⁶ Quando ha trovato una perla di
grande valore, va a vendere tutto quello che ha e compera
quella perla.
⁴⁷ E ancora: il regno di Dio è simile a una rete gettata nel
mare, la quale ha raccolto pesci di ogni genere. ⁴⁸ Quando
è piena, i pescatori la tirano a riva, si siedono e mettono nei
cesti i pesci buoni; i pesci cattivi, invece, li buttano via.
⁴⁹ Così sarà alla fine di questo mondo: verranno gli angeli
e separeranno i malvagi dai buoni, ⁵⁰ per gettarli nel grande
forno di fuoco. Là essi piangeranno come disperati ».

Conclusione sulle parabole

⁵¹ Poi Gesù disse ai discepoli: « Avete capito tutte queste
cose? ». Risposero: « Sì, abbiamo capito ». ⁵² Ed egli disse:
« Perciò, se un *maestro della legge diventa *discepolo del
*regno di Dio, è come un capo-famiglia che dal suo tesoro
tira fuori cose vecchie e cose nuove ».

La gente di Nàzaret non crede in Gesù
(vedi Marco 6, 1-6; Luca 4, 16-30)

⁵³ Quando Gesù ebbe finito di raccontare queste *parabole,
partì da quel luogo. ⁵⁴ Andò nel villaggio dove era cresciuto
e si mise a insegnare nella *sinagoga. I suoi compaesani
erano molto meravigliati e dicevano: « Ma chi gli ha dato
questa sapienza e il potere di fare *miracoli? ⁵⁵ Non è il
figlio del falegname? Sua madre è Maria; i suoi fratelli sono
Giacomo, Giuseppe, Simone e Giuda; ⁵⁶ le sue sorelle abitano qui in mezzo a noi. Ma allora, come mai egli fa e dice
tutte queste cose? ». ⁵⁷ E per questi ragionamenti non si fida-

vano di lui. Ma Gesù disse loro: «Un *profeta è disprezzato soprattutto nella sua patria e nella sua casa». [58] E in quel luogo non fece molti miracoli perché la gente non aveva fede.

Morte di Giovanni il Battezzatore
(vedi Marco 6, 14-29; Luca 9, 7-9)

14 [1] In quel tempo governava in Galilea il re *Erode. Egli venne a sapere che Gesù era diventato famoso. [2] Disse allora ai suoi servi: «Questi è Giovanni il Battezzatore, che è risuscitato dai morti! Perciò ha il potere di fare i *miracoli».

[3] In realtà, qualche tempo prima, Erode aveva fatto arrestare Giovanni, l'aveva incatenato e messo in prigione. Il motivo era stata la faccenda di *Erodìade (la moglie di suo fratello Filippo); [4] perché Giovanni aveva detto a Erode: «Non è giusto che tu la tenga con te!».
[5] Allora Erode voleva ucciderlo, ma aveva paura della gente, perché tutti pensavano che Giovanni era un *profeta di Dio.
[6] Un giorno però ci fu la festa del suo compleanno, e la giovane figlia di *Erodìade si mise a danzare davanti agli invitati. La sua danza piacque talmente a Erode [7] che egli le fece una promessa e un giuramento: «Domanda quello che vuoi e io te lo darò».
[8] La madre le consigliò che cosa chiedere, e la ragazza disse: «Dammi qui, su un piatto, la testa di Giovanni il Battezzatore!».
[9] Il re fu molto dispiaciuto, ma poiché aveva giurato e c'erano lì presenti gli altri invitati, ordinò di darle quello che aveva chiesto. [10] Perciò mandò uno alla prigione a far tagliare la testa a Giovanni. [11] La testa fu portata su un piatto e consegnata alla ragazza; ed essa la diede a sua madre.
[12] I *discepoli di Giovanni andarono a prendere il corpo e lo seppellirono. Poi raccontarono il fatto a Gesù.

Gesù dà da mangiare a cinquemila uomini
(vedi Marco 6, 30-44; Luca 9, 10-17; Giovanni 6, 1-14)

[13] Quando sentì questa notizia, Gesù partì in barca per recarsi in un luogo deserto, lontano da tutti, ma la gente venne a saperlo e da varie città, a piedi, andarono dove stava andando Gesù.

14 Scendendo dalla barca, egli vide tutta quella folla ed ebbe compassione di loro e si mise a guarire i malati.
15 Verso sera, i *discepoli si avvicinarono a Gesù e gli dissero: « È già tardi e questo luogo è isolato. Lascia andare la gente: così nei villaggi qui nei dintorni potranno comprarsi qualcosa da mangiare ».
16 Ma Gesù disse loro: « Non hanno bisogno di andar via: dategli voi qualcosa da mangiare ».
17 Essi gli risposero: « Ma noi abbiamo soltanto cinque pani e due pesci ».
18 E Gesù disse: « Portateli qui a me ».
19 Allora Gesù ordinò di far sedere la folla sull'erba. Prese i cinque pani e i due pesci, alzò gli occhi al cielo e ringraziò Dio. Poi cominciò a spezzare i pani e a darli ai discepoli; e i discepoli li davano alla folla. 20 Tutti mangiarono e ne ebbero abbastanza. Alla fine, con i pezzi avanzati si riempirono dodici ceste. 21 Quelli che avevano mangiato erano circa cinquemila uomini, senza contare le donne e i bambini.

Gesù cammina sul lago
(vedi Marco 6, 45-52; Giovanni 6, 15-21)

22 Subito dopo Gesù fece salire in barca i *discepoli e ordinò loro di andare all'altra riva del lago senza di lui. Egli intanto avrebbe rimandato a casa la folla. 23 Dopo aver lasciato la folla, salì sul monte a pregare.
Venne la notte, e Gesù era ancora là, solo. 24 La barca era già molto lontana dalla spiaggia, ma aveva il vento contrario ed era sbattuta dalle onde.
25 Sul finire della notte, Gesù andò verso i suoi discepoli, camminando sul lago. 26 Quando essi lo videro che camminava sull'acqua, si spaventarono. Dicevano: « È un fantasma! » e gridavano di paura.
27 Ma subito Gesù parlò: « Coraggio, sono io! Non abbiate paura! ». 28 Pietro rispose: « Signore, se sei tu, dimmi di venire verso di te, sull'acqua ».
29 E Gesù gli disse: « Vieni! ». Pietro allora scese dalla barca e cominciò a camminare sull'acqua verso Gesù.
30 Ma vedendo la forza del vento, ebbe paura, cominciò ad affondare e gridò: « Signore! Salvami! ». 31 Gesù lo afferrò con la mano e gli disse: « Uomo di poca fede, perché hai dubitato? ».

⁵² Quando salirono insieme nella barca, il vento cessò. ³³ Allora gli altri che erano nella barca si misero in ginocchio di fronte a Gesù e dissero: « Tu sei veramente il *Figlio di Dio! ».

Gesù guarisce i malati nella regione di Genesaret
(vedi Marco 6, 53-56)

³⁴ Finirono la traversata del lago e arrivarono nella regione di *Genesaret. ³⁵ La gente del posto riconobbe Gesù e tutto intorno si sparse la voce che egli era arrivato. Allora gli portarono tutti i malati, ³⁶ e lo pregavano di lasciarsi toccare almeno l'orlo del mantello. E tutti quelli che lo toccavano erano guariti.

La tradizione degli uomini e i comandamenti di Dio
(vedi Marco 7, 1-13)

15 ¹ Alcuni *farisei e alcuni *maestri della legge vennero da Gerusalemme per incontrare Gesù e gli domandarono: ² « Prima di mangiare i tuoi *discepoli non fanno il rito della purificazione delle mani. Perché non rispettano la *tradizione religiosa dei nostri padri? ».
³ Gesù rispose: « E voi, perché non rispettate i comandamenti di Dio per seguire la vostra tradizione? ⁴ Dio ha detto: *Onora il padre e la madre.* E poi: *Chi parla male di suo padre o di sua madre deve essere condannato a morte.*
⁵⁻⁶ Voi invece insegnate che uno non ha più il dovere di aiutare suo padre e sua madre se dice che ha offerto a Dio quei beni che doveva usare per loro.
Così, per mezzo della vostra tradizione, voi fate diventare inutile la *parola di Dio. ⁷ Ipocriti! Il *profeta Isaia aveva ragione quando, parlando di voi, diceva:

⁸ *Questo popolo* — dice il Signore — *mi onora con le*
     labbra,
   ma il suo cuore è molto lontano da me.
⁹ *Il modo con cui mi onorano non ha valore,*
   perché insegnano come dottrina di Dio
   comandamenti che son fatti da uomini ».

Le cose che rendono impuro un uomo
(vedi Marco 7, 14-23)

¹⁰ Poi Gesù chiamò la folla e disse: « Ascoltate e cercate di capire. ¹¹ Non è ciò che entra nella bocca dell'uomo che può

farlo diventare *impuro. Piuttosto è ciò che esce dalla bocca:
questo può far diventare impuro l'uomo!».

¹² I discepoli si avvicinarono e gli dissero: «Sai che i *farisei si sono scandalizzati ascoltando le tue parole?».

¹³ Ma Gesù rispose: «Tutti gli alberi che non sono stati piantati dal Padre mio che è in cielo, saranno strappati. ¹⁴ Lasciateli dire! Sono ciechi che vogliono far da guida ad altri ciechi. E quando un cieco guida un altro cieco, tutti e due andranno a cadere in una fossa».

¹⁵ Allora Pietro disse: «Spiegaci questa *parabola».

¹⁶ Ma Gesù rispose: «Anche voi non riuscite ancora a capire? ¹⁷ Non capite che quello che entra in bocca va allo stomaco e quindi va a finire in una fogna? ¹⁸ Ciò che esce dalla bocca, invece, viene dal cuore dell'uomo e per questo può renderlo impuro. ¹⁹ Perché è dal cuore che vengono tutti i pensieri malvagi che portano al male: gli omicidii, i tradimenti tra marito e moglie, i peccati sessuali, i furti, le menzogne, gli insulti... ²⁰ Sono queste le cose che fanno diventare impuro l'uomo. Invece, mangiare senza purificarsi prima le mani, questo non fa diventare impuri».

La fede di una donna straniera
(vedi Marco 7, 24-30)

²¹ Poi Gesù partì di là e se ne andò nella regione di Tiro e Sidone. ²² Una donna pagana che viveva in quella regione si presentò a Gesù gridando: «Signore, *Figlio di Davide, abbi pietà di me! Mia figlia sta molto male, uno *spirito maligno la tormenta».

²³ Ma Gesù non rispondeva nulla. Si avvicinarono allora i suoi *discepoli e dissero: «Mandala a casa, perché continua a venirci dietro e a gridare».

²⁴ Gesù rispose: «Io sono stato mandato soltanto per le pecore sperdute del popolo d'Israele».

²⁵ Ma quella donna si metteva in ginocchio davanti a lui e diceva: «Signore, aiutami!».

²⁶ Allora Gesù rispose: «Non è giusto prendere il cibo dei figli e buttarlo ai cani».

²⁷ E la donna disse: «È vero, Signore. Ma i cani, sotto la tavola, possono mangiare le briciole che cadono ai loro padroni».

²⁸ Allora Gesù le disse: «O donna, davvero la tua fede è

grande! Accada come tu vuoi». E in quel momento sua
figlia guarì.

Gesù guarisce molti malati

29 Poi Gesù andò verso il lago di Galilea. Salì sopra una collina e si sedette. 30 Molta gente venne da lui portando zoppi,
storpi, ciechi, muti e molti altri malati. Li mettevano a terra,
vicino ai suoi piedi, ed egli li guariva. 31 E la gente era piena
di meraviglia perché vedeva che i muti si mettevano a parlare, gli storpi erano guariti, gli zoppi camminavano bene
e i ciechi riacquistavano la vista. Allora tutti lodavano il Dio
d'Israele.

Gesù dà da mangiare a quattromila uomini
(vedi Marco 8, 1-10)

32 Gesù chiamò i suoi *discepoli e disse: «Questa gente mi
fa pena. Sono già tre giorni che stanno con me e non hanno
più niente da mangiare. Non voglio mandarli a casa digiuni,
perché potrebbero sentirsi male lungo la strada».
33 I discepoli gli dissero: «Come potremo qui, in un luogo
deserto, trovare tanto pane per una folla così grande?».
34 E Gesù domandò: «Quanti pani avete?». Risposero:
«Sette, e pochi pesciolini».
35 Gesù ordinò alla folla di sedersi per terra. 36 Prese i sette
pani e i pesci, fece una preghiera di ringraziamento, spezzò
i pani e li diede ai discepoli. E i discepoli li davano alla
folla.
37 Tutti mangiarono e ne ebbero a sufficienza. Quando poi si
raccolsero gli avanzi, si riempirono sette ceste.
38 Quelli che avevano mangiato erano quattromila uomini,
senza contare le donne e i bambini. 39 Dopo aver rimandato
a casa la folla, Gesù salì in barca e andò nel territorio di
Magadàn.

Farisei e sadducei vogliono vedere un miracolo
(vedi Marco 8, 11-13; Luca 12, 54-56)

16 1 Alcuni *farisei e alcuni *sadducei andarono da Gesù.
Volevano metterlo alla prova, perciò gli domandarono
di far vedere un segno *miracoloso. 2 Ma Gesù rispose così:
«Quando si fa sera voi dite: " Il tempo sarà bello, perché
il cielo è rosso ". 3 E al mattino presto dite: " Oggi avremo

un temporale, perché il cielo è rosso scuro ". Dunque, sapete interpretare l'aspetto del cielo e non sapete capire il significato di ciò che accade? 4 Questa gente malvagia e infedele a Dio vuol vedere un segno miracoloso! Ma non vedrà nessun segno eccetto il segno del profeta Giona». Poi li lasciò e se ne andò.

I discepoli stentano a capire
(vedi Marco 8, 14-21)

5 Prima di andare all'altra riva, i *discepoli si erano dimenticati di prendere il pane. 6 Gesù disse loro: «State attenti! Tenetevi lontani dal *lievito dei *farisei e dei *sadducei!».
7 E i discepoli si misero a discutere tra loro: «Parla così perché ci siamo dimenticati di prendere il pane».
8 Ma Gesù si accorse di quello che dicevano e domandò: «Uomini di poca fede, perché state a discutere che non avete pane? 9 Non capite ancora? Non ricordate i cinque pani distribuiti a cinquemila uomini e le ceste avanzate? 10 Avete dimenticato i sette pani distribuiti ai quattromila uomini e le ceste riempite con gli avanzi raccolti? 11 Perché non capite che non stavo parlando di pane? Ho detto soltanto: state lontani dal lievito dei farisei e dei sadducei!».
12 Allora i discepoli capirono che non aveva parlato del lievito del pane, ma voleva dire di non fidarsi dell'insegnamento dei farisei e dei sadducei.

Pietro dichiara che Gesù è il Messia e il Figlio di Dio
(vedi Marco 8, 27-30; Luca 9, 18-21)

13 Gesù si trovava vicino alla città di Cesarèa, nella regione governata da Filippo. Chiamò i suoi *discepoli e domandò loro: «Che cosa pensa la gente del *Figlio dell'uomo? Chi dicono che egli sia?».
14 Risposero: «Alcuni dicono che è Giovanni il Battezzatore, tornato in vita; altri dicono che è il profeta *Elia, o Geremia, o uno degli antichi profeti».
15 Gesù domandò ancora: «E voi, che dite? Chi sono io?».
16 Simon Pietro rispose: «Tu sei il *Messia, il *Cristo; il *Figlio del Dio vivente».
17 Allora Gesù gli disse: «Beato te, Simone figlio di Giona, perché non hai scoperto questa verità con forze umane, ma essa ti è stata rivelata dal Padre mio che è in cielo. 18 E io

ti assicuro che tu sei Pietro e su di te, come su una pietra, io costruirò la mia Chiesa. E nemmeno la potenza della morte potrà distruggerla. ¹⁹ Io ti darò le chiavi del *regno di Dio: tutto ciò che tu sulla terra dichiarerai proibito, sarà proibito anche in cielo; tutto ciò che tu permetterai sulla terra, sarà permesso anche in cielo ».

²⁰ Poi Gesù ordinò ai discepoli di non dire a nessuno che egli era il Messia.

Gesù annunzia la sua morte e risurrezione
Il rimprovero di Pietro
(vedi Marco 8, 31-33; Luca 9, 22)

²¹ Da quel momento Gesù cominciò a spiegare ai *discepoli ciò che gli doveva capitare. Diceva: « È necessario che io vada a Gerusalemme; gli *anziani del popolo, i capi dei sacerdoti e i *maestri della legge mi faranno soffrire molto, poi sarò ucciso, ma al terzo giorno risusciterò ».

²² A queste parole, Pietro prese da parte Gesù e si mise a rimproverarlo: « Dio non voglia, Signore! No, questo non ti accadrà mai! ».

²³ Gesù si voltò verso Pietro e disse: « Va' via, lontano da me, Satana. Tu sei un ostacolo per me, perché non ragioni come Dio, ma come gli uomini ».

Condizioni per seguire Gesù
(vedi Marco 8, 34—9, 1; Luca 9, 23-27)

²⁴ Poi Gesù disse ai suoi *discepoli: « Se qualcuno vuol venire con me, smetta di pensare a se stesso, prenda la sua croce e mi segua. ²⁵ Chi pensa soltanto a salvare la propria vita, la perderà; chi invece è pronto a sacrificare la propria vita per me, la ritroverà. ²⁶ Se un uomo riesce a guadagnare anche il mondo intero, ma perde la vita, che vantaggio ne avrà? Oppure c'è qualcosa che un uomo potrà dare per riavere, in cambio, la propria vita?

²⁷ Il *Figlio dell'uomo ritornerà con la gloria di Dio Padre, insieme con i suoi *angeli. Allora egli darà a ciascuno la ricompensa in base a quello che ciascuno avrà fatto. ²⁸ Vi assicuro che alcuni tra coloro che sono qui presenti non moriranno prima di aver visto venire il Figlio dell'uomo e il suo regno ».

La trasfigurazione:
Gesù manifesta la sua gloria a tre discepoli
(vedi Marco 9, 2-13; Luca 9, 28-36)

17 ¹ Sei giorni dopo, Gesù prese con sé tre *discepoli, Pietro, Giacomo e Giovanni fratello di Giacomo, e li condusse su un alto monte, in un luogo solitario. ² Là, di fronte a loro, Gesù cambiò d'aspetto: il suo volto si fece splendente come il sole e i suoi abiti diventarono bianchissimi, come di luce. ³ Poi i discepoli videro anche Mosè e il profeta *Elia: stavano accanto a Gesù e parlavano con lui. ⁴ Allora Pietro disse a Gesù: «Signore, è bello per noi stare qui. Se vuoi preparerò tre tende: una per te, una per Mosè e una per Elia».

⁵ Stava ancora parlando, quando apparve una nuvola luminosa che li avvolse con la sua ombra. Poi, dalla nuvola venne una voce che diceva: «Questo è il Figlio mio, che io amo. Io l'ho mandato. Ascoltatelo!».

⁶ A queste parole, i discepoli furono talmente spaventati che si buttarono con la faccia a terra. ⁷ Ma Gesù si avvicinò, li toccò e disse: «Alzatevi. Non abbiate paura!». ⁸ Alzarono gli occhi, e non videro più nessuno: c'era soltanto Gesù.

⁹ Mentre scendevano dal monte, Gesù diede quest'ordine ai discepoli: «Non dite a nessuno quello che avete visto, fino a quando il *Figlio dell'uomo sarà risuscitato dai morti».

¹⁰ Poi i discepoli fecero una domanda a Gesù: «Perché i *maestri della legge dicono che prima di tutto deve tornare il profeta Elia?». ¹¹ Egli rispose: «È vero, prima deve venire Elia per mettere in ordine ogni cosa. ¹² Vi assicuro però che Elia è già venuto, ma non l'hanno riconosciuto e gli hanno fatto quello che hanno voluto. Perciò, faranno soffrire anche il Figlio dell'uomo». ¹³ Allora i discepoli capirono che aveva parlato di Giovanni il Battezzatore.

Gesù guarisce un ragazzo tormentato da uno spirito maligno
(vedi Marco 9, 14-29; Luca 9, 37-43a)

¹⁴ Quando arrivarono in mezzo alla gente, un uomo si avvicinò a Gesù, si mise in ginocchio davanti a lui ¹⁵ e disse: «Signore, abbi pietà di mio figlio. È *epilettico, e quando ha una crisi spesso cade nel fuoco o nell'acqua. ¹⁶ L'ho fatto vedere ai tuoi *discepoli, ma non sono riusciti a guarirlo».

¹⁷ Allora Gesù rispose: « Gente malvagia e senza fede! Fino a quando resterò ancora con voi? Per quanto tempo dovrò sopportarvi? Portatemi qui il ragazzo ». ¹⁸ Gesù minacciò lo *spirito maligno: quello uscì dal ragazzo, e da quel momento il ragazzo fu guarito.

¹⁹ Allora i discepoli si avvicinarono a Gesù, lo presero da parte e gli domandarono: « Perché noi non siamo stati capaci di scacciare quello spirito maligno? ».

²⁰ Gesù rispose: « Perché non avete fede. Se avrete tanta fede quanto un granello di senape, potrete dire a questo monte: " Spostati da qui a là " e il monte si sposterà. Niente sarà impossibile per voi. ²¹ [Ma questa specie di demoni può essere scacciata solo a forza di preghiera e di digiuno »].

Per la seconda volta
Gesù annunzia la sua morte e risurrezione
(vedi Marco 9, 30-32; Luca 9, 43b-45)

²² Un giorno che i *discepoli erano tutti assieme in Galilea, Gesù disse: « Il *Figlio dell'uomo sta per essere consegnato nelle mani degli uomini, ²³ ed essi lo uccideranno; ma il terzo giorno risusciterà ». Allora i discepoli diventarono molto tristi.

Gesù e Pietro pagano la tassa per il tempio

²⁴ Poi andarono a Cafàrnao. Là, alcuni esattori della tassa del tempio si avvicinarono a Pietro e gli domandarono: « Il vostro *maestro non paga la tassa? ». ²⁵ Pietro rispose: « Sì, la paga ».

Quando entrarono in casa, Gesù parlò per primo e disse a Pietro: « Simone, dimmi il tuo parere: chi deve pagare le tasse ai re di questo mondo, gli estranei o i figli dei re? ».

²⁶ Pietro rispose: « Gli estranei ».

Allora Gesù continuò: « Perciò i figli non sono obbligati a pagare le tasse. ²⁷ Ma non dobbiamo dare scandalo: va' dunque in riva al lago, getta l'amo per pescare, e il primo pesce che abbocca, tiralo fuori; aprigli la bocca e ci troverai una moneta d'argento. Prendi la moneta e paga la tassa per me e per te ».

DISCORSO SULLA VITA COMUNITARIA

Chi è il più grande?
(vedi Marco 9, 33-37; Luca 9, 46-48)

18 ¹ In quel momento i *discepoli si avvicinarono a Gesù e gli domandarono: « Chi è il più grande nel *regno di Dio? ».

² Gesù chiamò un bambino, lo mise in mezzo a loro ³ e disse: « Vi assicuro che se non cambiate e non diventate come bambini, non entrerete nel regno di Dio. ⁴ Chi si fa piccolo come questo bambino, quello è il più grande nel regno di Dio. ⁵ E chi, per amor mio, accoglie un bambino come questo, accoglie me ».

Contro ogni occasione di male
(vedi Marco 9, 42-48; Luca 17, 1-2)

⁶ « Ma se qualcuno farà perdere la fede a una di queste persone semplici che credono in me, sarebbe meglio per lui che gli legassero al collo una pietra da mulino e lo buttassero in fondo al mare.

⁷ È triste che nel mondo ci sia gente che spinge gli altri al male. Ce ne saranno sempre, ma guai a quelli che spingono gli altri al male!

⁸ Se la tua mano e il tuo piede ti fanno compiere il male, tagliali e gettali via; è meglio per te entrare nella vera vita senza una mano o senza un piede, piuttosto che essere buttati all'inferno, nel fuoco senza fine, con due mani e due piedi.

⁹ Se il tuo occhio ti fa compiere il male, strappalo e gettalo via: è meglio per te entrare nella vera vita con un occhio solo, piuttosto che essere gettato nel fuoco dell'inferno con tutti e due gli occhi ».

Parabola della pecora perduta e ritrovata
(vedi Luca 15, 3-7)

¹⁰ « State attenti! Non disprezzate nessuna di queste persone semplici nella fede, perché vi dico che in cielo i loro *angeli vedono continuamente il Padre mio, che è in cielo. [¹¹]

¹² Provate a pensare: se un tale possiede cento pecore e gli accade che una si perde, che cosa farà? Non lascerà le altre novantanove sui monti per andare a cercare quella pecora

che si è perduta? [13] E se poi la trova, vi assicuro che sarà più contento per questa pecora che non per le altre novantanove che non si erano perdute. [14] Allo stesso modo, il Padre vostro che è in cielo, vuole che nessuna di queste persone semplici vada perduta ».

Come si corregge un fratello che sbaglia

[15] « Se un tuo fratello ti fa del male, va' a trovarlo e mostragli il suo errore, ma senza farlo sentire ad altri. Se ti ascolta, avrai ricuperato tuo fratello.

[16] Se invece non vuole ascoltarti, fatti accompagnare da una o due persone, perché sia fatto come dice la *Bibbia: Ogni questione si risolva con la testimonianza di due o tre persone.

[17] Se non vuole ascoltare nemmeno loro, va' a riferire il fatto alla comunità dei credenti. Se poi non ascolterà neppure la comunità, consideralo come un pagano o un estraneo ».

Valore della preghiera comunitaria

[18] « Vi assicuro che tutto quello che voi avrete proibito sulla terra, sarà proibito anche in cielo, tutto quello che voi permetterete sulla terra, sarà permesso anche in cielo. [19] E ancora, vi assicuro che se due di voi, in terra, si troveranno d'accordo su ciò che debbono fare e chiederanno aiuto nella preghiera, il Padre mio che è in cielo glielo concederà. [20] Perché se due o tre si riuniscono per invocare il mio nome, io sono in mezzo a loro ».

Il perdono. Parabola del servo crudele
(vedi Luca 17, 4)

[21] Allora Pietro si avvicinò a Gesù e gli domandò: « Signore, quante volte dovrò perdonare a un mio fratello che mi fa del male? Fino a sette volte? ».

[22] Rispose Gesù: « No, non dico fino a sette volte, ma fino a settanta volte sette!

[23] Perché il *regno di Dio è così. Un re decise di controllare i servi che avevano amministrato i suoi beni. [24] Stava facendo i suoi conti, quando gli portarono un servitore che doveva pagargli diecimila monete d'oro.

[25] Ma costui non poteva pagare, e per questo il re ordinò

di venderlo come schiavo e di vendere anche sua moglie, i suoi figli e quello che possedeva, per fargli pagare il debito.

²⁶ Allora il servitore si inginocchiò davanti al re e si mise a pregarlo: " Abbi pazienza con me, e ti pagherò tutto! ".
²⁷ Il re ebbe pietà di lui: cancellò il suo debito e lo lasciò andare.

²⁸ Il servitore uscì per la via, incontrò un suo compagno che doveva pagargli una piccola somma di denaro. Lo prese per il collo e lo stringeva fino a soffocarlo mentre diceva: " Paga quello che mi devi! ".

²⁹ L'altro cadde ai suoi piedi e si mise a supplicarlo: " Abbi pietà con me, e ti pagherò ". ³⁰ Ma costui non volle saperne, anzi lo fece mettere in prigione fino a quando non avesse pagato tutto il debito.

³¹ Gli altri servitori videro queste cose e rimasero molto dispiaciuti. Andarono dal re, gli raccontarono tutto quello che era accaduto. ³² Allora il re chiamò di nuovo quel servitore e gli disse: " Servo crudele! Io ti ho perdonato quel debito enorme perché tu mi hai supplicato. ³³ Dovevi anche tu aver pietà del tuo compagno, così come io ho avuto pietà di te ".
³⁴ Poi, pieno di collera, lo fece mettere in prigione fino a quando non avesse pagato tutto il debito».

³⁵ E Gesù aggiunse: «Così il Padre mio che è in cielo farà con ciascuno di voi, se non perdonerete generosamente al vostro fratello».

Matrimonio e divorzio
(vedi Marco 10, 1-12)

19 ¹ Quando Gesù ebbe finito di parlare lasciò la Galilea e andò verso i confini della Giudea, al di là del fiume Giordano. ² Grandi folle lo seguivano ed egli guariva i malati.

³ Si avvicinarono a lui alcuni che erano del gruppo dei *farisei. Volevano metterlo in difficoltà, perciò gli domandarono: «Un uomo può cacciar via la propria moglie per un motivo qualsiasi?».
⁴ Gesù rispose: «Non avete letto ciò che dice la *Bibbia? Dice che Dio fin dal principio *li fece maschio e femmina*, ⁵ e che *per questo l'uomo lascerà suo padre e sua madre e si unirà alla sua donna e saranno una cosa sola. ⁶ Così, essi*

non sono più due ma un unico essere. Perciò l'uomo non deve separare ciò che Dio ha unito ».

⁷ I *farisei gli domandarono: « Perché dunque Mosè ha comandato all'uomo di *scrivere una dichiarazione di divorzio e mandarla via?* ».

⁸ Gesù rispose: « Mosè vi ha permesso di mandar via le vostre donne perché voi avete il cuore duro; ma al principio non era così. ⁹ Ora io vi dico: se uno manda via la propria donna — salvo il caso di una relazione illegale — e poi ne sposa un'altra, commette adulterio ».

Matrimonio e celibato

¹⁰ Allora i suoi *discepoli gli dissero: « Se questa è la condizione dell'uomo che si sposa, è meglio non sposarsi ».

¹¹ Gesù rispose: « Non tutti capiscono questo insegnamento; lo accolgono soltanto quelli ai quali Dio dà la capacità di farlo.

¹² Vi sono diversi motivi per cui certe persone non si sposano: per alcuni vi è un'impossibilità fisica, fin dalla nascita; altri sono incapaci di sposarsi perché gli uomini li hanno fatti diventare così; altri, poi, non si sposano per servire meglio il *regno di Dio. Chi può capire, cerchi di capire ».

Gesù benedice i bambini
(vedi Marco 10, 13-16; Luca 18, 15-17)

¹³ Alcune persone portarono dei bambini a Gesù: gli domandavano di posare le sue mani su di loro e di pregare per loro. Ma i *discepoli li rimproveravano. ¹⁴ Gesù, invece, disse: « Lasciate quei bambini, non impedite che vengano a me, perché il *regno di Dio appartiene a quelli che sono come loro ». ¹⁵ E posò le mani sui bambini. Poi se ne andò da quel luogo.

Gesù incontra un uomo ricco
Discussione sulla ricchezza
(vedi Marco 10, 17-31; Luca 18, 18-30)

¹⁶ Un giovane si avvicinò a Gesù e gli domandò: « *Maestro, che cosa devo fare di buono per avere la vita eterna? ».

¹⁷ Ma Gesù gli disse: « Perché mi fai una domanda su ciò che è buono? Dio solo è buono. Ma se vuoi entrare nella vita eterna, ubbidisci ai comandamenti ».

¹⁸ Domandò: « Quali comandamenti? ».

Gesù rispose:

> « *Non uccidere;*
> *Non commettere adulterio;*
> *Non rubare;*
> *Non dire il falso contro nessuno;*
> ¹⁹ *Rispetta tuo padre e tua madre;*
> *ama il prossimo come te stesso* ».

²⁰ Quel giovane disse: « Io ho sempre ubbidito a tutti questi comandamenti: che cosa mi manca ancora? ».

²¹ E Gesù gli rispose: « Per essere perfetto, vai a vendere tutto quello che hai, e i soldi che ricavi dalli ai poveri. Allora avrai un tesoro in cielo. Poi, vieni e seguimi ».

²² Ma dopo aver ascoltato queste parole, il giovane se ne andò via con la faccia triste, perché era molto ricco.

²³ Allora Gesù disse ai suoi *discepoli: « Vi assicuro che difficilmente un ricco entrerà nel *regno di Dio. ²⁴ Anzi, vi assicuro che se è difficile per un cammello passare attraverso la cruna di un ago, è ancor più difficile per un ricco riuscire a entrare nel regno di Dio ».

²⁵ I discepoli rimasero molto meravigliati di quello che avevano sentito e dissero: « Ma allora chi potrà mai salvarsi? ».

²⁶ Gesù li guardò fisso e rispose: « Per gli uomini è una cosa impossibile, ma per Dio tutto è possibile ».

²⁷ Allora parlò Pietro e disse: « E noi? Noi abbiamo abbandonato tutto per venire con te. Che cosa dobbiamo aspettarci? ».

²⁸ Gesù rispose: « Vi assicuro che nel nuovo mondo, quando il *Figlio dell'uomo sarà sul suo trono glorioso, voi che mi avete seguito starete su dodici troni per giudicare le dodici tribù d'Israele. ²⁹ E tutti quelli che, per causa mia, avranno abbandonato fratelli e sorelle, padre e madre, case o campi, riceveranno cento volte di più e avranno in eredità la vita eterna.

³⁰ Molti che ora sono i primi, saranno gli ultimi, e molti che ora sono gli ultimi, saranno i primi ».

Parabola degli operai nella vigna

20 ¹ « Così, infatti, è il *regno di Dio. Un tale aveva una grande vigna e una mattina, molto presto, uscì in piazza per prendere a giornata degli uomini da mandare a lavorare nella sua vigna. ² Fissò con loro la paga normale: una moneta d'argento al giorno; e li mandò al lavoro.

³ Verso le nove del mattino tornò in piazza e vide che c'erano altri uomini disoccupati. ⁴ Gli disse: " Andate anche voi nella mia vigna; vi pagherò quello che è giusto ". ⁵ E quelli andarono.

Anche verso mezzogiorno e poi verso le tre del pomeriggio fece la stessa cosa. ⁶ Verso le cinque di sera uscì ancora una volta e trovò altri uomini. Disse: " Perché state qui tutto il giorno senza far niente? ".

⁷ E quelli risposero: " Perché nessuno ci ha preso a giornata ".

Allora disse: " Andate anche voi nella mia vigna ".

⁸ Quando fu sera, il padrone della vigna disse al suo fattore: " Chiama gli uomini e da' loro la paga, cominciando da quelli che son venuti per ultimi ". ⁹ Chiamò dunque quelli che eran venuti alle cinque di sera, e diede una moneta d'argento a ciascuno. ¹⁰ Gli uomini che avevano cominciato per primi, credevano di prendere di più. Invece, anche a loro fu data una moneta d'argento, ciascuno.

¹¹ Allora cominciarono a brontolare contro il padrone. ¹² Dicevano: " Questi sono venuti per ultimi, hanno lavorato soltanto un'ora, e tu li hai pagati come noi che abbiamo faticato tutto il giorno, al caldo ".

¹³ Rispondendo a uno di loro, il padrone disse: " Amico, io non ti ho imbrogliato: l'accordo era che ti avrei pagato una moneta d'argento, o no? ¹⁴ Allora prendi la tua paga e sta' zitto. Io voglio dare a questo, che è venuto per ultimo, quello che ho dato a te. ¹⁵ Non posso fare quello che voglio con i miei soldi? O forse sei invidioso perché io son generoso con loro? " ».

¹⁶ Poi Gesù disse: « Così, quelli che sono gli ultimi saranno i primi, e quelli che sono i primi saranno gli ultimi ».

Per la terza volta
Gesù annunzia la sua morte e risurrezione
(vedi Marco 10, 32-34; Luca 18, 31-34)

¹⁷ Gesù stava camminando verso Gerusalemme. Lungo la via, egli prese da parte i dodici *discepoli e disse loro: ¹⁸ « Ecco, ora saliamo verso Gerusalemme: là il *Figlio dell'uomo sarà dato nelle mani dei capi dei sacerdoti e dei *mae-

stri della legge. Essi lo condanneranno a morte [19] e poi lo
consegneranno ai pagani. I pagani gli rideranno in faccia,
lo prenderanno a frustate e lo inchioderanno su una croce.
Ma il terzo giorno egli risusciterà ».

Due discepoli chiedono i primi posti
(vedi Marco 10, 35-45)

[20] Allora la moglie di Zebedèo, insieme con i suoi due figli,
si avvicinò a Gesù e si gettò ai suoi piedi per chiedergli
qualcosa.
[21] Gesù le disse: « Che cosa vuoi? ».
E la donna: « Promettimi che questi miei figli saranno uno
alla tua destra e uno alla tua sinistra quando tu sarai re ».
[22] Gesù rispose: « Voi non sapete quel che chiedete! Siete
pronti a bere quel calice di dolore che berrò io tra poco? ».
I due fratelli risposero: « Siamo pronti! ».
[23] E Gesù: « Sì, certamente anche voi berrete il mio calice.
Ma non posso promettere chi sarà seduto alla mia destra
e alla mia sinistra. Quei posti sono per quelli ai quali il Padre mio li ha preparati ».
[24] Gli altri dieci *discepoli avevano udito tutto e si arrabbiarono contro i due fratelli. [25] Ma Gesù li chiamò attorno
a sé e disse: « Voi sapete che i capi dei popoli comandano
come duri padroni; le persone potenti fanno sentire con la
forza il peso della loro autorità. [26] Ma tra di voi non deve
essere così! Anzi, se uno tra di voi vuole essere grande, si
faccia servitore degli altri. [27] Se uno vuole essere il primo,
si faccia schiavo degli altri.
[28] Perché anche il *Figlio dell'uomo è venuto non per farsi
servire, ma per servire e per dare la sua vita come riscatto
per la liberazione degli uomini ».

Gesù guarisce due ciechi
(vedi Marco 10, 46-52; Luca 18, 35-43)

[29] Mentre uscivano dalla città di Gèrico, una grande folla
seguiva Gesù. [30] Sul bordo della strada stavano seduti due
ciechi. Quando sentirono che passava Gesù, si misero a gridare: « Signore, *Figlio di Davide, abbi pietà di noi! ».
[31] La gente li sgridava e cercava di farli star zitti, ma quelli
gridavano ancora più forte: « Signore, Figlio di Davide, abbi
pietà di noi! ».

³² Gesù si fermò, li fece chiamare e disse: «Che cosa volete? Cosa dovrei fare per voi?».
³³ Quelli risposero: «Signore, fa' che i nostri occhi possano vedere!».
³⁴ Gesù ebbe compassione di loro: toccò i loro occhi e subito i ciechi furono guariti. Poi cominciarono a seguire Gesù.

Gesù entra in Gerusalemme: entusiasmo della folla
(vedi Marco 11, 1-11; Luca 19, 28-40; Giovanni 12, 12-19)

21 ¹ Gesù e i *discepoli stavano avvicinandosi a Gerusalemme. Quando arrivarono al villaggio di Bètfage, vicino al Monte degli Ulivi, Gesù mandò avanti due discepoli ² con queste istruzioni: «Andate nel villaggio che è di fronte a voi. Appena entrerete, troverete un'asina e il suo puledro, legati. Slegateli e portateli a me. ³ E se qualcuno vi domanda qualcosa, dite così: "È il Signore che ne ha bisogno, ma poi li rimanda indietro subito"».
⁴ Con questi fatti, si compiva ciò che Dio aveva detto per mezzo del profeta:

⁵ *Dite a Gerusalemme:*
guarda, viene il tuo re!
Egli è umile,
viene a voi su un'asina,
su un asinello puledro di un'asina.

⁶ I due discepoli partirono e fecero come Gesù aveva ordinato. ⁷ Portarono l'asina e il puledro, gli misero addosso i mantelli e Gesù vi montò sopra.
⁸ La folla era grandissima. Alcuni stendevano sulla strada i loro mantelli, altri tagliavano rami dagli alberi e facevano come un tappeto. ⁹ La gente che camminava davanti a Gesù e quella che veniva dietro, gridava:

«*Osanna! Gloria a Dio!*
Benedetto colui che viene in nome del Signore!
Gloria a Dio nell'alto dei cieli!».

¹⁰ Quando Gesù entrò in Gerusalemme, tutta la città fu in agitazione. Dicevano: «Ma chi è costui?». ¹¹ La folla rispondeva: «È il *profeta!». «È Gesù, quello che viene da Nàzaret di Galilea».

Gesù scaccia i mercanti dal tempio
(vedi Marco 11, 15-19; Luca 19, 45-48; Giovanni 2, 13-22)

¹² Poi Gesù entrò nel cortile del tempio. Cacciò via tutti quelli che stavano lì a vendere e a comprare: buttò all'aria i tavoli di quelli che cambiavano i soldi, e rovesciò le sedie dei venditori di colombe. ¹³ E disse loro: « Nella *Bibbia Dio dice: *La mia casa sarà casa di preghiera; voi invece la fate diventare un covo di briganti* ».

¹⁴ Nel tempio, si avvicinarono a Gesù alcuni ciechi e zoppi, ed egli li guarì. ¹⁵ I capi dei sacerdoti e i *maestri della legge videro le cose straordinarie che aveva fatto, sentirono i bambini che gridavano: « Gloria al *Figlio di Davide! », e si arrabbiarono. ¹⁶ Dissero a Gesù: « Ma non senti che cosa dicono? ».

Gesù rispose: « Sì, sento. Ma voi non avete mai letto nella Bibbia queste parole: *Dalla bocca dei fanciulli e dei bambini ti sei procurata una lode?* ». ¹⁷ Poi se ne andò via, uscì dalla città e passò la notte a Betània.

Gesù e l'albero senza frutti. Fede e preghiera
(vedi Marco 11, 12-14. 20-24)

¹⁸ Il mattino dopo Gesù tornò a Gerusalemme. Lungo la via, ebbe fame ¹⁹ e poiché aveva visto una pianta di fichi, si avvicinò per cogliere i frutti; ma non trovò niente, soltanto foglie. Allora disse all'albero: « Mai più in eterno nascano frutti da te! ». E l'albero immediatamente diventò secco.

²⁰ I discepoli rimasero pieni di stupore. Domandarono: « Perché l'albero di fico è seccato immediatamente? ».

²¹ Gesù rispose: « Vi assicuro che se avete fede e non dubitate, anche voi potrete fare ciò che è capitato a questo albero. Anzi, potrete anche dire a questa montagna: " Sollevati e buttati nel mare "! e avverrà così. ²² Tutto quello che chiederete nella vostra preghiera, se avrete fede, lo riceverete ».

Discussione sull'autorità di Gesù
(vedi Marco 11, 27-33; Luca 20, 1-8)

²³ Gesù venne di nuovo nel tempio. Mentre se ne stava là a insegnare, i capi dei sacerdoti e i capi del popolo si avvi-

cinarono a lui e gli domandarono: «Che diritto hai di fare quello che fai? Chi ti ha dato l'autorità di agire così?».

²⁴ Gesù disse: «Voglio farvi anch'io una domanda, una sola; se mi rispondete, anch'io vi dirò con quale autorità faccio queste cose.

²⁵ Dunque, Giovanni, chi lo ha mandato a battezzare? Dio o gli uomini?».

Essi cominciarono a discutere tra loro, dicendo: «Se diciamo che è stato mandato da Dio, egli domanderà: "Perché allora non avete creduto a Giovanni?". ²⁶ Se invece diciamo che è stato mandato dagli uomini, c'è da aver paura della folla, perché tutti pensano che Giovanni era un vero profeta». ²⁷ Perciò risposero: «Non lo sappiamo». Allora Gesù dichiarò: «Ebbene, in questo caso neanch'io vi dirò con quale autorità faccio queste cose».

Parabola dei due figli

²⁸ Poi Gesù disse loro: «Vorrei conoscere il vostro parere. C'era un uomo che aveva due figli. Chiamò il primo e gli disse: "Figlio mio, oggi va' a lavorare nella vigna". ²⁹ Ma quello rispose: "No, non ne ho voglia"; ma poi cambiò idea e ci andò. ³⁰ Chiamò anche il secondo figlio e gli disse la stessa cosa. Quello rispose: "Sì, padre", ma poi non ci andò. ³¹ Ora, ditemi il vostro parere: chi dei due ha fatto la volontà del padre?».

Risposero: «Il primo».

Allora Gesù disse: «Ebbene, vi assicuro che ladri e prostitute vi passano avanti ed entrano nel *regno di Dio. ³² Perché Giovanni il Battezzatore è venuto a indicarvi la strada giusta, ma voi non gli avete creduto; i ladri e le prostitute, invece, gli hanno creduto. E anche dopo aver visto queste cose, voi non avete cambiato idea: avete continuato a non credergli».

Parabola della vigna e dei contadini omicidi
(vedi Marco 12, 1-12; Luca 20, 9-19)

³³ «Ascoltate un'altra *parabola: C'era un uomo che *piantò una vigna* nel suo terreno, *la circondò con una siepe, scavò una buca per il torchio dell'uva e costruì una torretta di guardia*: poi affittò la vigna ad alcuni contadini e andò lontano.

³⁴ Quando fu vicino il tempo della vendemmia, mandò dai

contadini i suoi servi per ricevere la sua parte di raccolto.
35 Ma quei contadini presero i suoi servi e, uno lo bastonarono, un altro lo uccisero, un altro lo colpirono con le pietre. 36 Il padrone mandò ancora altri servi, più numerosi dei
primi, ma quei contadini li trattarono allo stesso modo.
37 Alla fine mandò suo figlio, pensando: " Avranno rispetto
di mio figlio ".
38 Ma i contadini, vedendo il figlio, dissero tra di loro:
" Ecco, costui sarà un giorno il padrone della vigna. Coraggio, uccidiamolo e l'eredità sarà nostra! ". 39 Così lo presero, lo gettarono fuori della vigna e lo uccisero ».
40 A questo punto Gesù domandò: « Quando verrà il padrone della vigna, che cosa farà a quei contadini? ».
41 Risposero i presenti: « Ucciderà senza pietà quegli uomini
malvagi e darà in affitto la vigna ad altri contadini che, alla
stagione giusta, gli consegneranno i frutti ».
42 Disse Gesù: « Non avete mai letto queste parole nella
*Bibbia?

> La pietra che i costruttori hanno rifiutato
> è diventata la pietra più importante.
> Il Signore ha fatto questo,
> ed è una meraviglia per i nostri occhi.

43 Per questo vi assicuro che il *regno di Dio sarà tolto a
voi e sarà dato a gente che farà crescere i suoi frutti. [44 E se
qualcuno cadrà su quella pietra, si sfracellerà; se la pietra
gli casca addosso, verrà stritolato ».]
45 I capi dei sacerdoti e i *farisei che ascoltavano queste
*parabole capivano che Gesù le raccontava per loro. 46 Cer-
cavano quindi il modo di catturarlo, ma avevano paura della
folla perché tutti lo consideravano un *profeta.

Parabola del banchetto di nozze
(vedi Luca 14, 15-24)

22 1 Gesù ricominciò a parlare, servendosi di *parabole.
Disse a quelli che lo ascoltavano: 2 « Il *regno di
Dio è così. Un re preparò un grande banchetto per le nozze
di suo figlio. 3 Egli mandò i suoi servi a chiamare gli invitati, ma quelli non volevano venire. 4 Allora mandò altri
servi con quest'ordine: " Dite agli invitati: Ecco, ho preparato il mio pranzo, i miei tori e gli animali ingrassati sono
stati ammazzati; tutto è pronto. Venite alla festa! ". 5 Ma

gli invitati non si lasciarono convincere e andarono a curare i loro affari: alcuni nei campi, altri ai loro commerci. ⁶ Altri ancora, presero i servi del re, li maltrattarono e li uccisero.
⁷ Allora il re si sdegnò: mandò il suo esercito, fece morire quegli assassini e incendiò la loro città. ⁸ Poi disse ai suoi servi: " Il banchetto è pronto, ma gli invitati non erano degni di venire. ⁹ Perciò andate per le strade e invitate al banchetto tutti quelli che trovate ".
¹⁰ I servi uscirono nelle strade e radunarono tutti quelli che trovarono, buoni e cattivi: così la sala del banchetto fu piena. ¹¹ Quando il re andò nella sala per vedere gli invitati, vide un tale che non era vestito con l'abito di nozze. ¹² Gli disse: " Amico, come mai sei entrato qui senza avere l'abito di nozze? ". Quello non rispose nulla. ¹³ Allora il re ordinò ai servitori: " Legatelo mani e piedi e gettatelo fuori, nelle tenebre. Là piangerà come un disperato " ».
¹⁴ Poi Gesù aggiunse: « Perché molti sono chiamati al regno di Dio, ma pochi vi sono ammessi ».

Le tasse da pagare ai Romani
(vedi Marco 12, 13-17; Luca 20, 20-26)

¹⁵ I *farisei fecero una riunione per trovare il modo di mettere in difficoltà Gesù con una domanda. ¹⁶ Poi gli mandarono alcuni dei loro *discepoli, insieme con altri del partito di *Erode. Gli chiesero: « *Maestro, sappiamo che tu sei sempre sincero, insegni veramente la volontà di Dio e non ti preoccupi di quello che pensa la gente perché non guardi in faccia a nessuno. ¹⁷ Perciò veniamo a chiedere il tuo parere: la nostra *legge permette o non permette che noi paghiamo le tasse all'imperatore romano? ».
¹⁸ Ma Gesù sapeva che avevano intenzioni cattive e disse: « Ipocriti! Perché cercate di imbrogliarmi? ¹⁹ Fatemi vedere una moneta di quelle che servono a pagare le tasse ». Gli portarono una moneta d'argento, ²⁰ e Gesù domandò: « Questa faccia e questo nome scritto, di chi sono? ».
²¹ Gli risposero: « Dell'imperatore ».
Allora Gesù disse: « Dunque, date all'imperatore quello che è dell'imperatore, ma date a Dio quel che è di Dio! ». ²² A queste parole, rimasero pieni di stupore; lo lasciarono stare e se ne andarono via.

Una discussione a proposito della risurrezione
(vedi Marco 12, 28-34; Luca 10, 25-28)

²³ In quel giorno si avvicinarono a Gesù alcuni del gruppo dei *sadducei (i quali dicono che nessuno può risorgere dopo morto).
²⁴ Gli domandarono: « *Maestro, Mosè ha stabilito questa legge: *Se uno muore senza figli, suo fratello deve sposare la vedova e cercare di avere dei figli per quello che è morto.*
²⁵ Ebbene, tra noi una volta c'erano sette fratelli. Il primo si sposò e poi morì senza figli e lasciò la moglie a suo fratello. ²⁶ La stessa cosa capitò al secondo, al terzo e così via fino al settimo. ²⁷ Infine, dopo tutti i fratelli, morì anche la donna. ²⁸ Ora, nel giorno in cui ci sarà la risurrezione dei morti, di chi sarà moglie quella donna? Perché tutti e sette l'hanno sposata ».
²⁹ Gesù rispose: « Voi sbagliate. Non conoscete la *Bibbia e non sapete cosa sia la potenza di Dio. ³⁰ Dopo la risurrezione, gli uomini e le donne non si sposeranno più, ma saranno come gli *angeli del cielo. ³¹ A proposito di risurrezione, non avete mai letto nella Bibbia ciò che Dio ha detto per voi? C'è scritto: ³² *Io sono il Dio di Abramo, il Dio di Isacco, il Dio di Giacobbe.* Quindi è il Dio dei vivi, non dei morti! ». ³³ E la gente che ascoltava era molto meravigliata per questo suo insegnamento.

Il comandamento più importante
(vedi Marco 12, 28-34; Luca 10, 25-28)

³⁴ Quando i *farisei vennero a sapere che Gesù aveva chiuso la bocca ai *sadducei, si radunarono attorno a lui. ³⁵ Poi uno di loro, che era *maestro della legge, volle fargli una domanda per metterlo alla prova. Gli domandò: ³⁶ « Maestro, qual è il più importante comandamento della *legge? ».
³⁷ Gesù gli rispose: « *Ama il Signore, il tuo Dio, con tutto il tuo cuore, con tutta la tua anima* e con tutta la tua mente. ³⁸ Questo è il comandamento più grande e più importante. ³⁹ Il secondo è ugualmente importante: *Ama il tuo prossimo come te stesso.* ⁴⁰ Tutta la legge di Mosè e tutto l'insegnamento dei *profeti dipendono da questi due comandamenti ».

Il Messia e il re Davide
(vedi Marco 12, 35-37; Luca 20, 41-44)

⁴¹ Una volta che molti *farisei si trovavano assieme di fronte a Gesù, egli fece questa domanda: ⁴² « Ditemi il vostro parere sul *Messia. Di chi sarà discendente? ».

Quelli risposero: « Sarà un discendente del re Davide ».

⁴³ E Gesù continuò: « In questo caso come si spiega che Davide stesso, guidato dallo Spirito di Dio, dice in un salmo che il Messia è il suo Signore? Egli ha scritto:

⁴⁴ *Il Signore ha detto al mio Signore*
siedi alla mia destra
finché io metterò i tuoi nemici
come sgabello sotto i tuoi piedi.

⁴⁵ Dunque, se Davide lo chiama " Signore ", può il Messia essere soltanto un discendente di Davide? ».

⁴⁶ Nessuno era capace di rispondere, di dire anche solo una parola. E a partire da quel giorno nessuno aveva più il coraggio di fare domande a Gesù.

Gesù parla contro i farisei e i maestri della legge
(vedi Marco 12, 38-40; Luca 11, 43.46; 20, 45-46)

23 ¹ Gesù cominciò a parlare alla folla e ai suoi *discepoli. Diceva: ² « I *maestri della legge e i *farisei hanno l'incarico di spiegare la *legge di Mosè. ³ Fate quello che dicono, ubbidite ai loro insegnamenti, ma non imitate il loro modo di agire: perché essi insegnano, ma poi non mettono in pratica quel che insegnano. ⁴ Preparano carichi pesanti, e poi li mettono sulle spalle degli altri: ma da parte loro non vogliono muoverli neppure con un dito. ⁵ Tutto quello che fanno, è per farsi vedere dalla gente. Sulla fronte portano le parole della legge in astucci più grandi del solito; le frange dei loro mantelli sono più lunghe di quelle degli altri. ⁶ Vogliono avere i posti d'onore nelle *sinagoghe e nei banchetti; ⁷ desiderano essere rispettosamente salutati in piazza ed essere chiamati " *maestro ".

⁸ Voi però non dovete fare così. Non fatevi chiamare " maestro ", poiché voi siete tutti fratelli e uno solo è il vostro Maestro.

⁹ E non chiamate " padre " nessuno di voi sulla terra, perché uno solo è il Padre vostro, quello che è in cielo. ¹⁰ E non fatevi chiamare " capo ", perché uno solo è il vostro Capo, il *Messia.

¹¹ In mezzo a voi, il più grande deve essere il servitore degli altri. ¹² Chi vorrà farsi grande, Dio lo abbasserà; chi resterà umile, Dio lo innalzerà ».

Gesù rimprovera i farisei e i maestri della legge
(vedi Luca 11, 39-42.44.47-52; 20, 47)

¹³ « Guai a voi ipocriti, *maestri della legge e *farisei. Voi chiudete agli uomini la porta del *regno di Dio: non entrate voi e non lasciate entrare quelli che vorrebbero entrare. [¹⁴]
¹⁵ Guai a voi, ipocriti, maestri della legge e farisei! Voi fate lunghi viaggi per terra e per mare, pur di riuscire a convertire anche solo un uomo: ma poi, quando l'avete conquistato, lo fate diventare degno dell'inferno, peggio di voi.
¹⁶ Guai a voi, guide cieche! Voi dite: Se uno giura per il tempio, il giuramento non vale niente; se invece giura per il tesoro del tempio, allora è obbligato. ¹⁷ Ignoranti e ciechi! Che cosa è più importante, il tesoro o il tempio che rende sacro il tesoro?
¹⁸ Voi dite anche: Se uno giura per l'altare, il giuramento non vale niente; se invece giura per l'offerta che si trova sopra l'altare, allora è obbligato. ¹⁹ Ciechi! Che cosa è più importante, l'offerta o l'altare che rende sacra l'offerta? ²⁰ Chi giura per l'altare, giura anche per tutto ciò che vi sta sopra. ²¹ Chi giura per il tempio, giura anche per Dio che vi abita. ²² Chi giura per il cielo, giura anche per l'autorità di Dio, che è in cielo.
²³ Guai a voi, ipocriti, maestri della legge e farisei! Voi date in offerta al tempio la decima parte anche di piante aromatiche come la menta, l'aneto e il cumino; ma poi trascurate i punti più importanti della *legge di Dio: la giustizia, la misericordia e la fedeltà. Queste sono le cose da fare, anche senza trascurare le altre. ²⁴ Siete guide cieche! Voi filtrate le bevande per non mangiare un moscerino e poi ingoiate un cammello.
²⁵ Guai a voi, ipocriti, maestri della legge e farisei! Voi purificate l'esterno dei vostri piatti e dei vostri bicchieri, ma intanto li riempite dei vostri furti e dei vostri vizi. ²⁶ Fariseo cieco! Purifica prima quel che c'è dentro il bicchiere, e poi anche l'esterno sarà puro.
²⁷ Guai a voi, ipocriti, maestri della legge e farisei! Voi siete come tombe imbiancate: all'esterno sembrano bellissime, ma

dentro sono piene di ossa di morti e di marciume. [28] Anche voi, esternamente, sembrate buoni agli occhi della gente, ma dentro siete pieni di ipocrisia e di male.
[29] Guai a voi, ipocriti, maestri della legge e farisei! Voi costruite monumenti per i *profeti, decorate le tombe degli uomini giusti. [30] Voi dite: " Se noi fossimo vissuti ai tempi dei nostri padri, non avremmo fatto come loro, che hanno ucciso i profeti ". [31] Intanto voi dichiarate, contro voi stessi, di essere discendenti di quelli che uccisero i profeti. [32] Continuate! State portando a termine quel che i vostri padri hanno cominciato!
[33] Serpenti, razza di vipere! Come potrete evitare i castighi dell'inferno? [34] Perciò, ascoltate: Io manderò in mezzo a voi profeti, uomini sapienti e veri maestri della legge di Dio. E voi, alcuni li ucciderete, altri li metterete in croce, altri li frusterete nelle vostre *sinagoghe e li perseguiterete in tutte le città. [35] Così ricadrà su di voi il sangue di tutti i delitti compiuti contro persone innocenti, dall'uccisione di Abele il giusto, fino all'uccisione del profeta Zaccaria, figlio di Barachìa, che voi avete assassinato tra il *santuario e l'*altare. [36] E vi assicuro che tutto ciò avverrà durante questa generazione ».

Lamento di Gesù su Gerusalemme
(vedi Luca 13, 34-35)

[37] « Gerusalemme! Gerusalemme! Tu che metti a morte i *profeti e uccidi a colpi di pietra quelli che Dio ti manda! Quante volte ho voluto riunire la tua gente attorno a me, come una gallina raduna i suoi pulcini sotto le ali! Ma voi non avete voluto. [38] Ebbene, sarà come dice la *Bibbia: *La vostra casa rimarrà deserta*.
[39] Perché io vi dico che da questo momento non mi vedrete più; fino al giorno in cui direte: " *Benedetto colui che viene in nome del Signore* " ».

DISCORSO SUGLI ULTIMI TEMPI

Gesù annunzia che il tempio sarà distrutto
(vedi Marco 13, 1-2; Luca 21, 5-6)

24 [1] Gesù era uscito dal tempio e andava via. Si avvicinarono a lui i suoi *discepoli e gli fecero osservare le costruzioni del tempio. [2] Ma Gesù disse loro: « Vedete tutto questo? Vi assicuro che non rimarrà una sola pietra sull'altra. Tutto sarà distrutto».

Gesù annunzia dolori e persecuzioni
(vedi Marco 13, 3-13; Luca 21, 7-19)

[3] Giunsero poi al Monte degli Ulivi. Gesù si sedette e i suoi discepoli che erano con lui si avvicinarono e gli chiesero: «Quando avverrà questo? Quale sarà il segnale del tuo ritorno e della fine di questo mondo?».

[4] Gesù rispose: «Fate attenzione e non lasciatevi ingannare! [5] Perché molti cercheranno di ingannare molta gente: si presenteranno con il mio nome e diranno: " Sono io il *Messia! ". [6] Quando sentirete parlare di guerre, vicine o lontane, non abbiate paura: bisogna che ciò avvenga, ma non sarà ancora la fine del mondo. [7] I popoli combatteranno l'uno contro l'altro, un regno contro un altro regno. Ci saranno carestie e terremoti in molte regioni. [8] Ma tutto questo sarà solo l'inizio di sofferenze più grandi.

[9] Voi sarete arrestati, torturati e uccisi. Sarete odiati da tutti per causa mia. [10] Allora molti abbandoneranno la fede; si odieranno e si tradiranno l'un l'altro. [11] Verranno molti falsi *profeti e inganneranno molta gente. [12] Il male sarà tanto diffuso che l'amore di molti si raffredderà. [13] Ma Dio salverà chi resisterà fino alla fine.

[14] Intanto il messaggio del *regno di Dio sarà annunziato in tutto il mondo; tutti i popoli dovranno sentirlo. E allora verrà la fine».

Gesù annunzia grandi tribolazioni
(vedi Marco 13, 14-23; Luca 21, 20-24)

[15] «Un giorno vedrete nel luogo santo colui che commette l'orribile sacrilegio. Il *profeta Daniele ne ha parlato. Chi legge, cerchi di capire.

[16] Allora, quelli che saranno nella regione della Giudea fugano sui monti; [17] chi si trova sulla terrazza non vada a prendere quello che ha in casa; chi [18] è nei campi non torni indietro a prendere il mantello.

[19] Saranno giorni tristi per le donne incinte e per quelle che allattano! [20] Pregate di non dover fuggire d'inverno o in un giorno di *sabato. [21] Perché in quei giorni ci sarà una grande tribolazione, la più grande che ci sia mai stata da che mondo

è mondo, e non ce ne sarà più una uguale. ²² E se Dio non
accorciasse il numero di quei giorni, nessuno si salverebbe.
Ma Dio li accorcerà, a causa di quegli uomini che egli si
è scelto.
²³ Allora, se qualcuno vi dirà: " Ecco, il *Messia è qui! ",
oppure: " È là ", voi non fidatevi. ²⁴ Perché verranno falsi
profeti e falsi messia, i quali faranno segni miracolosi per
cercare di ingannare, se fosse possibile, anche quelli che Dio
si è scelto.
²⁵ Io vi ho avvisato ».

Gesù annunzia il ritorno del Figlio dell'uomo
(vedi Marco 13, 24-27; Luca 17, 20-24; 21, 25-28)

²⁶ « Perciò, se vi diranno: " Il *Messia è nel deserto ", voi
non andateci. Se vi diranno: " Il Messia è nascosto qui ",
voi non fidatevi. ²⁷ Come il lampo improvvisamente guizza da
una parte all'altra del cielo, così verrà il *Figlio dell'uomo.
²⁸ Dove sarà il cadavere, là si raduneranno gli avvoltoi.
²⁹ E un giorno, dopo quelle tribolazioni,

Il sole si oscurerà,
la luna perderà il suo splendore,
le stelle cadranno dal cielo,
e le potenze del cielo saranno sconvolte.

³⁰ Allora si vedrà nel cielo il segno del *Figlio dell'uomo;
allora tutti i popoli della terra piangeranno, e gli uomini vedranno il Figlio dell'uomo venire sulle nubi del cielo, con
grande potenza e splendore.
³¹ Al suono della grande tromba, egli manderà i suoi *angeli
in ogni direzione fino ai confini del cielo e della terra, e radunerà tutti gli uomini che si è scelto ».

Parabola del fico
(vedi Marco 13, 28-31; Luca 21, 29-33)

³² « Dalla pianta dei fichi, imparate questa parabola: quando
i suoi rami diventano teneri e spuntano le prime foglie, voi
capite che l'estate è vicina. ³³ Allo stesso modo, quando vedrete accadere queste cose, sappiate che il momento è vicino,
è alle porte.
³⁴ In verità, vi dico che non passerà questa *generazione prima che tutte queste cose siano accadute.
³⁵ Il cielo e la terra passeranno, le mie parole, no ».

Il giorno e l'ora rimangono un mistero
(vedi Marco 13, 32-37)

[36] « Ma nessuno sa quando verrà quel giorno e quell'ora; non lo sanno gli *angeli e neppure il Figlio: solo Dio Padre lo sa.

[37] Come è accaduto ai tempi di *Noè, così accadrà anche quando verrà il *Figlio dell'uomo. [38] A quei tempi, prima del diluvio, la gente continuò a mangiare, a bere e a sposarsi fino a quando Noè entrò nell'arca. [39] Nessuno si rese conto di nulla, fino al momento in cui venne il diluvio e li portò via tutti.

Così accadrà anche quando verrà il Figlio dell'uomo. [40] Allora, se due uomini saranno in un campo, uno sarà portato via e uno sarà lasciato lì. [41] Se due donne macineranno grano al mulino, una sarà portata via e una sarà lasciata lì.

[42] State dunque svegli, perché non sapete quando tornerà il vostro Signore.

[43] Una cosa è certa: se il capofamiglia sapesse a che ora della notte viene il ladro, starebbe sveglio e non si lascerebbe scassinare la casa. [44] Anche voi tenetevi pronti, perché il Figlio dell'uomo verrà quando voi non ve lo aspettate ».

Parabola del servo fedele e infedele
(vedi Luca 12, 41-48)

[45] « Chi è dunque il servo fedele e intelligente? Il suo padrone gli ha dato l'incarico di badare agli altri servitori e di distribuire il cibo al momento giusto. [46] Se il padrone, quando ritorna, lo trova occupato a fare così, beato quel servo! [47] Vi assicuro che il padrone gli affiderà tutti i suoi beni.

[48] Se invece quel servo è cattivo, penserà che il padrone torna tardi, [49] comincerà a trattar male i suoi compagni e si metterà a far baldoria con gli ubriaconi.

[50] Allora il padrone tornerà, un giorno che il servo non se l'aspetta, all'improvviso; [51] lo separerà dagli altri e lo metterà tra i malvagi: là piangerà come un disperato ».

Parabola delle dieci ragazze

25 [1] « Così sarà il *regno di Dio. C'erano dieci ragazze che avevano preso le loro lampade a olio ed erano andate incontro allo sposo. [2] Cinque erano sciocche e cinque erano sagge. [3] Le cinque sciocche presero le lampade, ma non portarono una riserva di olio; ⁴ le altre cinque, invece, portarono anche un vasetto di olio. ⁵ Poi, siccome lo sposo faceva tardi, tutte furono prese dal sonno e si addormentarono.

⁶ A mezzanotte, si sente un grido: " Ecco lo sposo! Andategli incontro! ". ⁷ Subito le dieci ragazze si svegliarono e si misero a preparare le lampade. ⁸ Le cinque sciocche dissero alle sagge: " Dateci un po' del vostro olio, perché le nostre lampade si spengono ".

⁹ Ma le altre cinque risposero: " No, perché non basterebbe più né a voi né a noi. Piuttosto, andate a comprarvelo al negozio ". ¹⁰ Le cinque sciocche andarono a comprare l'olio, ma proprio mentre erano lontane, arrivò lo sposo: quelle che erano pronte entrarono con lui nella sala del banchetto e la porta fu chiusa a chiave.

¹¹ Più tardi arrivarono anche le altre cinque e si misero a gridare: " Signore, signore, aprici! ". ¹² Ma egli rispose: " Non so proprio chi siete ".

¹³ State svegli, dunque, perché non sapete né il giorno né l'ora ».

Parabola delle monete d'oro
(vedi Luca 19, 11-27)

¹⁴ « Così sarà il *regno di Dio. Un uomo doveva fare un lungo viaggio, chiamò i suoi servi e affidò loro i suoi soldi. ¹⁵ A uno consegnò cinquecento monete d'oro, a un altro duecento e a un altro cento: a ciascuno secondo le sue capacità. Poi partì. ¹⁶ Il servo che aveva ricevuto cinquecento monete andò subito a investire i suoi soldi in un affare e alla fine guadagnò altre cinquecento monete. ¹⁷ Quello che ne aveva ricevute duecento fece lo stesso, e alla fine ne guadagnò altre duecento. ¹⁸ Invece, quello che ne aveva ricevute soltanto cento scavò una buca in terra e vi nascose i soldi del suo padrone.

¹⁹ Dopo molto tempo, il padrone tornò a casa e cominciò a fare i conti con i suoi servi. ²⁰ Venne il primo, quello che aveva ricevuto cinquecento monete d'oro, portò anche le altre cinquecento e disse: " Signore, tu mi avevi consegnato cinquecento monete. Guarda: ne ho guadagnate altre cinquecento ". ²¹ E il padrone gli disse: " Bene, sei un servo bravo e fedele! Sei stato fedele in cose da poco, ti affiderò cose più importanti. Vieni a partecipare alla gioia del tuo signore ".

²² Poi venne quello che aveva ricevuto duecento monete e disse: "Signore, tu mi avevi consegnato duecento monete d'oro. Guarda: ne ho guadagnate altre duecento".

²³ E il padrone gli disse: "Bene, sei un servo bravo e fedele! Sei stato fedele in cose da poco, ti affiderò cose più importanti. Vieni a partecipare alla gioia del tuo signore!".

²⁴ Infine venne quel servo che aveva ricevuto solamente cento monete d'oro e disse: "Signore, io sapevo che sei un uomo esigente, che raccogli anche dove non hai seminato e che fai vendemmia anche dove non hai coltivato. ²⁵ Ho avuto paura, e allora sono andato a nascondere i tuoi soldi sotto terra. Ecco, te li restituisco".

²⁶ Ma il padrone gli rispose: "Servo malvagio e fannullone! Dunque sapevi che io raccolgo dove non ho seminato e faccio vendemmia dove non ho coltivato. ²⁷ Perciò dovevi almeno mettere in banca i miei soldi e io, al ritorno, li avrei avuti indietro con l'interesse. ²⁸ Portateglì via le cento monete e datele a quello che ne ha mille. ²⁹ Perché, come dice il proverbio, chi ha molto riceverà ancora di più e sarà nell'abbondanza; chi ha poco, gli porteranno via anche il poco che ha. ³⁰ E questo servo inutile gettatelo fuori, nelle tenebre: là piangerà come un disperato"».

Il giorno del giudizio

³¹ «Quando il *Figlio dell'uomo verrà nel suo splendore, insieme con gli *angeli, si sederà sul suo trono glorioso. ³² Tutti i popoli della terra saranno riuniti di fronte a lui ed egli li separerà in due gruppi, come fa il pastore quando separa le pecore dalle capre: ³³ metterà i giusti da una parte e i malvagi dall'altra.

³⁴ Allora il re dirà ai giusti: "Venite, voi che siete i benedetti dal Padre mio; entrate nel regno che è stato preparato per voi fin dalla creazione del mondo. ³⁵ Perché io ho avuto fame e voi mi avete dato da mangiare, ho avuto sete e mi avete dato da bere: ero forestiero e mi avete ospitato nella vostra casa; ³⁶ ero nudo e mi avete dato i vestiti; ero malato e siete venuti a curarmi; ero in prigione e siete venuti a trovarmi".

³⁷ E i giusti diranno: "Signore, ma quando ti abbiamo visto affamato e ti abbiamo dato da mangiare, o assetato e ti abbiamo dato da bere? ³⁸ Quando ti abbiamo incontrato fore-

stiero e ti abbiamo ospitato nella nostra casa, o nudo e ti abbiamo dato i vestiti? ³⁹ Quando ti abbiamo visto malato o in prigione e siamo venuti a trovarti? ".

⁴⁰ Il re risponderà: " In verità, vi dico, che tutte le volte che avete fatto ciò a uno dei più piccoli di questi miei fratelli, lo avete fatto a me! ".

⁴¹ Poi dirà ai malvagi: " Andate via da me, maledetti, nel fuoco eterno che Dio ha preparato per il *diavolo e per i suoi simili! ⁴² Perché io ho avuto fame e voi non mi avete dato da mangiare; ho avuto sete e non mi avete dato da bere; ⁴³ ero forestiero e non mi avete ospitato nella vostra casa; ero nudo e non mi avete dato dei vestiti; ero malato e in prigione e voi non siete venuti da me ".

⁴⁴ E anche quelli diranno: " Quando ti abbiamo visto affamato, assetato, forestiero, nudo, malato o in prigione e non ti abbiamo aiutato? ".

⁴⁵ Allora il re risponderà: " In verità, vi dico che tutto quello che non avete fatto a uno di questi piccoli, non l'avete fatto a me ".

⁴⁶ E andranno nella punizione eterna, mentre i giusti andranno nella vita eterna ».

I nemici di Gesù decidono di farlo morire
(vedi Marco 14, 1-2; Luca 22, 1-2; Giovanni 11, 45-53)

26 ¹ Quando Gesù ebbe finito questi insegnamenti, disse ai suoi *discepoli: ² « Voi sapete che tra due giorni è la festa di *Pasqua, e il *Figlio dell'uomo sta per essere arrestato e poi lo inchioderanno su una croce ».

³ Allora i capi dei sacerdoti e le autorità del popolo fecero una riunione in casa di Caifa, il *sommo sacerdote. ⁴ Insieme, decisero di arrestare Gesù con un inganno e poi di farlo morire. ⁵ Ma dicevano: « Non possiamo arrestarlo in un giorno di festa, perché altrimenti c'è pericolo di una rivolta popolare ».

Una donna versa profumo su Gesù
(vedi Marco 14, 3-9; Giovanni 12, 1-8)

⁶ Gesù si trovava a Betània, in casa di Simone, quello che era stato *lebbroso. ⁷ Mentre erano a tavola, si avvicinò una donna con un vasetto di alabastro, pieno di profumo molto prezioso e versò il profumo sulla testa di Gesù.

⁸ Vedendo ciò, i *discepoli furono scandalizzati, e dicevano:
« Perché tutto questo spreco? ⁹ Si poteva benissimo vendere
il profumo a caro prezzo e poi dare i soldi ai poveri ».
¹⁰ Gesù se ne accorse e disse ai discepoli: « Perché tormentate questa donna? Ha fatto un'opera buona verso di me.
¹¹ I poveri, infatti, li avete sempre con voi; ma non sempre
avete me. ¹² Versando sulla mia testa il suo profumo, questa donna mi ha preparato per la sepoltura. ¹³ In verità, vi
assicuro che in tutto il mondo, dovunque sarà predicato il
messaggio del *vangelo, ci si ricorderà di questa donna e di
quello che ha fatto ».

Giuda vuole tradire Gesù
(vedi Marco 14, 10-11; Luca 22, 3-6)

¹⁴ Allora uno dei dodici *discepoli, chiamato Giuda Iscariota,
andò dai capi dei sacerdoti e disse: ¹⁵ « Che cosa mi date
se io vi faccio arrestare Gesù? ». Stabilirono trenta monete
di argento e gliele consegnarono. ¹⁶ Da quel momento Giuda
si mise a cercare un'occasione per fare arrestare Gesù.

Due discepoli preparano la cena pasquale
(vedi Marco 14, 12-16; Luca 22, 7-13)

¹⁷ Il primo giorno delle feste pasquali degli ebrei, i *discepoli si avvicinarono a Gesù e gli dissero: « Dove dobbiamo
prepararti la cena di Pasqua? ».
¹⁸ Egli rispose: « Andate in città da un tale, e ditegli: " Il
*Maestro mi manda a dire che il suo momento ormai è ar-
rivato e che viene in casa tua con i suoi discepoli a mangiare
la cena di *Pasqua " ».
¹⁹ I discepoli fecero come aveva comandato Gesù e prepararono la cena.

Gesù dice chi è il traditore
(vedi Marco 14, 17-21; Luca 22, 21-23; Giovanni 13, 21-30)

²⁰ Quando fu sera, Gesù si mise a tavola insieme con i
dodici *discepoli. ²¹ Mentre stavano mangiando disse: « In
verità, vi dico che uno di voi mi tradirà ».
²² Essi diventarono molto tristi e, a uno a uno, cominciarono a domandargli: « Signore, sono forse io? ».
²³ Gesù rispose: « Quello che ha messo con me la mano
nel piatto, è lui che mi tradirà. ²⁴ Il *Figlio dell'uomo sta
per morire, così come è scritto nella *Bibbia. Ma guai a

colui che tradisce il Figlio dell'uomo! Per lui sarebbe stato meglio di non essere mai nato! ».

²⁵ Allora Giuda, il traditore, domandò: « *Maestro, sono forse io? ». Gesù gli rispose: « Tu l'hai detto ».

La Cena del Signore
(vedi Marco 14, 22-26; Luca 22, 15-20; 1 Cor 11, 23-25)

²⁶ Mentre stavano mangiando, Gesù prese il pane, fece la preghiera di ringraziamento, poi spezzò il pane, lo diede ai *discepoli e disse: « Prendete e mangiate; questo è il mio corpo ».

²⁷ Poi prese la coppa del vino, fece la preghiera di ringraziamento, la diede ai discepoli e disse: « Bevetene tutti, ²⁸ perché questo è il mio sangue, offerto per tutti gli uomini, per il perdono dei peccati. Con questo sangue Dio conferma la sua *alleanza. ²⁹ Vi assicuro che d'ora in poi non berrò più vino fino al giorno in cui berrò con voi il vino nuovo nel *regno di Dio ».

³⁰ Cantarono i salmi della festa, poi andarono verso il Monte degli Ulivi.

Gesù sarà abbandonato da tutti
(vedi Marco 14, 27-31; Luca 22, 31-34; Giovanni 13, 36-38)

³¹ Allora Gesù disse ai *discepoli: « Questa notte tutti voi mi abbandonerete. Perché nella *Bibbia c'è scritto:

*Ucciderò il *pastore*
e le pecore del gregge saranno disperse.

³² Ma dopo che sarò risuscitato vi aspetterò in Galilea ».

³³ Allora Pietro gli disse: « Anche se tutti gli altri ti abbandoneranno, io non ti abbandonerò mai ».

³⁴ Gesù replicò: « Io invece ti assicuro che questa notte, prima che il gallo canti, tre volte tu dichiarerai che non mi conosci ».

³⁵ Ma Pietro rispose: « Non dirò mai che non ti conosco, anche se dovessi morire con te! ». E così dissero anche tutti gli altri discepoli.

Gesù prega nell'Orto degli Ulivi
(vedi Marco 14, 32-42; Luca 22, 39-46)

³⁶ Intanto Gesù arrivò con i *discepoli in un luogo detto Getsèmani. Disse: « Seđetevi qui mentre io vado avanti, a

pregare». ³⁷ Si fece accompagnare da Pietro e dai due figli di Zebedèo. Poi cominciò a essere triste e pieno di angoscia. ³⁸ Tanto che disse ai tre discepoli: «Una tristezza mortale mi opprime. Fermatevi e restate svegli con me».

³⁹ Andò un po' più avanti, si gettò con la faccia a terra e si mise a pregare. Diceva: «Padre mio, se è possibile, allontana da me questo calice di dolore! Però non si faccia come voglio io, ma come vuoi tu».

⁴⁰ Poi tornò indietro, verso i discepoli, e li trovò addormentati. Allora disse a Pietro: «Così, non avete potuto vegliare con me nemmeno un'ora? ⁴¹ State svegli e pregate per resistere nel momento della prova; perché la volontà è pronta, ma la debolezza è grande».

⁴² Ancora una volta andò e cominciò a pregare: «Padre mio, se proprio devo bere questo calice di dolore, sia fatta la tua volontà».

⁴³ Poi tornò dai discepoli e li trovò ancora addormentati: non riuscivano a tenere gli occhi aperti.

⁴⁴ Per la terza volta Gesù si allontanò e andò a pregare dicendo le stesse parole. ⁴⁵ Poi tornò verso i discepoli e disse: «Ma come, voi ancora dormite e riposate? Ecco, il momento è ormai vicino. Il *Figlio dell'uomo sta per essere consegnato nelle mani dei suoi nemici. ⁴⁶ Alzatevi, andiamo! Sta arrivando quello che mi tradisce».

Gesù viene arrestato
(vedi Marco 14, 43-50; Luca 22, 47-53; Giovanni 18, 3-12)

⁴⁷ Mentre Gesù ancora parlava, arrivò Giuda, uno dei dodici *discepoli, accompagnato da molti uomini armati di spade e bastoni. Erano stati mandati dai capi dei sacerdoti e dalle autorità del popolo.

⁴⁸ Il traditore s'era messo d'accordo con loro e aveva detto: «Quello che bacerò, è lui. Prendetelo».

⁴⁹ Giuda si avvicinò dunque a Gesù e gli disse: «Salve, *Maestro!». Poi lo baciò.

⁵⁰ Ma Gesù gli disse: «Amico, si faccia quello che sei venuto a fare». Quelli che erano venuti assieme a Giuda avanzarono, misero le mani su Gesù e lo arrestarono.

⁵¹ Allora uno di quelli che erano con Gesù tirò fuori una spada e colpì il servitore del *sommo sacerdote, staccandogli un orecchio.

⁵² Ma Gesù gli disse: «Rimetti la spada al suo posto! Perché

tutti quelli che usano la spada, moriranno colpiti dalla spada. [53] Che cosa credi? Non sai che io potrei chiedere aiuto al Padre mio e subito mi manderebbe più di dodici migliaia di *angeli? [54] Ma in questo caso non si compirebbero le parole della *Bibbia. Essa dice che deve accadere così ».

[55] Poi Gesù disse alla folla: « Siete venuti a prendermi con spade e bastoni, come se fossi un delinquente! Tutti i giorni stavo seduto nel tempio a insegnare, ma non mi avete arrestato. [56] Ebbene, tutto questo è avvenuto perché si compia quel che hanno detto i *profeti nella Bibbia ». Allora i discepoli lo abbandonarono e fuggirono tutti.

Gesù davanti al tribunale ebraico

(vedi Marco 14, 53-65; Luca 22, 54-55.63-71; Giovanni 18, 13-15.19-24)

[57] Quelli che avevano arrestato Gesù, lo portarono alla casa di Caifa, il *sommo sacerdote, dove si erano radunati i *maestri della legge e i capi del popolo. [58] Pietro lo seguiva da lontano. Poi entrò anche nel cortile della casa e si sedette in mezzo ai servitori per vedere come andava a finire.

[59] Intanto i capi dei sacerdoti e gli altri del tribunale cercavano una falsa accusa contro Gesù, per poterlo condannare a morte. [60] Ma non la trovavano, anche se si erano presentati molti testimoni falsi. Infine se ne presentarono altri due [61] che dissero: « Una volta egli ha dichiarato: " Io posso distruggere il tempio di Dio e ricostruirlo in tre giorni " ».

[62] Allora si alzò il *sommo sacerdote e gli disse: « Non rispondi niente? Che cosa sono queste accuse contro di te? ». [63] Ma Gesù rimaneva zitto.

Poi il sommo sacerdote gli disse: « Per il Dio vivente, ti scongiuro di dirci se tu sei il *Messia, il *Cristo, il *Figlio di Dio ».

[64] Gesù rispose: « Tu l'hai detto. Ma io vi dico che d'ora in poi vedrete il *Figlio dell'uomo
      accanto a Dio onnipotente;
      egli verrà sulle nubi del cielo ».

[65] Allora il sommo sacerdote, scandalizzato, si strappò l'abito e disse: « Ha bestemmiato! Non c'è più bisogno di testimoni, ormai! adesso avete sentito le sue *bestemmie. [66] Qual è il vostro parere? ». Gli altri risposero: « Deve essere condannato a morte ».

[67] Poi alcuni cominciarono a sputargli in faccia e a prenderlo a pugni; altri gli davano schiaffi [68] e gli dicevano: « Fa' il profeta, Cristo! Indovina chi ti ha colpito! ».

Pietro nega di conoscere Gesù
(vedi Marco 14, 66-72; Luca 22, 56-62; Giovanni 18, 16-18. 25-27)

[69] Pietro era seduto fuori, nel cortile. Una serva si avvicinò a lui e gli disse: « Anche tu stavi con quell'uomo della Galilea, con Gesù ».
[70] Ma Pietro negò davanti a tutti dicendo: « Non so nemmeno che cosa vuoi dire ». [71] Poi se ne andò verso la porta del cortile.
Là, un'altra serva lo vide e disse a quelli che erano vicini: « Questo era con Gesù di Nazaret ».
[72] Ma Pietro negò ancora e disse: « Giuro che non conosco quell'uomo ».
[73] Poco dopo, alcuni dei presenti si avvicinarono a Pietro e gli dissero: « Certamente tu sei di quelli: si capisce da come parli che sei della Galilea ».
[74] Allora Pietro cominciò a giurare e a spergiurare che non era vero. Diceva: « Io non lo conosco nemmeno! ». Subito dopo un gallo cantò.
[75] In quel momento Pietro si ricordò di quel che gli aveva detto Gesù: « Prima che il gallo canti, per tre volte avrai detto che non mi conosci ». Allora uscì, e si mise a piangere, pieno di rimorso.

Gesù è condotto da *Pilato
(vedi Marco 15, 1; Luca 23, 1; Giovanni 18, 28)

27 [1] Quando fu mattino, tutti i capi dei sacerdoti e le autorità del popolo si riunirono per decidere di far morire Gesù. [2] Lo fecero legare e lo portarono via per consegnarlo a Pilato, il governatore romano.

La morte di Giuda
(vedi Atti 1, 18-20)

[3] Quando Giuda, il traditore, vide che Gesù era stato condannato, ebbe rimorso. Prese le trenta monete d'argento e le riportò ai capi dei sacerdoti e alle autorità del popolo. [4] Disse: « Ho fatto male, ho tradito un innocente ».
Ma quelli risposero: « A noi che importa? Sono affari tuoi! ». [5] Allora Giuda buttò le monete nel tempio e andò a impiccarsi.

⁶ I capi dei sacerdoti raccolsero le monete e dissero: « La nostra *legge non permette di mettere questi soldi nel tesoro del tempio, perché sono sporchi di sangue ». ⁷ Alla fine si misero d'accordo e con quei soldi comprarono il campo di un fabbricante di vasi, per destinarlo a cimitero per gli stranieri. ⁸ Perciò quel campo si chiama anche oggi « Campo del sangue ». ⁹ Così si avverarono le parole del *profeta Geremia:

> Presero le trenta monete d'argento
> prezzo che il popolo d'Israele aveva pagato per lui,
> ¹⁰ e le usarono per comperare il campo del vasaio,
> così come il Signore mi aveva ordinato.

Gesù e Pilato
(vedi Marco 15, 2-5; Luca 23, 2-5; Giovanni 18, 33-38)

¹¹ Gesù fu portato davanti al governatore romano. Quello gli domandò: « Sei tu il re dei *giudei? ».

E Gesù rispose: « Tu lo dici ». ¹² Intanto i capi dei sacerdoti e le autorità degli ebrei portavano accuse contro di lui, ma egli non diceva nulla.

¹³ Allora Pilato gli disse: « Non senti quante cose dicono contro di te? ». ¹⁴ Ma Gesù non rispose neanche una parola, tanto che il governatore ne fu molto meravigliato.

Gesù è condannato a morte
(vedi Marco 15, 6-15; Luca 23, 13-25; Giovanni 18, 39—19, 16)

¹⁵ Ogni anno, per la festa di Pasqua, il governatore aveva l'abitudine di lasciare libero uno dei carcerati, quello che il popolo voleva.

¹⁶ A quel tempo era in prigione un certo Barabba, un carcerato famoso. ¹⁷ Così quando si fu riunita una certa folla, Pilato domandò: « Chi volete che sia lasciato libero: Barabba, oppure Gesù detto *Cristo? ». ¹⁸ Perché sapeva bene che i capi gli avevano consegnato Gesù per invidia.

¹⁹ Mentre *Pilato era seduto al tribunale, sua moglie gli mandò a dire: « Cerca di non decidere niente contro quest'uomo innocente, perché questa notte, in sogno, ho sofferto molto per causa sua ».

²⁰ Intanto i capi dei sacerdoti e le autorità degli ebrei riuscirono a convincere la folla che era meglio chiedere la liberazione di Barabba e la morte di Gesù. ²¹ Il governatore

domandò ancora: « Chi dei due volete che lasci libero? ».
La folla rispose: « Barabba ».
²² Pilato continuò: « Che farò dunque di Gesù, detto Cristo? ». Tutti risposero: « In croce! ».
²³ Pilato replicò: « Che cosa ha fatto di male? ». Ma quelli gridavano ancora più forte: « In croce! in croce! ».
²⁴ Quando vide che non poteva far niente e che anzi la gente si agitava sempre di più, Pilato fece portare un po' d'acqua, si lavò le mani davanti alla folla e disse: « Io non sono responsabile della morte di quest'uomo! Sono affari vostri! ».
²⁵ Tutta la gente rispose: « Il sangue suo ricada su di noi e sui nostri figli! ».
²⁶ Allora Pilato lasciò libero Barabba. Fece frustare Gesù e poi lo consegnò ai soldati per farlo crocifiggere.

Gli insulti dei soldati romani
(vedi Marco 15, 16-20; Giovanni 19, 2-3)

²⁷ Allora i soldati portarono Gesù nel palazzo del governatore e chiamarono tutto il resto della truppa. ²⁸ Gli tolsero i suoi vestiti e gli gettarono addosso una veste rossa. ²⁹ Prepararono una corona di rami spinosi e gliela misero in testa; nella mano destra gli diedero un bastone. Poi cominciarono a inginocchiarsi davanti a lui e a dire ridendo: « Salve, re dei *giudei! ». ³⁰ Intanto gli sputavano addosso, gli prendevano il bastone e gli davano colpi sulla testa. ³¹ Quando ebbero finito di insultarlo e di ridergli in faccia, gli tolsero la veste rossa e lo rivestirono con i suoi abiti. Poi lo portarono fuori per crocifiggerlo.

Gesù è inchiodato a una croce
(vedi Marco 15, 21-32; Luca 23, 26-43; Giovanni 19, 17-27)

³² Mentre uscivano incontrarono un certo Simone, di Cirene, e lo obbligarono a portare la croce. ³³ Quando arrivarono in un luogo detto Gòlgota (che significa « luogo del cranio »), si fermarono e ³⁴ vollero dare a Gesù un po' di vino mescolato con *fiele. Gesù lo assaggiò ma poi non volle bere.
³⁵ Lo inchiodarono alla croce, poi, come dice la *Bibbia:

> si divisero le sue vesti
> tirando a sorte.

³⁶ Dopo rimasero lì seduti a fargli la guardia.

[37] In alto, sopra la testa, avevano messo un cartello con scritto il motivo della condanna: « Questo è Gesù, il re dei *giudei ». [38] Insieme con lui avevano messo in croce anche due briganti, uno alla sua destra e uno alla sua sinistra.

[39] Quelli che passavano di là, scuotevano la testa in segno di disprezzo, lo insultavano [40] e dicevano: « Tu che volevi distruggere il tempio e ricostruirlo in tre giorni, se è vero che sei il *Figlio di Dio, salva te stesso! Scendi dalla croce! ».

[41] Allo stesso modo, anche i capi dei sacerdoti, i *maestri della legge e le autorità del popolo ridevano e dicevano: [42] « Lui che ha salvato tanti altri, adesso non è capace di salvare se stesso! Lui che diceva di essere il re d'Israele, scenda ora dalla croce e noi gli crederemo! [43] *Ha sempre avuto fiducia in Dio* e diceva: " Io sono il *Figlio di Dio ". *Lo liberi Dio, adesso, se gli vuol bene!* ». [44] Anche i due briganti crocifissi accanto a lui lo insultavano a quel modo.

Gesù muore
(vedi Marco 15, 33-41; Luca 23, 44-49; Giovanni 19, 28-30)

[45] Quando fu mezzogiorno, si fece buio su tutta la regione, fino alle tre del pomeriggio. [46] Verso le tre Gesù gridò molto forte: « Elì, Elì, lemà sabactàni », che significa « Dio mio, Dio mio, perché mi hai abbandonato? ». [47] Alcuni presenti non capirono bene queste parole e dissero: « Chiama il profeta *Elia! ».

[48] Subito, uno di loro corse a prendere una spugna, la bagnò nell'aceto, la fissò in cima a una canna e la diede a Gesù per farlo bere. [49] Ma gli altri dissero: « Aspetta! Vediamo se viene Elia a salvarlo! ».

[50] Ma Gesù gridò ancora, forte, e poi morì.

[51] Allora il grande velo appeso nel tempio si squarciò in due, da cima a fondo. La terra tremò; le rocce si spaccarono, [52] le tombe si aprirono e molti credenti tornarono in vita. [53] Usciti dalle tombe dopo la risurrezione di Gesù, entrarono a Gerusalemme e molti li videro.

[54] L'ufficiale romano e gli altri soldati che con lui facevano la guardia a Gesù si accorsero del terremoto e di tutto quel che accadeva. Pieni di spavento, essi dissero: « Quest'uomo era davvero il *Figlio di Dio! ».

[55] Si trovavano là anche molte donne, che guardavano da

lontano. Erano quelle che avevano seguito e aiutato Gesù
fin da quando era in Galilea. [56] Tra le altre, c'erano Maria
*Maddalena, Maria, madre di Giacomo e di Giuseppe, e la
madre dei figli di Zebedèo.

Il corpo di Gesù è messo nella tomba
(vedi Marco 15, 42-47; Luca 23, 50-56; Giovanni 18, 38-42)

[57] Ormai era giunta la sera, quando venne Giuseppe di
Arimatèa. Era un uomo ricco, il quale era diventato *discepolo di Gesù. [58] Egli andò da *Pilato e gli chiese il
corpo di Gesù. E Pilato ordinò di lasciarglielo prendere.
[59] Allora Giuseppe prese il corpo, lo avvolse in un lenzuolo
pulito, [60] e lo mise nella sua tomba, quella che da poco
si era fatto preparare per sé, scavata nella roccia. Poi fece
rotolare una grossa pietra davanti alla porta della tomba.
[61] Intanto due delle donne, Maria *Maddalena e l'altra Maria,
stavano lì sedute di fronte alla tomba.

Le guardie sorvegliano la tomba di Gesù

[62] Il giorno dopo era *sabato. I capi dei sacerdoti e i *farisei
andarono insieme da *Pilato, [63] e gli dissero: «Eccellenza,
ci siamo ricordati che quell'imbroglione, quand'era vivo, ha
detto: " Tre giorni dopo che mi avranno ucciso, io risusciterò ". [64] Perciò ordina che le guardie sorveglino la tomba
fino al terzo giorno, così i suoi *discepoli non potranno
venire a rubare il corpo e poi dire alla gente: " È risuscitato
dai morti! ". Altrimenti quest'ultimo imbroglio sarebbe peggiore del primo».
[65] Pilato rispose: «Va bene: prendete le guardie e fate sorvegliare la tomba come vi pare». [66] Essi andarono, assicu-
rarono la chiusura della tomba sigillando la grossa pietra
e poi lasciarono le guardie a custodirla.

Gesù è risorto
(vedi Marco 16, 1-8; Luca 24, 1-12; Giovanni 20, 1-10)

28 [1] Il giorno dopo, all'inizio del primo giorno della
settimana, Maria *Maddalena e l'altra Maria andarono ancora a vedere la tomba di Gesù. [2] Improvvisamente
vi fu un terremoto, un *angelo del Signore scese dal cielo,
fece rotolare la grossa pietra e si sedette sopra. [3] Aveva un
aspetto splendente come un lampo e una veste candida come

la neve. ⁴ Le guardie ebbero tanta paura di lui che cominciarono a tremare e rimasero come morte.
⁵ L'angelo parlò e disse alle donne: « Non abbiate paura, voi. So che cercate Gesù, quello che hanno inchiodato alla croce. ⁶ Non è qui, perché è risorto, proprio come aveva detto. Venite a vedere dov'era il suo corpo. ⁷ Ora andate, presto! Andate a dire ai suoi *discepoli: " È risuscitato dai morti e vi aspetta in Galilea. Là lo vedrete ". Ecco, io vi ho avvisato ».
⁸ Le donne partirono subito, spaventate, ma piene di gioia e andarono di corsa a portare la notizia ai discepoli. ⁹ Ma all'improvviso Gesù venne loro incontro e disse: « Salve! ». Allora si avvicinarono a lui, abbracciarono i suoi piedi e lo adorarono. ¹⁰ Gesù disse: « Non abbiate paura. Andate a dire ai miei discepoli di andare in Galilea: là mi vedranno ».

L'inganno degli ebrei

¹¹ Mentre le donne erano in cammino, alcune guardie che sorvegliavano la tomba di Gesù, tornarono in città e raccontarono ai capi dei sacerdoti quello che era successo. ¹² Allora i capi dei sacerdoti si riunirono insieme con le autorità del popolo e decisero di offrire molti soldi alle guardie, dicendo: ¹³ « Voi dovrete dire che sono venuti di notte i suoi *discepoli, mentre dormivate, e che l'hanno rubato. ¹⁴ Se poi il governatore verrà a saperlo, noi lo convinceremo e faremo in modo che voi non siate puniti ». ¹⁵ Le guardie presero i soldi e seguirono quelle istruzioni. Perciò questa storia è diffusa ancor oggi tra gli ebrei.

Gesù manda i discepoli nel mondo
(vedi Marco 16, 14-18; Luca 24, 36-49; Giovanni 20, 19-23; Atti 1, 6-8)

¹⁶ Gli undici *discepoli andarono in Galilea, su quella collina che Gesù aveva indicato. ¹⁷ Quando lo videro, lo adorarono. Alcuni, però, avevano dei dubbi.
¹⁸ Gesù si avvicinò e disse: « A me è stato dato ogni potere in cielo e in terra. ¹⁹ Perciò andate, fate diventare miei discepoli tutti gli uomini del mondo; battezzateli nel nome del Padre, del Figlio e dello *Spirito Santo; ²⁰ insegnate loro a ubbidire a tutto ciò che io vi ho comandato. E sappiate che io sarò sempre con voi, tutti i giorni, sino alla fine del mondo ».

VANGELO DI MARCO

Giovanni il Battezzatore predica nel deserto
(vedi Matteo 3, 1-12; Luca 3, 1-9.15-17; Giovanni 1, 19-28)

1 ¹ Questo è l'inizio del *vangelo, il lieto messaggio di Gesù, che è il *Cristo e il *Figlio di Dio. ² Nel libro del *profeta Isaia, Dio dice:

> *Io mando il mio messaggero davanti a te*
> *a preparare la tua strada.*
> ³ *È la voce di uno che grida nel deserto:*
> *preparate la via per il Signore,*
> *spianate i suoi sentieri!*

⁴ Ed ecco, proprio come aveva scritto il profeta, un giorno Giovanni il Battezzatore venne nel deserto e cominciò a dire: «Cambiate vita, fatevi battezzare e Dio perdonerà i vostri peccati!».

⁵ La gente andava da lui: venivano in massa da Gerusalemme e da tutta la regione della Giudea, confessavano pubblicamente i loro peccati ed egli li battezzava nel fiume Giordano.

⁶ Giovanni aveva un vestito fatto di peli di cammello e portava attorno ai fianchi una cintura di cuoio; mangiava *cavallette e miele selvatico. ⁷ Alla folla annunziava: «Dopo di me sta per venire colui che è più potente di me; io non sono degno nemmeno di abbassarmi a slacciargli i sandali. ⁸ Io vi battezzo soltanto con acqua, egli invece vi battezzerà con lo *Spirito Santo».

Il battesimo di Gesù
(vedi Matteo 3, 13-17; Luca 3, 21-22)

⁹ Proprio in quei giorni, da Nàzaret, un villaggio della Galilea, arrivò anche Gesù e si fece battezzare da Giovanni nel fiume. ¹⁰ Mentre usciva dall'acqua, Gesù vide il cielo aprirsi e lo *Spirito Santo scendere su di lui come una colomba. ¹¹ Allora dal cielo venne una voce: «Tu sei il Figlio mio, che io amo. Io ti ho mandato».

La tentazione di Gesù
(vedi Matteo 4, 1-11; Luca 4, 1-13)

¹² Subito dopo, lo Spirito di Dio fece andare Gesù nel deserto. ¹³ Là egli rimase quaranta giorni, mentre Satana

lo assaliva con le sue tentazioni. Viveva tra le bestie selvatiche e gli *angeli si prendevano cura di lui.

Gesù inizia la sua missione in Galilea
(vedi Matteo 4, 12-17; Luca 4, 14-15)

¹⁴ Poi Giovanni il Battezzatore fu arrestato e messo in prigione. Allora Gesù andò nella regione della Galilea e cominciò a proclamare il vangelo, il lieto messaggio che viene da Dio. ¹⁵ Diceva: « Il tempo della salvezza è venuto: Dio inaugura il suo regno. Cambiate vita e credete in questo lieto messaggio! ».

Gesù chiama i primi *discepoli: quattro pescatori
(vedi Matteo 4, 18-22; Luca 5, 1-11)

¹⁶ Un giorno, mentre Gesù camminava lungo la riva del lago di Galilea, vide due pescatori che gettavano le reti: erano Simone e suo fratello Andrea. ¹⁷ Disse loro: « Venite con me, vi farò diventare pescatori di uomini ». ¹⁸ E quelli abbandonarono le reti e lo seguirono subito. ¹⁹ Poco più avanti, Gesù vide i due figli di Zebedèo: Giacomo e suo fratello Giovanni. Stavano sulla barca e riparavano le reti. ²⁰ Appena li vide, li chiamò. Essi lasciarono il padre nella barca con gli aiutanti e andarono dietro a Gesù.

Gesù insegna e agisce con autorità
(vedi Luca 4, 31-37)

²¹ Giunsero alla città di Cafàrnao e quando fu *sabato Gesù entrò nella *sinagoga e si mise a insegnare. ²² La gente che ascoltava era meravigliata del suo insegnamento: Gesù era diverso dai *maestri della legge, perché insegnava come uno che ha piena autorità.
²³ In quella sinagoga c'era anche un uomo tormentato da uno *spirito maligno. Improvvisamente si mise a gridare: ²⁴ « Che vuoi da noi, Gesù di Nazaret? Sei forse venuto a rovinarci? Io so chi sei: tu sei il Santo mandato da Dio ». ²⁵ Ma Gesù gli ordinò severamente: « Taci, ed esci da quest'uomo! ». ²⁶ Allora lo spirito maligno scosse con violenza quell'uomo, poi, urlando, uscì da lui.
²⁷ Tutti i presenti rimasero sbalorditi e si chiedevano l'un l'altro: « Che succede? Questo è un insegnamento nuovo, dato con autorità. Costui comanda persino agli spiriti ma-

ligni ed essi gli ubbidiscono! ». ²⁸ Ben presto la voce si diffuse in tutta la regione della Galilea e tutti sentirono parlare di Gesù.

Gesù guarisce molti malati
(vedi Matteo 8, 14-17; Luca 4, 38-41)

²⁹ Subito dopo, uscirono dalla *sinagoga e andarono a casa di Simone e di Andrea, insieme con Giacomo e Giovanni. ³⁰ La suocera di Simone era a letto con la febbre. Appena entrati, parlarono di lei a Gesù. ³¹ Egli si avvicinò alla donna, la prese per mano e la fece alzare. La febbre sparì ed essa si mise a servirli.

³² Verso sera, dopo il tramonto del sole, la gente portò a Gesù tutti quelli che erano malati e posseduti dal *demonio. ³³ Tutti gli abitanti della città si erano radunati davanti alla porta della casa. ³⁴ Gesù guarì molti di loro che soffrivano di malattie diverse e scacciò molti demoni. E poiché i demoni sapevano chi era Gesù, egli non li lasciava parlare.

Gesù predica in tutta la Galilea
(vedi Luca 4, 42-44)

³⁵ Il giorno dopo, Gesù si alzò molto presto, quando ancora era notte fonda, e uscì dalla casa. Se ne andò fuori della città, in un luogo isolato, e là si mise a pregare. ³⁶ Ma Simone e i suoi compagni cominciarono a cercarlo, ³⁷ e quando lo trovarono gli dissero: « Tutti ti cercano! ». ³⁸ Gesù rispose: « Andiamo da un'altra parte, nei villaggi vicini, in modo che possa portare il mio messaggio anche là. Per questo infatti io sono venuto ».

³⁹ Viaggiò così per tutta la Galilea, predicando nelle *sinagoghe e scacciando i demoni.

Gesù guarisce un lebbroso
(vedi Matteo 8, 1-4; Luca 5, 12-16)

⁴⁰ Un *lebbroso venne verso Gesù, si buttò in ginocchio e gli chiese di aiutarlo. Diceva: « Se vuoi, tu puoi guarirmi ». ⁴¹ Gesù ebbe compassione, lo toccò con la mano e gli disse: « Sì, lo voglio: guarisci! ». ⁴² Subito la lebbra sparì e quell'uomo si trovò guarito.

⁴³ Allora Gesù gli parlò severamente e lo mandò via dicendo: ⁴⁴ « Ascolta! Non dir niente a nessuno di quello che ti è capitato. Vai invece dal sacerdote e fatti vedere da lui;

poi offri il sacrificio che Mosè ha stabilito nella *legge, per mostrare a tutti che sei guarito dalla lebbra».
⁴⁵ Quell'uomo se ne andò, ma subito cominciò a raccontare quello che gli era capitato. Così la notizia si diffuse, tanto che Gesù non poteva più entrare pubblicamente in una città. Se ne stava allora fuori, in luoghi isolati; ma la gente, da ogni parte, veniva ugualmente da lui.

Gesù e il potere di perdonare i peccati
(vedi Matteo 9, 1-8; Luca 5, 17-26)

2 ¹ Qualche giorno dopo, Gesù tornò in città, a Cafàrnao, e si sparse la voce che egli si trovava in casa. ² Allora venne tanta gente che non c'era più posto per nessuno, nemmeno di fronte alla porta. Gesù parlava alla folla e presentava il suo messaggio.
³ Vennero anche alcune persone che accompagnavano un *paralitico, portato in barella da quattro di loro; ⁴ ma non riuscivano ad arrivare fino a Gesù per via della folla. Allora scoperchiarono il tetto della casa proprio dove si trovava Gesù; poi, di lassù, fecero scendere la barella con sopra sdraiato il paralitico.
⁵ Quando Gesù vide la fede di questi uomini, disse al paralitico: «Figlio mio, ti sono perdonati i tuoi peccati».
⁶ Erano presenti alcuni *maestri della legge. Se ne stavano seduti e pensavano: ⁷ «Perché costui osa parlare in questo modo? Egli *bestemmia! Solamente Dio può perdonare i peccati!». ⁸ Ma Gesù indovinò subito i loro pensieri e disse: «Perché pensate così? ⁹ È più facile dire al paralitico: "Ti sono perdonati i tuoi peccati", o dire: "Alzati, prendi la tua barella e cammina?". ¹⁰ Sappiate che il *Figlio dell'uomo ha sulla terra il potere di perdonare i peccati». Allora si voltò verso il paralitico e gli disse: ¹¹ «Dico a te: alzati, prendi la tua barella e torna a casa!».
¹² Mentre tutti lo guardavano, l'uomo si alzò, prese la sua barella e se ne andò via. Il fatto riempì tutti di stupore. E lodavano Dio e dicevano: «Non abbiamo mai visto una cosa del genere!».

Gesù chiama Levi
(vedi Matteo 9, 9-13; Luca 5, 27-32)

¹³ Poi Gesù tornò presso la riva del lago. Tutta la folla gli andava dietro ed egli continuava a insegnare. ¹⁴ Passando,

vide un certo Levi, figlio di Alfeo, che stava seduto dietro
il banco dove si pagano le tasse. Gli disse: « Vieni con me ».
Quello si alzò e cominciò ad andare con lui.
15 Più tardi, Gesù si trovava in casa di Levi, a mangiare.
Con lui e con i suoi *discepoli c'erano molti esattori delle
tasse e altre persone di cattiva reputazione. Molta di questa
gente, infatti, andava con Gesù. 16 Alcuni maestri della legge,
i quali erano del gruppo dei *farisei, videro che Gesù era
a tavola con persone di quel genere. Allora dissero ai suoi
discepoli: « Ma perché mangia con quelli delle tasse e con
gente di cattiva reputazione? ».
17 Gesù sentì le loro parole e rispose: « Le persone sane
non hanno bisogno del medico; ne hanno bisogno, invece,
i malati. Io non sono venuto a chiamare quelli che per voi
sono i giusti, ma quelli che per voi sono i peccatori ».

La questione del digiuno
(vedi Matteo 9, 14-17; Luca 5, 33-39)

18 Un giorno, i *discepoli di Giovanni il Battezzatore e i
*farisei stavano facendo *digiuno. Alcuni vennero da Gesù
e gli domandarono: « Perché i discepoli di Giovanni e i
discepoli dei farisei fanno digiuno, i tuoi discepoli invece
non lo fanno? ».
19 Gesù rispose: « Vi pare possibile che gli invitati a un
banchetto di nozze se ne stiano senza mangiare, mentre
lo sposo è con loro? No; per tutto il tempo che lo sposo
è con loro, non possono digiunare. 20 Verrà più tardi il
tempo in cui lo sposo gli sarà portato via, e allora faranno
digiuno.
21 Nessuno rattoppa un vestito vecchio con con un pezzo di stoffa
nuova; altrimenti la stoffa nuova strappa via anche parte
del tessuto vecchio e fa un danno peggiore di prima. 22 E nessuno riempie otri vecchi con vino nuovo, altrimenti il vino
li fa scoppiare e così si perde e il vino e gli otri. Invece,
per un vino nuovo ci vogliono otri nuovi ».

La questione del sabato
(vedi Matteo 12, 1-8; Luca 6, 1-5)

23 Un giorno che era *sabato, Gesù stava passando attraverso dei campi di grano. Mentre camminavano, i suoi
*discepoli si misero a cogliere spighe. 24 I *farisei allora

dissero a Gesù: « Guarda! Perché i tuoi discepoli fanno ciò che la nostra *legge non permette di fare in giorno di sabato? ».

25 Gesù rispose: « E voi, non avete mai letto nella *Bibbia quel che fece Davide un giorno che si trovò in difficoltà perché lui e i suoi avevano fame? 26 Accadde al tempo del *sommo sacerdote Abiatàr: come sapete, Davide entrò nella casa di Dio e mangiò quei pani che erano un'offerta per il Signore. La nostra legge dice che solamente i sacerdoti possono mangiare quei pani, eppure Davide li mangiò e li diede anche a quelli che erano con lui ».

27 Poi Gesù disse ancora: « Il sabato è stato fatto per l'uomo, e non l'uomo per il sabato. 28 Per questo, il *Figlio dell'uomo è padrone anche del sabato ».

Gesù guarisce un malato in giorno di sabato
(vedi Matteo 12, 9-14; Luca 6, 6-11)

3 1 Un'altra volta, Gesù entrò di nuovo in una *sinagoga. Là si trovava un uomo che aveva una mano paralizzata. 2 Alcuni dei presenti stavano a vedere se Gesù lo avrebbe guarito in giorno di *sabato, perché poi volevano denunziarlo.

3 Gesù disse all'uomo che aveva la mano malata: « Vieni qui, in mezzo a tutti ». 4 Rivolto poi agli altri, chiese: « Che cosa è permesso fare in giorno di sabato? Fare del bene o fare del male? Salvare la vita di un uomo o lasciarlo morire? ». Ma essi non rispondevano.

5 Gesù allora si guardò attorno con sdegno. Era anche pieno di tristezza, vedendo che avevano un cuore tanto ostinato. Disse all'uomo malato: « Dammi la tua mano! ». Il malato obbedì, e la mano ritornò perfettamente sana.

6 Ma i *farisei uscirono dalla sinagoga e subito fecero una riunione con quelli del partito di *Erode per cercare il modo di far morire Gesù.

Gesù e la folla
(vedi Matteo 12, 15-16; Luca 6, 17-19)

7 Gesù si ritirò con i suoi *discepoli verso il lago di Galilea e una grande folla lo seguì. Venivano dalla Galilea, dalla regione della Giudea, 8 da Gerusalemme, dall'Idumea, dai territori che sono al di là del fiume Giordano e dalle zone

attorno alle città di Tiro e Sidone. Era una gran folla
di gente che aveva sentito raccontare quello che Gesù faceva
e per questo veniva da lui. ⁹Allora Gesù disse ai suoi discepoli di preparargli una piccola barca, per non essere
schiacciato dalla folla. ¹⁰Infatti, sapendo che egli aveva
guarito molti malati, tutti quelli che avevano qualche male
si spingevano fino a lui per arrivare a toccarlo.
¹¹E quando gli *spiriti maligni lo vedevano, si gettavano
ai suoi piedi e gridavano: «Tu sei il *Figlio di Dio».
¹²Ma Gesù ordinava severamente di non dire chi egli era.

Gesù sceglie i dodici apostoli
(vedi Matteo 10, 1-4; Luca 6, 12-16)

¹³Poi Gesù salì sopra un monte, chiamò vicino a sé alcuni
che aveva scelto ed essi andarono da lui. ¹⁴Questi erano
dodici [ed egli li chiamò *apostoli]. Li scelse per averli
con sé, per mandarli a predicare ¹⁵e perché avessero il
potere di scacciare i demoni. ¹⁶I *Dodici erano: Simone
che Gesù chiamò «Pietro», ¹⁷Giacomo e suo fratello Giovanni, che erano figli di Zebedèo — Gesù li chiamò anche
«Boanèrghes», che significa «figli del tuono» — ¹⁸poi
Andrea, Filippo, Bartolomeo, Matteo, Tommaso, Giacomo
figlio di Alfeo, Taddeo, Simone che era del partito degli
*zeloti, ¹⁹e infine Giuda Iscariota che poi fu il traditore
di Gesù.

I parenti di Gesù

²⁰Gesù tornò in casa, ma si radunò di nuovo tanta folla
che lui e i suoi *discepoli non riuscivano più nemmeno
a mangiare. ²¹Quando i suoi parenti vennero a sapere queste
cose, si mossero per andare a prenderlo, perché dicevano
che era diventato pazzo.

Gesù e Satana
(vedi Matteo 12, 22-32; Luca 11, 14-23)

²²Certi *maestri della legge che erano venuti fin da Gerusalemme dicevano: «*Beelzebùl, il *diavolo, è dentro di
lui. È il capo dei *demòni che gli dà il potere di scacciare
i demòni».
²³Allora Gesù si rivolse alla gente e si mise a parlare ser-

vendosi di *parabole: « Come è possibile che Satana scacci
via Satana? ²⁴ Se gli abitanti di una città si dividono e si
combattono tra loro, quella città non può continuare a
esistere. ²⁵ Se in una famiglia manca l'accordo e ci si divide, quella famiglia non potrà più durare. ²⁶ Se dunque
Satana si mette contro se stesso e non è più unito, non
può andare avanti: il suo potere è finito. ²⁷ Nessuno può
entrare nella casa di un uomo forte e rubare i suoi beni,
se prima non riesce a legarlo; ma quando l'ha legato, può
vuotargli la casa.

²⁸ In verità, di una cosa vi assicuro: potranno essere perdonati tutti i peccati che gli uomini avranno commesso e
tutte le bestemmie che diranno; ²⁹ ma chi avrà bestemmiato
contro lo *Spirito Santo non sarà mai perdonato, perché
ha commesso un peccato irreparabile ».

³⁰ Gesù dichiarò questo perché qualcuno aveva detto: « Uno
*spirito maligno è dentro di lui ».

I veri parenti di Gesù
(vedi Matteo 12, 46-50; Luca 8, 19-21)

³¹ La madre e i fratelli di Gesù erano venuti dove egli
si trovava, ma erano rimasti fuori e lo avevano fatto chiamare. ³² In quel momento molta gente stava seduta attorno
a Gesù. Gli dissero: « Tua madre e i tuoi fratelli sono
qui fuori e ti cercano ».

³³ Gesù rispose: « Chi è mia madre e chi sono i miei fratelli? ». ³⁴ Poi si guardò attorno e osservando la gente seduta
in cerchio vicino a lui disse: « Guardate: sono questi mia
madre e i miei fratelli. ³⁵ Perché se uno fa la volontà di
Dio, è mio fratello, mia sorella e mia madre ».

La parabola del seminatore
(vedi Matteo 13, 1-9; Luca 8, 4-8)

4 ¹ Gesù si mise di nuovo a insegnare sulla riva del lago
di Galilea. Attorno a lui si radunò una gran folla,
tanto che — per poter parlare — egli andò a sedersi in
una barca. La barca era in acqua e tutta la gente se ne
stava sulla sponda del lago.

² Gesù insegnava molte cose servendosi di *parabole. Presentava il suo insegnamento dicendo: ³ « Ascoltate! Un contadino cominciò a seminare; ⁴ e mentre seminava, una parte

dei semi andò a cadere sulla strada: vennero gli uccelli e la mangiarono. [5] Una parte della semente, invece, andò a finire su un terreno dove c'erano molte pietre e poca terra: i semi germogliarono subito perché la terra non era profonda; [6] ma il sole, quando si levò, bruciò le pianticelle che seccarono, perché avevano deboli radici. [7] Altri semi caddero in mezzo alle spine: crescendo, le spine soffocarono i germogli e non li lasciarono maturare.
[8] Ma una parte della semente cadde in un terreno buono; i semi germogliarono, crebbero e fecero frutto: alcuni produssero trenta grani, altri sessanta, altri persino cento! ».
[9] Alla fine Gesù aggiunse: « Chi ha orecchi, cerchi di capire! ».

Perché Gesù usa le parabole
(vedi Matteo 13, 10-17; Luca 8, 9-10)

[10] Più tardi, quando la folla se ne fu andata, i dodici *discepoli e quelli che stavano con Gesù gli fecero delle domande sulle parabole. [11] Egli rispose: « A voi Dio fa comprendere il segreto del suo regno; per gli altri, invece, tutto rimane sotto forma di *parabola. [12] Così, come dice la Bibbia:

> Guardano e guardano, ma non vedono;
> ascoltano e ascoltano, ma non capiscono.
> Altrimenti tornerebbero verso Dio
> e Dio perdonerebbe i loro peccati ».

Spiegazione della parabola del seminatore
(vedi Matteo 13, 18-23; Luca 8, 11-15)

[13] Poi Gesù disse: « Non capite questa *parabola? Come potrete allora capire tutte le altre parabole?
[14] Il contadino che semina è colui che annunzia la *parola di Dio. [15] I semi caduti sulla strada indicano certe persone che ricevono e ascoltano la parola di Dio, ma subito viene Satana e porta via la parola seminata dentro di loro.
[16] I semi caduti sul terreno pietroso indicano altre persone, quelle che ascoltano la parola e l'accolgono con entusiasmo, [17] ma non hanno radici e non sono costanti: appena incontrano difficoltà o persecuzione a causa della parola di Dio, subito si lasciano andare.
[18] I semi caduti tra le spine indicano altre persone ancora: anche queste ascoltano la parola, [19] ma poi si lasciano pren-

dere dalle preoccupazioni di questo mondo, dai piaceri della ricchezza e da tante altre passioni: tutto questo soffoca la parola di Dio, e così essa rimane senza frutto.
20 Infine, i semi caduti nella buona terra indicano quelli che ascoltano la parola, l'accettano e la fanno fruttificare molto: trenta, sessanta e cento volte di più».

La parabola della lampada
(vedi Matteo 5, 15; 10, 26; Luca 8, 16-18)

21 E Gesù diceva: «Non si accende la lampada per poi metterla sotto un secchio o sotto il letto, ma piuttosto per metterla in alto. 22 Così tutto ciò che ora è nascosto sarà portato alla luce, tutto ciò che è segreto diventerà chiaro. 23 Chi ha orecchi, cerchi di capire».
24 Poi diceva ancora: «Fate bene attenzione a ciò che udite. Quando Dio vi darà i suoi doni userà la misura che usate voi, anzi vi darà anche di più. 25 Chi ha molto, riceverà ancor di più; ma a chi ha poco, sarà portato via anche il poco che ha».

La parabola del seme che cresce da solo

26 E Gesù diceva: «Il *regno di Dio è come la semente che un uomo sparge nella terra. 27 Ogni sera egli va a dormire e ogni giorno si alza. Intanto il seme germoglia e cresce, ed egli non sa affatto come ciò avviene. 28 La terra, da sola, fa crescere il raccolto: prima un filo d'erba, poi la spiga e poi, nella spiga, il grano maturo. 29 E quando il frutto è pronto, subito l'uomo prende la *falce perché è venuto il momento del raccolto».

La parabola del granello di senape
(vedi Matteo 13, 31-32; Luca 13, 18-19)

30 E Gesù diceva: «A che cosa somiglia il *regno di Dio? Con quale *parabola ne parleremo? 31 Esso è simile a un granello di *senape che, quando viene seminato nella terra, è il più piccolo di tutti i semi. 32 Ma poi, quando è stato seminato, cresce e diventa la più grande di tutte le piante dell'orto. E mette dei rami tanto grandi che gli uccelli del cielo possono fare il nido alla sua ombra».

Gesù insegna con parabole
(vedi Matteo 13, 34-35)

33 Così, con molte *parabole di questo genere, Gesù parlava alla gente e annunziava il suo messaggio in modo che potessero capire. 34 Con la gente parlava sempre in parabole; quando però si trovava solo con i suoi *discepoli, spiegava loro ogni cosa.

Gesù calma una tempesta
(vedi Matteo 8, 23-27; Luca 8, 22-25)

35 La sera di quello stesso giorno, Gesù disse ai suoi *discepoli: « Andiamo all'altra riva del lago ». 36 Essi lasciarono la folla e portarono Gesù con la barca nella quale già si trovava. Anche altre barche lo accompagnarono.
37 A un certo punto il vento si mise a soffiare con tale violenza, che le onde si rovesciavano dentro la barca, e questa era già quasi piena d'acqua. 38 Gesù intanto dormiva sul fondo della barca, con la testa appoggiata su un cuscino. Allora gli altri lo svegliarono e gli dissero: « *Maestro, affoghiamo! Non ti importa nulla? ».
39 Egli si svegliò, sgridò il vento e disse all'acqua del lago: « Fa' silenzio! Calmati! ». Allora il vento si fermò e vi fu una grande calma. 40 Poi Gesù disse ai suoi discepoli: « Perché siete tanto paurosi? Non avete ancora fede? ».
41 Essi però si spaventarono molto e dicevano tra di loro: « Ma chi è dunque costui? Anche il vento e l'acqua del lago gli obbediscono! ».

Gesù guarisce l'indemoniato di Gerasa
(vedi Matteo 8, 28-34; Luca 8, 26-39)

5 1 Poi arrivarono sull'altra sponda del lago di Galilea, nel territorio di Gerasa. 2 Gesù era appena sceso dalla barca, quando improvvisamente gli venne incontro un uomo. Costui era tormentato da uno *spirito maligno, 3 e stava sempre in mezzo alle tombe dei morti. Nessuno riusciva più a tenerlo legato, neppure con una catena: 4 di fatto, avevano provato diverse volte a mettergli dei ferri ai piedi e delle catene alle mani, ma egli aveva sempre spezzato i ferri e rotto le catene. Nessuno era capace di domarlo. 5 Se ne andava di qua e di là, in mezzo alle tombe e sui monti, di giorno e di notte, urlando e picchiandosi con le pietre.

⁶ Quando vide Gesù da lontano, si avvicinò di corsa e si
buttò in ginocchio davanti a lui. ⁷⁻⁸ Allora Gesù cominciò
a dire allo spirito maligno di uscire da quell'uomo; ma
quello si mise a gridare forte: « Che vuoi da me, Gesù,
*Figlio del Dio onnipotente? Ti scongiuro, per Dio, non
tormentarmi! ».
⁹ Allora Gesù domandò: « Come ti chiami? ». E quello
rispose: « Il mio nome è " Moltitudine ", perché siamo
in molti »; ¹⁰ e continuava poi a chiedergli di non cacciarli
fuori da quella regione.
¹¹ In quel luogo c'era un grosso branco di porci che pascolava
vicino alla montagna. ¹² Allora gli spiriti maligni chiesero con
insistenza a Gesù: « Mandaci in quei porci! Lascia che entria-
mo dentro di loro! ». ¹³ Gesù li lasciò andare. Gli spiriti maligni uscirono da quell'uomo ed entrarono nei porci. Allora tutti
quegli animali — erano circa duemila! — si misero a correre giù per la discesa, si precipitarono nel lago e affogarono.
¹⁴ I guardiani dei porci fuggirono e andarono a raccontare
il fatto in città e in campagna. Perciò la gente venne a
vedere che cosa era accaduto. ¹⁵ Quando arrivarono vicino
a Gesù, videro anche l'uomo nel quale, prima, c'erano molti
spiriti maligni: ora egli se ne stava seduto, era vestito e
ragionava bene. Allora si spaventarono. ¹⁶ Quelli che avevano visto il fatto, raccontarono ancora agli altri ciò che
era successo all'indemoniato e poi ai porci. ¹⁷ Infine la gente
pregò Gesù di andarsene via dal loro territorio.
¹⁸ Gesù salì sulla barca. L'uomo guarito continuava a chiedergli di poter stare con lui, ¹⁹ ma Gesù non voleva. « Torna
a casa tua — gli disse — dalla tua famiglia, e racconta agli
altri quanto ha fatto per te il Signore che ha avuto pietà
di te ». ²⁰ L'uomo allora se ne andò via e cominciò ad
annunziare in tutta la regione delle *Dieci Città ciò che
Gesù aveva fatto per lui; e tutti quelli che lo ascoltavano
erano pieni di meraviglia.

La figlia di Giairo
e la donna che toccò il mantello di Gesù
(vedi Matteo 9, 18-26; Luca 8, 40-56)

²¹ Gesù ritornò sull'altra sponda del lago e quando fu sulla
riva una grande folla si radunò attorno a lui. ²² Venne
allora un capo della *sinagoga, un certo Giairo. Quando

vide Gesù si buttò ai suoi piedi [23] e gli chiese con insistenza il suo aiuto: « La mia bambina sta morendo — gli disse —. Ti prego, vieni a mettere la tua mano su di lei, perché guarisca e continui a vivere! ». [24] Gesù andò con lui, mentre molta gente continuava a seguirlo e lo stringeva da ogni parte.

[25] C'era là anche una donna, la quale già da dodici anni aveva continue perdite di sangue. [26] Si era fatta curare da molti medici che l'avevano fatta soffrire parecchio e le avevano fatto spendere tutti i suoi soldi, ma senza risultato. Anzi, stava sempre peggio. [27] Questa donna aveva sentito parlare di Gesù [28] e aveva pensato: « Se io riesco anche solo a toccare il suo mantello, sarò guarita ». Con questa idea [27b] si mise in mezzo alla folla, dietro a Gesù, e arrivò a toccare il suo mantello. [29] Subito la perdita di sangue si fermò ed essa si sentì guarita dal suo male.

[30] Ma nello stesso istante Gesù si era accorto che una forza era uscita da lui. Allora si voltò verso la folla e disse: « Chi ha toccato il mio mantello? ».

[31] I discepoli gli risposero: « Vedi bene che la gente ti stringe da ogni parte. Come puoi dire: chi mi ha toccato? ».

[32] Ma Gesù si guardava attorno per vedere chi lo aveva fatto.

[33] La donna aveva paura e tremava perché sapeva quello che le era capitato. Finalmente venne fuori, si buttò a terra davanti a Gesù e gli raccontò tutta la verità. [34] Gesù le disse: « Figlia mia, la tua fede ti ha salvata. Ora vai in pace, guarita dal tuo male ».

[35] Mentre Gesù parlava, arrivano dei messaggeri dalla casa del capo-sinagoga e gli dicono: « Tua figlia è morta. Perché stai ancora a disturbare il *Maestro? ».

[36] Ma Gesù non diede importanza alle loro parole e disse a Giairo: « Non temere: soltanto continua ad aver fiducia ».

[37] Prese con sé Pietro, Giacomo e suo fratello Giovanni e non si fece accompagnare da nessun altro.

[38] Quando arrivarono alla casa di Giairo, Gesù vide una grande confusione: c'era gente che piangeva e che gridava.

[39] Entrò e disse: « Perché tutta questa agitazione e perché piangete? La bambina non è morta. Dorme ». [40] Ma quelli ridevano di lui. Gesù li fece uscire tutti, ed entrò nella stanza solo con il padre e la madre della bambina e i suoi tre *discepoli. [41] Prese la mano della bambina e le

disse: « Talità kum! », che significa: « Fanciulla, alzati! ».
[42] Subito la fanciulla si alzò e si mise a camminare (aveva
già dodici anni). Tutti furono presi da grande meraviglia,
[43] ma Gesù ordinò severamente di non parlarne con nessuno; poi disse di darle qualcosa da mangiare.

La gente di Nazaret non ha fiducia in Gesù
(vedi Matteo 13, 53-58; Luca 4, 16-30)

6 [1] Gesù lasciò quel luogo e tornò nella sua città, accompagnato dai *discepoli. [2] Quando fu *sabato, cominciò
a insegnare nella *sinagoga e molti di quelli che lo ascoltavano erano sbalorditi. Dicevano: « Ma dove ha imparato
tutte queste cose? Chi gli ha dato tutta questa sapienza?
Come mai è capace di compiere *miracoli così grandi? [3] Non
è lui il falegname, il figlio di Maria e il fratello di Giacomo, Joses, Giuda e Simone? e le sue sorelle, non vivono
qui in mezzo a noi? ». E perciò non gli davano ascolto.
[4] Ma Gesù disse loro: « Un *profeta è disprezzato soprattutto nella sua patria, tra i suoi parenti e nella sua casa ».
[5] Così in quell'ambiente non ebbe la possibilità di fare miracoli (guarì soltanto pochi malati posando le mani su di
loro). [6] E si meravigliava del fatto che quella gente non
avesse fede.

Gesù manda i *discepoli in missione
(vedi Matteo 10, 1.5-15; Luca 9, 1-6)

Poi Gesù andò a insegnare nei villaggi dei dintorni. [7] Chiamò
i dodici *apostoli e cominciò a mandarli qua e là, a due a
due. Dava loro il potere di scacciare gli *spiriti maligni
[8] e diceva: « Per il viaggio, prendete un bastone e nient'altro;
né pane, né borsa, né soldi in tasca. [9] Tenete pure i sandali,
ma non due vestiti ». [10] Inoltre raccomandava: « Quando
entrate in una casa, fermatevi finché è ora di andarvene
da quella città. [11] Se la gente di un paese non vi accoglie
e non vuole ascoltarvi, andatevene e scuotete la polvere dai
piedi: sarà un gesto contro di loro ».
[12] I discepoli allora partirono. Essi predicavano dicendo alla
gente di cambiare vita, [13] scacciavano molti *demoni e guarivano molti malati ungendoli con olio.

La morte di Giovanni il Battezzatore
(vedi Matteo 14, 1-12; Luca 9, 7-9)

¹⁴ In quel tempo anche il re *Erode aveva sentito parlare di Gesù, perché se ne parlava dappertutto. Alcuni dicevano: « Giovanni il Battezzatore è tornato dal mondo dei morti! Per questo ha il potere di fare *miracoli ». ¹⁵ Altri invece dicevano che Gesù era il *profeta *Elia; altri ancora dicevano che era un nuovo profeta, come i profeti del passato. ¹⁶ Erode, da parte sua, quando venne a sapere queste cose pensò: « È Giovanni il Battezzatore! Gli ho fatto tagliare la testa, ma ora è risorto ».

¹⁷ Effettivamente, qualche tempo prima, Erode aveva fatto arrestare Giovanni, l'aveva fatto legare e gettare in prigione. Il motivo di tutto ciò era stata la faccenda di *Erodìade, la donna che egli aveva voluto sposare anche se era già la moglie di suo fratello Filippo. ¹⁸ Giovanni aveva detto a Erode: « Tu non puoi sposare la moglie di tuo fratello! ». ¹⁹ Erodìade era furiosa contro Giovanni e voleva farlo ammazzare, ma non poteva a causa di Erode. ²⁰ Il re, infatti, aveva paura di Giovanni perché capiva che era un uomo giusto e un santo, e lo proteggeva. Quando lo ascoltava, si trovava a disagio, eppure lo ascoltava volentieri.

²¹ Ma un giorno arrivò l'occasione buona. Era il compleanno di Erode ed era stato organizzato un banchetto per gli uomini del governo, per gli alti ufficiali dell'esercito e le persone più importanti della Galilea. ²² A un certo punto entrò nella sala del banchetto la giovane figlia di Erodìade e si mise a danzare. La sua danza piacque molto a Erode e agli invitati, tanto che il re le disse: « Chiedimi quello che vuoi, e io te lo darò ». ²³ Fece anche questo solenne giuramento: « Giuro che ti darò quello che mi domanderai, anche se fosse la metà del mio regno! ».

²⁴ La ragazza uscì dalla sala, andò da sua madre e le chiese: « Che cosa devo domandare? ». Erodìade rispose: « La testa di Giovanni il Battezzatore ».

²⁵ La ragazza tornò di corsa dal re Erode e disse: « Voglio che tu mi faccia portare, subito, su un piatto, la testa di Giovanni il Battezzatore! ». ²⁶ Il re diventò molto triste, ma dato che aveva fatto quel giuramento ed erano presenti tutte quelle persone, non volle dire di no. ²⁷ Mandò subito uno dei suoi soldati con l'ordine di portare la testa di Giovanni. Il soldato andò nella prigione, tagliò la testa a Giovanni,

²⁸ la portò su un piatto e la diede alla ragazza; quella poi
la diede a sua madre.
²⁹ Quando i *discepoli di Giovanni vennero a conoscere questo fatto, andarono a prendere il suo corpo e lo misero in
una tomba.

Gesù dà da mangiare a cinquemila persone
(vedi Matteo 14, 13-21; Luca 9, 10-17; Giovanni 6, 1-14)

³⁰ Gli *apostoli tornarono da Gesù e gli raccontarono tutto
quello che avevano fatto e insegnato.
³¹ C'era molta gente che andava e veniva, tanto che non avevano neppure il tempo di mangiare. Allora Gesù disse:
« Venite con me, voi soltanto. Andremo in un posto tranquillo e vi riposerete un po' ».
³² Salirono su una barca, da soli, e andarono verso un luogo
isolato. ³³ Molti però se ne accorsero: li videro partire e li
seguirono. Da tutte le città venne molta gente e, a piedi,
correndo, arrivarono sul posto prima di Gesù e dei *discepoli. ³⁴ Quando Gesù scese dalla barca, vide tutta quella
folla ed ebbe compassione di loro perché erano come pecore
senza pastore. Allora si mise a insegnar loro molte cose.
³⁵ Poiché si era fatto tardi, i discepoli si avvicinarono a Gesù
e gli dissero: « Il luogo è isolato e ormai è già tardi. ³⁶ Lascia andare tutta questa gente, in modo che possa comprarsi qualcosa da mangiare nelle campagne e nei villaggi qui
intorno ».
³⁷ Ma Gesù rispose: « Date voi qualcosa da mangiare a questa gente! ». E i discepoli dissero: « Ma come? Dovremmo
andare a comprare pane per un valore di duecento monete
d'argento e dar da mangiare a tutti? ».
³⁸ Gesù domandò: « Quanti pani avete? Andate a vedere! ».
Andarono a guardare, poi risposero: « Abbiamo cinque pani,
e anche due pesci ».
³⁹ Allora Gesù ordinò di far sedere tutta la gente, a gruppi,
sull'erba verde. ⁴⁰ E quelli si misero seduti in ordine, a gruppi
di cento e di cinquanta. ⁴¹ Gesù prese i cinque pani e i due
pesci, alzò gli occhi al cielo, fece una preghiera di benedizione, poi cominciò a spezzare i pani e a darli ai suoi
discepoli perché li distribuissero. Anche i due pesci li fece
distribuire a tutti. ⁴² E tutti mangiarono e ne ebbero a sufficienza. ⁴³ Poi raccolsero i pezzi avanzati, sia dei pani sia

dei pesci, e riempirono dodici ceste. ⁴⁴ Quelli che avevano mangiato erano circa cinquemila uomini.

Gesù cammina sul lago
(vedi Matteo 14, 22-33; Giovanni 6, 16-21)

⁴⁵ Subito dopo, Gesù fece salire i suoi *discepoli sulla barca e ordinò loro di andare sull'altra sponda, del lago, verso la città di Betsàida. Egli intanto avrebbe rimandato a casa la gente. ⁴⁶ Dopo essersi separato da loro, salì sul monte a pregare.
⁴⁷ Venne la notte, e la barca con i discepoli si trovava in mezzo al lago mentre Gesù era ancora solo, a terra. ⁴⁸ Egli vide che i discepoli erano molto stanchi perché avevano il vento contrario e faticavano a remare. Allora, sul finire della notte, venne verso di loro, camminando sull'acqua.
Stava per oltrepassarli, ⁴⁹ quando essi lo videro camminare sull'acqua: pensarono che fosse un fantasma e si misero a gridare. ⁵⁰ Infatti tutti lo vedevano, e tutti erano presi da una grande paura. Ma subito Gesù parlò e disse loro: « Coraggio, sono io. Non abbiate paura! ». ⁵¹ Poi salì sulla barca, e il vento cessò. I discepoli rimasero pieni di meraviglia.
⁵² Infatti non avevano capito neppure il miracolo dei pani: si ostinavano a non capire nulla.

Gesù guarisce i malati nella regione di Genèsaret
(vedi Matteo 14, 34-36)

⁵³ Attraverso il lago, arrivarono a *Genèsaret dove lasciarono la barca. ⁵⁴ Appena sbarcati, la gente riconobbe Gesù, e ⁵⁵ in tutta la regione quelli che sentirono dire che Gesù era arrivato si misero a correre e gli portarono i malati sulle barelle.
⁵⁶ Dove Gesù andava, nei villaggi, nelle città o nelle campagne, la gente portava sempre i malati in piazza e lo supplicava di permettere ai malati di toccare almeno la frangia del suo mantello. E tutti quelli che lo toccavano, guarivano.

La tradizione degli uomini e i comandamenti di Dio
(vedi Matteo 15, 1-9)

7 ¹ I *farisei e alcuni *maestri della legge venuti da Gerusalemme si radunarono attorno a Gesù. ² Essi nota-

rono che alcuni dei suoi *discepoli mangiavano con mani
*impure, cioè senza averle lavate secondo l'uso religioso.
³ Bisogna sapere che i farisei e in genere tutti gli ebrei rispettano la *tradizione degli antichi: così, non mangiano se
prima non hanno fatto il rito di purificarsi le mani; ⁴ e anche quando tornano dal mercato, non mangiano se non si
sono purificati. Ci sono anche molte altre cose che essi hanno
imparato a osservare: ad esempio, purificano i bicchieri, le
stoviglie, i recipienti di rame e i letti.
⁵ I farisei e i maestri della legge, dunque, chiesero a Gesù:
« Perché i tuoi discepoli non obbediscono alla *legge tra-
mandata dagli antichi e mangiano con mani impure? ».
Gesù rispose loro: ⁶ « Il *profeta Isaia aveva ragione quando
parlava di voi. Voi siete degli ipocriti, come è scritto nel
suo libro:

> Questo popolo — dice il Signore — mi onora a parole,
> ma il suo cuore è molto lontano da me.
> ⁷ Il modo con cui mi onorano è senza senso
> perché insegnano come dottrina di Dio
> comandamenti che son fatti da uomini.

⁸ Voi lasciate da parte i comandamenti di Dio per poter conservare la *tradizione degli uomini ».
⁹ Poi Gesù aggiunse: « Siete molto abili quando volete mettere da parte i comandamenti di Dio per difendere la vostra
tradizione.
¹⁰ Per esempio, Mosè ha detto: Onora tuo padre e tua madre,
e poi: Chi parla male di suo padre o di sua madre deve
essere condannato a morte. ¹¹ Voi invece insegnate in modo
diverso. Se uno dice a suo padre oppure a sua madre:
" La parte dei miei beni che avrei potuto usare per aiutarti,
è korbàn, cioè: un dono consacrato a Dio ", ¹² voi affer-
mate che non ha più il dovere di aiutare suo padre e sua
madre. ¹³ Così, per mezzo di questa tradizione che insegnate,
fate diventare inutile la *parola di Dio. E cose come queste, ne fate molte ».

Le cose che rendono impuro un uomo
(vedi Matteo 15, 10-20)

¹⁴ Poi Gesù chiamò di nuovo la folla e disse: « Ascoltatemi
tutti e cercate di capire! ¹⁵ Niente di ciò che entra nell'uomo

dall'esterno, può farlo diventare *impuro. Piuttosto, è ciò
che esce dal cuore che può rendere impuro un uomo ». [16]
17 Quando Gesù fu lontano dalla folla e fu entrato in casa,
i suoi *discepoli lo interrogarono su questa *parabola. 18 Egli
disse loro: « Neppure voi siete capaci di comprendere? Ma
non capite che tutto ciò che entra nell'uomo dall'esterno non
può farlo diventare impuro, 19 perché non entra nel suo
cuore, ma nello stomaco e quindi va a finire in una fogna? ».
Con queste parole, Gesù dichiarava che si possono mangiare tutti i cibi. 20 Poi disse ancora: « È ciò che esce dal-
l'uomo che lo rende impuro. 21 Infatti dall'intimo, dal cuore
dell'uomo escono tutti i pensieri cattivi che portano al male:
i peccati sessuali, i furti, gli assassinii, 22 i tradimenti tra marito e moglie, la voglia di avere le cose degli altri, le ma-
lizie, gli imbrogli, le oscenità, l'invidia, la maldicenza, la
superbia, la stoltezza...
23 Tutte queste cose cattive vengono fuori dall'uomo e lo
fanno diventare impuro ».

La fede di una donna straniera
(vedi Matteo 15, 21-28)

24 Poi Gesù partì di là e andò nella regione vicino alla città
di Tiro. Entrò in una casa e, pur desiderando che nessuno
sapesse che egli era in quel luogo, non riuscì a rimanere nascosto. 25 Poco dopo venne una donna che aveva sentito parlare di lui e gli si gettò ai piedi: sua figlia era tormentata
da uno *spirito maligno, 26 Questa donna però non era ebrea:
era di quella regione, della Fenicia. Essa pregava Gesù di
scacciare il *demonio da sua figlia.
27 Gesù le disse: « Lascia che prima mangino i figli, perché
non è giusto prendere il pane dei figli e buttarlo ai cagnolini ».
28 Ma la donna rispose: « È vero, Signore, però sotto la tavola i cagnolini possono mangiare almeno le briciole ».
29 Allora Gesù le disse: « Hai risposto bene. Torna a casa
tua: lo spirito maligno è uscito da tua figlia ». 30 La donna
tornò a casa e trovò sua figlia sdraiata sul letto: lo spirito
maligno se n'era andato.

Gesù guarisce un sordomuto

³¹ Poi Gesù lasciò la regione di Tiro, passò per la città di Sidone e tornò ancora verso il lago di Galilea attraverso il territorio delle *Dieci Città.

³² Gli portarono un uomo che era sordomuto e lo pregarono di mettere le mani sopra di lui. ³³ Allora Gesù lo prese da parte, lontano dalla folla, gli mise le dita negli orecchi, sputò e gli toccò la lingua con la saliva. ³⁴ Poi alzò gli occhi al cielo, fece un sospiro e disse a quell'uomo: « Effatà! », che significa: « Apriti! ». ³⁵ Subito le sue orecchie si aprirono, la sua lingua si sciolse ed egli si mise a parlare molto bene.

³⁶ Gesù ordinò di non dire nulla a nessuno, ma più comandava di tacere, più la gente ne parlava pubblicamente. ³⁷ Tutti erano molto meravigliati e dicevano: « È straordinario! fa parlare i muti, e fa sentire i sordi! ».

Gesù dà da mangiare a quattromila persone
(vedi Matteo 15, 32-39)

8 ¹ In quei giorni, ancora una volta, si era radunata una gran folla. Vedendo che non avevano più niente da mangiare, Gesù chiamò i suoi *discepoli e disse: ² « Questa gente mi fa pena. Già da tre giorni stanno con me e non hanno niente da mangiare. ³ Se li lascio tornare a casa digiuni, si sentiranno male lungo la strada, perché alcuni vengono da lontano ».

⁴ Gli risposero i discepoli: « Ma come è possibile, in questo luogo deserto, trovare cibo per tutti? ».

⁵ Gesù domandò: « Quanti pani avete? ». « Sette », risposero. ⁶ Allora Gesù ordinò alla folla di sedersi per terra. Poi prese i sette pani, fece una preghiera di ringraziamento, li spezzò e li diede ai discepoli perché li distribuissero alla folla. Ed essi li distribuirono. ⁷ Avevano anche alcuni pesci, pochi e piccoli. Gesù ringraziò Dio per quei pesci e disse di distribuire anche quelli.

⁸ Tutti mangiarono e ne ebbero a sufficienza. Quando poi raccolsero i pezzi avanzati si riempirono sette ceste. ⁹ Le persone presenti erano circa quattromila.

Poi Gesù mandò a casa tutti, ¹⁰ salì subito sulla barca insieme con i suoi discepoli e andò nella regione di Dalmanùta.

I farisei vogliono vedere un miracolo
(vedi Matteo 16, 1-4; Luca 11, 29-32)

¹¹ Arrivarono alcuni dei *farisei e si misero a discutere con Gesù. Volevano metterlo in difficoltà e gli chiesero di fare un segno miracoloso come prova che egli veniva da Dio. ¹² Gesù sospirò profondamente e disse: «Perché chiedono un *miracolo? Vi assicuro che tutta questa gente non riceverà nessun miracolo!». ¹³ Poi si allontanò da loro; salì di nuovo sulla barca e se ne andò verso l'altra sponda del lago.

I discepoli non capiscono ancora
(vedi Matteo 16, 5-12)

¹⁴ I *discepoli avevano dimenticato di prendere da mangiare e nella barca avevano un solo pane. ¹⁵ Gesù fece questa raccomandazione: «State attenti! Tenetevi lontani dal *lievito dei *farisei e da quello di *Erode!». ¹⁶ E i discepoli dicevano tra di loro: «Parla così perché non abbiamo pane».

¹⁷ Gesù se ne accorse e disse: «Ma perché state a discutere che non avete pane? Non capite ancora e non vi rendete conto di nulla? La vostra mente è bloccata? ¹⁸ Ostinati! Avete gli occhi e non vedete, avete orecchi e non intendete? Cercate di ricordare: ¹⁹ quando ho distribuito quei cinque pani per cinquemila persone, quante ceste di avanzi avete raccolto?». Risposero: «Dodici». ²⁰ «E quando ho distribuito quei sette pani per quattromila persone, quante ceste di pane avete raccolto?». Risposero: «Sette».
²¹ Allora Gesù disse: «E non capite ancora?».

Gesù guarisce un cieco a Betsàida

²² Poi arrivarono a Betsàida. Là alcune persone portarono a Gesù un uomo cieco e lo pregarono di toccarlo. ²³ Gesù prese il cieco per mano e lo condusse fuori del villaggio; poi gli mise un po' di saliva sugli occhi, stese le mani su di lui e gli domandò: «Vedi qualcosa?».
²⁴ Quello guardò in su e disse: «Sì, vedo le persone; le vedo come alberi che camminano».
²⁵ Gesù gli mise di nuovo le mani sugli occhi, e il cieco guardò diritto davanti a sé: era guarito e vedeva bene ogni cosa.
²⁶ Allora Gesù lo rimandò a casa e gli disse: «Non entrare neppure in paese».

Pietro dichiara che Gesù è il Messia
(vedi Matteo 16, 13-20; Luca 9, 18-21)

27 Poi Gesù e i suoi *discepoli partirono verso i villaggi della regione di Cesarea di Filippo. Lungo la via, Gesù domandò ai discepoli: « La gente, che dice? Chi sono io? ». 28 Gli risposero: « Alcuni dicono che tu sei Giovanni il Battezzatore, altri che sei il *profeta *Elia, altri ancora dicono che tu sei uno dei profeti ».
29 Gesù domandò ancora: « E voi, che dite? Chi sono io? ». Pietro rispose: « Tu sei il *Messia, il *Cristo ». 30 Allora Gesù ordinò loro di non parlarne a nessuno.

Gesù annunzia la sua morte e risurrezione
Il rimprovero di Pietro
(vedi Matteo 16, 21-23; Luca 9, 22)

31-32 Poi Gesù, rivolto ai *discepoli, cominciò a dire chiaramente: « Il *Figlio dell'uomo dovrà soffrire molto. È necessario. Gli *anziani del popolo, i capi dei sacerdoti e i *maestri della legge lo condanneranno; egli sarà ucciso, ma dopo tre giorni risusciterà ».
A queste parole, Pietro prese da parte Gesù e si mise a rimproverarlo. 33 Ma Gesù si voltò, guardò i discepoli e parlò severamente a Pietro: « Va' via, lontano da me, Satana! Perché tu non ragioni come Dio, ma come gli uomini ».

Seguire Gesù portando la croce
(vedi Matteo 16, 24-28; Luca 9, 23-27; Giovanni 12, 25)

34 Poi Gesù chiamò la folla insieme con i *discepoli e disse: « Se qualcuno vuol venire con me, smetta di pensare a se stesso, prenda la sua croce e mi segua. 35 Chi pensa soltanto a salvare la propria vita, la perderà; chi invece è pronto a sacrificare la propria vita per me e per il *vangelo, la salverà. 36 Se un uomo riesce a guadagnare anche il mondo intero, ma perde la vita, che vantaggio ne ricava? 37 C'è forse qualcosa che un uomo possa dare per riavere in cambio la propria vita? 38 Se uno si vergognerà di me e delle mie parole di fronte a questa gente infedele e piena di peccati, allora il *Figlio dell'uomo si vergognerà di lui quando ritornerà con la gloria di Dio suo Padre e con i suoi *angeli ».

9 ¹ E aggiungeva: « Vi assicuro che alcuni di voi qui presenti non moriranno, prima di aver visto il *regno di Dio che viene con potenza ».

La trasfigurazione:
Gesù manifesta la sua gloria a tre discepoli
(vedi Matteo 17, 1-13; Luca 9, 28-36)

² Sei giorni dopo, Gesù prese con sé tre *discepoli, Pietro, Giacomo e Giovanni, e li portò su un alto monte, in un luogo dove non c'era nessuno. Là, di fronte a loro, Gesù cambiò d'aspetto: ³ i suoi abiti diventarono splendidi e bianchissimi. Nessuno a questo mondo avrebbe mai potuto farli diventar così bianchi a forza di lavarli. ⁴ Poi i discepoli videro anche il *profeta *Elia e Mosè: stavano accanto a Gesù e parlavano con lui. ⁵ Allora Pietro cominciò a parlare e disse a Gesù: « *Maestro, è bello stare qui! Prepareremo tre tende: una per te, una per Mosè e una per Elia ». ⁶ Parlava così, ma non sapeva che cosa dire; infatti erano spaventati.

⁷ Poi apparve una nuvola che li avvolse con la sua ombra e dalla nuvola si fece sentire una voce: « Costui è il Figlio mio, che io amo. Ascoltatelo! ». ⁸ I discepoli si guardarono subito attorno, ma non videro più nessuno: con loro c'era soltanto Gesù.

⁹ Poi scesero dal monte e Gesù ordinò di non raccontare a nessuno quello che avevano visto, prima che il *Figlio dell'uomo fosse risuscitato dai morti. ¹⁰ I discepoli ubbidirono a quest'ordine, ma discutevano tra di loro che cosa volesse dire con le parole: « risuscitare dai morti ».

¹¹ Poi domandarono a Gesù: « Perché i *maestri della legge dicono che prima di tutto deve tornare il profeta Elia? ». ¹² Egli rispose: « È vero, prima deve venire Elia per mettere in ordine ogni cosa. Eppure che cosa dice la *Bibbia a proposito del Figlio dell'uomo? Dice che deve soffrire molto ed essere disprezzato. ¹³ Ebbene, io vi assicuro che Elia è già venuto, ma gli hanno fatto tutto quello che hanno voluto, così come la Bibbia dice di lui ».

Gesù libera un ragazzo
tormentato da uno spirito maligno
(vedi Matteo 17, 14-20; Luca 9, 37-43a)

[14] Intanto arrivarono là dove si trovavano gli altri *disce-poli, e li videro circondati da una grande folla, mentre i *maestri della legge stavano discutendo con loro. [15] Quando la gente vide Gesù, piena di meraviglia gli corse incontro per salutarlo. [16] Gesù domandò ai discepoli: « Di che cosa state discutendo? ».

[17] Un uomo in mezzo alla folla disse: « *Maestro, ti ho portato mio figlio perché è tormentato da uno *spirito maligno che non lo lascia parlare. [18] Quando lo prende, dovunque si trovi, lo getta a terra, e allora il ragazzo comincia a stringere i denti, gli viene la schiuma alla bocca e rimane rigido. Ho chiesto ai tuoi discepoli di scacciare questo spirito, ma non ci sono riusciti ».

[19] Allora Gesù replicò: « Gente senza fede! Fino a quando resterò ancora con voi? Per quanto tempo dovrò sopportarvi? Portatelo qui, da me! ». [20] Glielo portarono. E quando lo spirito vide Gesù, subito cominciò a scuotere il ragazzo con violenza: il ragazzo cadde a terra e prese a rotolarsi mentre gli veniva la schiuma alla bocca.

[21] Gesù domandò al padre: « Da quanto tempo è così? ». « Fin da piccolo — rispose il padre —; [22] anzi, più di una volta lo spirito l'ha buttato nel fuoco e nell'acqua, per farlo morire. Ma se tu puoi farci qualcosa, abbi pietà di noi e aiutaci! ».

[23] Gesù gli disse: « Se puoi?... Tutto è possibile per chi ha fede! ».

[24] Subito il padre del ragazzo si mise a gridare: « Io ho fede! Se non ho fede, aiutami! ».

[25] Vedendo che la folla aumentava, Gesù minacciò lo spirito maligno dicendo: « Spirito che impedisci di parlare e di ascoltare, esci da questo ragazzo e non tornarci più. Te lo ordino! ».

[26] Gridando e scuotendo con violenza il ragazzo, lo spirito se ne uscì. Il ragazzo rimase come morto, tanto che molti di quelli che erano lì attorno dicevano: « È morto ». [27] Ma Gesù lo prese per mano, lo fece alzare ed egli rimase in piedi.

[28] Poi Gesù entrò in una casa e i suoi discepoli, soli con lui,

gli chiesero: « Perché noi non siamo stati capaci di scacciare quello spirito? ».
²⁹ Gesù rispose: « Questa razza di spiriti non si può scacciare in nessun altro modo se non con la preghiera! ».

Per la seconda volta
Gesù annunzia la sua morte e risurrezione
(vedi Matteo, 17, 22-23; Luca 9, 43b-45)

³⁰ Poi se ne andarono via di là e attraversarono il territorio della Galilea. Gesù non voleva che si sapesse dove erano.
³¹ Infatti preparava i suoi *discepoli insegnando loro: « Il *Figlio dell'uomo sarà consegnato nelle mani degli uomini e lo uccideranno; e tre giorni dopo la sua morte, egli risusciterà ».
³² Ma i discepoli non capivano queste parole e non avevano il coraggio di fargli delle domande.

Chi è il più grande?
(vedi Matteo 18, 1-5; Luca 9, 46-48)

³³ Intanto arrivarono a Cafàrnao. Quando Gesù fu in casa, domandò ai *discepoli: « Di che cosa stavate discutendo per strada? ».
³⁴ Ma essi non rispondevano. Per strada infatti avevano avuto una discussione per sapere chi di loro era il più importante.
³⁵ Allora Gesù, sedutosi, chiamò i dodici discepoli e disse loro: « Se uno vuol essere il primo, deve essere l'ultimo di tutti, e il servitore di tutti ».
³⁶ Poi prese un bambino, lo portò in mezzo a loro, lo tenne in braccio e disse: ³⁷ « Chi accoglie uno di questi bambini per amor mio, accoglie me. E chi accoglie me, accoglie anche il Padre che mi ha mandato ».

Chi non è contro di noi, è con noi
(vedi Luca 9, 49-50)

³⁸ Giovanni disse a Gesù: « *Maestro, abbiamo visto un uomo che usava il tuo nome per scacciare i *demòni. Noi abbiamo cercato di farlo smettere, perché non è uno dei nostri ».
³⁹ Ma Gesù disse: « Lasciatelo fare. Perché non c'è nessuno che possa fare un *miracolo in nome mio, e poi su-

bito si metta a parlar male di me. [40] Chi non è contro di noi, è con noi».

I discepoli di Cristo sono preziosi
(vedi Matteo 10, 42; 18, 6)

[41] « E se qualcuno vi darà anche soltanto un bicchiere d'acqua per il fatto che siete *discepoli di *Cristo, vi assicuro che riceverà la sua ricompensa.

[42] Se qualcuno fa perdere la fede a una di queste persone semplici che credono in me, sarebbe meglio per lui essere gettato in mare con una pietra da mulino legata al collo».

Contro ogni occasione di male
(vedi Matteo 18, 8-9; 5, 13)

[43] « Se la tua mano ti fa commettere il male, tagliala: è meglio per te entrare nella vera vita senza una mano, piuttosto che avere tutt'e due le mani e andare all'inferno, nel fuoco senza fine. [[44]]

[45] Se il tuo piede ti fa commettere il male, tàglialo: è meglio per te entrare zoppo nella vera vita, piuttosto che essere gettato all'inferno con due piedi. [[46]]

[47] Se il tuo occhio ti fa commettere il male, strappalo via: è meglio per te entrare nel *regno di Dio con un occhio solo, piuttosto che avere due occhi ed essere gettato nell'inferno, [48] dove si soffre sempre e il fuoco non finisce mai.

[49] Chi non avrà sale in se stesso, finirà nel fuoco. [50] Il sale è una cosa buona, ma se perde il sapore come potete ridarglielo? Cercate di avere sale in voi stessi, e vivete in pace tra voi!».

Matrimonio e divorzio
(vedi Matteo 19, 1-12; Luca 14, 34-35)

10 [1] Poi Gesù partì da Cafàrnao, se ne andò nel territorio della Giudea e poi al di là del fiume Giordano. Ancora una volta la folla si radunò attorno a lui e, come faceva sempre, Gesù si mise a insegnare. [2] Alcuni che erano del gruppo dei *farisei gli si avvicinarono. Volevano metterlo in difficoltà, e allora gli domandarono: « Un uomo può divorziare dalla propria moglie?».

[3] Gesù rispose con una domanda: « Cosa vi ha comandato Mosè nella *legge?».

⁴ I farisei replicarono: «Mosè ha detto: se uno vuol mandar via sua moglie, *scriva una dichiarazione di divorzio*».
⁵ Allora Gesù disse: «Mosè ha scritto questa regola perché voi avete il cuore duro. ⁶ Ma da principio, al tempo della creazione, non era così. Come dice la *Bibbia, Dio *li creò maschio e femmina; ⁷ per questo l'uomo lascerà suo padre e sua madre, si unirà alla sua donna e saranno una cosa sola.* ⁸ *Così essi non sono più due, ma un unico essere.* ⁹ Perciò l'uomo non separi ciò che Dio ha unito».
¹⁰ Quando poi furono in casa, i *discepoli interrogarono di nuovo Gesù su questo argomento. Ed egli disse: ¹¹ «Chi divorzia dalla propria moglie e ne sposa un'altra, commette adulterio contro di lei. ¹² E anche la donna, se divorzia dal marito e ne sposa un altro, commette adulterio».

Gesù benedice i bambini
(vedi Matteo 19, 13-15; Luca 18, 15-17)

¹³ Alcuni portavano dei bambini a Gesù e volevano farglieli toccare, ma i *discepoli li rimproveravano. ¹⁴ Quando Gesù se ne accorse, si arrabbiò e disse ai discepoli: «Lasciate che i bambini vengano da me; non impediteglielo, perché Dio dà il suo regno a quelli che sono come loro. ¹⁵ Sì, vi dico: chi non l'accoglie come farebbe un bambino, non entrerà nel *regno di Dio».
¹⁶ Poi prese i bambini tra le braccia, e li benediceva posando le mani su di loro.

Gesù incontra un uomo ricco
(vedi Matteo 19, 16-30; Luca 18, 18-30)

¹⁷ Gesù stava per rimettersi in cammino, quando un tale gli venne incontro, si gettò in ginocchio davanti a lui e gli domandò: «*Maestro buono, che cosa devo fare per ottenere la vita eterna?».
¹⁸ Gesù gli disse: «Perché mi chiami " buono "? Soltanto Dio è buono, e nessun altro. ¹⁹ Tu sai quali sono i comandamenti di Dio: *non uccidere, non commettere adulterio, non rubare, non dire il falso contro nessuno,* non imbrogliare, *rispetta tuo padre e tua madre*».
²⁰ E quello rispose: «Maestro, fin da giovane io ho obbedito a tutti questi comandamenti!».
²¹ Gesù lo guardò con grande simpatia e gli disse: «Ti

manca soltanto una cosa: vai a vendere tutto quello che possiedi, e i soldi che prendi dalli ai poveri. Allora avrai un tesoro presso Dio. Poi vieni e seguimi!». ²² A queste parole l'uomo si trovò a disagio e se ne andò via triste, perché era molto ricco.

²³ Gesù, guardando i *discepoli che stavano attorno a lui, disse: «Molto difficilmente i ricchi entreranno nel *regno di Dio!».

²⁴ I discepoli si meravigliarono che Gesù dicesse queste cose, ma egli aggiunse: «Figli miei, non è facile entrare nel regno di Dio! ²⁵ Se è difficile che un cammello passi attraverso la cruna di un ago, è ancor più difficile che un ricco possa entrare nel regno di Dio».

²⁶ I discepoli si meravigliarono più di prima e cominciarono a domandarsi l'un l'altro: «Ma allora chi potrà mai salvarsi?».

²⁷ Gesù li guardò e disse: «Per gli uomini è una cosa impossibile, ma per Dio no! Infatti tutto è possibile a Dio».

²⁸ Allora Pietro si mise a dire: «E noi? Noi abbiamo abbandonato tutto per venire con te».

²⁹ Gesù rispose: «Vi assicuro che se qualcuno abbandona la sua casa o i suoi fratelli, le sue sorelle, sua madre, suo padre, i suoi figli, i suoi campi... per me e per il messaggio del *vangelo, ³⁰ già in questa vita — insieme a persecuzioni — riceverà casa, fratelli, sorelle, madri, figli e campi, cento volte di più, e nel futuro riceverà la vita eterna. ³¹ Tuttavia, molti di quelli che ora sono primi alla fine diventeranno ultimi; e molti di quelli che ora sono ultimi, saranno primi».

Per la terza volta
Gesù annunzia la sua morte e risurrezione
(vedi Matteo 20, 17-19; Luca 18, 31-34)

³² Mentre erano sulla strada che sale verso Gerusalemme, Gesù camminava davanti a tutti; i suoi *discepoli lo seguivano ma non sapevano che cosa pensare, anzi alcuni avevano paura. Ancora una volta Gesù prese da parte i dodici discepoli e si mise a parlare di quello che gli doveva accadere.

³³ Disse loro: «Voi sapete che stiamo andando a Gerusalemme; là il *Figlio dell'uomo sarà dato nelle mani dei capi

dei sacerdoti e dei *maestri della legge; essi lo condanneranno a morte e poi lo consegneranno ai pagani. ³⁴ I pagani gli rideranno in faccia, gli sputeranno addosso, lo prenderanno a frustate e lo uccideranno, ma dopo tre giorni egli risusciterà ».

Due discepoli chiedono i primi posti
(vedi Matteo 20, 20-28)

³⁵ Giacomo e Giovanni, i figli di Zebedèo, si avvicinarono a Gesù e dissero: « *Maestro, noi vorremmo che tu facessi per noi quello che stiamo per chiederti ». ³⁶ E Gesù domandò: « Che cosa dovrei fare per voi? ». ³⁷ Essi risposero: « Quando sarai nel tuo regno glorioso, facci stare accanto a te, seduti uno alla tua destra e uno alla tua sinistra ».
³⁸ Ma Gesù disse: « Voi non sapete quello che chiedete! Siete pronti a bere quel calice di dolore che io berrò, a ricevere quel battesimo di sofferenza con il quale sarò battezzato? ».
³⁹ Essi risposero: « Siamo pronti ». E Gesù: « Sì, anche voi berrete il mio calice e riceverete il mio battesimo; ⁴⁰ ma non posso decidere chi sarà seduto alla mia destra e alla mia sinistra. Quei posti sono per coloro ai quali Dio li ha preparati ».
⁴¹ Gli altri *discepoli, avendo sentito quello che Giacomo e Giovanni avevano chiesto, si arrabbiarono contro di loro.
⁴² Allora Gesù li chiamò attorno a sé e disse: « Quelli che pensano di essere sovrani dei popoli, comandano come duri padroni; le persone importanti fanno sentire con la forza il peso della loro autorità. Lo sapete bene. ⁴³ Ma tra voi non deve essere così. Anzi, se uno tra voi vuole essere grande, si faccia servo di tutti; ⁴⁴ e se uno vuol essere il primo, si faccia schiavo di tutti. ⁴⁵ Infatti anche il *Figlio dell'uomo è venuto non per farsi servire, ma è venuto per servire e per dare la propria vita come riscatto per la liberazione degli uomini ».

Il cieco Bartimèo
(vedi Matteo 20, 29-34; Luca 18, 35-43)

⁴⁶ Gesù e i suoi *discepoli erano a Gèrico. Mentre stavano uscendo dalla città, seguiti da una gran folla, un cieco era seduto lungo la via e chiedeva l'elemosina. Costui si chiamava Bartimèo ed era figlio di un certo Timèo.

⁴⁷ Quando sentì dire che passava Gesù il *Nazareno, cominciò a gridare: « Gesù, *Figlio di Davide, abbi pietà di me! ».
⁴⁸ Molti si misero a rimproverarlo per farlo tacere, ma quello gridava ancora più forte: « Figlio di Davide, abbi pietà di me! ».
⁴⁹ Gesù si fermò e disse: « Chiamatelo qua ».
Allora alcuni andarono a chiamarlo e gli dissero: « Coraggio, alzati! Ti vuol parlare ».
⁵⁰ Il cieco buttò via il mantello, balzò in piedi e andò vicino a Gesù. ⁵¹ Gesù gli domandò: « Che vuoi? Cosa dovrei fare per te? ». Il cieco rispose: « *Maestro, fa' che io possa vederci di nuovo! ».
⁵² Gesù gli disse: « Vai, la tua fede ti ha salvato ».
Subito il cieco cominciò a vederci di nuovo, e andava dietro a Gesù lungo la via.

Gesù entra in Gerusalemme
Entusiasmo della folla
(vedi Matteo 21, 1-11; Luca 19, 28-40; Giovanni 12, 12-19)

11 ¹ Gesù e i suoi *discepoli stavano avvicinandosi a Gerusalemme. Arrivati al Monte degli Ulivi, nei pressi dei villaggi di Bètfage e Betània, Gesù mandò avanti due discepoli con queste istruzioni: ² « Andate nel villaggio che è qui di fronte a voi. Appena entrati, troverete legato un piccolo asino che non è mai stato cavalcato da nessuno; slegatelo e portatelo qua. ³ E se qualcuno vi domanda che cosa state facendo, voi risponderete così: È il Signore che ne ha bisogno ma ve lo rimanderà subito ».
⁴ I due discepoli andarono e trovarono un asinello legato vicino a una porta, fuori, sulla strada, e lo slegarono. ⁵ Alcune persone che si trovavano lì vicino domandarono: « Che fate? Perché slegate quell'asino? ». ⁶ Essi risposero come aveva detto Gesù, e quelli li lasciarono andare.
⁷ Portarono dunque l'asinello a Gesù, gli posero addosso i loro mantelli, e Gesù vi montò sopra. ⁸ Mentre camminavano, molta gente stendeva i mantelli sulla strada, e altri vi gettavano dei rami verdi che avevano tagliato nei campi.
⁹ Quelli poi che camminavano davanti a Gesù e quelli che venivano dietro, gridavano tutti assieme:

> Osanna! Gloria a Dio!
> Benedetto colui che viene in nome del Signore!

¹⁰ Benedetto il regno che viene,
il regno di Davide nostro padre!
Gloria a Dio nell'alto dei cieli!

¹¹ Gesù entrò in Gerusalemme e andò nel tempio. Si guardò attorno osservando ogni cosa e poi, siccome ormai era sera, tornò a Betània insieme con i dodici discepoli.

Gesù e l'albero senza frutti
(vedi Matteo 21, 18-19)

¹² Il giorno dopo, quando partirono da Betània, Gesù ebbe fame. ¹³ Vedendo da lontano una pianta di fichi che aveva molte foglie, andò a vedere se vi poteva trovare dei frutti. Ma quando fu vicino alla pianta vide soltanto foglie; infatti, non era quella la stagione dei fichi. ¹⁴ Allora Gesù, rivolto alla pianta, disse: «Nessuno possa mai più mangiare i tuoi frutti!». E i *discepoli udirono quelle parole.

Gesù scaccia i mercanti dal tempio
(vedi Matteo 21, 12-17; Luca 19, 45-48; Giovanni 2, 13-22)

¹⁵ Intanto erano arrivati a Gerusalemme. Gesù entrò nel cortile del tempio e cominciò a cacciar via tutti quelli che stavano là a vendere e a comprare; buttò all'aria i tavoli di quelli che cambiavano i soldi e rovesciò le sedie dei venditori di colombe. ¹⁶ Non permetteva a nessuno di trasportare carichi di robe attraverso il tempio.
¹⁷ Poi si mise a insegnare, dicendo alla gente: «Non è forse vero che Dio dice nella *Bibbia:

La mia casa sarà casa di preghiera
per tutti i popoli?

Voi, invece, ne avete fatto un *covo di briganti*».
¹⁸ Quando i capi dei sacerdoti e i *maestri della legge vennero a conoscenza di questi fatti, cominciarono a cercare un modo per far morire Gesù. Però avevano paura di lui, perché tutta la gente era molto impressionata da quello che diceva.
¹⁹ Quando fu sera, Gesù e i suoi uscirono dalla città.

Ancora l'albero senza frutti
Fede, preghiera e perdono
(vedi Matteo 21, 20-22)

20 Il mattino dopo, passando ancora vicino a quella pianta di fichi, videro che era diventata secca fino alle radici. 21 Pietro si ricordò del giorno prima e disse a Gesù: « *Maestro, guarda! Quell'albero che tu hai maledetto, è tutto secco! ».
22 Allora Gesù rispose: « Abbiate fede in Dio! 23 Uno potrebbe anche dire a questa montagna: " Levati e buttati nel mare! ". Se nel suo cuore egli non ha dubbi, ma crede che accadrà quello che dice, state certi che gli accadrà veramente. 24 Perciò vi dico: tutto quello che domanderete nella preghiera, abbiate fiducia di ottenerlo e vi sarà dato.
25 E quando vi mettete a pregare, se avete qualcosa contro qualcuno, perdonate: perché Dio vostro Padre che è in cielo perdoni a voi i vostri peccati ». [26]

Discussione sull'autorità di Gesù
(vedi Matteo 21, 23-27; Luca 20, 1-8)

27 Andarono ancora a Gerusalemme. Gesù camminava su e giù nel cortile del tempio. I capi dei sacerdoti insieme con i *maestri della legge e gli altri consiglieri si avvicinarono a lui e 28 gli domandarono: « Che diritto hai di fare quello che fai? Chi ti ha dato l'autorità di agire così? ».
29 Gesù disse: « Voglio farvi soltanto una domanda. Se mi rispondete, io vi dirò con quale autorità faccio queste cose. 30 Dunque: Giovanni, chi lo ha mandato a battezzare, Dio o gli uomini? Rispondete! ».
31 Essi cominciarono a discutere tra loro: « Se diciamo che è stato mandato da Dio, ci chiederà: perché allora non avete creduto a Giovanni? 32 Ma come possiamo dire che è stato mandato dagli uomini? ». Il fatto è che essi avevano paura della folla, perché tutti pensavano che Giovanni era un vero *profeta. 33 Perciò risposero: « Non lo sappiamo ».
E Gesù disse loro: « Ebbene, in questo caso neanch'io vi dirò con quale autorità faccio quello che ho fatto ».

Parabola della vigna e dei contadini omicidi
(vedi Matteo 21, 33-46; Luca 20, 9-19)

12 1 Gesù cominciò a raccontare una *parabola ai capi degli ebrei. Disse: « Un uomo *piantò una vigna, la*

circondò con una siepe, scavò una buca per il torchio del-
l'uva e costruì una torretta di guardia; poi affittò la vigna
ad alcuni contadini e se ne andò lontano.
² Quando arrivò il tempo della vendemmia, quell'uomo mandò un servitore dai contadini per ritirare la sua parte del
raccolto. ³ Ma quei contadini presero il servitore, lo bastonarono e lo mandarono via senza dargli niente. ⁴ Allora il
padrone mandò un altro servitore: i contadini lo accolsero
a parolacce e lo picchiarono a sangue. ⁵ Il padrone ne mandò
ancora un altro e quelli lo uccisero. Lo stesso avvenne per
molti altri servi: alcuni li bastonarono, altri li uccisero. ⁶ Alla
fine quell'uomo ne aveva soltanto uno, suo figlio, che amava
moltissimo. Per ultimo mandò lui, pensando: Avranno rispetto per mio figlio!
⁷ Ma quei contadini dissero tra loro: Ecco, costui sarà un
giorno il padrone della vigna! Coraggio, uccidiamolo e l'eredità sarà nostra! ⁸ E così lo presero, lo uccisero e gettarono
il suo corpo fuori della vigna ».
⁹ A questo punto, Gesù domandò: « Che cosa farà, dunque,
il padrone della vigna? Certamente egli verrà e ucciderà quei
contadini e darà la vigna ad altre persone.
¹⁰ Senza dubbio voi conoscete queste parole della *Bibbia:

> *La pietra che i costruttori hanno rifiutato*
> *è diventata la pietra più importante.*
> ¹¹ *Il Signore ha fatto questo,*
> *ed è una meraviglia per i nostri occhi* ».

¹² I capi degli ebrei capirono bene che Gesù aveva raccontato questa parabola riferendosi a loro. Cercavano quindi
un modo per arrestarlo, ma avevano paura della folla. Perciò non gli fecero nulla e se ne andarono via.

Le tasse da pagare all'imperatore romano
(vedi Matteo 22, 15-22; Luca 20, 20-26)

¹³ Alcuni *farisei e alcuni del partito di *Erode furono mandati a parlare con Gesù per cercare di metterlo in difficoltà.
¹⁴ Essi vennero e gli dissero: « *Maestro, noi sappiamo che
tu dici sempre quello che pensi e non ti preoccupi delle opinioni della gente; tu non guardi in faccia a nessuno e insegni veramente la volontà di Dio. Abbiamo una domanda
da farti: la nostra *legge permette o non permette che noi
paghiamo le tasse all'imperatore romano? Dobbiamo pa-
garle o no? ».

15 Ma Gesù sapeva che nascondevano i loro veri pensieri e disse: « Perché cercate di imbrogliarmi? Portatemi una moneta d'argento, voglio vederla ».
16 Gli diedero allora la moneta e Gesù domandò: « Di chi è questa faccia e di chi è questo nome? ».
Gli risposero: « Dell'imperatore ».
17 Gesù replicò: « Date all'imperatore quel che è dell'imperatore e date a Dio quel che è di Dio! ». A queste parole rimasero sbalorditi.

Una discussione a proposito della risurrezione
(vedi Matteo 22, 23-33; Luca 20, 27-40)

18 Si presentarono a Gesù alcuni che appartenevano al gruppo dei *sadducei: secondo loro nessuno può risorgere dopo la morte. Gli domandarono: 19 « *Maestro, nella *legge che Mosè ha scritto, per noi c'è questo comandamento: *Se un uomo muore* e lascia la moglie *senza figli, suo fratello deve sposare la vedova e cercare di avere dei figli per quello che è morto.* 20 Ebbene, una volta c'erano sette fratelli. Il primo si sposò e poi morì senza lasciare figli. 21 Allora il secondo fratello sposò la vedova, ma anche lui morì senza avere figli. La stessa cosa capitò al terzo 22 e così, via via, a tutti gli altri: tutti sposarono quella donna e morirono senza figli. Infine, morì anche la donna. 23 Ora, nel giorno della risurrezione (quando i morti ritorneranno in vita), di chi sarà moglie quella donna? Perché tutti e sette l'hanno avuta come moglie! ».
24 Gesù rispose: « Non capite che sbagliate? Voi non conoscete la *Bibbia e non sapete cosa sia la potenza di Dio! 25 Quando i morti risorgeranno, gli uomini e le donne non si sposeranno più, ma vivranno come gli angeli del cielo. 26 A proposito poi dei morti e della risurrezione, non avete mai letto nella Bibbia l'episodio di Mosè, quando vide il cespuglio in fiamme? Quel giorno Dio gli disse: *Io sono il Dio di Abramo, il Dio di Isacco, il Dio di Giacobbe.* 27 Quindi Dio è il Dio dei vivi, non dei morti!
Voi sbagliate tutto! ».

Il comandamento più importante
(vedi Matteo 22, 34-40; Luca 10, 25-28)

²⁸ Un *maestro della legge aveva ascoltato quella discussione. Avendo visto che Gesù aveva risposto bene ai *sadducei, si avvicinò e gli fece questa domanda: « Qual è il più importante di tutti i comandamenti? ».

²⁹ Gesù rispose: « Il comandamento più importante è questo: *Ascolta, Israele! Il Signore nostro Dio è l'unico Signore:* ³⁰ *Tu devi amare il Signore tuo Dio con tutto il tuo cuore, con tutta la tua anima, con tutta la tua mente e con tutte le tue forze.* ³¹ Il secondo comandamento è questo: *Devi amare il tuo prossimo come te stesso.* Non c'è nessun altro comandamento più importante di questi due ».

³² Allora il maestro della legge disse: « Molto bene, *Maestro! È vero: *Dio è uno solo e non ce n'è un altro all'infuori di lui.* ³³ E poi, la cosa più importante è *amare Dio con tutto il cuore, con tutta la mente, e con tutte le forze e amare il prossimo come se stesso.* Questo vale molto più che tutte le offerte e i sacrifici di animali ».

³⁴ E Gesù, vedendo che quell'uomo aveva risposto con saggezza, gli disse: « Tu non sei lontano dal *regno di Dio ». E nessun altro aveva più il coraggio di fare domande.

Il Messia e il re Davide
(vedi Matteo 22, 41-46; Luca 20, 41-44)

³⁵ Mentre insegnava nel tempio, Gesù fece questa domanda: « I *maestri della legge dicono che il *Messia sarà un discendente del re Davide; com'è possibile? ³⁶ Davide stesso, guidato dallo Spirito di Dio, ha scritto in un salmo:
> *Il Signore ha detto al mio Signore:*
> *Siedi alla mia destra,*
> *finché io metterò i tuoi nemici*
> *come sgabello sotto i tuoi piedi.*

³⁷ Se Davide stesso lo chiama Signore, come può il Messia essere anche discendente di Davide? ».
C'era molta folla, e tutti lo ascoltavano volentieri.

Gesù parla contro i maestri della legge
(vedi Matteo 23, 1-36; Luca 20, 45-47)

³⁸ Mentre insegnava, Gesù diceva alla gente: « Non fidatevi dei *maestri della legge, i quali si preoccupano di passeggiare

rivestiti di abiti solenni, di essere salutati in piazza, [39] di avere i posti d'onore nelle *sinagoghe e nei banchetti. [40] Essi portano via alle vedove tutto quello che hanno e intanto, per farsi vedere, fanno lunghe preghiere. Ma riceveranno un castigo severo! ».

La piccola offerta di una povera vedova
(vedi Luca 21, 1-4)

[41] Gesù andò a sedersi vicino al tesoro del tempio, e guardava la gente che metteva i soldi nelle cassette delle offerte. C'erano molti ricchi i quali buttavano dentro molto denaro. [42] Venne anche una povera vedova e vi mise soltanto due piccole monete di rame. [43] Allora Gesù chiamò i suoi *discepoli e disse: « Vi assicuro che questa povera vedova ha dato un'offerta più grande di quella di tutti gli altri! [44] Infatti gli altri hanno offerto quello che avevano d'avanzo, mentre questa donna, povera com'è, ha dato tutto quello che possedeva, quello che le serviva per vivere ».

Gesù annunzia che il tempio sarà distrutto
(vedi Matteo 24, 1-2; Luca 21, 5-6)

13 [1] Mentre Gesù usciva dal tempio, uno dei *discepoli gli disse: « *Maestro, guarda come sono grandi queste pietre e come sono magnifiche queste costruzioni! ». [2] Gesù gli rispose: « Vedi queste grandi costruzioni? Ebbene, non rimarrà una sola pietra sull'altra: tutto sarà distrutto! ».

Gesù annunzia dolori e persecuzioni
(vedi Matteo 24, 3-14; Luca 21, 7-19)

[3] Quando giunsero al Monte degli Ulivi, Gesù si sedette guardando verso il tempio. Pietro, Giacomo, Giovanni e Andrea, in disparte, gli chiesero: [4] « Puoi dirci quando avverrà e quale sarà il segnale che tutte queste cose stanno per accadere? ». [5] Allora Gesù cominciò a dire ai *discepoli: « Fate attenzione e non lasciatevi ingannare da nessuno! [6] Molti verranno e cercheranno di ingannare molta gente; si presenteranno con il mio nome e diranno: " Sono io il *Messia! ". [7] Quando sentirete parlare di guerre, vicine o lontane, non abbiate paura: tutto ciò deve accadere, ma non sarà ancora la fine.

⁸ I popoli combatteranno l'uno contro l'altro, un regno contro un altro regno. Ci saranno terremoti e carestie in molte regioni. Sarà come quando cominciano i dolori del parto. ⁹ Ma voi fate bene attenzione a voi stessi! Vi prenderanno e vi porteranno nei tribunali; nelle *sinagoghe vi tortureranno. Dovrete stare davanti ai governatori e ai re per causa mia, e sarete miei testimoni di fronte a loro. ¹⁰ È necessario anzitutto che il messaggio del *vangelo sia annunziato a tutti i popoli. ¹¹ E quando vi arresteranno per portarvi in tribunale, non preoccupatevi di quel che dovrete dire: dite ciò che in quel momento Dio vi suggerirà, perché non sarete voi a parlare, ma lo *Spirito Santo. ¹² Qualcuno tradirà il fratello per farlo morire; i padri faranno lo stesso verso i loro figli; i figli si ribelleranno contro i genitori e li uccideranno. ¹³ E voi sarete odiati da tutti per causa mia; ma Dio salverà chi avrà resistito fino in fondo ».

Gesù annunzia grandi tribolazioni
(vedi Matteo 24, 15-25; Luca 21, 20-24)

¹⁴ « Un giorno vedrete colui che commette *l'orribile sacrilegio*: lo vedrete in quel luogo dove non dovrebbe mai entrare (chi legge, cerchi di capire!). Allora quelli che saranno nel territorio della Giudea fuggano sui monti; ¹⁵ chi si troverà sulla terrazza del tetto non scenda in casa a prendere qualcosa; ¹⁶ chi si troverà nei campi non torni indietro a prendere il mantello. ¹⁷ Saranno giorni tristi per le donne incinte e per quelle che allattano! ¹⁸ Pregate che queste cose non avvengano d'inverno! ¹⁹ Perché in quei giorni verrà *una grande tribolazione, la più grande che sia mai venuta, da quando Dio ha creato il mondo fino ad oggi*, e non ne verrà più una uguale. ²⁰ E se Dio non accorciasse il numero di quei giorni, nessuno si salverebbe. Ma Dio li ha accorciati a causa di quegli uomini che egli si è scelto. ²¹ Allora, se qualcuno vi dirà: " Ecco, il *Cristo è qui! ecco, è là! " voi non fidatevi. ²² Perché verranno falsi profeti e falsi Cristi che faranno segni prodigiosi per cercare di ingannare, se fosse possibile, anche quelli che Dio si è scelto. ²³ Voi però fate attenzione! Io vi ho avvisati di tutto ».

Gesù annunzia il suo ritorno
(vedi Matteo 24, 29-31; Luca 21, 25-28)

24 « E un giorno, dopo quelle tribolazioni,
   il sole si oscurerà,
   la luna perderà il suo splendore,
   25 *le stelle cadranno dal cielo,*
   e le forze del cielo saranno sconvolte.
26 Allora vedranno *il *Figlio dell'uomo venire sulle nubi,*
con grande potenza e splendore. 27 Egli manderà i suoi
*angeli in ogni direzione, fino ai confini del cielo e della
terra, e radunerà tutti gli uomini che si è scelti.

Parabola del fico
(vedi Matteo 24, 32-35; Luca 21, 29-33)

28 Dall'albero del fico imparate questa *parabola: quando
i suoi rami diventano teneri e spuntano le prime foglie, voi
capite che l'estate è vicina. 29 Allo stesso modo, quando
vedrete succedere queste cose, sappiate che il momento è
vicino, è alle porte. 30 In verità, vi dico che non passerà
questa generazione prima che tutte queste cose siano accadute. 31 Il cielo e la terra passeranno, ma non le mie parole ».

Gesù invita a essere vigilanti
(vedi Matteo 24, 36-44)

32 « Nessuno conosce quando verrà quel giorno e quell'ora;
non lo sanno gli *angeli e neppure il Figlio. Soltanto Dio
Padre lo sa. 33 Fate attenzione, rimanete svegli, perché non
sapete quando sarà il momento decisivo!
34 È come un tale che è partito per un viaggio: se n'è
andato via e ha affidato la casa ai suoi servitori. A ciascuno
ha dato un incarico, e al portinaio ha raccomandato di
restare sveglio alla porta. 35 Ebbene, restate svegli, perché
non sapete quando il padrone di casa tornerà: forse alla
sera, forse a mezzanotte, forse al canto del gallo o forse
di mattina. 36 Se arriva improvvisamente, fate in modo che
non vi trovi addormentati.
37 Quello che dico a voi, lo dico a tutti: state svegli! ».

I capi degli ebrei vogliono uccidere Gesù
(vedi Matteo 26, 1-5; Luca 22, 1-2; Giovanni 11, 45-53)

14 [1] Mancavano intanto due giorni alla Pasqua degli ebrei e alla festa dei Pani Azzimi. I capi dei sacerdoti e i *maestri della legge cercavano un modo per arrestare Gesù con un inganno, per poi ucciderlo. [2] Infatti dicevano: « Non possiamo prenderlo in un giorno di festa, altrimenti il popolo fa una rivoluzione ».

Una donna versa un profumo su Gesù
(vedi Matteo 26, 6-13; Giovanni 12, 1-8)

[3] Gesù si trovava a Betània, in casa di Simone, quello che era stato *lebbroso. Mentre erano a tavola, venne una donna con un vasetto di alabastro, pieno di un profumo molto prezioso, *nardo purissimo. La donna spaccò il vasetto e versò il profumo sulla testa di Gesù.
[4] Alcuni dei presenti, scandalizzati, mormoravano tra di loro: « Perché tutto questo spreco di profumo prezioso? [5] Si poteva benissimo venderlo per trecento monete d'argento, e poi dare i soldi ai poveri! ». Ed erano furibondi contro di lei.
[6] Ma Gesù disse: « Lasciatela in pace! Perché la tormentate? Questa donna ha fatto un'opera buona verso di me. [7] I poveri, infatti, li avete sempre con voi, e potete aiutarli quando volete. Non sempre, invece, avrete me. [8] Essa ha fatto quello che poteva, e così ha profumato in anticipo il mio corpo per la sepoltura. [9] In verità, vi dico che in tutto il mondo, dovunque sarà annunziato il messaggio del *vangelo, ci si ricorderà di questa donna e di quello che ha fatto ».

Giuda traditore di Gesù
(vedi Matteo 26, 14-16; Luca 22, 3-6)

[10] Poi Giuda Iscariota, uno dei dodici *discepoli, andò dai capi dei sacerdoti per aiutarli ad arrestare Gesù. [11] Essi furono molto contenti della sua proposta e gli promisero di dargli dei soldi. Allora Giuda si mise a cercare l'occasione buona per farlo prendere.

I discepoli preparano la cena pasquale
(vedi Matteo 26, 17-19; Luca 22, 7-13)

[12] Il primo giorno delle feste, quando i giudei uccidevano l'agnello pasquale, i *discepoli domandarono a Gesù: « Dove dobbiamo andare per prepararti la cena di *Pasqua? ».

¹³ Gesù scelse due discepoli e diede loro queste istruzioni: « Andate in città. Là incontrerete un uomo che porta una brocca d'acqua. Andategli dietro, ¹⁴ fino alla casa dove entrerà, e lì parlate con il padrone. Gli direte: Il *Maestro manda a chiedere dove è la sua stanza, quella per la cena pasquale con i suoi discepoli. ¹⁵ Allora egli vi mostrerà, al piano superiore, una grande sala, già pronta con i tappeti. In quella sala preparate per noi ».
¹⁶ I discepoli partirono e andarono in città. Trovarono tutto come Gesù aveva detto e prepararono la cena.

Gesù dice chi è il traditore
(vedi Matteo 26, 20-25; Luca 22, 21-23; Giovanni 13, 21-30)

¹⁷ Verso sera venne anche Gesù con i dodici discepoli.
¹⁸ Mentre erano a tavola e mangiavano, Gesù disse: « Certamente uno di voi mi tradirà: *uno, che mangia con me* ».
¹⁹ I discepoli diventarono tristi e cominciarono a domandargli, uno dopo l'altro: « Sono forse io? ».
²⁰ Ma egli disse: « È uno di voi, uno dei *dodici, uno che intinge con me il pane nel piatto. ²¹ Il *Figlio dell'uomo sta per morire, così come è scritto nella *Bibbia. Ma guai a colui che tradisce il Figlio dell'uomo! Per lui sarebbe stato meglio non essere mai nato! ».

La Cena del Signore
(vedi Matteo 26, 26-30; Luca 22, 15-20; 1 Corinzi 11, 23-26)

²² Mentre stavano mangiando, Gesù prese il pane, fece la preghiera di benedizione, spezzò il pane, lo diede ai *discepoli e disse: « Prendete: questo è il mio corpo ».
²³ Poi prese la coppa del vino, fece la preghiera di ringraziamento, la diede ai discepoli e tutti ne bevvero.
²⁴ Gesù disse: « Questo è il mio sangue, offerto per tutti gli uomini. Con questo sangue Dio rinnova la sua *alleanza. ²⁵ In verità, vi dico che non berrò più vino, fino al giorno in cui berrò il vino nuovo nel *regno di Dio ».
²⁶ Cantarono i salmi della festa, poi andarono verso il Monte degli Ulivi.

Gesù sarà abbandonato da tutti
(vedi Matteo 26, 31-35; Luca 22, 31-34; Giovanni 13, 36-38)

27 Gesù disse ai *discepoli: « Voi mi abbandonerete, tutti! Infatti nella *Bibbia si dice:

Ucciderò il *pastore
e le pecore saranno disperse.

28 Ma quando sarò risuscitato vi aspetterò in Galilea ».
29 Allora Pietro gli disse: « Anche se tutti gli altri ti abbandoneranno, io no! ».
30 Gesù replicò: « Io invece ti dico che oggi, proprio questa notte, prima che il gallo abbia cantato due volte, già tre volte tu avrai dichiarato che non mi conosci! ».
31 Ma Pietro, con grande insistenza, continuava a dire: « Non dirò mai che non ti conosco, anche se dovessi morire con te! ». Anche gli altri discepoli dicevano la stessa cosa.

Gesù prega nell'Orto degli Ulivi
(vedi Matteo 26, 36-46; Luca 22, 39-46)

32 Intanto raggiunsero un luogo detto Getsèmani. Gesù disse ai suoi *discepoli: « Sedetevi qui, io vado a pregare », e 33 si fece accompagnare da Pietro, Giacomo e Giovanni. Poi cominciò ad aver paura e angoscia, e 34 disse ai tre discepoli: « Una tristezza mortale mi opprime. Fermatevi qui e state svegli ».
35 Andò un po' più avanti, si gettò a terra e si mise a pregare. Chiedeva a Dio, se era possibile, di evitare quel terribile momento. 36 Diceva: « Padre mio, tu puoi tutto. Allontana da me questo calice di dolore! Però sia fatta la tua volontà, non la mia ».
37 Poi tornò dai discepoli, ma li trovò che dormivano. Allora disse a Pietro: « Simone, perché dormi? Non sei riuscito a vegliare per un'ora? 38 State svegli e pregate, per resistere nel momento della prova; perché la volontà è pronta, ma la debolezza è grande! ».
39 Si allontanò di nuovo e ricominciò a pregare con le stesse parole. 40 Poi tornò dai discepoli e li trovò che ancora dormivano; non riuscivano a tenere gli occhi aperti e non sapevano cosa rispondergli.
41 Quando tornò da loro la terza volta, disse: « Ma come? Voi ancora dormite e riposate? Ormai è finita, il momento

è giunto. Il *Figlio dell'uomo sta per essere consegnato nelle mani dei suoi nemici.
42 Alzatevi, andiamo! Sta arrivando colui che mi tradisce».

Gesù è arrestato
(vedi Matteo 26, 47-56; Luca 22, 47-53; Giovanni 18, 3-12)

43 Mentre Gesù ancora parlava, subito arrivò Giuda, uno dei dodici *discepoli, accompagnato da molti uomini armati di spade e bastoni. Erano stati mandati dai capi dei sacerdoti, dai *maestri della legge e dagli altri consiglieri. 44 Il traditore si era messo d'accordo sul segnale da usare e aveva detto: «Quello che bacerò, è lui. Voi prendetelo e portatelo via con decisione».
45 Giuda si avvicinò a Gesù e gli disse: «*Maestro!». Poi lo baciò. 46 Allora gli altri lo presero e lo arrestarono.
47 Ma uno di quelli che erano lì presenti, tirò fuori la spada e colpì il servitore del *sommo sacerdote, staccandogli un orecchio.
48 Gesù disse: «Siete venuti a prendermi con spade e bastoni, come se fossi un delinquente! 49 Tutti i giorni ero in mezzo a voi, insegnavo nel tempio, e non mi avete mai arrestato. Ma tutto questo avviene perché si compia quello che dice la *Bibbia». 50 Allora i discepoli lo abbandonarono e fuggirono tutti.
51 Dietro a Gesù veniva un ragazzo, coperto soltanto con un lenzuolo. Le guardie cercarono di prenderlo, 52 ma egli lasciò cadere il lenzuolo e scappò via nudo.

Gesù davanti al tribunale ebraico
(vedi Matteo 26, 57-68; Luca 22, 54-55.63-71; Giovanni 18, 13-14.19-24)

53 Portarono Gesù alla casa del *sommo sacerdote e là si riunirono i capi dei sacerdoti, gli *anziani del popolo e i *maestri della legge. 54 Pietro lo seguiva da lontano. Entrò anche nel cortile della casa, e andò a sedersi in mezzo ai servitori che si scaldavano vicino al fuoco.
55 Intanto i capi dei sacerdoti e gli altri del tribunale cercavano un'accusa contro Gesù, per poterlo condannare a morte, ma non la trovavano. 56 Molte persone, infatti, portavano false accuse contro Gesù, ma dicevano uno il contrario dell'altro.
57 Infine si alzarono alcuni con un'altra accusa falsa. 58 Dis-

sero: «Noi abbiamo sentito che diceva: Io distruggerò questo tempio fatto dagli uomini e in tre giorni ne costruirò un altro, non fatto dagli uomini». ⁵⁹ Ma anche su questo punto quelli che parlavano non erano d'accordo.

⁶⁰ Allora si alzò il sommo sacerdote e interrogò Gesù: «Perché non rispondi nulla? Che cosa sono queste accuse contro di te?». ⁶¹ Ma Gesù continuava a stare zitto e non rispondeva. Il sommo sacerdote gli fece ancora una domanda: «Sei tu il *Messia, il *Cristo, il *Figlio di Dio benedetto?». ⁶² Gesù rispose: «Sì, sono io.

> E voi vedrete il *Figlio dell'uomo
> seduto accanto a Dio onnipotente.
> Egli verrà tra le nubi del cielo!».

⁶³ Allora il sommo sacerdote, scandalizzato, si strappò la veste, e disse: «Non c'è più bisogno di testimoni, ormai! ⁶⁴ Avete sentito le sue *bestemmie. Qual è il vostro parere?». E tutti decisero che Gesù doveva essere condannato a morte.

⁶⁵ Alcuni dei presenti cominciarono a sputargli addosso. Gli coprivano la faccia, poi gli davano pugni e gli dicevano: «Indovina chi è stato!». Anche le guardie lo prendevano a schiaffi.

Pietro nega di conoscere Gesù
(vedi Matteo 26, 69-75; Luca 22, 56-62; Giovanni 18, 15-18.25-27)

⁶⁶⁻⁶⁷ Pietro era ancora giù nel cortile a scaldarsi. A un certo punto passò di là una serva del *sommo sacerdote, lo vide, lo guardò bene e disse: «Anche tu stavi con quell'uomo di Nazaret, con Gesù». ⁶⁸ Ma Pietro negò e disse: «Non so proprio che cosa vuoi dire, non ti capisco». Poi se ne andò fuori dal cortile, nell'ingresso (e intanto il gallo cantò). ⁶⁹ Quella serva lo vide ancora e cominciò a dire alle persone vicine: «Anche lui è uno di quelli!». ⁷⁰ Ma Pietro negò di nuovo. Poco dopo, alcuni presenti gli dissero ancora: «Certamente tu sei uno di quelli, perché vieni dalla Galilea». ⁷¹ Ma Pietro cominciò a giurare e a spergiurare che non era vero: «Io neppure lo conosco quell'uomo che voi dite!». ⁷² Subito dopo il gallo cantò per la seconda volta. In quel momento Pietro si ricordò di ciò che gli aveva detto Gesù:

« Prima che il gallo abbia cantato due volte, già tre volte
tu avrai dichiarato che non mi conosci ». Allora scappò via
e si mise a piangere.

Gesù e Pilato
(vedi Matteo 27, 1-2.11-14; Luca 23, 1-5; Giovanni 18, 28-38)

15 ¹ Appena fu mattina, i capi dei sacerdoti, insieme
con gli *anziani del popolo e i *maestri della legge
— cioè tutto il tribunale — si riunirono per prendere una
decisione. Alla fine fecero legare Gesù e lo fecero portar
via per consegnarlo a *Pilato, il governatore romano.
² Pilato gli fece questa domanda: « Sei tu il re dei *giudei? ».
Gesù rispose: « Tu lo dici ».
³ Siccome i capi dei sacerdoti portavano molte accuse contro
di lui, ⁴ Pilato lo interrogò ancora: « Perché non rispondi
nulla? Vedi bene di quante cose ti accusano! ». ⁵ Ma Gesù
non disse più niente, e Pilato ne fu molto meravigliato.

Gesù è condannato a morte
(vedi Matteo 27, 15-26; Luca 23, 13-25; Giovanni 18, 39—19, 16)

⁶ Ogni anno, per la festa di *Pasqua, *Pilato liberava uno
dei prigionieri, quello che la folla domandava. ⁷ In quel
tempo era in prigione un certo Barabba che, insieme con
altri ribelli, aveva ucciso un uomo durante una rivolta.
⁸ A un certo momento la folla salì verso il palazzo del
governatore e cominciò a chiedergli quello che egli aveva
l'abitudine di concedere.
⁹ Allora Pilato rispose: « Volete che vi lasci libero Gesù,
questo re dei *giudei? ». ¹⁰ Disse così perché sapeva che i
capi dei sacerdoti l'avevano fatto arrestare solo per odio.
¹¹ Ma i capi dei sacerdoti cominciarono a mettere in agitazione la folla perché chiedesse la liberazione di Barabba.
¹² Pilato domandò di nuovo: « Che farò dunque di quel-
l'uomo che voi chiamate il re dei giudei? ».
¹³ Essi gridarono: « In croce! ».
¹⁴ Pilato diceva: « Che cosa ha fatto di male? ».
Ma quelli gridavano ancora più forte: « In croce! In
croce! ».
¹⁵ Pilato non voleva scontentare la folla e per questo lasciò
libero Barabba, e invece fece frustare a sangue Gesù; poi
lo consegnò ai soldati per farlo crocifiggere.

Gli insulti dei soldati romani
(vedi Matteo 27, 27-31; Giovanni 19, 2-3)

[16] I soldati portarono Gesù nel cortile del palazzo del governatore e chiamarono anche il resto della truppa. [17] Gli misero addosso una veste rossa, prepararono una corona di rami spinosi e gliela misero sul capo. [18] Poi cominciarono a salutarlo: « Salve, re dei *giudei! ». [19] Con un bastone gli davano dei colpi in testa, gli sputavano addosso e si mettevano in ginocchio come per adorarlo.
[20] Dopo questi scherni, gli tolsero la veste rossa e lo rivestirono dei suoi abiti. Poi lo portarono fuori, per crocifiggerlo.

Gesù è inchiodato a una croce
(vedi Matteo 27, 32-44; Luca 23, 26-43; Giovanni 19, 17-27)

[21] In quel momento passava di lì un certo Simone, originario di Cirene, il padre di Alessandro e di Rufo. Veniva dai campi. I soldati lo obbligarono a portare la croce.
[22] Gesù fu portato in un luogo detto Gòlgota (che significa « luogo del cranio »). [23] Vollero dargli un po' di vino drogato, ma Gesù non lo prese. [24] Poi lo inchiodarono alla croce
e *si divisero le* sue *vesti*
tirandole a sorte
per decidere la parte di ciascuno.
[25] Erano le nove del mattino quando lo crocifissero.
[26] Sul cartello dove si scriveva il motivo della condanna c'erano queste parole: « Il re dei *giudei ». [27] Insieme con Gesù avevano messo in croce anche due briganti, uno alla sua destra e uno alla sua sinistra. [28]
[29] Quelli che passavano di là scuotevano la testa in segno di disprezzo, lo insultavano e dicevano: « Ehi, tu che volevi distruggere il tempio e ricostruirlo in tre giorni, [30] salva te stesso! Prova a scendere dalla croce! ».
[31] Allo stesso modo anche i capi dei sacerdoti e i *maestri della legge ridevano e dicevano: « Ha salvato gli altri, ora non è capace di salvare se stesso! [32] Lui, il *Messia, il re d'Israele: scenda ora dalla croce, così vedremo e gli crederemo! ». Anche i due briganti crocifissi accanto a lui lo insultavano

5.

Gesù muore
(vedi Matteo 27, 45-46; Luca 23, 44-49; Giovanni 19, 28-30)

³³ Quando fu mezzogiorno, si fece buio su tutta la regione,
fino alle tre del pomeriggio. ³⁴ Alle tre Gesù gridò molto
forte: *Eloì, Eloì, lema sabactàni?* che significa: *Dio mio,
Dio mio, perché mi hai abbandonato?*
³⁵ Alcuni dei presenti udirono e dissero: « Sentite, chiama
il profeta *Elia ».
³⁶ Un tale corse a prendere una spugna, la bagnò nell'aceto,
la fissò in cima a una canna e cercava di far bere Gesù.
Diceva: « Aspettate. Vediamo se viene il profeta Elia a
toglierlo dalla croce! ».
³⁷ Ma Gesù diede un forte grido e morì.
³⁸ Allora il grande velo appeso nel tempio si squarciò in
due, da cima a fondo.
³⁹ L'ufficiale romano che stava di fronte alla croce, vedendo
come Gesù era morto, disse: « Quest'uomo era davvero
*Figlio di Dio! ».
⁴⁰ Alcune donne erano là e guardavano da lontano: c'erano
Maria *Maddalena, Maria madre di Giacomo (il più giovane) e di Joses, e anche Salome. ⁴¹ Esse avevano seguito
e aiutato Gesù fin da quando era in Galilea. E c'erano
anche molte altre donne che erano venute con lui a Gerusalemme.

Il corpo di Gesù è messo nella tomba
(vedi Matteo 27, 57-61; Luca 23, 50-56; Giovanni 19, 38-42)

⁴²⁻⁴³ Ormai era giunta la sera. Giuseppe, un uomo originario
di Arimatèa, andò da Pilato a chiedere il corpo di Gesù.
Giuseppe era un personaggio importante, faceva parte del
tribunale ebraico, ma anche lui aspettava con fiducia il *regno
di Dio. Poiché quel giorno era il giorno della *Preparazione,
cioè la vigilia della festa, egli si fece coraggio e andò subito
a chiedere il corpo di Gesù.
⁴⁴ *Pilato si meravigliò che Gesù fosse già morto; chiamò
l'ufficiale e gli domandò se era morto davvero. ⁴⁵ Dopo
aver ascoltato l'ufficiale, diede il permesso di prendere il
corpo di Gesù. ⁴⁶ Allora Giuseppe comprò un lenzuolo di
lino, tolse Gesù dalla croce, lo avvolse nel lenzuolo e lo
mise in una tomba scavata nella roccia. Poi fece rotolare
una grossa pietra davanti alla porta della tomba.

⁴⁷ Intanto due delle donne, Maria *Maddalena e Maria madre di Joses, stavano a guardare dove mettevano il corpo di Gesù.

L'annunzio della risurrezione
(vedi Matteo 28, 1-8; Luca 24, 1-12; Giovanni 20, 1-10)

16 ¹ Passato il sabato, Maria *Maddalena, Maria madre di Giacomo, e Salome andarono a comprare olio e profumi per il corpo di Gesù. ² E la mattina dopo, al levar del sole, andarono alla tomba. ³ Mentre andavano, dicevano tra di loro: « Chi farà rotolar via la pietra che è davanti alla porta? ». ⁴ Ma quando arrivarono, guardarono, e videro che la grossa pietra, molto pesante, era stata già spostata. ⁵ Allora entrarono nella tomba. Piene di spavento, videro, a destra, un giovane seduto, vestito di una veste bianca. ⁶ Ma il giovane disse: « Non abbiate paura. Voi cercate Gesù di Nazaret, quello che hanno crocifisso. È risuscitato, non è qui. Ecco, questo è il posto dove lo avevano messo. ⁷ Ora, voi andate e dite ai suoi *discepoli e a Pietro, che Gesù vi aspetta in Galilea. Là potrete vederlo, come vi aveva detto lui stesso ».
⁸ Le donne uscirono dalla tomba e scapparono via di corsa, tremanti di paura. E non dissero niente a nessuno perché erano spaventate.

Gesù appare a Maria Maddalena
(vedi Matteo 28, 9-10; Giovanni 20, 11-18)

⁹ Dopo essere risuscitato, la mattina presto Gesù si fece vedere da Maria *Maddalena (quella donna dalla quale aveva cacciato i sette spiriti maligni). ¹⁰⁻¹¹ Allora Maria andò dai *discepoli che erano tristi e piangevano, e portò la notizia che Gesù era vivo e lei lo aveva visto! Ma essi non le credettero.

Gesù appare a due discepoli
(vedi Luca 24, 13-35)

¹² Più tardi, Gesù apparve in modo diverso a due *discepoli che erano in cammino verso la campagna. ¹³ Anch'essi tornarono indietro e annunziarono il fatto agli altri. Ma non credettero neanche a loro.

Gesù appare ai discepoli riuniti

(vedi Matteo 28, 16-20; Luca 24, 36-49; Giovanni 20, 19-23; Atti 1, 6-8)

[14] Alla fine, Gesù apparve agli undici *discepoli mentre erano a tavola. Li rimproverò perché avevano avuto poca fede e si ostinavano a non credere a quelli che lo avevano visto risuscitato. [15] Poi disse: « Andate in tutto il mondo e portate il messaggio del *vangelo a tutti gli uomini. [16] Chi crederà e sarà battezzato, sarà salvo; ma chi non crederà sarà condannato.
[17] E quelli che avranno fede, faranno segni miracolosi: cacceranno i *demoni invocando il mio nome; parleranno lingue nuove; [18] prenderanno in mano serpenti e berranno veleni senza avere nessun male; poseranno le mani sui malati e li guariranno ».

Gesù ritorna presso Dio

(vedi Luca 24, 50-53; Atti 1, 9-11)

[19] Dopo quelle parole, il Signore Gesù fu innalzato fino al cielo e Dio gli diede potere accanto a sé.
[20] Allora i *discepoli partirono per andare a portare dappertutto il messaggio del *vangelo. E il Signore agiva insieme a loro, e confermava le loro parole con segni miracolosi.

(Altra conclusione)

[9] Poi le donne raccontarono in breve a Pietro e agli altri tutto ciò che erano venute a sapere.
[10] In seguito Gesù stesso, per mezzo dei discepoli, fece diffondere in tutto il mondo, dall'oriente fino all'occidente, il sacro e perenne messaggio della salvezza eterna. *Amen.

VANGELO DI LUCA

Introduzione

1 ¹ Caro *Teòfilo,
molti prima di me hanno tentato di narrare con ordine
quei fatti che sono accaduti tra noi. ² I primi a raccontarli
sono stati i testimoni diretti di quei fatti: essi hanno ricevuto da Gesù l'incarico di annunziare la parola di Dio,
e poi hanno cominciato a scrivere quello che avevano visto
e udito. ³ Anch'io perciò mi sono deciso a fare ricerche ac-
curate su tutto, risalendo fino alle origini. Ora, o illustre
Teòfilo, ti scrivo tutto con ordine, ⁴ e così potrai renderti
conto di quanto sono solidi gli insegnamenti che hai ricevuto.

Annunzio della nascita di Giovanni

⁵ Al tempo di *Erode, re della Giudea, c'era un sacerdote
che si chiamava Zaccaria e apparteneva all'ordine sacerdotale
di Abìa. Anche sua moglie, Elisabetta, era di famiglia sacerdotale: discendeva infatti dalla famiglia di *Aronne.
⁶ Essi vivevano rettamente di fronte a Dio, e nessuno poteva dir niente contro di loro perché ubbidivano ai comandamenti e alle leggi del Signore. ⁷ Erano senza figli perché Elisabetta non poteva averne, e tutti e due ormai erano
troppo vecchi.
⁸ Un giorno Zaccaria era di turno al tempio per le funzioni
sacerdotali. ⁹ Secondo l'uso dei sacerdoti, quella volta a lui
toccò in sorte di entrare nel *santuario del Signore per
offrire l'incenso. ¹⁰ Nell'ora in cui si bruciava l'incenso, egli
si trovava all'interno del santuario e tutta la folla dei fedeli
stava fuori a pregare. ¹¹ In quell'istante un *angelo del Signore apparve a Zaccaria al lato destro dell'*altare sul quale
si offriva l'incenso. ¹² Appena lo vide, Zaccaria rimase molto
sconvolto. ¹³ Ma l'angelo gli disse: « Non temere, Zaccaria!
Dio ha ascoltato la tua preghiera. Tua moglie Elisabetta ti
darà un figlio, e tu lo chiamerai Giovanni. ¹⁴ La sua nascita ti darà una grande gioia, e molti saranno contenti.
¹⁵ Il Signore l'avrà in grande considerazione per realizzare
i suoi progetti. Egli non berrà mai vino né bevande ine-
brianti, ma Dio lo colmerà di *Spirito Santo fin dalla nascita. ¹⁶ Questo tuo figlio riporterà molti israeliti al Signore

loro Dio : [17] forte e potente come il *profeta *Elia, precederà la venuta del Signore, per *riconciliare i padri con i figli*, per ricondurre i ribelli a pensare come i giusti. Così egli preparerà al Signore un popolo ben disposto ».

[18] Ma Zaccaria disse all'angelo : « Come potrò essere sicuro di quello che mi dici? Io sono ormai vecchio, e anche mia moglie è avanti negli anni ». [19] L'angelo gli rispose : « Io sono *Gabriele e sto davanti a Dio sempre pronto a servirlo. Lui mi ha mandato da te a parlarti e a portarti questa bella notizia. [20] Tu non hai creduto alle mie parole che pure al momento giusto si avvereranno. Per questo diventerai muto, e non potrai parlare fino al giorno in cui si compirà la promessa che ti ho fatto ».

[21] Intanto, fuori del santuario, il popolo aspettava Zaccaria e si meravigliava che restasse dentro tanto tempo. [22] Quando poi Zaccaria uscì e si accorsero che non poteva parlare con loro, capirono che nel santuario egli aveva avuto una visione. Faceva loro dei segni con le mani, ma non riusciva a dire neppure una parola.

[23] Passati i giorni del suo servizio al tempio, Zaccaria tornò a casa sua. [24] Dopo un po' di tempo, sua moglie Elisabetta si accorse di aspettare un figlio, e non uscì di casa per cinque mesi, [25] e diceva : « Ecco che cosa ha fatto per me il Signore! Finalmente ha voluto liberarmi da una condizione che mi faceva vergognare di fronte a tutti ».

Annunzio della nascita di Gesù

[26] Quando Elisabetta fu al sesto mese, Dio mandò l'*angelo *Gabriele a Nàzaret, un villaggio della Galilea. [27] L'angelo andò da una fanciulla che era fidanzata con un certo Giuseppe, discendente del re Davide. La fanciulla si chiamava Maria. [28] L'angelo entrò in casa e le disse : « Ti saluto, Maria! Il Signore è con te : egli ti ha colmata di grazia ». [29] Maria fu molto impressionata da queste parole e si domandava che significato poteva avere quel saluto. [30] Ma l'angelo le disse : « Non temere, Maria! Tu hai trovato grazia presso Dio. [31] Avrai un figlio, lo darai alla luce e gli metterai nome Gesù. [32] Egli sarà grande e Dio, l'onnipotente, lo chiamerà suo Figlio. Il Signore lo farà re, lo porrà sul trono di Davide, suo padre, [33] ed egli regnerà per sempre sul popolo d'Israele. Il suo regno non finirà mai ».

³⁴ Allora Maria disse all'angelo: « Come è possibile questo, dal momento che io sono vergine? ». ³⁵ L'angelo rispose: « Lo *Spirito Santo verrà su di te, e l'onnipotente Dio, come una nube, ti avvolgerà. Per questo il tuo bambino sarà santo, Figlio di Dio. ³⁶ Vedi: anche Elisabetta, tua parente, alla sua età aspetta un figlio. Tutti pensavano che non potesse avere bambini, eppure è già al sesto mese. ³⁷ Nulla è impossibile a Dio! ».
³⁸ Allora Maria disse: « Eccomi, sono la serva del Signore. Dio faccia con me come tu hai detto ». Poi l'angelo la lasciò.

Maria va a trovare Elisabetta

³⁹ In quei giorni Maria si mise in viaggio e raggiunse in fretta un villaggio che si trovava nella parte montagnosa della Giudea. ⁴⁰ Entrò in casa di Zaccaria e salutò Elisabetta. ⁴¹ Appena Elisabetta udì il saluto di Maria, il bambino dentro di lei ebbe un fremito, ed essa fu colmata di *Spirito Santo ⁴² e a gran voce esclamò: « Dio ti ha benedetta più di tutte le altre donne, e benedetto è il bambino che avrai! ⁴³ Che grande cosa per me! Perché mai la madre del mio Signore viene a farmi visita? ⁴⁴ Appena ho sentito il tuo saluto, il bambino si è mosso in me per la gioia. ⁴⁵ Beata te, che hai avuto fiducia nel Signòre e hai creduto che egli può compiere ciò che ti ha annunziato ».
⁴⁶ Allora Maria disse:

     « *Voglio* lodare *il Signore* per le sue grandi opere.
⁴⁷ *Dio è il mio salvatore: io sono piena di gioia.*
⁴⁸ *Egli ha guardato a me, alla sua povera serva:*
     d'ora in poi tutti mi diranno beata.
⁴⁹ Dio che tutto può, ha fatto in me cose grandi:
     santo è il suo nome.
⁵⁰ Egli sarà misericordioso per sempre
     con tutti quelli che lo servono.
⁵¹ Ha messo in opera tutta la sua potenza:
     ha mandato in rovina i progetti dei superbi.
⁵² Ha rovesciato i potenti dai loro troni,
     gli umili invece li ha molto innalzati.
⁵³ Ha colmato di beni gli affamati,
     i ricchi invece li ha mandati via a mani vuote.
⁵⁴⁻⁵⁵ Egli è fedele alle promesse fatte ai nostri padri:
     è venuto in aiuto a Israele, suo servo.

　　　Non può dimenticarsi di essere misericordioso
　　　verso Abramo e i suoi discendenti, per sempre».
[56] Maria rimase con Elisabetta circa tre mesi. Poi ritornò
a casa sua.

La nascita di Giovanni

[57] Giunse intanto per Elisabetta il tempo di partorire e diede
alla luce un bambino. [58] I suoi parenti e i vicini si ralle-
gravano con lei, perché avevano sentito dire che il Signore
le aveva dato una grande prova della sua bontà. [59] Quando
il bambino ebbe otto giorni vennero per il rito della *circoncisione. Lo volevano chiamare Zaccaria, che era anche
il nome di suo padre. [60] Ma intervenne la madre: «No! Il
suo nome sarà Giovanni». [61] Gli altri le dissero: «Nessuno
tra i tuoi parenti ha questo nome!». [62] Si rivolsero allora
con gesti al padre, per sapere quale doveva essere, secondo
lui, il nome del bambino. [63] Zaccaria chiese allora una ta-
voletta e scrisse: «Il suo nome è Giovanni». Tutti rimasero
meravigliati. [64] In quel medesimo istante Zaccaria aprì la
bocca e riuscì di nuovo a parlare, e subito si mise a lodare
Dio. [65] Tutti i loro vicini furono presi da un senso di paura,
e dappertutto in quella regione montagnosa della Giudea la
gente parlava di questi fatti. [66] Coloro che li sentivano raccontare si facevano pensierosi e tra le altre cose dicevano:
«Che cosa diventerà mai questo bambino?». Davvero la
potenza del Signore era con lui.

Il canto profetico di Zaccaria

[67] Allora Zaccaria, suo padre, fu riempito di *Spirito Santo
e si mise a profetare:

　　[68] *« Benedetto il Signore, il Dio d'Israele:*
　　　　Egli è venuto incontro al suo popolo e lo ha liberato.
　　[69] Per noi ha fatto sorgere un grande salvatore
　　　　tra i discendenti di Davide, suo servo.
　　[70] Da molto tempo aveva promesso
　　　　per mezzo dei suoi santi profeti
　　[71] di liberarci dai nostri nemici
　　　　e dalle mani di tutti quelli che ci odiano.
　　[72] Egli è stato misericordioso con i nostri padri
　　　　ed è rimasto fedele alla sua *alleanza santa.

73 Ad Abramo, nostro padre, Dio ha promesso con
giuramento
74 di liberarci dalle mani dei nostri nemici
perché noi lo possiamo servire senza timore;
75 come uomini che gli appartengono e gli sono
fedeli per tutta la vita.
76 E tu, figlio mio, sarai chiamato *profeta del Dio
onnipotente
perché andrai *dinanzi al Signore per preparargli
la via.*
77 Per annunziare al suo popolo che il Signore lo salva,
perdonandogli i peccati.
78 Il nostro Dio infatti è molto buono e misericordioso:
farà sorgere su di noi la salvezza, come una luce
che scende dall'alto.
79 *Illuminerà quelli che vivono nelle tenebre cupe della
morte*
e guiderà i nostri passi sulla via che porta alla
pace ».
80 Il bambino intanto cresceva fisicamente e spiritualmente.
Per molto tempo visse in regioni deserte, fino a quando
manifestò la sua missione al popolo d'Israele.

La nascita di Gesù
(vedi Matteo 1, 18-25)

2 1 In quel tempo l'imperatore *Augusto con un decreto
ordinò il *censimento di tutti gli abitanti dell'impero
romano. 2 Questo primo censimento fu fatto quando Qui-
rinio era governatore della Siria. 3 Tutti andavano a far scrivere il loro nome nei registri, e ciascuno nel proprio luogo
d'origine. 4-5 Anche Giuseppe andò: partì da Nàzaret, in
Galilea, e salì a Betlemme, la città del re Davide, in Giudea.
Essendo un lontano discendente del re Davide, egli con
Maria, sua sposa, che era incinta, doveva farsi scrivere là.
6 Mentre si trovavano a Betlemme, giunse per Maria il tempo
di partorire; 7 ed essa diede alla luce un figlio, il suo primogenito. Lo avvolse in fasce e lo mise a dormire nella
mangiatoia di una stalla, perché non avevano trovato altro
posto.

Gli angeli portano l'annunzio ai pastori

[8] In quella stessa regione c'erano anche dei *pastori. Essi passavano la notte all'aperto per fare la guardia al loro gregge. [9] Un *angelo del Signore si presentò a loro, e la gloria del Signore li avvolse di luce, così che essi ebbero una grande paura. [10] L'angelo disse: « Non temete! Io vi porto una bella notizia, che procurerà una grande gioia a tutto il popolo: [11] oggi, nella città di Davide, è nato il vostro Salvatore, il Cristo, il Signore. [12] Lo riconoscerete così: troverete un bambino avvolto in fasce che giace in una mangiatoia ».

[13] Subito apparvero e si unirono a lui molti altri angeli. Essi lodavano Dio con questo canto:

[14] « Gloria a Dio in cielo
e pace in terra agli uomini che egli ama ».

Poi gli angeli si allontanarono dai pastori e se ne tornarono in cielo.

[15] Intanto i pastori dicevano gli uni agli altri: « Andiamo fino a Betlemme per vedere quello che è accaduto e che il Signore ci ha fatto sapere ». [16] Giunsero in fretta a Betlemme e là trovarono Maria, Giuseppe e il bambino che dormiva nella mangiatoia. [17] Dopo averlo visto, dissero in giro ciò che avevano sentito di questo bambino. [18] Tutti quelli che ascoltarono i pastori si meravigliarono delle cose che essi raccontavano. [19] Maria, da parte sua, custodiva gelosamente il ricordo di tutti questi fatti, e li meditava dentro di sé.

[20] I pastori, sulla via del ritorno, lodavano Dio e lo ringraziavano per quello che avevano sentito e visto, perché tutto era avvenuto come l'angelo aveva loro detto.

[21] Passati otto giorni, venne il tempo di compiere il rito della *circoncisione del bambino. Gli fu messo nome Gesù, come aveva detto l'angelo ancor prima che fosse concepito nel grembo di sua madre.

Gesù è presentato al tempio

[22] Venne poi per la madre e per il bambino il momento della loro purificazione, com'è stabilito dalla *legge di Mosè. I genitori allora portarono il bambino a Gerusalemme, per presentarlo al Signore. [23] Sta scritto infatti nella legge del Signore: « *Ogni maschio primogenito appartiene al Signore* ».

²⁴ Essi offrirono anche il sacrificio stabilito dalla legge del Signore: *un paio di tortore o due giovani colombi.*
²⁵ Viveva allora a Gerusalemme un uomo chiamato Simeone. Un uomo retto e pieno di fede in Dio, che aspettava con fiducia la liberazione d'Israele. Lo *Spirito Santo era con lui, ²⁶ e gli aveva rivelato che non sarebbe morto prima di aver veduto il *Messia mandato dal Signore. ²⁷ Mosso dallo Spirito Santo, Simeone andò nel tempio, dove s'incontrò con i genitori di Gesù, proprio mentre essi stavano portandovi il loro bambino per compiere quello che ordinava la legge del Signore. ²⁸ Simeone allora prese il bambino tra le braccia e ringraziò Dio così:

²⁹ « O Signore, ora che hai mantenuto la tua promessa
    lascia che io, tuo servo, me ne vada in pace.
³⁰ Con questi miei occhi io ho visto il Salvatore
    ³¹ che tu hai preparato e offerto a tutti i popoli.
³² Egli è la luce che ti farà conoscere a tutto il mondo
    e darà gloria al tuo popolo, Israele ».

³³ Il padre e la madre di Gesù rimasero meravigliati per le cose che Simeone aveva detto al bambino. ³⁴ Simeone poi li benedisse e parlò a Maria, la madre di Gesù: « Dio ha deciso che questo bambino sarà occasione di rovina o di risurrezione per molti in Israele. Sarà un segno di Dio, ma molti lo rifiuteranno: ³⁵ così egli metterà in chiaro le intenzioni nascoste nel cuore di molti. Quanto a te, Maria, il dolore ti colpirà come colpisce una spada ».
³⁶ In Gerusalemme viveva anche una profetessa, Anna, figlia di Fanuèle e appartenente alla tribù di Aser. Era molto anziana: si era sposata giovane, aveva vissuto solo sette anni con suo marito, ³⁷ poi era rimasta vedova. Ora aveva ottantaquattro anni. Essa non abbandonava mai il tempio, e serviva Dio giorno e notte con *digiuni e preghiere. ³⁸ Arrivò anche lei in quello stesso momento e si mise a ringraziare il Signore parlando del bambino a tutti quelli che aspettavano la liberazione di Gerusalemme.

Ritornano a Nàzaret

³⁹ Quando i genitori di Gesù ebbero fatto quanto è stabilito dalla *legge del Signore, ritornarono con Gesù in Galilea, nel loro villaggio di Nàzaret. ⁴⁰ Intanto il bambino cresceva

e diventava sempre più robusto. Era pieno di sapienza e la benedizione di Dio era su di lui.

Gesù dodicenne a Gerusalemme

⁴¹ I genitori di Gesù ogni anno andavano in pellegrinaggio a Gerusalemme per la festa di *Pasqua. ⁴² Quando Gesù ebbe dodici anni, lo portarono per la prima volta con loro, secondo l'usanza. ⁴³ Finita la festa, ripresero il viaggio di ritorno con gli altri. Ma Gesù rimase in Gerusalemme, senza che i genitori se ne accorgessero. ⁴⁴ Credevano che anche lui fosse in viaggio con la comitiva. Dopo un giorno di cammino, si misero a cercarlo tra parenti e conoscenti. ⁴⁵ Non riuscendo a trovarlo, ritornarono a cercarlo in Gerusalemme. ⁴⁶ Dopo tre giorni lo trovarono nel tempio: era là, seduto in mezzo ai *maestri della legge: li ascoltava e discuteva con loro. ⁴⁷ Tutti quelli che lo udivano erano meravigliati per l'intelligenza che dimostrava con le sue risposte. ⁴⁸ Anche i suoi genitori, appena lo videro, rimasero stupiti, e sua madre gli disse: « Figlio mio, perché ti sei comportato così con noi? Vedi, tuo padre e io ti abbiamo tanto cercato e siamo stati molto preoccupati, per causa tua ». ⁴⁹ Egli rispose loro: « Perché cercarmi tanto? Non sapevate che io devo essere nella casa del Padre mio? ». ⁵⁰ Ma essi non capirono il significato di quelle parole.
⁵¹ Gesù poi ritornò a Nàzaret con i genitori, e ubbidiva loro volentieri. Sua madre custodiva gelosamente dentro di sé il ricordo di tutti questi fatti. ⁵² Gesù intanto *cresceva*, progrediva in sapienza e *godeva il favore di Dio e degli uomini*.

Giovanni il Battezzatore predica nel deserto
(vedi Matteo 3, 1-12; Marco 1, 2-8; Giovanni 1, 19-28)

3 ¹ Era l'anno quindicesimo del regno dell'imperatore *Tiberio. Ponzio *Pilato era governatore nella provincia della Giudea. *Erode regnava sulla Galilea, suo fratello Filippo sull'Iturèa e sulla Traconìtide, e Lisània governava la provincia dell'Abilène, ² mentre Anna e Caifa erano *sommi sacerdoti. In quel tempo Giovanni, il figlio di Zaccaria, era ancora nel deserto. Là Dio lo chiamò. ³ Allora Giovanni cominciò a percorrere tutta la regione del Giordano e a dire: « Cambiate vita e.fatevi battezzare, e Dio perdonerà

i vostri peccati ». ⁴ Si realizzava così quello che aveva scritto
il profeta Isaia nel libro delle sue profezie:

> Ecco, una voce risuona nel deserto:
> Preparate la strada al Signore che viene!
> spianate le vie per il suo passaggio:
> ⁵ Le valli siano tutte riempite
> le montagne e le colline abbassate.
> Raddrizzate le curve delle strade,
> togliete tutti gli ostacoli.
> ⁶ Allora tutti vedranno che Dio è il salvatore.

⁷ Una gran folla andava da Giovanni per farsi battezzare,
ed egli diceva loro: « Razza di vipere! Chi vi ha insegnato
a sfuggire al castigo ormai vicino? ⁸ Fate vedere piuttosto
con i fatti che avete veramente cambiato vita, e non mettetevi
a dire: " Noi siamo discendenti di Abramo ". Vi assicuro
che Dio può trarre veri figli di Abramo anche da queste
pietre. ⁹ La scure è già alla radice degli alberi, pronta per
tagliare: ogni albero che non farà frutti buoni sarà tagliato
e gettato nel fuoco ».

¹⁰ Tra la folla qualcuno lo interrogava così: « In fin dei
conti che cosa possiamo fare? ». ¹¹ Giovanni rispondeva:
« Chi possiede due abiti ne dia uno a chi non ne ha, e
chi ha dei viveri li distribuisca agli altri ». ¹² Anche alcuni
esattori incaricati di far pagare le tasse vennero da Giovanni
per farsi battezzare. Gli domandarono: « *Maestro, noi che
cosa dobbiamo fare? ». ¹³ Giovanni rispose: « Non prendete
niente di più di quanto è stabilito dalla legge ». ¹⁴ Lo interrogavano infine anche alcuni soldati: « E noi, che cosa dobbiamo fare? ». Giovanni rispose: « Non portate via soldi
a nessuno, né con la violenza né con false accuse, ma ac-
contentatevi della vostra paga ».

¹⁵ Intanto le speranze del popolo crescevano e tutti si chiedevano: « Chissà, forse Giovanni è il *Messia! ». ¹⁶ Ma
Giovanni disse a tutti: « Io vi battezzo con acqua, ma sta
per venire uno che è più potente di me. Io non sono degno
neppure di allacciargli i sandali. Lui vi battezzerà con lo
*Spirito Santo e con il fuoco. ¹⁷ Egli tiene in mano la pala
per separare il grano dalla paglia. Il grano lo raccoglierà
nel suo granaio, ma la paglia la brucerà con un fuoco che
non si spegne mai ». ¹⁸ Con queste e molte altre parole
Giovanni esortava il popolo e gli annunziava la salvezza.

¹⁹ Inoltre Giovanni aveva rimproverato il governatore *Erode,

perché si era preso *Erodìade, moglie di suo fratello, e per altre cose cattive che aveva fatto. 20 Allora Erode aggiunse un altro delitto a quelli che già aveva fatto: fece imprigionare anche Giovanni.

Il battesimo di Gesù
(vedi Matteo 3, 13-17; Marco 1, 9-11)

21 Intanto tutta la gente si faceva battezzare. Anche Gesù si fece battezzare e mentre pregava, il cielo si aprì. 22 Lo *Spirito Santo discese sopra di lui in modo visibile come se fosse una colomba, e una voce allora venne dal cielo: « Tu sei il mio amato Figlio. Io ti ho scelto ».

Gli antenati di Gesù
(vedi Matteo 1, 1-17)

23 Gesù aveva circa trent'anni quando diede inizio alla sua opera. Secondo l'opinione comune, egli era figlio di Giuseppe, il quale a sua volta era figlio di Eli 24 e questi era figlio di Mattàt, figlio di Levi, figlio di Melchi, figlio di Innài, figlio di Giuseppe, 25 figlio di Mattatìa, figlio di Amos, figlio di Naum, figlio di Esli, figlio di Naggài, 26 figlio di Maat, figlio di Mattatìa, figlio di Semèin, figlio di Iosek, figlio di Ioda, 27 figlio di Ioanan, figlio di Resa, figlio di Zorobabèle, figlio di Salatiel, figlio di Neri, 28 figlio di Melchi, figlio di Addi, figlio di Cosam, figlio di Elmadàm, figlio di Er. 29 figlio di Gesù, figlio di Eliezer, figlio di Iorim, figlio di Mattat, figlio di Levi, 30 figlio di Simeone, figlio di Giuda, figlio di Giuseppe, figlio di Ionam, figlio di Eliacim, 31 figlio di Melèa, figlio di Menna, figlio di Mattatà, figlio di Natàm, figlio di Davide, 32 figlio di *Iesse, figlio di Obed, figlio di Booz, figlio di Sala, figlio di Naàsson, 33 figlio di Aminadàb, figlio di Admin, figlio di Arni, figlio di Esrom, figlio di Fares, figlio di Giuda, 34 figlio di Giacobbe, figlio di Isacco, figlio di Abramo, figlio di Tare, figlio di Nacor, 35 figlio di Seruk, figlio di Ragau, figlio di Falek, figlio di Eber, figlio di Sala, 36 figlio di Cainam, figlio di Arfàcsad, figlio di Sem, figlio di Noè, figlio di Lamech, 37 figlio di Matusalemme, figlio di Enoch, figlio di Iaret, figlio di Malleèl, figlio di Cainam, 38 figlio di Enos, figlio di Set, figlio di Adamo, figlio di Dio.

Gesù è tentato dal *demonio
(vedi Matteo 4, 1-11; Marco 1, 12-13)

4 ¹ Gesù, pieno di *Spirito Santo, si allontanò dalla regione del Giordano. Poi, sempre sotto l'azione dello Spirito, andò nel deserto, ² e là rimase quaranta giorni mentre Satana lo assaliva con le sue tentazioni. Per tutti quei giorni non mangiò nulla e così, alla fine ebbe fame. ³ Allora il *diavolo gli disse: « Se sei proprio il *Figlio di Dio comanda a questa pietra di diventare pane ». ⁴ Ma Gesù gli rispose: « No, perché nella *Bibbia Dio ci insegna: *Non di solo pane vive l'uomo* ».

⁵ Il diavolo allora portò Gesù sopra un monte, e in un solo istante gli fece vedere tutti i regni della terra. ⁶⁻⁷ Gli disse: « Vedi, tutti questi regni, ricchi e potenti, sono miei: a me sono stati dati ed io li do a chi voglio. Ebbene, se ti inginocchierai davanti a me io te li darò ». ⁸ Gesù gli rispose di nuovo: « No, perché nella Bibbia si legge:

Adora il Signore, che è il tuo Dio:
a lui solo rivolgi le tue preghiere! ».

⁹ Alla fine il diavolo condusse Gesù a Gerusalemme e lo portò sulla parte più alta del tempio. Gli disse: « Se veramente sei il Figlio di Dio, gettati giù di qui. ¹⁰ La Bibbia infatti afferma:

Dio comanderà ai suoi angeli di proteggerti.
¹¹ *Essi ti sosterranno con le loro mani*
e così tu non inciamperai e non cadrai! ».

¹² Gesù gli rispose per l'ultima volta: « Sì, ma la Bibbia dice anche: *Non sfidare il Signore, che è il tuo Dio* ».
¹³ Il diavolo allora, avendo esaurito ogni genere di tentazione, si allontanò da Gesù, ma aspettando un altro momento propizio.

Gesù inizia la sua attività in Galilea
(vedi Matteo 4, 12-17; Marco 1, 14-15)

¹⁴ Poi Gesù ritornò in Galilea e la potenza dello *Spirito Santo era con lui. In tutta quella regione si parlava di lui. ¹⁵ Egli insegnava nelle *sinagoghe degli ebrei, e tutti lo lodavano.

Gesù viene respinto dai suoi compaesani
(vedi Matteo 13, 53-58; Marco 6, 1-6)

[16] Poi Gesù andò a Nàzaret, il villaggio nel quale era cresciuto. Era *sabato, il giorno del riposo. Come al solito Gesù entrò nella *sinagoga e si alzò per fare la lettura della Bibbia. [17] Gli diedero il libro del *profeta Isaia ed egli, aprendolo, trovò questa profezia:
[18] *Il Signore ha mandato il suo Spirito su di me.*
   Egli mi ha scelto
      per portare ai poveri la notizia della loro salvezza.
   Mi ha mandato per annunziare la liberazione ai
      prigionieri
   e il dono della vista ai ciechi,
      per liberare gli oppressi,
[19] *per dire a tutti che è giunto il tempo nel quale il*
   Signore salverà il suo popolo.
[20] Quando ebbe finito di leggere, Gesù chiuse il libro, lo restituì all'inserviente e si sedette. La gente che era nella sinagoga teneva gli occhi fissi su Gesù. [21] Allora egli cominciò a dire: «Oggi si avvera per voi che mi ascoltate questa profezia». [22] La gente, stupita per le cose meravigliose che diceva, gli dava ragione, ma si chiedeva: «Non è lui il figlio di Giuseppe?». [23] Allora Gesù aggiunse: «Sono sicuro che voi mi ricorderete il famoso proverbio: " Medico, cura te stesso " e mi direte: " Fa' anche qui, nel tuo villaggio, quelle cose che, a quanto si sente dire, hai fatto a Cafarnao ". [24] Ma io vi dico: nessun profeta ha fortuna in patria. [25] Anzi, vi voglio dire un'altra cosa: al tempo del profeta *Elia vi erano molte vedove in Israele, quando per tre anni e mezzo non cadde neppure una goccia di pioggia e ci fu una grande carestia in tutta quella regione: [26] eppure Dio non ha mandato il profeta Elia a nessuna di loro, ma soltanto a una povera vedova straniera, che viveva a Sarepta, nella regione di Sidone. [27] Così pure ai tempi del profeta Eliseo, vi erano molti *lebbrosi in Israele: eppure Dio non ha guarito nessuno di loro, ma soltanto Naaman, uno straniero della Siria».
[28] Sentendo queste cose i presenti nella sinagoga si adirarono, [29] e alzatisi, spinsero Gesù fuori del villaggio. Lo trascinarono fino in cima al monte di Nàzaret e avrebbero voluto farlo precipitare giù. [30] Ma Gesù passò in mezzo a loro, e se ne andò.

Gesù manifesta la sua autorità e la sua potenza
(vedi Marco 1, 21-28)

31 Allora Gesù andò a Cafàrnao, un'altra città della Galilea. Anche qui, in giorno di *sabato, insegnava alla gente che si era radunata nella *sinagoga. 32 Chi lo ascoltava si meravigliava di come insegnava: era come se Dio parlasse per mezzo di lui. 33 In quella sinagoga c'era un uomo posseduto da uno *spirito maligno. A un certo momento costui si mise a urlare: 34 « Perché ti interessi di noi, Gesù di Nazaret? Vuoi forse mandarci in rovina? Io so bene chi tu sei: sei il Santo di Dio ». 35 Ma Gesù lo sgridò severamente e gli diede questo ordine: « Sta' zitto ed esci subito da quest'uomo! ». Allora lo spirito maligno gettò a terra quel pover'uomo davanti a tutti e alla fine uscì da lui senza fargli più alcun male. 36 Tutti i presenti furono pieni di meraviglia e dicevano tra di loro: « Che modo di parlare è questo? Egli comanda perfino agli spiriti maligni con irresistibile autorità ed essi se ne vanno ». 37 Ormai si parlava di Gesù in tutta quella regione.

Gesù guarisce altri malati
(vedi Matteo 8, 14-17; Marco 1, 29-34)

38 Gesù poi uscì dalla *sinagoga di Cafàrnao e andò nella casa di Simone. La suocera di Simone era a letto malata con febbre alta, e chiesero perciò a Gesù di far qualcosa per lei. 39 Gesù allora si chinò sopra di lei, comandò alla febbre di lasciarla e la febbre cessò. Così la donna poté subito alzarsi e si mise a servirli.
40 Dopo il tramonto del sole, quelli che avevano in casa malati di ogni genere li portavano da Gesù, ed egli li guariva posando le mani sopra ciascuno di loro. 41 Molti *spiriti maligni uscivano dagli ammalati e gridavano: « Tu sei il *Figlio di Dio ». Ma Gesù li rimproverava severamente e non li lasciava parlare perché essi sapevano che egli era il *Messia.

Gesù predica nelle sinagoghe della Giudea
(vedi Marco 1, 35-39)

42 Fattosi giorno, Gesù uscì dalla città di Cafàrnao e si ritirò in un luogo solitario, ma una grande folla lo cercava. Finalmente lo trovarono e volevano trattenerlo con loro e

non lasciarlo più partire. [43] Ma Gesù disse loro: « Anche agli altri villaggi io devo far sapere che Dio regna e salva: per questo Dio mi ha mandato ». [44] Così Gesù passava da una *sinagoga all'altra per portare in tutta la Giudea il suo messaggio di salvezza.

Gesù chiama i primi *discepoli
(vedi Matteo 4, 18-22; Marco 1, 16-20)

5 [1] Un giorno Gesù si trovava sulla riva del lago di *Genèsaret. Egli stava in piedi e la folla gli si stringeva attorno per poter ascoltare la *parola di Dio. [2] Vide allora sulla riva due barche vuote: i pescatori erano scesi e stavano lavando le reti. [3] Gesù salì su una di quelle barche, quella che apparteneva a Simone, e lo pregò di riprendere i remi e di allontanarsi un po' dalla riva. Poi si sedette sulla barca e si mise ad insegnare alla folla.

[4] Quando ebbe finito di parlare, Gesù disse a Simone: « Prendi il largo e poi gettate le reti per pescare ». [5] Ma Simone gli rispose: « *Maestro, abbiamo lavorato tutta la notte senza prendere nulla; però, se lo dici tu, getterò le reti ».

[6] Le gettarono, e subito presero una quantità così grande di pesci che le loro reti cominciarono a rompersi. [7] Allora chiamarono i loro compagni che stavano sull'altra barca perché venissero ad aiutarli: essi vennero e riempirono di pesci le due barche a tal punto che quasi affondavano. [8] Appena si rese conto di quel che stava accadendo, Simon Pietro si gettò ai piedi di Gesù dicendo: « Allontanati da me, Signore, perché io sono un peccatore ». [9-10] In effetti Pietro e i suoi compagni, Giacomo e Giovanni, figli di Zebedèo, e tutti quelli che erano con lui erano rimasti sconvolti per la straordinaria quantità di pesci che avevano preso. Ma Gesù disse a Simone: « Non temere, d'ora in poi tu sarai pescatore di uomini ». [11] Essi allora riportarono le barche verso riva, abbandonarono tutto e andarono con Gesù.

Gesù guarisce un lebbroso
(vedi Matteo 8, 1-4; Marco 1, 40-45)

[12] Mentre Gesù si trovava in un villaggio, un uomo tutto coperto di *lebbra gli venne incontro. Appena vide Gesù si gettò ai suoi piedi e lo supplicò: « Signore, se tu vuoi, puoi guarirmi ». [13] Gesù lo toccò con la mano e gli disse: « Sì, lo voglio! Sii guarito! ». E subito la lebbra sparì. [14] Ma

Gesù gli diede quest'ordine: « Non dir niente a nessuno.
Va' invece da uno dei sacerdoti e fatti vedere da lui. Poi,
fai un'offerta come Mosè ha stabilito nella *legge, per
mostrare a tutti che sei guarito dalla lebbra ». [15] Tuttavia
la gente parlava sempre più spesso di Gesù, e molta folla
si radunava per ascoltarlo e per essere guarita dalle malattie. [16] Ma Gesù si ritirava in luoghi solitari per pregare.

Gesù guarisce un uomo paralitico
(vedi Matteo 9, 1-8; Marco 2, 1-12)

[17] Un giorno Gesù stava insegnando. Da molti villaggi della
Galilea e della Giudea e da Gerusalemme erano venuti alcuni
*farisei e *maestri della legge, i quali si erano messi a
sedere attorno a Gesù. Dio aveva dato a Gesù il potere di
guarire i malati.
[18] Mentre parlava, alcune persone portarono verso Gesù un
uomo: era *paralitico e giaceva sopra un letto. Volevano
farlo passare e metterlo davanti a Gesù, [19] ma non riuscivano a causa della folla. Allora salirono sul tetto di quella
casa, levarono delle tegole e fecero scendere il letto con
dentro il paralitico proprio nel mezzo dove si trovava Gesù.
[20] Vedendo la fede di quelle persone, Gesù disse a quell'uomo: « Io ti perdono i tuoi peccati ».
[21] I maestri della legge e i farisei cominciarono a domandarsi: « Perché quest'uomo osa parlare così contro Dio?
Chi può perdonare i peccati? Dio solo può farlo! ».
[22] Ma Gesù capì subito i loro pensieri, e disse: « Perché
ragionate così dentro di voi? [23] È più facile dire: " Ti sono
perdonati i tuoi peccati ", oppure dire: " Alzati e cammina! "? [24] Ebbene, io vi farò vedere che il *Figlio del-
l'uomo ha il potere sulla terra di perdonare i peccati ».
E rivoltosi al paralitico Gesù disse: « Alzati, prendi la tua
barella e torna a casa ».
[25] Immediatamente quell'uomo si alzò, davanti a tutti, prese
la barella sulla quale era sdraiato e se ne andò a casa sua,
ringraziando Dio. [26] Tutti furono pieni di stupore e lodavano Dio. Pieni di timore dicevano: « Oggi abbiamo visto
cose straordinarie ».

Gesù chiama Levi
(vedi Matteo 9, 9-13; Marco 2, 13-17)

²⁷ Più tardi Gesù uscì lungo la strada e vide un certo Levi, seduto dietro il banco dove si pagavano le tasse. Egli era infatti un pubblicano. Gesù gli disse: « Vieni con me ». ²⁸ Allora Levi abbandonò tutto, si alzò e cominciò a seguire Gesù.

²⁹ Poi Levi preparò un grande banchetto in casa sua. C'era molta gente: agenti delle tasse e altre persone sedute a tavola con loro.

³⁰ I *farisei e i *maestri della legge mormoravano e dicevano ai *discepoli di Gesù: « Perché mangiate e bevete con gli agenti delle tasse e con persone di cattiva reputazione? ».

³¹ Gesù rispose: « I sani non hanno bisogno del medico; ne hanno invece bisogno i malati. ³² Io non sono venuto a chiamare la gente per bene, ma quelli che sanno di essere peccatori perché cambino vita ».

La questione del digiuno
(vedi Matteo 9, 14-17; Marco 2, 18-22)

³³ I *farisei e i *maestri della legge insistettero ancora con Gesù: « I *discepoli di Giovanni il Battezzatore fanno spesso *digiuno e ripetono preghiere; così fanno anche i nostri discepoli. I tuoi discepoli invece mangiano e bevono! ».

³⁴ Gesù rispose: « Vi pare possibile che gli invitati a un banchetto di nozze se ne stiano senza mangiare mentre lo sposo è con loro? ³⁵ Più tardi verrà il tempo in cui lo sposo sarà portato via da loro: allora faranno digiuno ».

³⁶ Gesù disse loro anche questa *parabola: « Nessuno strappa un pezzo di stoffa da un vestito nuovo per rattoppare un vestito vecchio; altrimenti si trova con il vestito nuovo rovinato, mentre il pezzo preso dal vestito nuovo non si adatta al vestito vecchio. ³⁷ E nessuno mette del vino nuovo in otri vecchi; altrimenti il vino li fa scoppiare: così il vino esce fuori e gli otri vanno perduti. ³⁸ Invece per vino nuovo ci vogliono otri nuovi. ³⁹ Quando uno ha bevuto vino vecchio, non vuol più bere vino nuovo, perché dice: quello vecchio è migliore ».

La questione del *sabato
(vedi Matteo 12, 1-8; Marco 2, 23-28)

6 [1] Un sabato Gesù stava passando attraverso i campi di grano e i suoi *discepoli strapparono alcune spighe, le sgranavano con le mani e ne mangiavano i chicchi.
[2] Allora alcuni *farisei dissero: « Perché fate così? La *legge non permette di far questo nel giorno del riposo ».
[3] Gesù rispose: « E voi avete mai letto nella *Bibbia quel che fece il re Davide un giorno nel quale lui e i suoi compagni avevano fame? [4] Come sapete, Davide entrò nel santuario e prese quei pani che erano un'offerta sacra per il Signore. Li mangiò lui e quelli che erano con lui, anche se i sacerdoti solamente possono mangiare quei pani ». [5] Gesù concluse: « Il *Figlio dell'uomo ha potere sul sabato ».

Gesù guarisce un malato in giorno di sabato
(vedi Matteo 12, 9-14; Marco 3, 1-6)

[6] Un altro sabato Gesù entrò nella *sinagoga e si mise a insegnare. C'era là un uomo che aveva la mano destra paralizzata.
[7] I *farisei e i *maestri della legge stavano a vedere se Gesù lo guariva in giorno di *sabato, per avere così un pretesto di accusa contro di lui.
[8] Ma Gesù conosceva bene le loro trame e disse all'uomo che aveva la mano paralizzata: « Alzati e vieni in mezzo a tutti! ». Quell'uomo si alzò e vi andò. [9] Poi Gesù chiese agli altri: « Ho una domanda da farvi: che cosa è permesso in giorno di sabato secondo la *legge? Fare del bene o fare del male? Salvare la vita di un uomo o lasciarlo morire? ». [10] Si guardò tutt'intorno, poi disse al *paralitico: « Stendi la tua mano! ». Egli la stese e la mano fu guarita.
[11] Ma i maestri della legge e i farisei si adirarono e discutevano fra di loro su quello che potevano fare contro Gesù.

Gesù sceglie i dodici apostoli
(vedi Matteo 10, 1-4; Marco 3, 13-19)

[12] In quei giorni Gesù andò sul monte a pregare, e passò tutta la notte pregando Dio. [13] Quando fu giorno, radunò i suoi *discepoli: ne scelse dodici e diede loro il nome di *apostoli: [14] Simone, che Gesù chiamò Pietro, e suo fratello Andrea; Giacomo e Giovanni; Filippo e Bartolomeo; [15] Matteo

e Tommaso; Giacomo, figlio di Alfeo, e Simone, che era del partito degli *zeloti; [16] Giuda, figlio di Giacomo, e Giuda Iscariota che poi fu il traditore di Gesù.

Gesù insegna alla folla
(vedi Matteo 4, 23-25)

[17] Gesù, disceso dal monte, si fermò in un luogo di pianura con i suoi *discepoli. Ne aveva attorno molti e per di più c'era una gran folla di gente venuta da tutta la Giudea, da Gerusalemme e dalla zona costiera di Tiro e Sidone: [18] erano venuti per ascoltarlo e per farsi guarire dalle loro malattie. Anche quelli che erano tormentati da *spiriti maligni venivano guariti. [19] Tutti cercavano di toccarlo, perché da lui usciva una forza che guariva ogni genere di mali.

Benedizioni e maledizioni
(vedi Matteo 5, 1-12)

[20] Allora Gesù alzò gli occhi verso i suoi *discepoli e disse:
« Beati voi, poveri,
    perché Dio vi chiama a essere il suo popolo.
[21] Beati voi che ora avete fame:
    Dio vi sazierà.
Beati voi che ora piangete:
    Dio vi darà gioia.
[22] Beati voi quando gli altri vi odieranno, quando parleranno male di voi e vi disprezzeranno come gente malvagia perché avete creduto nel *Figlio dell'uomo. [23] Quando vi accadranno queste cose, rallegratevi e siate contenti perché, ecco, Dio vi darà la sua grande ricompensa: infatti i padri di questa gente hanno trattato allo stesso modo gli antichi *profeti.
[24] Ma, guai a voi, ricchi,
    perché avete già la vostra consolazione.
[25] Guai a voi che ora siete sazi,
    perché un giorno avrete fame.
Guai a voi che ora ridete,
    perché sarete tristi e piangerete.
[26] Guai a voi quando tutti parleranno bene di voi: infatti i padri di questa gente hanno trattato allo stesso modo i falsi profeti ».

Bisogna amare anche i nemici
(vedi Matteo 5, 38-48; 7, 12a)

²⁷ « Ma a voi che mi ascoltate io dico: Amate anche i vostri nemici, fate del bene a quelli che vi odiano. ²⁸ Benedite quelli che vi maledicono, pregate per quelli che vi fanno del male. ²⁹ Se qualcuno ti percuote su una guancia, presentagli anche l'altra. Se qualcuno ti strappa il mantello, tu lasciati prendere anche la camicia. ³⁰ Da' a tutti quelli che ti chiedono qualcosa, e se qualcuno ti prende ciò che ti appartiene, tu lasciaglielo. ³¹ Fate agli altri quello che anche voi volete dagli altri.

³² Se voi amate soltanto quelli che vi amano, come potrà Dio essere contento di voi? Anche quelli che non pensano a Dio fanno così. ³³ E se voi fate del bene soltanto a quelli che vi fanno del bene, Dio come potrà essere contento di voi? Anche quelli che non pensano a Dio fanno così. ³⁴ E se voi prestate denaro soltanto a quelli dai quali sperate di riaverne, Dio come potrà essere contento di voi? Anche quelli che non pensano a Dio concedono prestiti ai loro amici per ricevere altrettanto!

³⁵ Voi invece, amate anche i vostri nemici, fate del bene e prestate senza sperare di ricevere nulla in cambio: allora la vostra ricompensa sarà grande: sarete veramente figli di Dio, che è buono anche verso gli ingrati e i cattivi. ³⁶ Siate anche voi pieni di bontà, così come Dio, vostro Padre, è pieno di bontà ».

Non giudicare gli altri
(vedi Matteo 7, 1-5)

³⁷ « Non giudicate gli altri, e Dio non vi giudicherà. Non condannate gli altri, e Dio non vi condannerà. Perdonate e Dio vi perdonerà. ³⁸ Date agli altri e Dio darà a voi: riceverete da lui una misura buona, pigiata, scossa e traboccante. Dio infatti tratterà voi allo stesso modo con il quale voi avrete trattato gli altri ».

³⁹ Gesù disse loro anche questa *parabola: « Un cieco può forse pretendere di fare da guida a un altro cieco? Se lo facesse, cadrebbero tutti e due in una buca! ⁴⁰ Nessun *discepolo è più grande del suo *maestro; tutt'al più, se si lascia istruire per bene, sarà come il suo maestro.

⁴¹ E tu, perché cerchi la pagliuzza che è nell'occhio del tuo

fratello e non ti accorgi della trave che è nel tuo occhio? [42] Come puoi dirgli: " Fratello, lascia che ti tolga la pagliuzza dall'occhio ", mentre tu non vedi la trave che è nel tuo? Ipocrita, togli prima la trave che è nel tuo occhio e allora ci vedrai bene e potrai togliere la pagliuzza dall'occhio del tuo fratello ».

L'albero e i suoi frutti
(vedi Matteo 7, 16 b-20; 12, 33-35)

[43] « Un albero buono non fa frutti cattivi e un albero cattivo non fa frutti buoni. [44] La qualità di un albero la si conosce dai suoi frutti: difatti non si raccolgono fichi dalle spine e non si vendemmia uva da un cespuglio selvatico. [45] L'uomo buono tira fuori il bene dal suo cuore come da un tesoro prezioso; l'uomo cattivo invece tira fuori il male dal suo cuore come da un tesoro cattivo: ciascuno infatti esprime con la bocca ciò che ha nel cuore ».

Le due case
(vedi Matteo 7, 24-27)

[46] « Perché mi chiamate: " Signore, Signore " e non fate quello che vi dico? [47] Se uno mi segue, ascolta le mie parole e poi le mette in pratica, vi dirò io a chi assomiglia: [48] egli è come quell'uomo che si è messo a costruire una casa: ha scavato molto profondamente e ha appoggiato le fondamenta della sua casa sopra la roccia. Poi è venuta un'alluvione, e le acque del fiume hanno investito quella casa, ma non sono riuscite a scuoterla perché era stata costruita bene. [49] Al contrario, chi ascolta le mie parole e poi non le mette in pratica somiglia a quell'uomo che si è messo a costruire una casa direttamente sul terreno senza fare le fondamenta. Quando le acque del fiume hanno investito quella casa, essa è crollata subito, e il disastro è stato grande ».

Gesù guarisce il servo di un ufficiale romano
(vedi Matteo 8, 5-13; Giovanni 4, 46-54)

7 [1] Quando ebbe terminato di parlare alla gente che lo ascoltava, Gesù entrò nella città di Cafàrnao. [2] Là si trovava un ufficiale dell'esercito romano il quale aveva un servo. Egli era molto affezionato a questo servo, che ora

era malato ed era in punto di morte. ³ Quando l'ufficiale
sentì parlare di Gesù, mandò alcuni ebrei autorevoli a pregarlo di venire e di guarire il suo servo. ⁴ Questi ebrei andarono da Gesù e lo pregavano con insistenza così: « L'ufficiale che ci manda merita il tuo aiuto. ⁵ È amico del nostro popolo. È stato lui a far costruire la nostra *sinagoga ».
⁶ Allora Gesù andò con loro. Non era molto distante dalla
casa, quando l'ufficiale gli mandò incontro alcuni amici per
dirgli: « Signore, non disturbarti! Io non sono degno che
tu entri in casa mia; ⁷ per questo non ho osato venire personalmente da te, ma di' anche una sola parola e il mio
servo certamente guarirà. ⁸ Anch'io ho chi mi comanda e,
a mia volta, ho dei soldati sotto di me. Se dico a uno:
" Vai ", egli va, se dico a un altro: " Vieni ", costui viene,
e se dico al mio servo: " Fa' questo ", egli lo fa ».
⁹ Quando Gesù sentì queste parole, rimase meravigliato. Si
rivolse allora alla folla che lo seguiva e disse: « Vi assicuro
che non ho mai trovato una fede grande come questa,
neppure nel popolo d'Israele ». ¹⁰ E quando gli amici del-
l'ufficiale tornarono a casa trovarono il servo guarito.

Gesù fa risorgere il figlio di una vedova

¹¹ In seguito Gesù andò in un villaggio chiamato Nain: lo
accompagnavano i suoi *discepoli insieme a una gran folla.
¹² Quando fu vicino all'entrata di quel villaggio, Gesù incontrò un funerale: veniva portato alla sepoltura l'unico
figlio di una vedova, e molti abitanti di quel villaggio erano
con lei.
¹³ Appena la vide, il Signore ne ebbe compassione e le disse:
« Non piangere! ». ¹⁴ Poi si avvicinò alla bara e la toccò:
quelli che la portavano si fermarono. Allora Gesù disse:
« Ragazzo, te lo dico io: alzati! ». ¹⁵ Il morto si alzò e
cominciò a parlare. Gesù allora lo restituì a sua madre.
¹⁶ Tutti furono presi da stupore e ringraziavano Dio con
queste parole: « Tra noi è apparso un grande *profeta! ».
Altri dicevano: « Dio è venuto a salvare il suo popolo ».
¹⁷ E la notizia di questi fatti si diffuse in quella regione e
in tutta la Giudea.

Gesù e i messaggeri di Giovanni il Battezzatore
(vedi Matteo 11, 2-19)

[18] Anche Giovanni venne a sapere queste cose dai suoi *discepoli. Chiamò allora due di loro [19] e li mandò dal Signore a chiedergli: « Sei tu il *Messia che deve venire, oppure dobbiamo aspettare un altro? ». [20] Quando arrivarono da Gesù, quegli uomini dissero: « Giovanni il Battezzatore ci ha mandati da te per domandarti se sei tu il Messia che deve venire o se dobbiamo aspettare un altro ».

[21] In quello stesso momento Gesù guarì molta gente dalle loro malattie e dalle loro sofferenze; alcuni li liberò dagli *spiriti maligni e a molti ciechi restituì la vista. [22] Poi rispose così ai messaggeri di Giovanni: « Tornate dal vostro *maestro e riferitegli quello che avete visto e udito: come dicono le profezie della *Bibbia, *i ciechi vedono*, gli zoppi camminano, i *lebbrosi sono risanati, i sordi odono, i morti risorgono, la salvezza *viene annunziata ai poveri*. [23] E beati quelli che non perderanno la fede in me ».

[24] Poi i messaggeri di Giovanni partirono, e Gesù cominciò a dire alla folla riguardo a Giovanni: « Quando siete andati nel deserto per incontrarlo che cosa avete visto? Un uomo simile ad una canna in balìa del vento? [25] No! E allora che cosa siete andati a vedere? Un uomo vestito con abiti di lusso? No! Quelli che portano abiti preziosi e vivono nel lusso stanno nei palazzi dei re. [26] Allora, che cosa siete andati a vedere? un *profeta? Sì, ve lo dico io, uno che è più grande di un profeta! [27] Dio infatti dice di lui nella Bibbia:

> Ecco il mio messaggero; io lo mando davanti a te:
> egli ti preparerà la strada.

[28] Anzi vi assicuro che non è mai venuto al mondo nessuno più grande di Giovanni; però il più piccolo nel *regno di Dio è più grande di lui.

[29] Tutto il popolo ha ascoltato Giovanni; persino gli agenti delle tasse hanno ricevuto il suo battesimo e così hanno mostrato di ubbidire alla volontà di Dio. [30] I *farisei e i *maestri della legge invece hanno respinto la volontà di Dio e non hanno voluto farsi battezzare da Giovanni ».

[31] Gesù disse ancora: « A che cosa posso paragonare gli uomini dei nostri tempi? A chi sono simili? [32] Essi sono

come quei bambini che giocano sulla piazza e gridano gli
uni contro gli altri:

> " Vi abbiamo suonato una musica allegra e non
> avete ballato,
> vi abbiamo cantato un canto di dolore e non avete
> pianto! ".

33 Così fate anche voi: è venuto Giovanni il Battezzatore,
che non mangia pane e non beve vino, e voi dite: " È un
indemoniato! ". 34 Poi è venuto il *Figlio dell'uomo, che
mangia e beve, e voi dite: " Ecco un mangione e un
beone, amico degli agenti delle tasse e di altre persone di
cattiva reputazione ". 35 Ma coloro che hanno accolto Dio
hanno riconosciuto il suo piano di salvezza ».

Gesù, il fariseo e la peccatrice

36 Un giorno un *fariseo invitò Gesù a pranzo da lui. Gesù
entrò in casa sua e si mise a tavola. 37 In quel villaggio vi
era una prostituta. Quando ella seppe che Gesù si trovava
a casa di quel fariseo, venne con un vasetto di olio profumato, 38 si fermò dietro a Gesù, si rannicchiò ai suoi
piedi piangendo e cominciò a bagnarli con le sue lacrime;
poi li asciugava con i suoi capelli e li baciava e li cospar-
geva di profumo.
39 Il fariseo che aveva invitato Gesù, vedendo quella scena,
pensò tra sé: « Se costui fosse proprio un *profeta sa-
prebbe che donna è questa che lo tocca: è una prostituta! ».
40 Gesù allora si voltò verso di lui e gli disse: « Simone, ho una cosa da dirti! ». Ed egli rispose: « Di' pure,
*Maestro! ».
41 Gesù riprese: « Un tale aveva due debitori: uno doveva
restituirgli cinquecento denari, l'altro solo cinquanta, 42 ma
nessuno dei due aveva la possibilità di restituire i soldi.
Allora quell'uomo condonò il debito a tutti e due. Dei due
chi gli sarà più riconoscente? ».
43 Simone rispose subito: « Penso, quello che ha ricevuto
un favore più grande ».
E Gesù gli disse: « Hai ragione! ». 44 Poi volgendosi verso
quella donna Gesù disse a Simone: « Vedi questa donna?
Sono venuto in casa tua e tu non mi hai dato dell'acqua
per lavarmi i piedi; lei invece, con le sue lacrime, mi ha
bagnato i piedi e con i suoi capelli me li ha asciugati. 45 Tu

non mi hai salutato con il bacio; lei invece da quando sono qui non ha ancora smesso di baciarmi i piedi. ⁴⁶Tu non mi hai versato il profumo sul capo; lei invece mi ha cosparso di profumo i piedi. ⁴⁷ Per questo, ti dico: i suoi peccati sono molti, ma le sono perdonati perché ha mostrato un amore riconoscente. Invece, quelli ai quali si perdona poco sono meno riconoscenti ».
⁴⁸ Poi Gesù disse alla donna: « Io ti perdono i tuoi peccati ».
⁴⁹ Allora quelli che erano a tavola con lui cominciarono a dire tra di loro: « Chi è costui che osa anche perdonare i peccati? ».
⁵⁰ Ma Gesù disse alla donna: « La tua fede ti ha salvato. Va' in pace! ».

Le donne che accompagnavano Gesù

8 ¹ Qualche tempo dopo Gesù se ne andava per città e villaggi, predicando e annunziando il lieto messaggio del *regno di Dio. Con lui c'erano i dodici *discepoli ² e alcune donne che egli aveva guarito da malattie e liberato da *spiriti maligni. Le donne erano Maria di Màgdala, dalla quale Gesù aveva scacciato sette demoni, ³ Giovanna, moglie di Cusa, amministratore di *Erode, Susanna e molte altre. Esse, con i loro beni, aiutavano Gesù e i suoi discepoli.

Gesù narra la parabola del seminatore
(vedi Matteo 13, 1-9; Marco 4, 1-9)

⁴ Un giorno si radunò intorno a Gesù una gran folla di persone che accorrevano a lui da ogni città. A questa gente Gesù raccontò una *parabola: ⁵ « Un contadino andò a seminare. Mentre seminava, una parte della semente andò a cadere sulla strada: fu calpestata e gli uccelli la mangiarono. ⁶ Un po' di semente invece andò a finire su un terreno dove c'erano molte pietre: appena germogliata seccò perché non aveva umidità. ⁷ Parte della semente cadde in mezzo alle spine: e le spine crescendo insieme con essa la soffocarono. ⁸ Ma una parte cadde in terreno buono: i semi germogliarono e produssero il cento per uno ». Detto questo, Gesù esclamò: « Chi ha orecchi cerchi di capire! ».

Perché Gesù parla con parabole
(vedi Matteo 13, 10-17; Marco 4, 10-12)

⁹ I *discepoli poi chiesero a Gesù di spiegare la *parabola.
¹⁰ Egli rispose: «A voi Dio fa conoscere apertamente il
suo piano di salvezza; agli altri invece lo fa conoscere solo
in parabole, perché

> guardano, ma non vedono,
> ascoltano, ma non capiscono».

Gesù spiega la parabola del seminatore
(vedi Matteo 13, 18-23; Marco 4, 13-20)

¹¹ «Ora vi spiego la *parabola. La semente è la *parola di
Dio. ¹² I semi caduti sulla strada indicano certe persone che
ascoltano la parola di Dio, ma poi viene il *diavolo e
porta via la parola dai loro cuori e così impedisce loro di
credere e di salvarsi. ¹³ I semi caduti sul terreno pietroso
indicano quelle persone che quando ascoltano la parola di
Dio l'accolgono con entusiasmo, ma non hanno radici:
credono per un certo tempo, ma quando si tratta di affrontare qualche prova abbandonano la fede. ¹⁴ I semi caduti
tra le spine indicano quelle persone che ascoltano, ma poi,
cammin facendo, si lasciano prendere dalle preoccupazioni
materiali, dalle ricchezze e dai piaceri della vita, e così rimangono senza frutto. ¹⁵ Infine, i semi caduti nella terra
buona indicano quelle persone che ascoltano la parola di
Dio con cuore sincero, la custodiscono, sono perseveranti
e producono frutto».

La parabola della lampada
(vedi Matteo 5, 15; 10, 26; Marco 4, 21-25)

¹⁶ «Nessuno accende una lampada per poi metterla sotto un
secchio o sotto il letto, ma piuttosto per metterla in vista
perché chi entra in casa veda la luce. ¹⁷ Così tutto quello
che ora è nascosto sarà portato alla luce, tutto ciò che è
segreto diventerà chiaro.
¹⁸ Fate bene attenzione, dunque, a come ascoltate: perché
chi ha molto, riceverà ancor di più; chi invece ha poco,
si lascerà portar via anche quel poco che pensa di avere».

I veri parenti di Gesù
(vedi Matteo 12, 46-50; Marco 3, 31-35)

[19] Un giorno la madre e i fratelli di Gesù andarono a trovarlo, ma non potevano avvicinarlo perché era circondato dalla folla. [20] Qualcuno gli disse: « Qui fuori ci sono tua madre e i tuoi fratelli che desiderano vederti ». [21] Ma Gesù disse loro: « Mia madre e i miei fratelli sono quelli che ascoltano la *parola di Dio e la mettono in pratica! ».

Gesù calma una tempesta
(vedi Matteo 8, 23-27; Marco 4, 35-41)

[22] Un giorno Gesù salì su una barca con i suoi *discepoli e disse loro: « Andiamo all'altra riva del lago ». E partirono. [23] Mentre navigavano Gesù si addormentò. A un certo punto, sul lago il vento si mise a soffiare tanto forte che la barca si riempiva di acqua ed essi erano in pericolo. [24] Allora i discepoli svegliarono Gesù e gli dissero: « *Maestro, maestro, siamo in pericolo, affondiamo! ».
Gesù si svegliò, sgridò il vento e le onde che cessarono, e ci fu una grande calma.
[25] Poi Gesù disse ai suoi discepoli: « Dov'è la vostra fede? ».
Essi però erano intimoriti e meravigliati. Dicevano tra di loro: « Ma chi è costui? Egli comanda al vento e alle acque, e gli ubbidiscono! ».

Gesù guarisce l'indemoniato di Gerasa
(vedi Matteo 8, 28-34; Marco 5, 1-20)

[26] Poi approdarono nella regione dei gerasèni, che sta di fronte alla Galilea. [27] Gesù era appena sceso a terra, quando dalla città gli venne incontro un uomo: era indemoniato e da molto tempo non portava vestiti; non abitava in una casa ma stava sempre tra le tombe.
[28] Egli vide Gesù, gli si gettò ai piedi urlando, poi disse a gran voce: « Che cosa vuoi da me, Gesù, Figlio del Dio onnipotente? Ti prego, non tormentarmi ».
[29] Parlava così, perché Gesù stava comandando allo spirito maligno di uscire da quell'uomo. Molte volte infatti quello spirito si era impossessato di lui. Quando ciò accadeva, legavano quell'uomo con catene e lo immobilizzavano, ma egli riusciva a spezzare i legami, e il *demonio lo spingeva in luoghi deserti.

³⁰ Gesù domandò allo *spirito maligno: « Come ti chiami? ».
Quello rispose: « Il mio nome è " Moltitudine " » : in quell'uomo infatti erano entrati molti demoni, ³¹ e chiedevano a Gesù di non mandarli nell'*abisso.

³² Lì vicino vi erano molti maiali che pascolavano sulla montagna. Allora gli spiriti maligni chiesero a Gesù che permettesse loro di entrare nei maiali; ed egli lo permise. ³³ I demoni allora uscirono da quell'uomo e entrarono nei maiali: tutti quegli animali si misero a correre giù per la discesa, andarono a finire nel lago e annegarono.

³⁴ I guardiani dei maiali, quando videro quello che era accaduto, fuggirono e andarono a raccontare il fatto in città e in campagna. ³⁵ Perciò molta gente venne a vedere quello che era accaduto.

Quando arrivarono vicino a Gesù, trovarono anche quell'uomo che Gesù aveva liberato dai demoni: ora egli se ne stava seduto ai piedi di Gesù, era vestito e ragionava bene. Ed essi si spaventarono. ³⁶ Quelli che avevano visto tutto, raccontarono agli altri come l'indemoniato era stato guarito.

³⁷ Allora tutta la popolazione del territorio dei gerasèni pregò Gesù di andarsene via, lontano da loro, perché avevano molta paura.

Gesù salì su una barca per tornare indietro. ³⁸ Intanto l'uomo liberato dai demoni chiedeva a Gesù di poter stare con lui, ma Gesù lo mandò indietro dicendogli: « Torna a casa tua e racconta quello che Dio ha fatto per te ».
Quello se ne andò e raccontò in tutta la città quello che Gesù aveva fatto per lui.

Gesù ridà la vita a una bambina
e la donna che toccò il vestito di Gesù
(vedi Matteo 9, 18-26; Marco 5, 21-43)

⁴⁰ Quando Gesù tornò all'altra riva del lago, la gente gli andò incontro, perché tutti lo aspettavano. ⁴¹ Venne allora un uomo, un certo Giàiro, che era capo della *sinagoga. Si gettò ai piedi di Gesù e lo pregava di andare a casa sua, ⁴² perché la sua unica figlia, di circa dodici anni, stava per morire.

Lungo la strada la folla lo premeva da ogni parte. ⁴³ C'era anche una donna che già da dodici anni aveva continue perdite di sangue. Aveva speso tutto il suo denaro con i medici, ma nessuno era riuscito a guarirla. ⁴⁴ Essa si avvicinò a Gesù alle spalle, arrivò a toccare l'orlo del suo vestito, e subito la perdita di sangue si fermò.

⁴⁵ Gesù disse: « Chi mi ha toccato? ».

Tutti dicevano che non lo avevano toccato, e Pietro esclamò: « *Maestro, vedi che la folla ti circonda e ti schiaccia da tutte le parti! ».

⁴⁶ Ma Gesù insistette: « Qualcuno mi ha toccato: mi sono accorto che una forza è uscita da me ».

⁴⁷ Allora la donna si rese conto che non poteva più rimanere nascosta. Si fece avanti tutta tremante, si gettò ai piedi di Gesù e disse davanti a tutti per quale motivo aveva toccato Gesù e come era stata subito guarita.

⁴⁸ Gesù le disse: « Figlia, la tua fede ti ha salvata. Va' in pace! ».

⁴⁹ Mentre Gesù parlava, arrivò uno dalla casa del capo-sinagoga e gli disse: « Tua figlia è morta, non disturbare più il Maestro! ».

⁵⁰ Ma Gesù, che aveva sentito, disse a Giàiro: « Non temere, soltanto abbi fiducia e tua figlia sarà salva ».

⁵¹ Quando giunse alla casa di Giàiro, Gesù non lasciò entrare nessuno con lui, eccetto Pietro, Giovanni e Giacomo, il padre e la madre della bambina. ⁵² Tutti piangevano e facevano lamenti per la fanciulla morta.

Gesù disse: « Non piangete! La bambina non è morta, dorme ».

⁵³ Ma gli altri ridevano di lui, sapendo bene che era morta.

⁵⁴ Gesù allora prese la fanciulla per mano e disse ad alta voce: « Bambina, alzati! ». ⁵⁵ La bambina ritornò in vita e subito si alzò. Gesù allora ordinò ai suoi genitori di darle da mangiare.

⁵⁶ Essi rimasero sbalorditi, ma Gesù raccomandò loro di non far sapere a nessuno quello che era accaduto.

Gesù manda i dodici discepoli in missione
(vedi Matteo 10, 5-15; Marco 6, 7-13)

9 ¹ Gesù riunì i dodici *discepoli e diede loro l'autorità sugli *spiriti maligni e il potere di guarire le malattie. ² Poi li mandò ad annunziare il *regno di Dio e a guarire i malati. ³ Disse loro: « Quando vi mettete in viaggio non

prendete nulla, né bastone, né borsa, né pane, né denaro, e non portate un vestito di ricambio. [4] E quando entrate in una casa fermatevi là finché è ora di andarvene da quella città. [5] Se gli abitanti di un villaggio non vi accolgono, lasciate quel villaggio e scuotete via la polvere dai piedi: sarà un gesto contro di loro ». [6] Allora i discepoli partirono e passavano di villaggio in villaggio annunziando dovunque il messaggio del *vangelo e guarendo i malati.

Erode ha dei sospetti su Gesù
(vedi Matteo 14, 1-12; Marco 6, 14-29)

[7] Intanto *Erode, re della Galilea, venne a conoscere tutte queste cose e non sapeva che cosa pensare. Alcuni infatti dicevano: « È Giovanni il Battezzatore, tornato dal mondo dei morti ». [8] Altri invece dicevano: « È il profeta *Elia, riapparso tra noi ». Altri ancora: « È uno degli antichi profeti, ritornato in vita ». [9] Ma Erode disse: « A Giovanni gli ho fatto tagliare la testa io. Chi è dunque costui del quale sento dire tutte queste cose? ». E faceva di tutto per vedere Gesù.

Gesù dà da mangiare a cinquemila persone
(vedi Matteo 14, 13-21; Marco 6, 30-44; Giovanni 6, 1-14)

[10] Gli *apostoli tornarono da Gesù e gli raccontarono tutto quello che avevano fatto. Allora Gesù li prese con sé e si ritirò in un villaggio chiamato Betsàida. [11] Ma la gente se ne accorse e lo seguì, e Gesù li accoglieva volentieri. Parlava loro del *regno di Dio e guariva quelli che avevano bisogno di cure.

[12] Quando ormai era quasi sera, i *Dodici si avvicinarono a Gesù e gli dissero: « Lascia andare tutta questa gente, così che possa trovare da mangiare e da dormire nei villaggi e nelle campagne qui intorno: perché questo è un luogo isolato ».

[13] Gesù rispose: « Date voi qualcosa da mangiare a questa gente! ».

I *discepoli dissero: « Noi abbiamo soltanto cinque pani e due pesci. A meno che non andiamo noi a comprare cibo per tutta questa gente! ». [14] Gli uomini presenti erano circa cinquemila.

Gesù disse ai suoi discepoli: « Fateli sedere a gruppi di

6.

cinquanta circa!». ¹⁵ Così fecero e invitarono tutti a sedersi per terra.

¹⁶ Poi Gesù prese i cinque pani e i due pesci, alzò lo sguardo al cielo, disse la preghiera di benedizione, li spezzò e li diede ai discepoli perché li distribuissero alla folla.

¹⁷ Tutti mangiarono a sazietà. Alla fine si raccolsero i pezzi avanzati e se ne riempirono dodici ceste.

Pietro dichiara che Gesù è il Cristo
(vedi Matteo 16, 13-19; Marco 8, 27-29)

¹⁸ Un giorno Gesù si trovava in un luogo isolato per pregare. I suoi *discepoli lo raggiunsero ed egli chiese loro: «Chi sono io secondo la gente?». ¹⁹ Essi risposero: «Alcuni dicono che tu sei Giovanni il Battezzatore; altri invece dicono che sei *Elia il *profeta; altri infine dicono che tu sei uno degli antichi profeti ritornati in vita». ²⁰ Riprese Gesù: «E voi, che dite? Chi sono io?». Pietro rispose: «Tu sei il *Cristo, il Salvatore promesso da Dio».

Gesù annunzia la sua morte e risurrezione
(vedi Matteo 16, 20-21; Marco 8, 30-32)

²¹ Allora Gesù ordinò ai suoi *discepoli di non dir niente a nessuno, ²² e aggiunse: «È necessario che il *Figlio dell'uomo soffra molto. Gli anziani del popolo, i capi dei sacerdoti e i *maestri della legge lo condanneranno. Egli sarà ucciso ma il terzo giorno Dio lo farà risorgere».

Le condizioni per seguire Gesù
(vedi Matteo 16, 24-28; Marco 8, 34—9, 1)

²³ Poi, a tutti, diceva: «Se qualcuno vuol venire con me, smetta di pensare a se stesso, ma prenda ogni giorno la sua croce e mi segua. ²⁴ Chi pensa soltanto a salvare la propria vita, la perderà; chi invece è pronto a sacrificare la propria vita per me, la salverà. ²⁵ Se un uomo riesce a guadagnare anche il mondo intero, ma poi perde la sua vita o rovina se stesso, che vantaggio ne ricava? ²⁶ Se uno si vergognerà di me e delle mie parole, il *Figlio dell'uomo si vergognerà di lui quando ritornerà glorioso come Dio Padre, circondato dagli *angeli santi. ²⁷ Ve lo assicuro io: alcuni tra quelli che sono qui presenti non moriranno prima di aver visto il *regno di Dio».

La trasfigurazione: Gesù manifesta la sua gloria
(vedi Matteo 17, 1-8; Marco 9, 2-8)

[28] Circa otto giorni dopo questi discorsi Gesù prese con sé Pietro, Giovanni e Giacomo e salì su un monte a pregare. [29] Mentre pregava, il suo volto cambiò di aspetto e il suo vestito diventò candido e sfolgorante. [30] Poi si videro due uomini che stavano a parlare con lui: erano Mosè ed *Elia, [31] avvolti di uno splendore celeste. Essi parlavano con Gesù del modo con il quale egli avrebbe concluso la sua missione in Gerusalemme. [32] Pietro e i suoi compagni erano oppressi dal sonno, ma riuscirono a restare svegli e videro la gloria di Gesù e i due uomini che stavano con lui. [33] Mentre questi si separavano da Gesù, Pietro gli disse: « *Maestro, è bello per noi stare qui. Prepareremo tre tende: una per te, una per Mosè e una per Elia ». Parlava così ma non sapeva quello che diceva.
[34] Mentre diceva queste cose venne una nube e li avvolse con la sua ombra. Vedendosi avvolti dalla nube, i *discepoli ebbero paura. [35] Allora dalla nube uscì una voce: « Questi è il mio Figlio, che io ho scelto: ascoltatelo! ». [36] Appena la voce risuonò, i discepoli si accorsero che Gesù era solo. Essi rimasero senza parola e in quei giorni non raccontarono a nessuno quello che avevano visto.

Gesù guarisce un ragazzo tormentato da uno spirito maligno
(vedi Matteo 17, 14-18; Marco 9, 14-27)

[37] Il giorno seguente Gesù e i suoi *discepoli discesero dal monte, e una gran folla andò incontro a Gesù. [38] All'improvviso in mezzo alla folla un uomo si mise a gridare: « *Maestro, ti scongiuro, vieni a vedere mio figlio: è l'unico che ho! [39] Talvolta uno *spirito maligno lo assale, e improvvisamente egli si mette a gridare. Poi gli fa venire le convulsioni e la bava alla bocca. Alla fine lo lascia, ma a fatica, dopo averlo straziato. [40] Ho chiesto ai tuoi discepoli di scacciare questo spirito maligno, ma non ci sono riusciti ».
[41] Gesù disse: « Gente testarda e senza fede! Fino a quando dovrò stare con voi e dovrò sopportarvi? Portami qui tuo figlio! ».
[42] Mentre il ragazzo si avvicinava, lo spirito maligno lo buttò

a terra e gli fece venire le convulsioni. Ma Gesù gridò contro lo spirito maligno e il ragazzo guarì. Poi lo consegnò a suo padre.
⁴³ Tutti i presenti rimasero stupiti nel vedere la potenza di Dio. Erano infatti sbalorditi di ciò che Gesù aveva fatto.

Gesù annunzia di nuovo la sua passione
(vedi Matteo 17, 22-23; Marco 9, 30-32)

Gesù disse ai suoi *discepoli: ⁴⁴ « Mettetevi bene in mente queste parole: il *Figlio dell'uomo sarà presto consegnato nelle mani degli uomini ». ⁴⁵ Ma essi non capivano il senso di quelle parole: erano così misteriose per loro che non potevano intenderle. Inoltre, avevano paura di interrogare Gesù su questo argomento.

Chi è il più grande?
(vedi Matteo 18, 1-5; Marco 9, 33-37)

⁴⁶ Poi i *discepoli di Gesù si misero a discutere per sapere chi era tra di loro il più importante. ⁴⁷ Gesù si accorse dei loro ragionamenti: allora prese un bambino, se lo pose accanto, ⁴⁸ e poi disse loro: « Chi accoglie questo bambino nel mio nome accoglie me, e chi accoglie me accoglie colui che mi ha mandato. Infatti, chi è il più piccolo tra tutti voi, quello è il più grande! ».

Chi non è contro di voi è con voi
(vedi Marco 9, 38-40)

⁴⁹ L'*apostolo Giovanni allora disse: « *Maestro, abbiamo visto uno che usava il tuo nome per scacciare i *demòni, e noi abbiamo cercato di farlo smettere perché non è uno che ti segue insieme a noi ». ⁵⁰ Ma Gesù gli disse: « Lasciatelo fare, perché chi non è contro di voi è con voi ».

I samaritani respingono Gesù

⁵¹ Si avvicinava il tempo nel quale Gesù doveva lasciare questo mondo; perciò decise fermamente di andare verso Gerusalemme ⁵² e mandò avanti alcuni messaggeri. Questi partirono e entrarono in un villaggio di *samaritani per preparare quello che era necessario all'arrivo di Gesù. ⁵³ Ma gli abitanti di quel villaggio non vollero accogliere Gesù perché stava andando a Gerusalemme. ⁵⁴ Due *discepoli, Giacomo

e Giovanni, se ne accorsero e dissero a Gesù: «Signore, vuoi che diciamo al *fuoco di scendere dal cielo e di distruggerli?* ». ⁵⁵ Ma Gesù si voltò verso di loro e li rimproverò. ⁵⁶ Poi si avviarono verso un altro villaggio.

Avvertimenti per quelli che desiderano seguire Gesù
(vedi Matteo 8, 19-22)

⁵⁷ Mentre camminavano, un tale disse a Gesù: «Io verrò con te, dovunque tu andrai». ⁵⁸ Ma Gesù gli rispose: «Le volpi hanno una tana e gli uccelli hanno un nido, ma il *Figlio dell'uomo non ha un posto dove poter riposare».
⁵⁹ Poi disse a un altro: «Vieni con me!». Ma quello rispose: «Signore, permettimi di andare prima a seppellire mio padre». ⁶⁰ Gesù gli rispose: «Lascia che i morti seppelliscano i loro morti. Tu invece va' ad annunziare il regno di Dio!».
⁶¹ Un altro disse a Gesù: «Signore, io verrò con te, prima però lasciami andare a salutare i miei parenti». ⁶² Gesù gli rispose: «Chi si mette all'aratro e poi si volta indietro, non è adatto per il regno di Dio».

Gesù manda altri discepoli in missione

10 ¹⁻² Dopo questi fatti il Signore scelse altri settantadue *discepoli. Essi dovevano entrare prima di Gesù nei villaggi o nelle borgate che egli stava per visitare. Li mandò a due a due dicendo loro: «Il grano da mietere è molto, ma i contadini sono pochi. Pregate perciò il padrone del campo perché mandi molti contadini a mietere la sua messe.
³ Andate! Io vi mando come agnelli in mezzo ai lupi. ⁴ Non portate né borsa, né sacco, né sandali. Lungo il cammino non fermatevi a salutare nessuno. ⁵ Quando entrerete in una casa, dite subito a quelli che vi abitano: " Pace a voi! ".
⁶ Se tra loro vi è qualcuno che ama la pace, riceverà quella pace che gli avete augurato; altrimenti il vostro augurio resterà senza effetto. ⁷ Restate in quella casa, mangiate e bevete quello che vi daranno; perché ogni lavoratore ha diritto al suo salario. Non passate di casa in casa.
⁸ Quando andate in una città, se qualcuno vi accoglie, mangiate quello che vi offre. ⁹ Guarite i malati che trovate e dite loro: " Il *regno di Dio ora è vicino a voi! ".
¹⁰ Se invece entrate in una città e nessuno vi accoglie, allora uscite sulle piazze e dite: ¹¹ " Contro di voi noi scuotiamo

anche la polvere della vostra città che si è attaccata ai nostri piedi. Sappiate però che il regno di Dio è vicino ".
¹² Io vi assicuro che nel giorno del *giudizio gli abitanti di *Sòdoma saranno trattati meno severamente degli abitanti di quella città ».

Guai a quelli che non si convertono
(vedi Matteo 11, 20-24)

¹³ « Guai a voi, abitanti di Corazin! Guai a voi, abitanti di Betsàida! perché se i *miracoli compiuti tra voi fossero stati fatti nelle città pagane di Tiro e Sidone, i loro abitanti già da tempo si sarebbero vestiti di sacco, in segno di penitenza, e avrebbero messo la cenere sul capo, mostrando di voler cambiar vita. ¹⁴ Perciò, nel giorno del *giudizio gli abitanti di Tiro e Sidone saranno trattati meno severamente di voi. ¹⁵ E tu, città di Cafàrnao

> *credi forse che Dio ti innalzerà fino al cielo?*
> *No, tu precipiterai nell'abisso!*

¹⁶ Chi ascolta voi ascolta me. Chi disprezza voi disprezza me, ma chi disprezza me disprezza il Padre che mi ha mandato ».

Ritornano i settantadue discepoli

¹⁷ I settantadue *discepoli tornarono dalla loro missione molto lieti, dicendo: « Signore, anche i *demòni ci obbediscono quando noi invochiamo il tuo nome ».
¹⁸ Gesù disse loro: « Ho visto Satana precipitare dal cielo come un fulmine. ¹⁹ Io vi ho dato il potere di calpestare serpenti e *scorpioni e di annientare ogni resistenza del nemico. Niente vi potrà fare del male. ²⁰ Non rallegratevi però perché gli *spiriti maligni si sottomettono a voi, ma piuttosto rallegratevi perché i vostri nomi sono scritti in cielo ».

Gioia di Gesù
(vedi Matteo 11, 25-27; 13, 16-17)

²¹ Allora Gesù fu pieno di gioia per lo *Spirito Santo e disse:

> « Ti ringrazio, o Padre, Signore del cielo e della terra,
> perché tu hai nascosto queste cose ai grandi e ai
> sapienti e le hai fatte conoscere ai piccoli.
> Sì, Padre, così tu hai voluto ».

²² E disse ancora: « Il Padre mio mi ha affidato ogni cosa e nessuno sa chi è il Figlio eccetto il Padre; così pure nes-

suno sa chi è il Padre eccetto il Figlio e quelli ai quali il Figlio lo vuol rivelare».

²³ Poi Gesù si voltò verso i *discepoli, li prese a parte e disse loro: « Beati voi che potete vedere tutte queste cose. ²⁴ Perché vi assicuro che molti *profeti e molti re hanno desiderato vedere quello che voi vedete ma non l'hanno visto. Molti hanno desiderato udire quello che voi avete udito ma non l'hanno udito».

Gesù narra la parabola del buon samaritano

²⁵ Un *maestro della legge voleva tendere un tranello a Gesù. Si alzò e disse: « *Maestro, che cosa devo fare per avere la vita eterna?».

²⁶ Gesù gli disse: « Che cosa c'è scritto nella *legge di Mosè? Che cosa vi leggi?». ²⁷ Quell'uomo rispose: « C'è scritto: *Ama il Signore Dio tuo con tutto il tuo cuore, con tutta la tua anima, con tutte le tue forze e con tutta la tua mente, e ama il prossimo tuo come te stesso*».

²⁸ Gesù gli disse: « Hai risposto bene! Fa' questo e vivrai! ».

²⁹ Ma quel maestro della legge per giustificare la sua domanda chiese ancora a Gesù: « Ma chi è il prossimo?».

³⁰ Gesù rispose: « Un uomo scendeva da Gerusalemme verso Gèrico, quando incontrò i briganti. Gli portarono via tutto, lo presero a bastonate e poi se ne andarono, lasciandolo mezzo morto. ³¹ Per caso passò di là un sacerdote; vide l'uomo ferito, passò dall'altra parte della strada e proseguì. ³² Anche un *levita del tempio passò per quella strada; anche lui lo vide, lo scansò e proseguì. ³³ Invece, un uomo della Samaria che era in viaggio gli passò accanto, lo vide e ne ebbe compassione. ³⁴ Gli andò vicino, versò olio e vino sulle sue ferite e gliele fasciò. Poi lo caricò sul suo asino e lo portò a una locanda e fece tutto il possibile per aiutarlo. ³⁵ Il giorno dopo, tirò fuori due monete d'argento, le diede al padrone dell'albergo e gli disse: " Abbi cura di lui e anche se spenderai di più, pagherò io quando ritorno " ».

³⁶ A questo punto Gesù domandò: « Secondo te, chi di questi tre si è comportato come prossimo per quell'uomo che aveva incontrato i briganti?».

³⁷ Il maestro della legge rispose: « Quello che ha avuto compassione di lui ».

Gesù allora gli disse: « Va' e comportati allo stesso modo ».

Marta e Maria

[38] Mentre era in cammino con i suoi *discepoli, Gesù entrò in un villaggio e una donna, che si chiamava Marta, lo ospitò in casa sua. [39-40] Marta si mise subito a preparare per loro, ed era molto affaccendata. Sua sorella invece, che si chiamava Maria, si era seduta ai piedi del Signore e stava ad ascoltare quello che diceva.

Allora Marta si fece avanti e disse: « Signore, non vedi che mia sorella mi ha lasciata sola a servire? Dille di aiutarmi! ».

[41] Ma il Signore le rispose: « Marta, Marta, tu ti affanni e ti preoccupi di troppe cose! [42] Una sola cosa è necessaria. Maria ha scelto la parte migliore, e nessuno gliela porterà via ».

Gesù insegna a pregare
(vedi Matteo 6, 9-15; 7, 7-11)

11 [1] Un giorno Gesù andò in un luogo a pregare. Quando ebbe finito, uno dei suoi *discepoli gli disse: « Signore, insegnaci a pregare. Anche Giovanni lo ha insegnato ai suoi discepoli ».

[2] Allora Gesù disse: « Quando pregate, dite così:
Padre, fa' che tutti ti riconoscano come Dio,
fa' che il tuo regno venga.
[3] Dacci ogni giorno il nostro pane quotidiano;
[4] perdonaci i nostri peccati
perché anche noi perdoniamo a chi ci ha offeso,
e fa' che non cadiamo nella tentazione ».

[5] Poi disse loro: « Supponiamo che uno di voi abbia un amico e che a mezzanotte vada da lui e gli dica: " Amico, prestami tre pani, [6] perché è arrivato da me un amico di passaggio e in casa non ho nulla da dargli ". [7] Supponiamo pure che quello dall'interno della sua casa gli risponda: " Non darmi fastidio: la porta di casa è già chiusa; io e i miei bambini siamo già a letto. Non posso alzarmi per darti quello che vuoi ". [8] Ebbene, io vi dico: se quel tale non si alzerà a dargli il pane perché gli è amico, lo farà dandogli tutto quello che gli occorre perché l'altro insiste.

[9] Perciò io vi dico: Chiedete e riceverete! Cercate e troverete! Bussate e la porta vi sarà aperta: [10] perché tutti quelli

che chiedono ricevono, quelli che cercano trovano e a quelli
che bussano viene aperto.
[11] Se vostro figlio vi chiede un pesce, voi gli dareste un
serpente? [12] Oppure se vi chiede un uovo, voi gli dareste
uno *scorpione? [13] Dunque voi, che siete cattivi, sapete dare
cose buone ai vostri figli. A maggior ragione Dio, vostro Padre, darà lo *Spirito Santo a quelli che glielo chiedono».

Gesù e il demonio
(vedi Matteo 12, 22-30; Marco 3, 20-27)

[14] Gesù stava scacciando uno *spirito maligno che aveva reso
muto un uomo. Appena quel tale fu guarito, si mise a parlare e la meraviglia della gente fu grande. [15] Alcuni dei presenti dissero: «È *Beelzebùl, il capo degli spiriti maligni,
che gli ha dato il potere di scacciare questi spiriti!». [16] Altri
invece volevano tendergli un tranello e perciò gli domandavano un *miracolo dal cielo.
[17] Ma Gesù, conoscendo bene i loro pensieri, disse loro:
«Se gli abitanti di un paese si fanno la guerra, quel paese
va in rovina e le sue case crollano una sull'altra. [18] Se dunque Satana è in lotta contro se stesso come potrà durare
il suo regno? Voi dite che io scaccio gli spiriti maligni con
l'aiuto di Beelzebùl il capo dei *dèmoni. [19] Ma se io scaccio
gli spiriti maligni con l'aiuto di Beelzebùl, con l'aiuto di chi
li scacciano i vostri *discepoli? Saranno proprio loro a mostrare che avete torto! [20] Se invece è con l'aiuto di Dio che
scaccio gli spiriti maligni, allora vuol dire che Dio sta realizzando il suo regno in mezzo a voi.
[21] Quando un uomo forte e ben armato fa la guardia alla
sua casa, allora tutti i suoi beni sono al sicuro. [22] Ma se
arriva un altro più forte di lui e lo vince, gli strappa le armi
che gli davano sicurezza e ne distribuisce il bottino.
[23] Chi non è con me è contro di me, e chi non raccoglie con
me spreca il raccolto».

Lo spirito maligno ritorna all'assalto
(vedi Matteo 12, 43-45)

[24] «Quando uno *spirito maligno è uscito da un uomo, se
ne va per luoghi deserti in cerca di riposo. Se però non ne
trova, allora dice: "Tornerò nella mia casa, quella che ho

lasciato ". ²⁵ Egli ci va e la trova pulita e bene ordinata.
²⁶ Allora va a chiamare altri sette spiriti più maligni di lui.
Poi, tutt'insieme, entrano in quella persona e vi rimangono
come a casa loro. Così alla fine quell'uomo si trova in condizioni peggiori di prima ».

La vera beatitudine

²⁷ Mentre Gesù parlava così, una donna alzò la voce in mezzo
alla folla e gli disse: « Beata la donna che ti ha generato
e allattato! ». ²⁸ Ma Gesù rispose: « Beati piuttosto quelli
che ascoltano la *parola di Dio e la mettono in pratica ».

Alcuni domandano un miracolo a Gesù
(vedi Matteo 12, 38-42; Marco 8, 11-12)

²⁹ Mentre la gente si affollava intorno a Gesù, egli cominciò
a dire: « Questa gente è davvero gente malvagia: pretende
un segno *miracoloso, ma l'unico segno che avranno sarà
come quello del *profeta Giona. ³⁰ Infatti, come Giona fu
un segno miracoloso per gli abitanti di *Nìnive, così anche
il *Figlio dell'uomo sarà un segno per gli uomini d'oggi.
³¹ Nel giorno del *giudizio, la regina del sud si alzerà a con-
dannare questa gente: essa infatti venne dalle regioni più
lontane della terra per ascoltare le sagge parole del re Salomone. Eppure, di fronte a voi c'è uno che è più grande di
Salomone! ³² Nel giorno del giudizio gli abitanti di Nìnive si alzeranno
a condannare questa gente: essi infatti si convertirono quan-
do ascoltarono la predicazione di Giona. Eppure, di fronte
a voi c'è uno che che è più grande di Giona! ».

La luce del corpo
(vedi Matteo 5, 15; 6, 22-23; Marco 4, 21; Luca 8, 16)

³³ « Non si accende una lampada per poi nasconderla o met-
terla sotto un secchio. Piuttosto si mette in alto perché faccia luce a quelli che entrano nella casa. ³⁴ I tuoi occhi sono
come una lampada per il tuo corpo: se i tuoi occhi sono
buoni, tu vivi nella luce; se invece sono cattivi, tu vivi nelle
tenebre. ³⁵ Perciò stai attento che la tua luce non diventi tenebra. ³⁶ Se dunque tu sei totalmente nella luce, senza alcuna
parte nelle tenebre, allora tutto sarà splendente, come quando
una lampada ti illumina con il suo splendore ».

Gesù accusa i farisei e i maestri della legge
(vedi Matteo 23, 1-36; Marco 12, 38-40; Luca 20, 45-47)

37 Quando Gesù ebbe finito di parlare, un *fariseo lo invitò a pranzo a casa sua. Gesù andò e si mise a tavola. 38 Quel fariseo vide che Gesù non aveva fatto la purificazione delle mani che era d'uso e se ne meravigliò.
39 Allora il Signore gli disse: « Voi farisei vi preoccupate di pulire la parte esterna del bicchiere e del piatto, ma all'interno, siete pieni di furti e di cattiverie.
40 Stolti! Dio non ha forse creato l'esterno e l'interno dell'uomo? 41 Ebbene, se volete che tutto sia puro per voi, date in elemosina ai poveri quello che si trova nei vostri piatti.
42 Guai a voi, farisei, che offrite al tempio persino le decime degli ortaggi, delle verdure e delle erbe aromatiche, ma poi trascurate la giustizia e l'amore di Dio. Queste sono le cose da fare, senza trascurare le altre.
43 Guai a voi, farisei, che desiderate occupare i primi posti nelle *sinagoghe ed essere salutati sulle piazze. 44 Guai a voi, perché voi siete come quelle tombe che non si vedono e la gente vi passa sopra senza accorgersene! ».
45 Allora un *maestro della legge disse a Gesù: « *Maestro, parlando così tu offendi anche noi ».
46 Gesù rispose: « Sì, parlo anche a voi, maestri della legge! Guai a voi, perché mettete sulle spalle della gente dei pesi troppo faticosi da portare, ma voi neppure con un dito aiutate a portarli.
47 Guai a voi, che costruite delle tombe per quei *profeti che i vostri antichi padri hanno ucciso! 48 Così facendo, voi dimostrate di approvare ciò che i vostri padri hanno fatto: essi hanno ucciso i profeti e voi costruite le tombe per loro.
49 Per questo, Dio nella sua sapienza ha detto: " Manderò loro profeti e *apostoli, ma essi li uccideranno o li perseguiteranno ". 50 Ma Dio chiederà conto a questa gente dell'uccisione di tutti i profeti, dalle origini del mondo in poi: 51 dall'uccisione di Abele fino a quella di Zaccaria che è stato assassinato tra l'altare e il *santuario. Ve lo ripeto: Dio chiederà conto a questa gente di tutti questi misfatti!
52 Guai a voi, maestri della legge, perché avete portato via la chiave della vera scienza: voi non ci siete entrati e non avete lasciato entrare quelli che avrebbero voluto ».
53 Quando Gesù fu uscito da quella casa, i maestri della legge

e i farisei cominciarono a trattarlo con ostilità e a fargli domande di ogni genere: ⁵⁴ gli tendevano tranelli per coglierlo in fallo in qualche suo discorso.

Contro l'ipocrisia

12 ¹ Nel frattempo si erano radunate alcune migliaia di persone e si accalcavano gli uni sugli altri. Allora Gesù disse ai suoi *discepoli: « Tenetevi lontani dal *lievito dei *farisei, dalla loro ipocrisia! ² Perché non c'è nulla di nascosto che non sarà svelato, nulla di segreto che non sarà conosciuto. ³ Quello che avete detto in segreto, sarà udito alla luce del giorno, e quello che avete sussurrato all'orecchio all'interno della casa sarà proclamato dalle terrazze ».

Chi dobbiamo temere?
(vedi Matteo 10, 28-31)

⁴ « A voi che siete miei amici, dico: Non abbiate paura degli uomini: essi possono togliervi la vita, ma non possono fare niente di più. ⁵ Ve lo dirò io chi dovete temere! Temete Dio, il quale, dopo la morte, vi può mandare alla rovina eterna. Ve lo ripeto: è lui che dovete temere!
⁶ Ditemi un po': cinque passeri non si vendono per due soldi? Eppure, Dio non ne dimentica neanche uno. ⁷ Anche i capelli del vostro capo sono tutti contati! Dunque, non abbiate paura: voi valete più di molti passeri ».

È necessario riconoscere Gesù
(vedi Matteo 10, 32-33; 12, 32; 10, 19-20)

⁸ « Inoltre vi dico: Per tutti quelli che pubblicamente dichiareranno di essere miei *discepoli, anche il *Figlio dell'uomo dichiarerà che sono suoi davanti agli *angeli di Dio. ⁹ Ma per quelli che pubblicamente diranno di non essere miei discepoli, neanch'io dirò che sono miei davanti agli angeli di Dio.
¹⁰ Chiunque parlerà contro il Figlio dell'uomo, potrà essere perdonato; ma chi avrà bestemmiato lo *Spirito Santo non otterrà il perdono.
¹¹ Quando vi porteranno nelle *sinagoghe per essere giudicati, davanti ai magistrati e alle autorità, non preoccupatevi di quel che dovrete dire per difendervi. ¹² Sarà lo Spirito Santo a insegnarvi quel che dovrete dire in quel momento ».

Gesù narra la parabola del ricco stolto

¹³ Un tale che stava in mezzo alla folla, disse a Gesù: « *Maestro, di' a mio fratello di spartire con me l'eredità ».
¹⁴ Ma Gesù gli rispose: « Amico, non sono qui per fare da giudice nei vostri affari o da mediatore nella spartizione dei vostri beni ».
¹⁵ Poi disse agli altri: « Badate di tenervi lontani dal desiderio delle ricchezze, perché la vita di un uomo non dipende dai suoi beni, anche se è molto ricco ».
¹⁶ Poi raccontò loro questa *parabola: « Un ricco aveva delle terre che gli davano abbondanti raccolti. ¹⁷ Tra sé e sé faceva questi ragionamenti: " Ora che non ho più posto dove mettere i nuovi raccolti, cosa farò? ". ¹⁸ E disse: " Ecco, farò così: demolirò i vecchi magazzini e ne costruirò altri più grandi. Così potrò metterci tutto il mio grano e i miei beni. ¹⁹ Poi finalmente potrò dire a me stesso: Bene! Ora hai fatto molte provviste per molti anni. Riposati, mangia, bevi e divertiti! ". ²⁰ Ma Dio gli disse: " Stolto! Proprio questa notte dovrai morire, e a chi andranno le ricchezze che hai accumulato? " ».
²¹ Alla fine Gesù disse: « Questa è la situazione di quelli che accumulano ricchezze solo per se stessi e non si preoccupano di arricchire davanti a Dio ».

La preoccupazione di tutti i giorni
(vedi Matteo 6, 25-34. 19-21)

²² Poi Gesù disse ai suoi *discepoli: « Per questo io vi dico: Non preoccupatevi troppo del cibo di cui avete bisogno per vivere o del vestito di cui avete bisogno per coprirvi. ²³ La vita infatti è più importante del cibo e il corpo è più importante del vestito. ²⁴ Osservate i corvi: non seminano e non raccolgono, non hanno né dispensa né granaio, eppure Dio li nutre. Ebbene, voi valete molto più degli uccelli! ²⁵ E chi di voi con tutte le sue preoccupazioni può vivere un giorno in più di quello che è stabilito? ²⁶ Se dunque voi non potete fare neppure così poco, perché vi preoccupate per il resto? ²⁷ Osservate come crescono i fiori dei campi: non lavorano e non si fanno vestiti. Eppure io vi dico che nemmeno il re Salomone, con tutta la sua ricchezza, ha mai avuto un vestito così bello. ²⁸ Se dunque Dio rende così belli i fiori dei campi, che oggi ci sono e il giorno dopo vengono bruciati,

a maggior ragione procurerà un vestito a voi, gente di poca fede! [29] Perciò non state sempre in ansia nel cercare che cosa mangerete o che cosa berrete: [30] sono gli altri, quelli che non conoscono Dio, a cercare sempre queste cose. Voi invece avete un Padre che sa bene quello di cui avete bisogno. [31] Cercate piuttosto il *regno di Dio, e Dio vi darà tutto il resto.

[32] Non abbiate paura, piccolo gregge, perché il Padre vostro ha voluto darvi il suo regno. [33] Vendete quello che possedete e il denaro datelo ai poveri: procuratevi ricchezze che non si consumano, un tesoro sicuro in cielo. Là, i ladri non possono arrivare e la ruggine non lo può distruggere. [34] Perché dove sono le vostre ricchezze là c'è anche il vostro cuore ».

I servi che vigilano
(vedi Matteo 24, 45-51)

[35] « Siate sempre pronti, con la cintura ai fianchi e le lampade accese. [36] Siate anche voi come quei servi che aspettano il loro padrone che deve tornare da una festa di nozze, per essere pronti ad aprire subito appena arriva e bussa. [37] Beati quei servi che il padrone al suo ritorno troverà ancora svegli. Vi assicuro che egli si metterà un grembiule, li farà sedere a tavola e comincerà a servirli. [38] E se il padrone tornerà a mezzanotte oppure alle tre del mattino e troverà i suoi servi ancora svegli, beati loro!

[39] Cercate di capire: se il padrone di casa sapesse a che ora viene il ladro, non si lascerebbe scassinare la casa. [40] Anche voi tenetevi pronti, perché il *Figlio dell'uomo verrà quando voi non lo aspettate ».

[41] Allora Pietro disse: « Signore, questa parabola vale solo per noi oppure per tutti? ».

[42] Il Signore rispose: « Chi è dunque l'amministratore fedele e saggio? Quello che il padrone ha messo a capo dei suoi servi perché, a tempo opportuno, dia a ciascuno il suo cibo. [43] Beato quel servo, se il padrone, arrivando, lo troverà al lavoro. [44] Vi assicuro che gli affiderà l'amministrazione di tutti i suoi beni. [45] Se invece quel servo pensa che il suo padrone tardi a venire, e comincia a maltrattare i servitori della casa; e per di più si mette a mangiare, a bere e a ubriacarsi, [46] in un momento che lui non sa, quando meno

se l'aspetta il padrone arriverà. Lo separerà dagli altri e lo
punirà come si fa con i servi infedeli.
[47] Se un servo sa quello che il suo padrone vuole, ma non
lo esegue con prontezza, sarà punito severamente. [48] Se invece un servo si comporta in modo da meritare un castigo
ma non sa quello che il suo padrone vuole, sarà punito meno
severamente. In effetti, chi ha ricevuto molto dovrà rendere
conto di molto. Quanto più un uomo ha ricevuto tanto più
gli sarà richiesto ».

Gesù è causa di divisione tra gli uomini
(vedi Matteo 10, 34-36)

[49] « Io sono venuto ad accendere un fuoco sulla terra e vorrei davvero che fosse già acceso. [50] Ho un battesimo da ricevere, ed è grande la mia angoscia fino a quando non l'avrò
ricevuto. [51] Pensate che io sia venuto a portare pace tra gli
uomini? No, ve lo assicuro, non la pace ma la divisione.
[52] D'ora in poi, se in una famiglia ci sono cinque persone,
si divideranno fino a mettersi tre contro gli altri due e due
contro gli altri tre. [53] Il padre contro il figlio
    e il figlio contro il padre,
  la madre contro la figlia
    e la figlia contro la madre,
  la suocera contro la nuora
    e la nuora contro la suocera ».

Come comprendere i segni dei tempi
(vedi Matteo 16, 2-3)

[54] Gesù diceva ancora alla gente: « Quando vedete una nuvola che sale da ponente, voi dite subito: Presto pioverà,
e così avviene. [55] Quando invece sentite lo scirocco, dite:
Farà caldo, e così accade. [56] Ipocriti! Siete capaci di preve-
dere il tempo che farà, e allora come mai non sapete capire
il significato di ciò che accade in questo tempo? ».

Mettiti d'accordo con il tuo avversario
(vedi Matteo 5, 25-26)

[57] « Perché non giudicate da soli ciò che è giusto fare?
[58] Quando vai con il tuo avversario dal giudice, cerca di trovare un accordo con lui mentre siete ancora tutti e due per
strada, perché il tuo avversario può trascinarti davanti al giu-

dice, il giudice può consegnarti alle guardie e le guardie possono gettarti in prigione. [59] Ti assicuro che non uscirai dalla prigione finché non avrai pagato anche l'ultimo spicciolo».

Gesù riflette su fatti di cronaca

13 [1] In quel momento si presentarono a Gesù alcuni uomini per riferirgli il fatto di quei galilei che *Pilato aveva fatto uccidere mentre stavano offrendo i loro sacrifici. [2] Gesù disse loro: «Pensate voi che quei galilei siano stati massacrati in questa maniera perché erano più peccatori di tutti gli altri galilei? [3] Vi assicuro che non è vero: anzi, se non cambierete vita, finirete tutti allo stesso modo. [4] E quei diciotto che morirono schiacciati sotto la torre di Sìloe pensate voi che fossero più colpevoli di tutti gli altri abitanti di Gerusalemme? [5] Vi assicuro che non è vero: anzi se non cambierete vita, finirete tutti allo stesso modo».

Gesù narra la parabola del fico che non dà frutti

[6] Poi Gesù narrò loro questa *parabola: «Un tale aveva piantato un albero di fico nella sua vigna. Un giorno andò nella vigna per cogliere alcuni fichi, ma non ne trovò. [7] Allora disse al contadino: " Sono già tre anni che vengo a cercare frutti su questo albero e non ne trovo. Taglialo! Perché deve occupare inutilmente il terreno? ". [8] Ma il contadino rispose: " Padrone, lascialo ancora per quest'anno! Voglio zappare bene la terra attorno a questa pianta e metterci ancora del concime. [9] Può darsi che il prossimo anno faccia frutti; se no, la farai tagliare " ».

Gesù guarisce una donna di sabato

[10] Una volta Gesù stava insegnando in una *sinagoga ed era *sabato. [11] C'era anche una donna malata: da diciotto anni uno *spirito maligno la teneva ricurva e non poteva in nessun modo stare diritta. [12] Quando Gesù la vide, la chiamò e le disse: «Donna, ormai sei guarita dalla tua malattia». [13] Posò le sue mani su di lei ed essa subito si raddrizzò e si mise a lodare Dio.

[14] Ma il capo della sinagoga era indignato perché Gesù aveva fatto quella guarigione di sabato. Perciò si rivolse alla folla

e disse: «In una settimana ci sono sei giorni per lavorare: venite dunque a farvi guarire in un giorno di lavoro e non di sabato!».

[15] Ma il Signore gli rispose: «Siete ipocriti! Anche di sabato voi slegate il bue o l'asino dalla mangiatoia per portarli a bere, non è così? [16] Ebbene, questa donna è discendente di Abramo; Satana la teneva legata da diciotto anni: non doveva dunque essere liberata dalla sua malattia, anche se oggi è sabato?». [17] Mentre Gesù diceva queste cose, tutti i suoi avversari erano pieni di vergogna. La gente invece si rallegrava per tutte le cose meravigliose che Gesù faceva.

La parabola del granello di senape e del lievito
(vedi Matteo 13, 31-33; Marco 4, 30-32)

[18] Gesù diceva: «A che cosa somiglia il *regno di Dio? A che cosa lo posso paragonare? [19] Esso è simile a un piccolo granello di *senape: se un uomo lo prende e lo semina nel suo orto, quel granello cresce e poi diventa un albero, e gli uccelli vengono a fare il nido tra i suoi rami».
[20] Gesù disse ancora: «A che cosa posso paragonare il regno di Dio? [21] Esso è simile a un po' di *lievito: se una donna lo prende e lo impasta con tre grosse misure di farina, allora il lievito fa fermentare tutta la pasta».

La porta stretta
(vedi Matteo 7, 13-14.21-23)

[22] Gesù attraversava città e villaggi e insegnava: intanto andava verso Gerusalemme. [23] Un tale gli domandò: «Signore, sono proprio pochi quelli che si salvano?».
Gesù rispose: [24] «Sforzatevi di entrare per la porta stretta, perché vi assicuro che molti cercheranno di entrare, ma non ci riusciranno. [25] Quando il padrone di casa si alzerà e chiuderà la porta della sua casa, voi vi troverete chiusi fuori. Allora comincerete a picchiare alla porta dicendo: "Signore, aprici!", ma egli vi risponderà: "Non vi conosco. Di dove venite?". [26] Allora voi direte: "Noi abbiamo mangiato e bevuto con te, e tu sei passato nei nostri villaggi parlando di Dio". [27] Alla fine egli vi dirà: "Non vi conosco, andate via da me, gente malvagia!". [28] Piangerete e soffrirete molto, perché sarete cacciati via dal *regno di Dio, ove ci sono Abramo, Isacco, Giacobbe e tutti i *profeti. [29] Verranno in-

vece in molti dal nord e dal sud, dall'est e dall'ovest: parteciperanno tutti al banchetto nel regno di Dio. ³⁰ Ed ecco: alcuni di quelli che ora sono gli ultimi occuperanno i primi posti, mentre altri che ora sono i primi finiranno agli ultimi posti ».

Gesù rimprovera la città di Gerusalemme
(vedi Matteo 23, 37-39)

³¹ In quel momento si avvicinarono a Gesù alcuni *farisei e gli dissero: « Lascia questi luoghi e vattene altrove, perché *Erode vuol farti uccidere ».

³² Ma Gesù rispose: « Andate da quel volpone e ditegli: " Ecco, io scaccio gli *spiriti maligni e guarisco i malati oggi e domani, e il terzo giorno raggiungerò la mia mèta. ³³ Però oggi, domani e il giorno seguente io devo continuare il mio cammino, perché nessun *profeta può morire fuori di Gerusalemme ".

³⁴ Gerusalemme, Gerusalemme! tu fai morire i profeti e uccidi i messaggeri che Dio ti manda! Quante volte ho cercato di raccogliere i tuoi abitanti, come la chioccia raccoglie i suoi pulcini sotto le sue ali. Ma voi non avete voluto! ³⁵ Ebbene, *la vostra casa sarà abbandonata!* Ve lo assicuro io: voi non mi vedrete più fino a quando esclamerete: " *Benedetto colui che viene nel nome del Signore!* " ».

Gesù guarisce un malato in giorno di sabato

14 ¹ Un giorno Gesù era a pranzo in casa di un capo dei *farisei. I presenti lo osservavano attentamente perché era *sabato. ² Di fronte a lui c'era un uomo malato di idropisia. ³ Rivolgendosi ai *maestri della legge e ai farisei Gesù chiese: « È permesso o no, in giorno di sabato, guarire un malato? ».

⁴ Ma quelli tacevano. Allora Gesù prese per mano il malato e lo guarì. Poi lo lasciò andare. ⁵ Agli altri Gesù domandò: « Se a uno di voi cade nel pozzo un figlio o un bue, voi lo tirate fuori subito, anche se è sabato, non è vero? ». ⁶ Ma essi non sapevano rispondere.

Contro l'ambizione dei primi posti

⁷ Gesù osservava che alcuni invitati sceglievano volentieri i primi posti. Per loro raccontò questa *parabola: ⁸ « Quando

sei invitato a nozze, non occupare i primi posti, perché potrebbe esserci un invitato più importante di te: [9] in questo caso lo sposo sarà costretto a venire da te e dirti: " Cedigli il posto ". Allora tu, pieno di vergogna, dovrai prendere l'ultimo posto. [10] Invece, quando sei invitato a nozze, va' a sederti all'ultimo posto. Quando arriverà lo sposo, ti dirà: " Vieni, amico! Prendi un posto migliore ". E questo sarà per te motivo di onore di fronte a tutti gli invitati. [11] Ricordate: chi si esalta sarà abbassato; chi invece si abbassa sarà innalzato! ».

[12] Poi Gesù disse a colui che lo aveva invitato: « Quando offri un pranzo o una cena, non invitare i tuoi amici e fratelli, i tuoi parenti e i ricchi che abitano vicino a te: essi infatti hanno la possibilità di invitarti a loro volta a casa loro e tu, in questo modo, hai già ricevuto la tua ricompensa.

[13] Invece, quando offri un banchetto, chiama i poveri, gli storpi, gli zoppi e i ciechi. [14] Allora avrai motivo di rallegrarti, perché questi non hanno la possibilità di ricambiarti l'invito; Dio stesso ti darà la ricompensa alla fine, quando i giusti risorgeranno ».

La parabola degli invitati scortesi
(vedi Matteo 22, 1-10)

[15] Uno degli invitati, appena udì queste parole di Gesù, esclamò: « Beato chi potrà partecipare al banchetto nel *regno di Dio! ». [16] Gesù allora gli raccontò quest'altra *parabola: « Un uomo fece una volta un grande banchetto e invitò molta gente. [17] All'ora del pranzo mandò uno dei suoi servi a dire agli invitati: " Tutto è pronto, venite! ". [18] Ma uno dopo l'altro, gli invitati cominciarono a scusarsi. Uno gli disse: " Ho comprato un terreno e devo assolutamente andare a vederlo. Ti prego di scusarmi ". [19] Un altro gli disse: " Ho comprato cinque paia di buoi e sto andando a provarli. Ti prego di scusarmi ". [20] Un terzo invitato gli disse: " Mi sono sposato da poco e perciò non posso venire ".

[21] Quel servo poi tornò dal suo padrone e gli riferì tutto. Il padrone di casa allora, pieno di sdegno, ordinò al suo servo: " Esci subito e va' per le piazze e per le vie della città e fa venire qui, al mio banchetto, i poveri e gli storpi, i ciechi e gli zoppi ".

²² Più tardi il servo tornò dal padrone per dirgli: " Signore, ho eseguito il tuo ordine, ma a tavola c'è ancora posto ".
²³ Il padrone allora disse al servo: " Esci di nuovo e va' per i sentieri di campagna e lungo le siepi e spingi la gente a venire. Voglio che la mia casa sia piena di gente. ²⁴ Nessuno di quelli che ho invitato per primi parteciperà al mio banchetto: ve lo assicuro! " ».

Le condizioni per seguire Gesù
(vedi Matteo 10, 37-38)

²⁵ Molta gente accompagnava Gesù durante il suo viaggio. Egli si rivolse a loro e disse: ²⁶ « Se qualcuno viene con me e non ama me più del padre e della madre, della moglie e dei figli, dei fratelli e delle sorelle, anzi, se non mi ama più di se stesso, non può essere mio *discepolo. ²⁷ Chi mi segue senza portare la sua croce non può essere mio discepolo.
²⁸ Se uno di voi decide di costruire una casa, che cosa fa prima di tutto? Si mette a calcolare la spesa per vedere se ha soldi abbastanza per portare a termine i lavori. ²⁹ Altrimenti, se getta le fondamenta e non è in grado di portare a termine i lavori, la gente vedrà e comincerà a ridere di lui, ³⁰ e dirà: " Quest'uomo ha cominciato a costruire e non è stato capace di portare a termine i lavori ".
³¹ Facciamo un altro caso: Se un re va in guerra contro un altro re, che cosa fa prima di tutto? Si mette a calcolare se con diecimila soldati può affrontare il nemico che avanza con ventimila, non vi pare? ³² Se vede che non è possibile, allora manda dei messaggeri incontro al nemico; e mentre il nemico si trova ancora lontano, gli fa chiedere quali sono le condizioni per la pace.
³³ La stessa cosa vale anche per voi: chi non rinuncia a tutto quello che possiede non può essere mio discepolo ».

Il sale che non serve a nulla
(vedi Matteo 5, 13; Marco 9, 50)

³⁴ « Il sale è una cosa utile, ma se perde il suo sapore come si fa a ridarglielo? ³⁵ Non serve più a niente, neppure come concime per i campi: perciò lo si getta via. Chi ha orecchi, cerchi di capire! ».

La parabola della pecora smarrita
(vedi Matteo 18, 12-14)

15 [1] Gli esattori delle tasse e altre persone di cattiva reputazione si avvicinavano a Gesù per ascoltarlo. [2] Ma i *farisei e i *maestri della legge lo criticavano per questo. Dicevano: « Quest'uomo tratta bene la gente di cattiva reputazione e va a mangiare con loro ».
[3] Allora Gesù raccontò questa *parabola: [4] « Se uno di voi ha cento pecore e ne perde una, che cosa fa? Lascia le altre novantanove al sicuro, per andare a cercare quella che si è smarrita e la cerca finché non l'ha ritrovata. [5] Quando la trova, se la mette sulle spalle, pieno di gioia, [6] e ritorna a casa sua. Poi chiama gli amici e i vicini e dice loro: " Fate festa con me, perché ho ritrovato la mia pecora, quella che si era smarrita ".
[7] Così è anche per il *regno di Dio: vi assicuro che in cielo si fa più festa per un peccatore che si converte che per novantanove giusti che non hanno bisogno di conversione ».

La parabola della moneta d'argento

[8] « Se una donna possiede dieci monete d'argento e ne perde una, che cosa fa? Accende la luce, spazza bene la casa e si mette a cercare accuratamente la sua moneta finché non la trova. [9] Quando l'ha trovata, chiama le amiche e le vicine di casa e dice loro: " Fate festa con me, perché ho ritrovato la moneta d'argento che avevo perduta ".
[10] Così, vi dico, anche gli *angeli di Dio fanno grande festa per un solo peccatore che cambia vita ».

La parabola del padre misericordioso

[11] Gesù raccontò anche questa *parabola: « Un uomo aveva due figli. [12] Il più giovane disse a suo padre: " Padre, dammi subito la mia parte di eredità ". Allora il padre divise il patrimonio tra i due figli.
[13] Pochi giorni dopo, il figlio più giovane vendette tutti i suoi beni e con i soldi ricavati se ne andò in un paese lontano. Là, si abbandonò a una vita disordinata e così spese tutti i suoi soldi.
[14] Ci fu poi in quella regione una grande carestia, e quel giovane non avendo più nulla si trovò in grave difficoltà.

¹⁵ Andò allora da uno degli abitanti di quel paese e si mise alle sue dipendenze. Costui lo mandò nei campi a fare il guardiano dei maiali. ¹⁶ Era talmente affamato che avrebbe voluto sfamarsi con le ghiande che si davano ai maiali, ma nessuno gliene dava.

¹⁷ Allora si mise a riflettere sulla sua situazione e disse: " Tutti i dipendenti di mio padre hanno cibo in abbondanza. Io, invece, sto qui a morire di fame. ¹⁸ Ritornerò da mio padre e gli dirò: Padre, ho peccato contro Dio e contro di te. ¹⁹ Non sono più degno di essere considerato tuo figlio. Trattami come uno dei tuoi dipendenti ".

²⁰ Si mise subito in cammino e ritornò da suo padre. Era ancora lontano dalla casa paterna, quando suo padre lo vide e, commosso, gli corse incontro. Lo abbracciò e lo baciò. ²¹ Ma il figlio gli disse: " Padre, ho peccato contro Dio e contro di te. Non sono più degno di essere considerato tuo figlio ".

²² Ma il padre ordinò subito ai suoi servi: " Presto, andate a prendere il vestito più bello e fateglielo indossare. Mettetegli l'anello al dito e dategli un paio di sandali. ²³ Poi prendete il vitello, quello che abbiamo ingrassato, e ammazzatelo. Dobbiamo festeggiare con un banchetto il suo ritorno, ²⁴ perché questo mio figlio era per me come morto e ora è tornato in vita, era perduto e ora l'ho ritrovato ". E cominciarono a far festa.

²⁵ Il figlio maggiore, intanto, si trovava nei campi. Al suo ritorno, quando fu vicino a casa, sentì un suono di musiche e di danze. ²⁶ Chiamò uno dei servi e gli domandò che cosa era successo. ²⁷ Il servo gli rispose: " È ritornato tuo fratello, e tuo padre ha fatto ammazzare il vitello, quello che abbiamo ingrassato, perché ha potuto riavere suo figlio sano e salvo ".

²⁸ Allora il fratello maggiore si sentì offeso e non voleva neppure entrare in casa. Suo padre uscì e cercò di convincerlo a entrare. ²⁹ Ma il figlio maggiore gli disse: " Da tanti anni io lavoro con te e non ho mai disubbidito a un tuo comando. Eppure tu non mi hai mai dato neppure un capretto per far festa con i miei amici. ³⁰ Adesso, invece, torna a casa questo tuo figlio che ha sprecato i tuoi beni con le prostitute, e per lui tu fai ammazzare il vitello grasso ".

³¹ Il padre gli rispose: " Figlio mio, tu stai sempre con me

e tutto ciò che è mio è anche tuo. [32] Io non potevo non essere contento e non far festa, perché questo tuo fratello era per me come morto ed ora è tornato in vita, era perduto e ora l'ho ritrovato " ».

La parabola dell'amministratore astuto

16 [1] Gesù disse ai suoi *discepoli: « C'era una volta un uomo molto ricco che aveva un amministratore. Un giorno alcuni andarono dal padrone e accusarono l'amministratore di aver sperperato i suoi beni. [2] Il padrone chiamò l'amministratore e gli disse: " È vero quello che sento dire di te? Presentami i conti della tua amministrazione, perché da questo momento tu sei licenziato ".

[3] Allora l'amministratore pensò: " Che cosa farò ora che il mio padrone mi ha licenziato? Di lavorare la terra non me la sento, e di chiedere l'elemosina mi vergogno. [4] Ma so io quel che farò! Farò in modo che ci sia sempre qualcuno che mi accoglie in casa sua, anche se mi viene tolta l'amministrazione ".

[5] Poi, a uno a uno, chiamò tutti quelli che avevano dei debiti con il suo padrone. Disse al primo: " Tu, quanto devi al mio padrone? ". [6] Quello rispose: " Gli devo cento barili di olio ". Ma l'amministratore gli disse: " Prendi il tuo foglio, mettiti qui e scrivi cinquanta ". [7] Poi disse al secondo debitore: " E tu, quanto devi al mio padrone? ". Quello rispose: " Io gli devo cento sacchi di grano ". Ma l'amministratore gli disse: " Prendi il tuo foglio e scrivi ottanta ".

[8] Ebbene, sappiate che il padrone ammirò l'amministratore disonesto, perché aveva agito con molta furbizia. Così gli uomini di questo mondo nei loro rapporti con gli altri sono più astuti dei figli della luce ».

Parole sulla ricchezza e sulla fedeltà

[9] « Io vi dico: Ogni ricchezza puzza d'ingiustizia: voi usatela per farvi degli amici; così, quando non avrete più ricchezze, i vostri amici vi accoglieranno presso Dio.

[10] Chi è fedele in cose di poco conto, è fedele anche nelle cose importanti. Al contrario, chi è disonesto nelle piccole cose, è disonesto anche nelle cose importanti.

[11] Perciò, se voi non siete stati fedeli nel modo di usare le

ricchezze di questo mondo, chi vi affiderà le vere ricchezze? [12] E se non siete stati fedeli nell'amministrare i beni degli altri, chi vi darà il bene che vi spetta? [13] Nessun servitore può servire due padroni: perché, o amerà l'uno e odierà l'altro; oppure preferirà il primo e disprezzerà il secondo. Non potete servire Dio e il denaro ».

[14] I *farisei stavano ad ascoltare tutto quello che Gesù diceva. Essi erano molto attaccati al denaro e perciò ridevano delle sue parole.

[15] Gesù allora disse: « Davanti agli uomini voi fate la figura di persone giuste, ma Dio conosce molto bene i vostri cuori. Infatti ci sono cose che gli uomini considerano molto, mentre Dio le considera senza valore ».

Legge e volontà di Dio
(vedi Matteo 11, 12-13)

[16] « La *legge di Mosè e gli scritti dei *profeti arrivano fino al tempo di Giovanni il Battezzatore. Dopo di lui, viene annunziato che Dio regna, e molti si sforzano per entrare nel *regno di Dio.
[17] È più facile che finiscano il cielo e la terra, piuttosto che cada una parola della legge, anche la più piccola.
[18] Chiunque divorzia da sua moglie e ne sposa un'altra commette adulterio. E chi sposa una donna divorziata dal marito commette adulterio anche lui ».

Parabola dell'uomo ricco e del povero Lazzaro

[19] « C'era una volta un uomo molto ricco. Portava sempre vestiti di lusso e costosi e faceva festa ogni giorno con grandi banchetti. [20] C'era anche un povero, un certo Lazzaro, che si metteva vicino alla porta del suo palazzo. Era tutto coperto di piaghe e chiedeva l'elemosina. [21] Aveva una gran voglia di sfamarsi con gli avanzi dei pasti di quel ricco. Perfino i cani venivano a leccargli le piaghe.
[22] Un giorno il povero Lazzaro morì, e gli *angeli di Dio lo portarono accanto ad Abramo nella pace. Poi morì anche l'uomo ricco e fu sepolto. [23] Andò a finire all'inferno e soffriva terribilmente.
Alzando lo sguardo verso l'alto, da lontano vide Abramo e Lazzaro che era con lui. [24] Allora gridò: " Padre Abramo,

abbi pietà di me! Di' a Lazzaro che vada a mettere la punta di un dito nell'acqua e poi mandalo a rinfrescarmi la lingua. Io soffro terribilmente in queste fiamme! ".

²⁵ Ma Abramo gli rispose: " Figlio mio, ricordati che durante la tua vita hai già ricevuto molti beni, e Lazzaro ha avuto soltanto sofferenze. Ora invece, lui si trova nella gioia e tu soffri terribilmente. ²⁶ Per di più, tra noi e voi c'è un grande *abisso: se qualcuno di noi vuole venire da voi non può farlo; così pure, nessuno di voi può venire da noi ".

²⁷ Ma il ricco disse ancora: " Ti supplico, padre Abramo, almeno manda Lazzaro nella casa di mio padre. ²⁸ Ho cinque fratelli e vorrei che Lazzaro li convincesse a non venire anche loro in questo luogo di tormenti ".

²⁹ Abramo gli rispose: " I tuoi fratelli hanno la *legge di Mosè e gli scritti dei *profeti. Li ascoltino!".

³⁰ Ma il ricco replicò: " No, ti supplico, padre Abramo! Se qualcuno dei morti andrà da loro, cambieranno modo di vivere ".

³¹ Alla fine Abramo gli disse: " Se non ascoltano le parole di Mosè e dei profeti, non si lasceranno convincere neppure se uno risorge dai morti " ».

Gli scandali e la fede
(vedi Matteo 18, 6-7.21-22; Marco 9, 42)

17 ¹ Un giorno Gesù disse ai suoi *discepoli: « Certo, gli scandali non mancheranno mai! Però guai a quelli che li provocano. ² Se qualcuno sconvolge la fede di una persona semplice, sarebbe meglio per lui che fosse gettato in mare con una grossa pietra al collo! ³ State bene attenti! Se un tuo fratello ti offende, tu rimproveralo! Se poi si pente di quello che ha fatto, tu perdonalo! ⁴ E se anche ti offende sette volte al giorno e sette volte al giorno torna da te a chiederti scusa, tu perdonalo ».

⁵ Poi gli *apostoli dissero al Signore: « Accresci la nostra fede! ». ⁶ Il Signore rispose: « Anche se aveste una fede piccola come un granello di senape, voi potreste dire a questa pianta di gelso: " Togliti via da questo terreno e vai a piantarti nel mare! ". Ebbene, se aveste fede, quell'albero farebbe come avete detto voi ».

Servizio senza pretesa

[7] « Uno di voi ha un servo, e questo servo si trova nei campi ad arare oppure a pascolare il gregge. Come si comporterà quando il suo servo torna dai campi? Gli dirà forse: " Vieni subito qui e mettiti a tavola con me? ". [8] No certamente, ma gli dirà: " Cambiati il vestito, preparami la cena e servi in tavola. Quando io avrò finito di mangiare, allora ti metterai a tavola anche tu ". [9] Quando un servo ha fatto quello che gli è stato comandato, il padrone non ha obblighi speciali verso di lui. [10] Questo vale anche per voi! Quando avete fatto tutto quel che vi è stato comandato, dite: " Siamo soltanto servitori. Abbiamo fatto quello che dovevamo fare " ».

Gesù guarisce dieci lebbrosi

[11] Mentre andava verso Gerusalemme, Gesù passò attraverso la Galilea e la Samarìa. [12] Entrò in un villaggio e gli vennero incontro dieci *lebbrosi. Questi si fermarono a una certa distanza [13] e ad alta voce dissero a Gesù: « Gesù, Signore, abbi pietà di noi! ».

[14] Appena li vide, Gesù disse: « Andate dai sacerdoti e presentatevi a loro! ». Quelli andarono, e mentre camminavano improvvisamente furono guariti tutti.

[15] Uno di loro, appena si accorse di essere guarito, tornò indietro e lodava Dio con tutta la voce che aveva. [16] Poi si gettò ai piedi di Gesù per ringraziarlo. Era un abitante della Samarìa. [17] Gesù allora osservò: « Quei dieci lebbrosi sono stati guariti tutti! Dove sono gli altri nove? [18] Perché non sono tornati indietro a ringraziare Dio? Nessuno lo ha fatto, eccetto quest'uomo che è straniero ».

[19] Poi Gesù gli disse: « Alzati e va'! la tua fede ti ha salvato! ».

Gesù ritornerà glorioso nel suo regno
(vedi Matteo 24, 23-28.37-41)

[20] Alcuni *farisei rivolsero a Gesù questa domanda: « Quando verrà il *regno di Dio? ».

Gesù rispose: « Il regno di Dio non viene in modo spettacolare. [21] Nessuno potrà dire: " Eccolo là ", perché il regno di Dio è già in mezzo a voi ».

[22] Poi disse ai suoi discepoli: « Verranno tempi nei quali

voi desidererete vedere anche solo per poco il *Figlio del-
l'uomo che viene, ma non lo vedrete. ²³ Allora molti vi
diranno: " Eccolo qua ", oppure " Eccolo là ", ma voi non
muovetevi! Non seguiteli! ²⁴ Il Figlio dell'uomo verrà certamente, ma il suo giorno sarà come il lampo che guizza
da un estremo all'altro del cielo e illumina ogni cosa. ²⁵ Prima, però, egli deve soffrire molto. Sarà rifiutato dagli uomini
di questo tempo.

²⁶ Come accadde ai tempi di *Noè, così avverrà anche
quando tornerà il Figlio dell'uomo. ²⁷ Si mangiava e si
beveva anche allora. C'era chi prendeva moglie e chi prendeva marito, fino al giorno nel quale Noè entrò nell'arca.
Poi venne il diluvio e li spazzò via tutti. ²⁸ Lo stesso avvenne al tempo di *Lot: la gente mangiava e beveva,
comprava e vendeva, piantava alberi e costruiva case, ²⁹ fino
al giorno in cui Lot uscì da *Sòdoma: allora dal cielo
venne fuoco e *zolfo, e tutti furono distrutti.

³⁰ Così succederà anche nel giorno in cui il Figlio dell'uomo
si manifesterà. ³¹ In quel momento, se qualcuno si troverà
sulla terrazza di casa sua, non scenda a pianterreno a prendere le sue cose. E se uno si troverà nei campi a lavorare,
non torni indietro. ³² Ricordatevi come finì la moglie di Lot!

³³ Se uno fa di tutto per mettere in salvo la propria vita la
perderà. Chi invece darà la propria vita la riavrà di nuovo.

³⁴ Io vi dico: Quella notte quando tornerà il Figlio dell'uomo,
se due persone si troveranno nello stesso letto, una sarà
presa e l'altra sarà lasciata. ³⁵ Se due donne si troveranno
insieme a macinare il grano, una sarà presa e l'altra sarà
lasciata. ³⁶ Se due uomini si troveranno insieme a lavorare
nello stesso campo, uno sarà preso e l'altro sarà lasciato ».

³⁷ I *discepoli allora gli chiesero: « Signore, queste cose
dove accadranno? ».
Gesù rispose loro: « Dove c'è un cadavere, là si radunano
anche gli avvoltoi ».

La parabola del giudice e della vedova

18 ¹ Gesù raccontò una *parabola per insegnare ai *discepoli che bisogna pregare sempre, senza stancarsi
mai. ² Disse: « C'era una volta in una città un giudice che
non rispettava nessuno: né Dio né gli uomini. ³ Nella stessa
città viveva anche una vedova. Essa andava sempre da

quel giudice e gli chiedeva: "Fammi giustizia contro il mio avversario".

[4] Per un po' di tempo il giudice non volle intervenire, ma alla fine pensò: "Di Dio non me ne importa niente e degli uomini non me ne curo; [5] tuttavia farò giustizia a questa vedova perché mi dà ai nervi. Così non verrà più a stancarmi con le sue richieste"».

[6] Poi il Signore continuò: «Fate bene attenzione a ciò che ha detto quel giudice ingiusto. [7] Se fa così lui, volete che Dio non faccia giustizia ai suoi figli che lo invocano giorno e notte? Tarderà ad aiutarli? [8] Vi assicuro che Dio farà loro giustizia, e molto presto! Ma quando il *Figlio dell'uomo tornerà sulla terra, troverà ancora fede?».

Parabola del fariseo e del pubblicano

[9] Poi Gesù raccontò un'altra *parabola per alcuni che si ritenevano giusti e disprezzavano gli altri. [10] Disse: «Una volta c'erano due uomini: uno era *fariseo e l'altro era esattore delle tasse. Un giorno salirono al tempio per pregare. [11] Il fariseo se ne stava in piedi e pregava così tra sé: "O Dio, ti ringrazio perché io non sono come gli altri uomini: ladri, imbroglioni, adùlteri. Io sono diverso anche da quell'esattore delle tasse. [12] Io digiuno due volte alla settimana e offro al tempio la decima parte di quello che guadagno".

[13] L'agente delle tasse invece si fermò indietro e non voleva neppure alzare lo sguardo al cielo. Anzi si batteva il petto dicendo: "O Dio, abbi pietà di me: sono un povero peccatore!".

[14] Vi assicuro che l'esattore delle tasse tornò a casa perdonato; l'altro invece no. Perché chi si esalta sarà abbassato; chi invece si abbassa sarà innalzato».

Gesù benedice i bambini
(vedi Matteo 19, 13-15; Marco 10, 13-16)

[15] Alcune persone portavano i loro bambini da Gesù perché li toccasse, ma i suoi *discepoli li sgridavano. [16] Allora Gesù chiamò vicino a sé i bambini e disse ai suoi discepoli: «Lasciate che i bambini vengano a me e non mandateli via, perché il *regno di Dio appartiene a quelli che sono

come loro. ¹⁷ Vi assicuro: chi non l'accoglie come farebbe un bambino, non vi entrerà ».

Gesù incontra un uomo ricco
(vedi Matteo 19, 16-30; Marco 10, 17-31)

¹⁸ Uno dei capi domandò un giorno a Gesù: « *Maestro buono, che cosa devo fare per ottenere la vita eterna? ».
¹⁹ Gesù gli rispose: « Perché mi chiami buono? Nessuno è buono, tranne Dio! ²⁰ I comandamenti li conosci: *Non commettere adulterio, non uccidere, non rubare, non dire il falso, ama tuo padre e tua madre!* ».
²¹ Ma quell'uomo disse: « Tutte queste cose io le ho fatte fin dalla mia giovinezza ».
²² Gesù lo ascoltò, poi gli disse: « Ancora una cosa ti manca: vendi tutto quello che hai e dallo ai poveri. Così avrai un tesoro nei cieli. Poi vieni e seguimi! ».
²³ Ma quell'uomo, udita la proposta di Gesù, diventò molto triste. Era troppo ricco.
²⁴ Gesù notò la sua tristezza e disse: « Come è difficile per quelli che sono ricchi entrare nel *regno di Dio! ²⁵ Se è difficile che un cammello passi attraverso la cruna di un ago, è ancor più difficile che un ricco possa entrare nel *regno di Dio ».
²⁶ Quelli che lo ascoltavano domandarono a Gesù: « Ma allora chi può salvarsi? ».
²⁷ Gesù rispose: « Ciò che è impossibile agli uomini è possibile a Dio ».
²⁸ Allora Pietro gli disse: « Vedi, noi abbiamo abbandonato tutto quello che avevamo e abbiamo seguito te! ». ²⁹ Gesù si volse ai *discepoli e rispose: « Io vi assicuro che se qualcuno ha abbandonato casa, moglie, fratelli, genitori e figli per il regno di Dio, ³⁰ costui riceverà molto di più già in questa vita, e nel futuro riceverà la vita eterna ».

Gesù annunzia ancora la sua morte e risurrezione
(vedi Matteo 20, 17-19; Marco 10, 32-34)

³¹ Poi Gesù prese con sé i dodici *discepoli e disse loro: « Ecco, noi stiamo salendo verso Gerusalemme. Là si realizzerà tutto quello che i *profeti hanno scritto riguardo al *Figlio dell'uomo. ³² Egli sarà consegnato ai pagani ed essi lo insulteranno, lo copriranno di offese e di sputi, ³³ lo

frusteranno a sangue e lo uccideranno. Ma il terzo giorno risusciterà ».
³⁴ I discepoli però non capirono nulla di tutto questo. Il significato di ciò che Gesù diceva rimase per loro misterioso e non riuscivano affatto a capire.

Gesù guarisce un cieco
(vedi Matteo 20, 29-34; Marco 10, 46-52)

³⁵ Gesù stava avvicinandosi alla città di Gèrico e vide un cieco seduto sul bordo della strada a chiedere l'elemosina. ³⁶ Il cieco sentì passare la gente e domandò che cosa c'era. ³⁷ Gli risposero: « Passa Gesù di Nàzaret! ». ³⁸ Allora quel cieco gridò: « Gesù, *Figlio di Davide, abbi pietà di me! ». ³⁹ I primi che passavano lo sgridavano per farlo tacere. Ma egli gridava ancor più forte: « Figlio di Davide, abbi pietà di me! ». ⁴⁰ Gesù si fermò e ordinò che gli portassero il cieco. Quando fu vicino, Gesù gli chiese: ⁴¹ « Che cosa vuoi da me? ». Il cieco disse: « Signore, fa' che io ci veda! ». ⁴² Allora Gesù gli disse: « Apri i tuoi occhi! La tua fede ti ha salvato ». ⁴³ In un attimo il cieco ricuperò la vista. Poi si mise a seguire Gesù, ringraziando Dio. Anche la gente che era presente ed aveva visto il fatto si mise a lodare Dio.

Gesù entra nella casa di Zaccheo

19 ¹ Poi Gesù entrò nella città di Gèrico e la stava attraversando. ² Qui viveva un certo Zaccheo. Era un capo degli esattori delle tasse ed era molto ricco. ³ Desiderava però vedere chi fosse Gesù, ma non ci riusciva: c'era troppa gente intorno a Gesù e lui era troppo piccolo. ⁴ Allora corse un po' avanti e si arrampicò sopra un albero in un punto dove Gesù doveva passare: sperava così di poterlo vedere.
⁵ Quando arrivò in quel punto, Gesù guardò in alto e disse a Zaccheo: « Scendi in fretta, perché oggi devo fermarmi a casa tua! ». ⁶ Zaccheo scese subito dall'albero e con grande gioia accolse Gesù in casa sua.
⁷ I presenti vedendo queste cose si misero a mormorare contro Gesù. Dicevano: « È andato ad alloggiare da uno stroz-

zino ». ⁸ Zaccheo invece, stando davanti al Signore gli disse:
« Signore, la metà dei miei beni la do ai poveri e se ho
rubato a qualcuno gli rendo quello che gli ho preso quattro
volte tanto ».
⁹ Allora Gesù disse a Zaccheo: « Oggi la salvezza è entrata
in questa casa. Anche tu sei un discendente di Abramo.
¹⁰ Ora il *Figlio dell'uomo è venuto proprio a cercare e a
salvare quelli che erano perduti ».

La parabola dei dieci servi
(vedi Matteo 25, 14-30)

¹¹ Gesù era ormai molto vicino a Gerusalemme, e perciò
molti pensavano che il *regno di Dio si manifestasse da un
momento all'altro. ¹² Allora Gesù raccontò quest'altra *parabola: « C'era una volta un uomo di famiglia nobile. Egli
doveva andare in un paese lontano per ricevere il titolo
di re, poi sarebbe tornato. ¹³ Prima di partire chiamò dieci dei suoi servi; consegnò a ciascuno una medesima somma di denaro e disse: " Cercate di far fruttare questo denaro
fino a quando tornerò ".
¹⁴ Ma i suoi cittadini odiavano quell'uomo, e gli mandarono
dietro alcuni rappresentanti per far sapere che non lo volevano come re.
¹⁵ E invece quell'uomo diventò re e ritornò al suo paese.
Fece chiamare i servi ai quali aveva consegnato il suo
denaro per sapere quanto guadagno ne avevano ricavato.
¹⁶ Si fece avanti il primo servo e disse: " Signore, con quello
che tu mi hai dato, io ho guadagnato dieci volte tanto ".
¹⁷ Il padrone gli rispose: " Bene, tu sei un servo capace.
Sei stato fedele in cose da poco: ora io ti faccio governatore
di dieci città ".
¹⁸ Poi venne il secondo servo e disse: "Signore, con quello
che tu mi hai dato, ho guadagnato cinque volte tanto ".
¹⁹ Il padrone rispose: " Anche tu avrai l'amministrazione di
cinque città ".
²⁰ Infine si fece avanti un altro servo e disse: " Signore,
ecco il tuo denaro! L'ho nascosto in un fazzoletto. ²¹ Avevo
paura di te perché sapevo che sei un padrone esigente:
tu pretendi anche quello che non hai depositato e raccogli
anche quello che non hai seminato ". ²² Allora il padrone gli
rispose: " Tu sei stato un servo cattivo e io ti giudico
secondo quello che hai detto. Tu sapevi che sono un pa-

drone esigente, che pretendo anche quello che non ho depositato e raccolgo anche quello che non ho seminato. [23] Perché allora non hai depositato il mio denaro alla banca? Al mio ritorno io l'avrei ritirato con gli interessi! ". [24] Poi il padrone disse ai presenti: " Via, toglietegli il denaro che ha e datelo a quello che lo ha fatto fruttare di più ". [25] Gli fecero osservare: " Signore, ma lui ne ha già fin troppo ". [26] Il padrone allora rispose: " Chi ha, riceverà ancora di più; invece a chi ha poco sarà tolto anche quel poco che ha. [27] Ed ora portate qui i miei nemici, quelli che non mi volevano come loro re. Portateli qui e uccideteli alla mia presenza " ».

Gesù si avvicina trionfalmente a Gerusalemme
(vedi Matteo 21, 1-11; Marco 11, 1-11; Giovanni 12, 12-19)

[28] Dopo questi discorsi Gesù continuò il suo cammino verso Gerusalemme: camminava davanti a tutti. [29] Quando fu vicino ai villaggi di Bètfage e di Betània, presso il Monte degli Ulivi, Gesù mandò avanti due *discepoli. [30] Disse loro: « Andate nel villaggio che sta qui di fronte. Appena entrati, troverete un puledro sul quale nessuno è mai salito. Lo troverete legato: voi slegatelo e portatelo qui. [31] Se qualcuno vi chiederà: " Perché slegate quel puledro? ", voi rispondete così: " Perché il Signore ne ha bisogno " ». [32] I due discepoli andarono e trovarono tutto come aveva detto Gesù. [33] Mentre slegavano il puledro, i proprietari chiesero ai due discepoli: « Perché lo prendete? ». [34] Essi risposero: « Perché il Signore ne ha bisogno ». [35] Allora portarono il puledro da Gesù. Poi lo coprirono con i loro mantelli e vi fecero salire Gesù. [36] Man mano che Gesù avanzava, la gente stendeva i mantelli sulla strada davanti a lui. [37] Gesù scendeva dal Monte degli Ulivi ed era ormai vicino alla città. Tutti quelli che erano suoi *discepoli, pieni di gioia e a gran voce si misero a lodare Dio per tutti i *miracoli che avevano visto. [38] Gridavano:

> « Benedetto colui che viene
> nel nome del Signore: egli è il re!
> Pace in cielo;
> Gloria a Dio! ».

³⁹ Alcuni *farisei che si trovavano tra la folla, dissero a Gesù: « *Maestro, fa' tacere i tuoi discepoli! ».
⁴⁰ Ma Gesù rispose: « Vi assicuro che se tacciono loro si metteranno a gridare le pietre ».

Gesù piange per Gerusalemme

⁴¹ Quando fu vicino alla città, Gesù la guardò e si mise a piangere per lei. ⁴² Diceva: « Gerusalemme se tu sapessi, almeno oggi, quello che occorre alla tua pace! Ma non riesci a vederlo! ⁴³ Ecco, Gerusalemme, per te verrà un tempo nel quale i tuoi nemici ti circonderanno di trincee. Ti assedieranno e premeranno su di te da ogni parte. ⁴⁴ Distruggeranno te e i tuoi abitanti e sarai rasa al suolo, perché tu non hai saputo riconoscere il tempo nel quale Dio è venuto a salvarti ».

Gesù entra nel tempio di Gerusalemme
(vedi Matteo 21, 12-17; Marco 11, 15-19; Giovanni 2, 13-22)

⁴⁵ Poi Gesù entrò nel tempio, vide alcuni che facevano commercio e si mise a scacciarli. ⁴⁶ Diceva loro: « Nella *Bibbia sta scritto:

La mia casa sarà casa di preghiera

voi, invece, ne avete fatto *un covo di briganti* ».
⁴⁷ Gesù insegnava ogni giorno nel tempio. I capi dei sacerdoti e i *maestri della legge cercavano un'occasione per toglierlo di mezzo; lo stesso cercavano di fare i capi del popolo. ⁴⁸ Ma non sapevano come fare, perché la gente era sempre attorno a Gesù ad ascoltare le sue parole.

L'autorità di Gesù
(vedi Matteo 21, 23-27; Marco 11, 27-33)

20 ¹ Un giorno Gesù stava insegnando nel tempio e annunziava al popolo il suo messaggio. I capi dei sacerdoti, i *maestri della legge e i capi del popolo andarono da lui e gli dissero: ² « Tu devi dirci una cosa: che diritto hai di fare tutte queste cose? Chi ti ha dato l'autorità di agire così? ».
³ Gesù rispose loro: « Ho anch'io una domanda da farvi. ⁴ Ditemi: Giovanni chi lo ha mandato a battezzare? Dio o gli uomini? ».

⁵ Quelli allora si consultarono tra di loro: « Se diciamo che Giovanni è stato mandato da Dio, allora Gesù ci chiederà perché non abbiamo creduto in lui. ⁶ Se invece diciamo che Giovanni è stato mandato dagli uomini, allora il popolo ci ucciderà perché tutti sono convinti che Giovanni era un profeta ».

⁷ Perciò risposero a Gesù: « Noi non lo sappiamo ».

⁸ E Gesù disse loro: « Allora, in questo caso, neanche io vi dirò con quale autorità faccio quello che ho fatto ».

Parabola della vigna e dei contadini omicidi
(vedi Matteo 21, 33-46; Marco 12, 1-12)

⁹ Poi Gesù si rivolse al popolo e raccontò loro questa *parabola:

« C'era una volta un uomo che *piantò una vigna*. La affittò ad alcuni contadini e se ne andò lontano per lungo tempo.

¹⁰ Venne il tempo della vendemmia, e il padrone mandò un suo servo dai contadini per ritirare la sua parte del raccolto. Ma i contadini bastonarono quel servo e lo mandarono via senza dargli niente. ¹¹ Allora il padrone mandò un altro servo, ma i contadini lo accolsero a parolacce, bastonarono anche lui e lo rimandarono a mani vuote. ¹² Quel padrone volle mandare ancora un terzo servo, ma quei contadini ferirono gravemente anche lui e lo buttarono fuori.

¹³ Allora il padrone della vigna pensò: " Che cosa posso fare ancora? Manderò mio figlio, il mio carissimo figlio. Spero che avranno rispetto almeno di lui ".

¹⁴ Ma i contadini, appena videro arrivare il figlio del padrone, dissero tra di loro: " Ecco, un giorno costui sarà il padrone della vigna. Uccidiamolo e l'eredità sarà nostra! ".

¹⁵ Perciò lo gettarono fuori della vigna e lo uccisero ».

A questo punto Gesù domandò loro: « Che cosa farà dunque il padrone della vigna con quei contadini? ¹⁶ Certamente egli verrà e ucciderà quei contadini e darà la vigna ad altre persone ».

Sentendo queste parole i presenti dissero: « Questo no! Non accadrà mai! ».

¹⁷ Ma Gesù fissò lo sguardo su di loro e disse: « Eppure nella *Bibbia sta scritto:

> *La pietra che i costruttori hanno rifiutato*
> *è diventata la pietra più importante.*

¹⁸ Chiunque cadrà su quella pietra si sfracellerà; e colui sul quale essa cadrà rimarrà schiacciato ».
¹⁹ Immediatamente i *maestri della legge e i capi dei sacerdoti cercarono di arrestare Gesù. Avevano capito molto bene che egli con quella parabola si riferiva a loro. Cercarono di arrestare Gesù, ma avevano paura del popolo.

Le tasse da pagare all'imperatore
(vedi Matteo 22, 15-22; Marco 12, 13-17)

²⁰ I capi dei sacerdoti e i *maestri della legge si misero a spiare Gesù. Mandarono alcuni per spiarlo e consigliarono loro di fingersi brave persone. Essi dovevano cogliere Gesù in fallo su qualche punto dei suoi discorsi, in modo da poterlo consegnare al governatore romano e farlo condannare.
²¹ Essi domandarono a Gesù: « *Maestro, sappiamo che quello che tu dici e insegni è giusto. Tu non guardi in faccia a nessuno e insegni veramente la volontà di Dio. · ²² Perciò vorremmo sapere da te se è lecito o no pagare le tasse all'imperatore romano ».
²³ Gesù si rese conto che lo volevano ingannare e quindi disse loro: ²⁴ « Fatemi vedere una moneta d'argento: di chi è questa faccia e di chi è questo nome? ».
²⁵ Risposero: « Dell'imperatore ».
E Gesù concluse: « Date dunque all'imperatore quello che è dell'imperatore, ma quello che è di Dio datelo a Dio ».
²⁶ Così non poterono cogliere in fallo Gesù per quello che egli diceva al popolo. Anzi si meravigliarono della sua risposta e non sapevano più che cosa dire.

Gesù discute con i sadducei
a proposito della risurrezione
(vedi Matteo 22, 23-33; Marco 12, 18-27)

²⁷ I *sadducei dicevano che nessuno può risorgere dopo la morte. Alcuni di loro si fecero avanti e domandarono a Gesù: ²⁸ « *Maestro, Mosè ci ha lasciato questo comandamento scritto: Se uno muore e lascia la moglie senza figli, suo fratello deve sposare la vedova e cercare di avere dei figli per quello che è morto. ²⁹ Dunque: c'erano una volta sette fratelli. Il primo si sposò e morì senza lasciare figli. ³⁰ Anche il secondo ³¹ e il terzo sposarono quella vedova senza avere figli, e così via tutti e sette: tutti morirono senza

lasciare figli. ³² Poi morì anche quella donna. ³³ Secondo te, quando i morti risorgeranno, di chi sarà moglie quella donna? Perché tutti e sette i fratelli l'hanno avuta come moglie ».

³⁴ Gesù rispose loro: « Solo in questa vita gli uomini e le donne sposano e sono sposati. ³⁵ Ma quelli che risorgeranno dai morti e saranno giudicati degni della vita futura non prenderanno più né moglie né marito. ³⁶ Essi non possono più morire perché sono uguali agli *angeli e sono figli di Dio perché sono risorti.

³⁷ È certo che i morti risorgono: lo afferma anche la *legge di Mosè quando parla del cespuglio che brucia. In quel punto Mosè dice che *il Signore è il Dio di Abramo, il Dio di Isacco, il Dio di Giacobbe.* ³⁸ Quindi Dio è il Dio dei vivi e non dei morti, perché tutti da lui ricevono la vita ».

³⁹ Intervennero allora alcuni *maestri della legge e dissero: « Maestro, hai risposto molto bene ».

⁴⁰ Da quel momento nessuno aveva più il coraggio di far domande a Gesù.

Il Messia e il re Davide
(vedi Matteo 22, 41-46; Marco 12, 35-37)

⁴¹ Un giorno Gesù domandò ai *farisei: « Come mai si dice che il *Messia deve essere discendente del re Davide? ⁴² Nel libro dei salmi lo stesso Davide dice:

> *Il Signore ha detto al mio Signore:*
> *siedi alla mia destra,*
> ⁴³ *finché io ponga i tuoi nemici come sgabello sotto*
> *i tuoi piedi.*

⁴⁴ Così Davide dice che il Messia è suo Signore. Come può dunque il Messia essere discendente di Davide? ».

Gesù denunzia pubblicamente i maestri della legge
(vedi Matteo 23, 1-36; Marco 12, 38-40; Luca 11, 37-54)

⁴⁵ Tutto il popolo stava ad ascoltare Gesù. Allora egli disse ai suoi *discepoli: ⁴⁶ « State attenti a non lasciarvi corrompere dai *maestri della legge. A loro piace passeggiare qua e là con le loro vesti di lusso. Desiderano ricevere il saluto da tutti pubblicamente. Essi occupano i posti d'onore nelle *sinagoghe e i primi posti nei banchetti. ⁴⁷ Pregano a lungo per farsi vedere; nello stesso tempo però cercano con avi-

dità di strappare alle vedove quello che ancora possiedono. State bene attenti: questo genere di persone sarà giudicato con estrema severità ».

L'offerta di una povera vedova
(vedi Marco 12, 41-44)

21 ¹ Poi Gesù, guardandosi attorno, vide alcune persone ricche che gettavano le loro offerte nelle cassette del tempio. ² Vide anche una vedova, povera, che vi metteva due monetine di rame. ³ Allora disse: « Vi assicuro che questa vedova, povera com'è, ha offerto più di tutti gli altri. ⁴ Quelli infatti hanno offerto un po' del loro superfluo; mentre questa donna, povera com'è, ha dato tutto ciò che le rimaneva per vivere ».

Gesù annunzia che il tempio sarà distrutto
(vedi Matteo 24, 1-2; Marco 13, 1-2)

⁵ Alcuni stavano parlando del tempio e dicevano che era molto bello per le pietre che lo formavano e per i doni offerti dai fedeli. Allora Gesù disse: ⁶ « Verrà un tempo in cui tutto quello che ora vedete sarà distrutto. Non rimarrà una pietra sull'altra ».

Gesù annunzia dolori e persecuzioni
(vedi Matteo 24, 3-14; Marco 13, 3-13)

⁷ Allora rivolsero a Gesù questa domanda: « *Maestro, quando accadranno queste cose? E quali saranno i segni per riconoscere che stanno per accadere? ».
⁸ Gesù rispose: « Fate attenzione a non lasciarvi ingannare! Perché molti verranno, si presenteranno con il mio nome e diranno " Sono io il Messia! ", oppure vi diranno: " Il tempo è giunto! ". Voi però non ascoltateli e non seguiteli!
⁹ Quando sentirete parlare di guerre e di rivoluzioni, non abbiate paura! Fatti del genere devono succedere prima, ma ciò non significa che subito dopo verrà la fine ».
¹⁰ Poi Gesù disse loro: « Un popolo si metterà in guerra contro un altro popolo e un regno contro un altro regno. ¹¹ Ci saranno grandi terremoti, pestilenze e carestie dappertutto. Si vedranno fenomeni spaventosi e dal cielo verranno segni grandiosi.
¹² Però, prima di queste cose vi prenderanno con violenza

e vi perseguiteranno. Vi porteranno nelle loro *sinagoghe e nelle loro prigioni. Vi trascineranno davanti ai loro re e ai loro governatori, a causa del mio nome. [13] Avrete allora occasione per dare testimonianza di me. [14] Siate decisi! Non preoccupatevi di quello che dovrete dire per difendervi. [15] Sarò io a suggerirvi le parole giuste, e vi darò una sapienza tale che tutti i vostri avversari non potranno resistere e tanto meno controbattere.

[16] In quel tempo, sarete traditi perfino dai genitori e dai fratelli, dai parenti e dagli amici. Alcuni di voi saranno anche uccisi. [17] Voi sarete odiati da tutti per causa mia. [18] Eppure, neppure un capello del vostro capo andrà perduto. [19] Se saprete resistere sino alla fine, salverete voi stessi».

Gesù annunzia la distruzione di Gerusalemme
(vedi Matteo 24, 15-21; Marco 13, 14-19)

[20] «Un giorno vedrete Gerusalemme assediata da eserciti nemici: allora ricordate che è vicina la sua rovina.

[21] In quel tempo, quelli che si troveranno in Giudea fuggano sui monti; quelli che si troveranno in Gerusalemme si allontanino da essa; e quelli che si troveranno in aperta campagna non ritornino in città.

[22] Quello sarà il tempo del *giudizio: tutto ciò che è stato scritto nella *Bibbia dovrà accadere. [23] Saranno giorni tristi per le donne incinte e per quelle che allattano! Tutto il paese sarà colpito da una grande tribolazione, e l'ira di Dio si scatenerà contro questo popolo. [24] Alcuni cadranno sotto i colpi della spada, altri saranno portati via come schiavi in paesi stranieri, e Gerusalemme sarà calpestata dai pagani e distrutta. Fino a quando non sarà finito il tempo che Dio ha stabilito per loro».

Gesù ritornerà come giudice di tutti
(vedi Matteo 24, 29-31; Marco 13, 24-27)

[25] «Ci saranno anche strani fenomeni nel sole, nella luna e nelle stelle. Sulla terra i popoli saranno presi dall'angoscia e dallo spavento per il fragore del mare in tempesta. [26] Gli abitanti della terra moriranno per la paura e per il presentimento di ciò che dovrà accadere. Infatti *le forze del cielo* saranno sconvolte. [27] Allora vedranno *il *Figlio dell'uomo venire sopra una nube*: con grande potenza e splendore!

²⁸ Quando queste cose cominceranno a succedere, alzatevi e state sicuri, perché è vicino il tempo della vostra liberazione ».

Parabola del fico
(vedi Matteo 24, 32-35; Marco 13, 28-31)

²⁹ Poi Gesù disse questa *parabola: « Osservate bene l'albero del fico e anche tutte le altre piante. ³⁰ Quando vedete che mettono le prime foglioline, voi capite che l'estate è ormai vicina. ³¹ Così dovreste fare anche voi: quando vedrete che stanno per accadere tutte queste cose, sappiate che il *regno di Dio è vicino. ³² Vi assicuro che questa generazione non passerà prima che tutto avvenga. ³³ Cielo e terra passeranno, ma non le mie parole! ».

Gesù esorta a essere vigilanti

³⁴ « Badate bene! Non lasciatevi intontire da orge e ubriachezze! Non abbiate troppe preoccupazioni materiali! Altrimenti diventerete pigri, vi dimenticherete del giorno del giudizio, e quel giorno vi piomberà addosso improvvisamente. ³⁵ Infatti esso verrà su tutti gli abitanti della terra come una trappola. ³⁶ Voi invece state sempre pronti e pregate senza stancarvi. Avrete così la forza di superare tutti i mali che stanno per accadere e potrete presentarvi davanti al *Figlio dell'uomo ».

³⁷ Durante il giorno Gesù continuava ad insegnare nel tempio. Di notte invece usciva dalla città di Gerusalemme e se ne stava all'aperto, sul Monte degli Ulivi. ³⁸ Ma già di buon mattino la gente andava nel tempio per ascoltarlo.

Giuda tradisce Gesù
(vedi Matteo 26, 1-5.14-16; Marco 14, 1-2.10-11; Giovanni 11, 45-53)

22 ¹ Si avvicinava intanto la festa dei *Pani Azzimi, detta anche festa di *Pasqua. ² I capi dei sacerdoti e i *maestri della legge da molto tempo cercavano il modo di eliminare Gesù. Però avevano una gran paura del popolo. ³ Ma Satana entrò in Giuda, quello che era chiamato anche Iscariota, e apparteneva al gruppo dei dodici *discepoli. ⁴ Giuda andò dai capi dei sacerdoti e dalle guardie del tempio, e con loro si mise d'accordo sul modo di aiutarli

a impadronirsi di Gesù. [5] Quelli furono molto contenti e promisero di dargli del denaro. [6] Giuda accettò. Da quel momento cercava l'occasione buona per far catturare Gesù senza che il popolo se ne accorgesse.

Gesù fa preparare la cena pasquale
(vedi Matteo 26, 17-19; Marco 14, 12-16)

[7] Venne poi il giorno dei *Pani Azzimi, giorno nel quale si doveva ammazzare l'agnello pasquale. [8] Gesù mandò avanti Pietro e Giovanni con questo incarico: « Andate a preparare per tutti noi la cena di *Pasqua ».
[9] Essi risposero: « Dove vuoi che la prepariamo? ».
[10] Gesù disse: « Quando entrerete in città, incontrerete un uomo che porta una brocca d'acqua. Seguitelo nella casa dove entrerà. [11] Poi direte al padrone di quella casa: " Il nostro *maestro desidera fare la cena di Pasqua con i suoi *discepoli; ci manda da te per chiederti dov'è la sala ". [12] Egli vi mostrerà una sala grande al piano superiore già pronta con i tappeti: quello è il posto dove voi preparerete per la cena ».
[13] Pietro e Giovanni andarono, trovarono tutto proprio come aveva detto Gesù, e prepararono la cena per la Pasqua.

La Cena del Signore
(vedi Matteo 26, 26-30; Marco 14, 22-26; 1 Cor 11, 23-26)

[14] Quando venne l'ora per la cena pasquale, Gesù si mise a tavola con i suoi *apostoli. [15] Poi disse loro: « Ho tanto desiderato fare questa cena pasquale con voi, prima di soffrire. [16] Vi assicuro che non celebrerò più la Pasqua, fino a quando non sarà realizzata nel *regno di Dio ».
[17] Poi Gesù prese un calice, ringraziò Dio e disse: « Prendete questo calice e fatelo passare tra di voi. [18] Vi assicuro che da questo momento non berrò più vino, fino a quando non verrà il *regno di Dio ». [19] Poi prese un pane, ringraziò Dio, e lo spezzò. Quindi lo diede ai suoi *discepoli dicendo: « Questo è il mio corpo, che viene offerto per voi. Fate questo in memoria di me ». [20] Allo stesso modo, alla fine della cena, offrì loro il calice, dicendo: « Questo calice è la nuova *alleanza che Dio stabilisce per mezzo del mio sangue versato in sacrificio per voi ».
[21] « Ma ecco: il mio traditore è qui a tavola con me. [22] Il *Fi-

glio dell'uomo va incontro alla morte, come è stato stabilito per lui; ma guai a quell'uomo per mezzo del quale egli è tradito».

²³ Allora i discepoli di Gesù cominciarono a domandarsi gli uni con gli altri, chi di loro stava per fare una cosa simile.

Chi è il più importante

²⁴ Tra i *discepoli sorse una discussione per stabilire chi tra essi doveva essere considerato il più importante. ²⁵ Ma Gesù disse loro: «I re comandano sui loro popoli e quelli che hanno il potere si fanno chiamare benefattori del popolo. ²⁶ Voi però non dovete agire così! Anzi, chi tra voi è il più importante diventi come il più piccolo; chi comanda diventi come quello che serve. ²⁷ Secondo voi, chi è più importante: chi siede a tavola oppure chi sta a servire? Quello che siede a tavola, non vi pare? Eppure io sto in mezzo a voi come un servo. ²⁸ Voi siete quelli rimasti sempre con me, anche nelle mie prove. ²⁹ Ora, io vi faccio eredi di quel regno che Dio, mio Padre, ha dato a me. ³⁰ Quando comincerò a regnare, voi mangerete e berrete con me, alla mia tavola. E sederete su dodici troni per giudicare le dodici tribù del popolo d'Israele».

Gesù annunzia che Pietro lo rinnegherà
(vedi Matteo 26, 31-35; Marco 14, 27-31; Giovanni 13, 36-38)

³¹ «Simone, Simone, ascolta! Satana ha avuto il permesso di passarvi al vaglio, come si fa col grano per pulirlo. ³² Ma io ho pregato per te, perché tu sappia conservare la tua fede. E tu, quando sarai tornato a me, da' forza ai tuoi fratelli».

³³ Pietro allora disse a Gesù: «Signore, con te sono pronto ad andare anche in prigione e anche alla morte».

³⁴ Ma Gesù rispose: «Pietro, ascolta quello che ti dico: oggi, prima che il gallo canti, avrai dichiarato tre volte che non mi conosci».

La borsa, il sacco e la spada

³⁵ Poi Gesù disse ai suoi *discepoli: «Quando vi mandai senza soldi, senza bagagli e senza sandali, vi è mancato qualcosa?».

Essi risposero: «Niente!».

³⁶ Allora Gesù disse: «Ora però è diverso: chi ha dei soldi li prenda; così anche chi ha una borsa. E chi non ha una spada, venda il suo mantello e se ne procuri una. ³⁷ Vi dico infatti che deve avverarsi per me quello che dice la *Bibbia:

> È stato messo nel numero dei malfattori.

Ecco, quello che mi riguarda sta ormai per compiersi».

³⁸ Allora i discepoli dissero a Gesù: «Signore, ecco qui due spade!».

Ma Gesù rispose: «Basta!».

Gesù va verso il Monte degli Ulivi a pregare
(vedi Matteo 26, 36-46; Marco 14, 32-42)

³⁹ Come faceva di solito, Gesù uscì e andò verso il Monte degli Ulivi, e i suoi *discepoli lo accompagnarono. ⁴⁰ Quando giunse sul posto disse loro: «Pregate per resistere al momento della prova».

⁴¹ Poi si allontanò da loro alcuni passi, si mise in ginocchio ⁴² e pregò così: «Padre, se vuoi, allontana da me questo calice di dolore. Però non sia fatta la mia volontà, ma la tua». ⁴³ Allora dal cielo venne un *angelo a Gesù, per confortarlo; ⁴⁴ e in quel momento di grande tensione pregava più intensamente. Il suo sudore cadeva a terra come gocce di sangue.

⁴⁵ Quindi, dopo aver pregato, Gesù si alzò e andò verso i suoi *discepoli. Li trovò addormentati, sfiniti per la tristezza ⁴⁶ e disse loro: «Perché dormite? Alzatevi e pregate per resistere al momento della prova».

Gesù viene arrestato
(vedi Matteo 26, 47-56; Marco 14, 43-50; Giovanni 18, 3-11)

⁴⁷ Gesù stava ancora parlando con i suoi *discepoli, quando arrivò molta gente. Giuda, uno dei dodici discepoli, faceva loro da guida. Si avvicinò a Gesù per baciarlo. ⁴⁸ Allora Gesù disse: «Giuda, con un bacio tu tradisci il *Figlio dell'uomo?».

⁴⁹ Quelli che erano con Gesù, appena si accorsero di ciò che stava per accadere, dissero: «Signore, usiamo la spada?». ⁵⁰ E in quel momento uno di loro colpì il servo del *sommo sacerdote e gli tagliò l'orecchio destro. ⁵¹ Ma Gesù intervenne e disse: «Non fate così! Basta!». Toccò l'orecchio di quel servo e lo guarì.

⁵² Poi Gesù si rivolse ai capi dei sacerdoti, ai capi delle guardie del tempio e ai capi del popolo che erano venuti contro di lui e disse: « Siete venuti con spade e bastoni, come per arrestare un delinquente. ⁵³ Eppure io stavo ogni giorno con voi, nel tempio, e non mi avete mai arrestato. Ma questa è l'ora vostra: ora si scatena il potere delle tenebre ».

Pietro nega di conoscere Gesù
(vedi Matteo 26, 57-58.69-75; Marco 14, 53-54.66-72; Giovanni 18, 12-18.25-27)

⁵⁴ Le guardie del tempio arrestarono Gesù e lo portarono nella casa del *sommo sacerdote. Pietro lo seguiva da lontano. ⁵⁵ Accesero un fuoco in mezzo al cortile e Pietro si sedette con altri attorno al fuoco. ⁵⁶ Una serva lo vide, lo guardò bene e poi disse: « Anche quest'uomo era con Gesù! ». ⁵⁷ Ma Pietro negò: « Donna, non so neppure chi è! ». ⁵⁸ Poco dopo, un altro vedendo Pietro disse: « Anche tu sei uno di quelli che stavano con Gesù ». Ma Pietro dichiarò: « No, non è vero ». ⁵⁹ Dopo circa un'ora un altro affermò con insistenza: « Sono sicuro: anche quest'uomo era con Gesù: infatti viene dalla Galilea ». ⁶⁰ Ma Pietro protestò: « Io non sono chi tu dici ». In quel momento, mentre Pietro ancora parlava, il gallo cantò. ⁶¹ Il Signore si voltò verso Pietro e lo guardò. Pietro allora si ricordò di quello che il Signore gli aveva detto: « Oggi, prima che il gallo canti, avrai dichiarato tre volte che non mi conosci ». ⁶² Poi uscì fuori e pianse amaramente.

Gesù viene insultato e picchiato
(vedi Matteo 26, 67-68; Marco 14, 65)

⁶³ Intanto gli uomini che facevano la guardia a Gesù, lo deridevano e lo maltrattavano. ⁶⁴ Gli bendarono gli occhi e gli domandavano: « Indovina! Chi ti ha picchiato? ». ⁶⁵ E lanciavano contro di lui molti altri insulti.

Gesù davanti al tribunale ebraico
(vedi Matteo 26, 59-66; Marco 14, 55-64; Giovanni 18, 19-24)

⁶⁶ Appena fu giorno, i capi del popolo si riunirono insieme ai capi dei sacerdoti e ai *maestri della legge. Fecero con-

durre Gesù davanti al tribunale ebraico [67] e gli dissero:
« Se tu sei il *Messia promesso da Dio, dillo apertamente
a noi ».

Ma Gesù rispose: « Anche se ve lo dico, voi non mi credete. [68] Se invece vi faccio domande, voi non mi rispondete.
[69] Ma d'ora in avanti *il *Figlio dell'uomo starà accanto a
Dio onnipotente* ».

[70] Tutti allora domandarono: « Dunque, tu sei proprio il
*Figlio di Dio? ».

Gesù rispose loro: « Voi stessi lo dite! Io lo sono! ».

[71] I capi allora conclusero: « Ormai non abbiamo più bisogno di prove! Noi stessi lo abbiamo udito direttamente dalla
sua bocca ».

Gesù viene portato da Pilato, il governatore
(vedi Matteo 27, 1-2.11-14; Marco 15, 1-5; Giovanni 18, 28-38)

23 [1] Tutta quell'assemblea si alzò, e condussero Gesù dal
governatore *Pilato. [2] Là cominciarono ad accusarlo:
« Quest'uomo noi lo abbiamo trovato mentre metteva in agitazione la nostra gente: non vuole che si paghino le tasse
all'imperatore romano e pretende di essere il *Messia-re promesso da Dio ».

[3] Allora Pilato lo interrogò: « Sei tu il re dei *giudei? ».

Gesù gli rispose: « Tu lo dici! ».

[4] Pilato quindi si rivolse ai capi dei sacerdoti e alla folla e
disse: « Io non trovo alcun motivo per condannare quest'uomo ».

[5] Ma quelli insistevano dicendo: « Egli crea disordine tra
il popolo. Ha cominciato a diffondere le sue idee in Galilea;
ora è arrivato fin qui, e va predicando per tutta la Giudea ».

Gesù davanti a Erode

[6] Quando *Pilato udì questa accusa, domandò se quell'uomo
era galileo. [7] Venne così a sapere che Gesù apparteneva al
territorio governato da *Erode. In quei giorni anche Erode
si trovava a Gerusalemme: perciò Pilato ordinò che Gesù
fosse portato da lui.

[8] Da molto tempo Erode desiderava vedere Gesù. Di lui
aveva sentito dire molte cose e sperava di vederlo fare qualche *miracolo. Perciò, quando vide Gesù davanti a sé, Erode
fu molto contento. [9] Lo interrogò con insistenza, ma Gesù

non gli rispose nulla. [10] Intanto i capi dei sacerdoti e i *maestri della legge che erano presenti, lo accusavano con rabbia. [11] Anche Erode, insieme con i suoi soldati, insultò Gesù. Per scherzo gli mise addosso una veste d'effetto e lo rimandò da Pilato. [12] Erode e Pilato erano sempre stati nemici tra di loro: quel giorno invece diventarono amici.

Gesù è condannato a morte
(vedi Matteo 27, 15-26; Marco 15, 6-15; Giovanni 18, 39—19, 16)

[13] *Pilato riunì i capi dei sacerdoti, altre autorità e il popolo, [14] e disse loro: « Voi mi avete presentato quest'uomo come uno che mette disordine fra il popolo. Ebbene, ho esaminato il suo caso pubblicamente davanti a voi. Voi lo accusate di molte colpe, ma io non lo trovo colpevole di nulla. [15] Anche *Erode è dello stesso parere: tant'è vero che lo ha rimandato da noi senza condannarlo. Dunque, quest'uomo non ha fatto nulla che meriti la morte. [16] Perciò lo farò frustare e poi lo lascerò libero ». [[17]]
[18] Tutti insieme si misero a gridare: « A morte quest'uomo! Vogliamo libero Barabba! ». [19] Barabba era in prigione perché aveva preso parte a una sommossa di popolo in città e aveva ucciso un uomo.
[20] Pilato voleva liberare Gesù. Perciò lo disse di nuovo ai presenti. [21] Ma essi gridavano ancor più forte: « In croce! In croce! ».
[22] Per la terza volta Pilato dichiarò: « Ma che male ha fatto quest'uomo? Io non ho trovato in lui nessuna colpa che meriti la morte. Perciò lo farò frustare e poi lo lascerò libero ».
[23] Ma essi insistevano a gran voce nel chiedere che Gesù venisse crocifisso. Le loro grida diventavano sempre più forti.
[24] Alla fine Pilato decise di lasciar fare come volevano. [25] Avevano chiesto la liberazione di Barabba, quello che era stato messo in prigione per sommossa e omicidio, e Pilato lo liberò. Invece consegnò Gesù alla folla perché ne facessero quello che volevano.

Gesù viene crocifisso
(vedi Matteo 27, 32-44; Marco 15, 21-32; Giovanni 19, 17-27)

[26] Presero Gesù e lo portarono via. Lungo la strada, fermarono un certo Simone, nativo di Cirene, che tornava dai

campi. Gli caricarono sulle spalle la croce e lo costrinsero a portarla dietro a Gesù.

²⁷ Erano in molti a seguire Gesù: una gran folla di popolo e un gruppo di donne che si battevano il petto e facevano lamenti su di lui.

²⁸ Gesù si voltò verso di loro e disse: «Donne di Gerusalemme, non piangete per me. Piangete piuttosto per voi e per i vostri figli. ²⁹ Ecco, verranno giorni nei quali si dirà: " Beate le donne che non possono avere bambini, quelle che non hanno mai avuto figli e quelle che non hanno mai allattato ".

³⁰ Allora la gente comincerà *a dire ai monti*:

> " *Franate su di noi* "

e *alle colline*:

> " *Ricopriteci* ".

³¹ Perché, se si tratta così il legno verde, che ne sarà di quello secco? ».

³² Insieme con Gesù venivano condotti a morte anche due malfattori. ³³ Quando furono arrivati sul posto detto « luogo del Cranio », prima crocifissero Gesù e poi i due malfattori: uno a destra e l'altro a sinistra di Gesù.

³⁴ Gesù diceva: « Padre, perdona loro, perché non sanno quello che fanno ». I soldati intanto *si divisero le vesti di Gesù, tirandole a sorte*.

³⁵ La gente stava a guardare. I capi del popolo invece si facevano beffe di Gesù e gli dicevano: « È stato capace di salvare altri, ora salvi se stesso, se egli è veramente il *Messia scelto da Dio ». ³⁶ Anche i soldati lo schernivano: si avvicinavano a Gesù, gli davano da bere *aceto* ³⁷ e gli dicevano: « Se tu sei davvero il re dei giudei salva te stesso! ».

³⁸ Sopra il capo di Gesù avevano messo un cartello con queste parole: « Quest'uomo è il re dei *giudei ».

³⁹ I due malfattori intanto erano stati crocifissi con Gesù. Uno di loro insultandolo diceva: « Non sei tu il Messia? Salva te stesso e noi! ». ⁴⁰ L'altro invece si mise a rimproverare il suo compagno e disse: « Tu che stai subendo la stessa condanna, non hai proprio nessun timore di Dio? ⁴¹ Per noi due è giusto scontare il castigo per ciò che abbiamo fatto, lui invece non ha fatto nulla di male ».

⁴² Poi aggiunse: « Gesù, ricordati di me quando sarai nel tuo regno ».

⁴³ Gesù gli rispose: « Ti assicuro che oggi sarai con me in *paradiso ».

Gesù muore
(vedi Matteo 27, 45-56; Marco 15, 33-41; Giovanni 19, 28-30)

⁴⁴ Verso mezzogiorno si fece buio per tutta la regione fino alle tre del pomeriggio. ⁴⁵ Il sole si oscurò, e il grande velo appeso nel tempio si squarciò a metà. ⁴⁶ Allora Gesù gridò a gran voce: « Padre, a te affido la mia vita ». Dopo queste parole morì.
⁴⁷ L'ufficiale romano, vedendo queste cose, rese gloria a Dio dicendo: « Egli era veramente un uomo giusto! ». ⁴⁸ Anche quelli che erano venuti per vedere lo spettacolo, davanti a questi fatti se ne tornavano a casa battendosi il petto. ⁴⁹ Invece gli amici di Gesù e le donne che lo avevano seguito fin dalla Galilea se ne stavano ad una certa distanza e osservavano tutto quello che accadeva.

Gesù viene sepolto
(vedi Matteo 27, 57-61; Marco 15, 42-47; Giovanni 19, 38-42)

⁵⁰⁻⁵¹ Vi era un certo Giuseppe, nativo della città ebraica di Arimatèa. Giuseppe faceva parte anche del tribunale ebraico; ma non aveva approvato quello che gli altri consiglieri avevano deciso e fatto contro Gesù. Era uomo buono e giusto, e aspettava la venuta del *regno di Dio. ⁵² Giuseppe dunque si presentò a *Pilato e gli chiese il corpo di Gesù. Lo depose dalla croce e lo avvolse in un lenzuolo. ⁵³ Infine, lo mise in un sepolcro scavato nella roccia, dove nessuno era stato ancora deposto.
⁵⁴ Era venerdì, vigilia del giorno di festa, ma stava già per cominciare il sabato. ⁵⁵ Le donne, che erano venute con Gesù fin dalla Galilea, ora seguirono Giuseppe. Videro la tomba e osservarono come veniva deposto il corpo di Gesù. ⁵⁶ Poi se ne tornarono a casa per preparare aromi e unguenti. Il giorno festivo lo trascorsero nel riposo, come prescrive la *legge ebraica.

Gesù è vivo
(vedi Matteo 28, 1-10; Marco 16, 1-8; Giovanni 20, 1-10)

24 ¹ La domenica, di buon mattino, le donne andarono al sepolcro di Gesù, portando gli aromi che avevano preparato per la sepoltura. ² Videro che la pietra che chiudeva il sepolcro era stata rimossa. ³ Entrarono nel sepolcro, ma non trovarono il corpo del Signore Gesù.

⁴ Le donne stavano ancora lì senza sapere che cosa fare, quando apparvero loro due uomini, con vesti splendenti. ⁵ Impaurite, tennero la faccia abbassata verso terra. Ma quegli uomini dissero loro: « Perché cercate tra i morti colui che è vivo? ⁶ Egli non si trova qui, ma è risuscitato! Ricordatevi che ve lo disse quando era ancora in Galilea. ⁷ Allora vi diceva: " È necessario che il *Figlio dell'uomo sia consegnato in mano ai nemici di Dio e questi lo crocifiggeranno. Ma il terzo giorno egli risusciterà " ».

⁸ Allora le donne si ricordarono che Gesù aveva detto quelle parole. ⁹ Lasciarono il sepolcro e andarono a raccontare agli undici *discepoli e a tutti gli altri quello che avevano visto e udito. ¹⁰ Erano Maria, nativa di Màgdala, Giovanna e Maria, madre di Giacomo. Anche le altre donne che erano con loro riferirono agli *apostoli le stesse cose.

¹¹ Ma gli apostoli non vollero credere a queste parole. Pensavano che le donne avevano perso la testa.

¹² Pietro però si alzò e corse al sepolcro. Guardò dentro, e vide solo le bende usate per la sepoltura. Poi tornò a casa pieno di stupore per quello che era accaduto.

Gesù risorto appare ai discepoli di Emmaus
(vedi Marco 16, 12-13)

¹³ Quello stesso giorno due *discepoli stavano andando verso Èmmaus, un villaggio lontano circa undici chilometri da Gerusalemme. ¹⁴ Lungo la via parlavano tra di loro di quello che era accaduto in Gerusalemme in quei giorni.

¹⁵ Mentre parlavano e discutevano, Gesù si avvicinò e si mise a camminare con loro. ¹⁶ Essi però non lo riconobbero, perché i loro occhi erano come accecati.

¹⁷ Gesù domandò loro: « Di che cosa state discutendo tra di voi mentre camminate? ».

Essi allora si fermarono, tristi. ¹⁸ Uno di loro, un certo Clèopa, disse a Gesù: « Sei tu l'unico a Gerusalemme a non sapere quello che è successo in questi ultimi giorni? ».

¹⁹ Gesù domandò: « Che cosa è successo? ».

Quelli risposero: « Il caso di Gesù, il *Nazareno! Era un *profeta potente davanti a Dio e agli uomini, sia per quel che faceva, sia per quel che diceva. ²⁰ Ma i capi dei sacerdoti e del popolo lo hanno condannato a morte e l'hanno fatto crocifiggere. [21] Noi speravamo che fosse lui a liberare il popolo d'Israele! Ma siamo già al terzo giorno da quando sono accaduti questi fatti. [22] Una cosa però ci ha sconvolto: alcune donne del nostro gruppo sono andate di buon mattino al sepolcro di Gesù [23] ma non hanno trovato il suo corpo. Allora sono tornate indietro e ci hanno detto di aver avuto una visione: alcuni *angeli le hanno assicurate che Gesù è vivo. [24] Poi sono andati al sepolcro altri del nostro gruppo e hanno trovato tutto come avevano detto le donne, ma lui, Gesù, non l'hanno visto ».

[25] Allora Gesù disse: « Voi capite poco davvero: come siete lenti a credere quello che i *profeti hanno scritto! [26] Il *Messia non doveva forse soffrire queste cose prima di entrare nella sua gloria? ». [27] Quindi Gesù spiegò ai due discepoli i passi della *Bibbia che lo riguardavano. Cominciò dai libri di Mosè fino agli scritti di tutti i profeti.

[28] Intanto arrivarono al villaggio dove erano diretti, e Gesù fece finta di voler continuare il viaggio. [29] Ma quei due discepoli lo trattennero dicendo: « Resta con noi perché il sole ormai tramonta ». Perciò Gesù entrò nel villaggio per rimanere con loro. [30] Poi si mise a tavola con loro, prese il pane e pronunziò la preghiera della benedizione; lo spezzò e cominciò a distribuirlo.

[31] In quel momento gli occhi dei due discepoli si aprirono e riconobbero Gesù, ma lui sparì dalla loro vista. [32] Si dissero allora l'un l'altro: « Noi sentivamo come un fuoco nel cuore, quando egli lungo la via ci parlava, e ci spiegava la Bibbia! ».

[33] Quindi si alzarono e ritornarono subito a Gerusalemme. Là trovarono gli undici discepoli riuniti con i loro compagni.

[34] Questi dicevano: « Il Signore è risuscitato veramente ed è apparso a Simone ». [35] A loro volta i due discepoli raccontarono quello che era loro accaduto lungo il cammino, e dicevano che lo avevano riconosciuto mentre spezzava il pane.

Gesù appare ai discepoli

(vedi Matteo 28, 16-20; Marco 16, 14-18; Giovanni 20, 19-23; Atti 1, 6-8)

[36] Gli undici *apostoli e i loro compagni stavano parlando di queste cose. Gesù apparve in mezzo a loro e disse: « La pace sia con voi! ».

[37] Sconvolti e pieni di paura, essi pensavano di vedere un fantasma. [38] Ma Gesù disse loro: « Perché avete tanti dubbi dentro di voi? [39] Guardate le mie mani e i miei piedi! Sono proprio io! Toccatemi e verificate: un fantasma non ha carne e ossa come me ».

[40] Gesù diceva queste cose ai suoi discepoli, e intanto mostrava loro le mani e i piedi. [41] Essi però, pieni di stupore e di gioia, non riuscivano a crederci: era troppo grande la loro gioia!

Allora Gesù disse: « Avete qualcosa da mangiare? ». [42] Essi gli diedero un po' di pesce arrostito. [43] Gesù lo prese e lo mangiò davanti a tutti.

[44] Poi disse loro: « Era questo il senso dei discorsi che vi facevo quando ero ancora con voi! Vi dissi chiaramente che doveva accadere tutto quello che di me era stato scritto nella *legge di Mosè, negli scritti dei *profeti e nei salmi! ».

[45] Allora Gesù li aiutò a capire le profezie della *Bibbia. [46] Poi aggiunse: « Così sta scritto: il *Messia doveva morire, ma il terzo giorno doveva risuscitare dai morti. [47-48] Per suo incarico ora deve essere portato a tutti i popoli l'invito a cambiare vita e a ricevere il perdono dei peccati. Voi sarete testimoni di tutto ciò cominciando da Gerusalemme. [49] Perciò io manderò su di voi lo *Spirito Santo, che Dio, mio Padre, ha promesso. Voi però restate nella città di Gerusalemme fino a quando Dio vi riempirà con la sua forza ».

Gesù sale verso il cielo
(vedi Marco 16, 19-20; Atti 1, 9-11)

[50] Poi Gesù condusse i suoi *discepoli verso il villaggio di Betània. Alzò le mani sopra di loro e li benedisse. [51] Mentre li benediceva, si separò da loro e fu portato verso il cielo. [52] I suoi discepoli lo adorarono. Poi tornarono verso Gerusalemme, pieni di gioia. [53] E stavano sempre nel tempio lodando e ringraziando Dio.

VANGELO DI GIOVANNI

La Parola di Dio è diventata un uomo

1 ¹ Al principio,
prima che Dio creasse il mondo,
c'era colui che è « la Parola ».
Egli era con Dio;
Egli era Dio.
² Egli era al principio con Dio.
³ Per mezzo di lui Dio ha creato ogni cosa.
Senza di lui non ha creato nulla.
⁴ Egli era vita
e la vita era luce per gli uomini.
⁵ Quella luce risplende nelle tenebre
e le tenebre non l'hanno vinta.
⁶ Dio mandò un uomo:
si chiamava Giovanni.
⁷ Egli venne come testimone della luce
perché tutti gli uomini,
ascoltandolo,
credessero nella luce.
⁸ Non era lui, la luce:
Giovanni era un testimone della luce.
⁹ La luce vera
colui che illumina ogni uomo
stava per venire nel mondo.
¹⁰ Egli era nel mondo
il mondo è stato fatto per mezzo di lui,
ma il mondo non l'ha riconosciuto.
¹¹ È venuto nel mondo che è suo
ma i suoi non l'hanno accolto.
¹² Alcuni però hanno creduto in lui:
a questi Dio ha fatto un dono:
di diventare figli di Dio.
¹³ Non sono diventati figli di Dio per nascita naturale
per volontà di un uomo:
è Dio che ha dato loro la nuova vita.
¹⁴ Colui che è « la Parola » è diventato un uomo
e ha vissuto in mezzo a noi uomini.
Noi abbiamo contemplato il suo splendore divino.

È lo splendore del Figlio unico di Dio Padre
pieno di grazia e di verità!

[15] Giovanni aveva dichiarato: « Dopo di me viene uno che è più grande di me, perché esisteva già prima di me ». Quando vide Gesù gli rese testimonianza dicendo: « È di lui che io parlavo! ».

[16] La ricchezza della sua grazia si è riversata su di noi, e noi tutti l'abbiamo ricevuta.

[17] Perché Dio ha dato la sua *legge per mezzo di Mosè, ma la sua grazia e la sua verità sono venute a noi per mezzo di Gesù, il *Cristo.

[18] Nessuno ha mai visto Dio: Il Figlio unico di Dio, quello che è sempre vicino al Padre, ce l'ha fatto conoscere.

Giovanni prepara la strada del Signore
(vedi Matteo 3, 1-12; Marco 1, 1-8; Luca 3, 1-18)

[19] Questa fu la testimonianza di Giovanni. Le autorità ebraiche avevano mandato da Gerusalemme sacerdoti e addetti al culto del tempio, per interrogarlo. Volevano sapere chi era.

[20] Giovanni dichiarò senza esitazione: « Io non sono il *Messia ».

[21] Essi gli chiesero: « Chi sei, allora? Sei forse *Elia? ».

Ma Giovanni disse: « No, non sono Elia ».

Quelli insistettero: « Sei il *profeta? ».

Giovanni rispose: « No ».

[22] Alla fine gli chiesero: « Chi sei, dunque? Perché noi dobbiamo riferire qualcosa a quelli che ci hanno mandati. Cosa dici di te stesso? ».

[23] Allora Giovanni disse: « Io sono
     la voce di uno che grida nel deserto:
     spianate la strada per il Signore.
Così ha detto il profeta Isaia ».

[24] Quelli che interrogavano Giovanni appartenevano al gruppo dei *farisei. [25] Gli domandarono ancora: « Se non sei il Salvatore, né Elia, né il profeta, perché battezzi la gente? ».

[26] Giovanni rispose: « Io battezzo con acqua. Ma in mezzo a voi c'è uno che voi non conoscete. [27] Egli viene dopo di me, ma io non sono degno neanche di sciogliere i lacci dei suoi sandali ».

[28] Questo accadeva vicino al villaggio di Betània, al di là del fiume Giordano, dove Giovanni battezzava.

Giovanni presenta Gesù, il Figlio di Dio

²⁹ Il giorno dopo, Giovanni vede Gesù venire verso di lui, e dice: « Ecco l'Agnello di Dio che prende su di sé il peccato del mondo. ³⁰ Parlavo di lui quando dicevo: dopo di me viene uno che è più grande di me, perché esisteva già prima di me. ³¹ Anch'io non lo conoscevo, tuttavia Dio mi ha mandato a battezzare con acqua, per farlo conoscere al popolo d'Israele ».

³² Poi Giovanni portò questa testimonianza: « Ho visto lo Spirito di Dio scendere come colomba dal cielo, e rimanere sopra di lui. ³³ Anch'io non lo conoscevo quando Dio mi mandò a battezzare con acqua, ma Dio mi disse: tu vedrai lo Spirito scendere e fermarsi su un uomo — è lui che battezzerà con *Spirito Santo. ³⁴ Ebbene, io ho visto accadere questo, e posso testimoniare che Gesù è il *Figlio di Dio ».

³⁵ Il giorno seguente Giovanni era di nuovo là con due dei suoi *discepoli. ³⁶ Passò Gesù. Giovanni lo guardò e disse: « Ecco l'agnello di Dio ».

I primi discepoli

³⁷ I due discepoli lo udirono parlare così e si misero a seguire Gesù.

³⁸ Gesù si voltò e vide che lo seguivano. Allora disse: « Che cosa volete? ».

Essi gli dissero: « Dove abiti, rabbì? » (rabbì vuol dire: maestro).

³⁹ Gesù rispose: « Venite e vedrete ».

Quei due andarono, videro dove Gesù abitava e rimasero con lui il resto della giornata. Erano circa le quattro del pomeriggio.

⁴⁰ Uno dei due che udirono Giovanni e andarono con Gesù si chiamava Andrea. Era il fratello di Simon Pietro. ⁴¹ La prima persona che Andrea incontrò fu appunto suo fratello Simone. Gli dice: « Abbiamo trovato il *Messia » (Messia o Cristo vuol dire: Salvatore inviato da Dio).

⁴² Andrea accompagnò Simone da Gesù. Appena Gesù lo vide gli disse: « Tu sei Simone, il figlio di Giovanni. Ora il tuo nome sarà Cefa » (in ebraico « Cefa » è lo stesso che « Pietro », e vuol dire: Pietra).

⁴³ Il giorno dopo, Gesù decise di andare in Galilea. Incontrò Filippo e gli disse: « Vieni con me ».

[44] Filippo, Andrea e Pietro erano tutti e tre della città di Betsàida.
[45] Filippo trovò Natanaèle e gli disse: « Il Messia promesso nella *Bibbia da Mosè e dai *profeti, l'abbiamo trovato: è Gesù di Nàzaret, il figlio di Giuseppe ».
[46] Natanaèle disse a Filippo: « Di Nàzaret? Da quel paese non può venire nulla di buono ».
Rispose Filippo: « Vieni e vedrai ».
[47] Gesù vide venire Natanaèle e disse: « Questo è un vero israelita, un uomo senza inganno ».
[48] Natanaèle disse a Gesù: « Come fai a conoscermi? ».
Gesù gli rispose: « Io ti ho visto prima che Filippo ti chiamasse, quando eri sotto l'albero di fico ».
[49] Natanaèle esclamò: « *Maestro, tu sei il *Figlio di Dio! Tu sei il re d'Israele! ».
[50] Gesù replicò: « Io ho detto che ti ho visto sotto il fico e per questo tu credi in me? Vedrai cose ben più grandi! ».
[51] Disse ancora Gesù: « Io vi assicuro che vedrete il cielo aperto e gli *angeli di Dio salire e scendere verso il *Figlio dell'uomo ».

Il primo segno miracoloso

2 [1] Due giorni dopo ci fu un matrimonio a Cana, una città della Galilea. C'era anche la madre di Gesù, [2] e Gesù fu invitato alle nozze con i suoi *discepoli.
[3] A un certo punto mancò il vino. Allora la madre di Gesù gli dice: « Non hanno più vino ».
[4] Risponde Gesù: « Donna, perché me lo dici? L'ora mia non è ancora giunta ».
[5] La madre di lui dice ai servi: « Fate tutto quello che vi dirà ».
[6] C'erano lì sei recipienti di pietra da circa cento litri ciascuno. Servivano per i riti di purificazione degli ebrei. [7] Gesù disse ai servi: « Riempiteli d'acqua! ».
Essi li riempirono fino all'orlo. [8] Poi Gesù disse loro: « Adesso prendetene un po' e portatelo ad assaggiare al capotavola ».
Glielo portarono.
[9] Il capotavola assaggiò l'acqua che era diventata vino. Ma egli non sapeva da dove veniva quel vino. Lo sapevano solo i servi che avevano portato l'acqua. Quando lo ebbe assaggiato il capotavola chiamò lo sposo [10] e gli disse: « Tutti

servono prima il vino buono e poi, quando si è già bevuto molto, servono il vino più scadente. Tu invece hai conservato il vino buono fino a questo momento ».

[11] Così Gesù fece il primo dei suoi segni miracolosi nella città di Cana, in Galilea, e manifestò la sua grandezza, e i suoi discepoli credettero in lui. [12] Dopo questo fatto andarono tutti a Cafàrnao, Gesù, sua madre, i fratelli e i suoi discepoli, e ci rimasero qualche giorno.

Gesù scaccia i mercanti dal tempio
(vedi Matteo 21, 12-13; Marco 11, 15-17; Luca 19, 45-46)

[13] La festa ebraica della Pasqua si avvicinava, e Gesù salì a Gerusalemme. [14] Nel cortile del tempio trovò i mercanti che vendevano buoi, pecore e colombe. C'erano anche i cambiamonete seduti dietro ai loro banchi.

[15] Allora Gesù fece una frusta di cordicelle, scacciò tutti dal tempio, con le pecore e i buoi, rovesciò i tavoli dei cambiamonete spargendo a terra i loro soldi. [16] Poi si rivolse ai venditori di colombe e disse: « Portate via di qua questa roba! Non riducete a un mercato la casa di mio Padre! ».

[17] Allora i suoi discepoli ricordarono la parola della Bibbia che dice: *L'amore per la tua casa è come un fuoco che mi consuma.*

[18] Intervennero alcuni capi ebrei e domandarono a Gesù: « Dacci una prova che hai l'autorità di fare queste cose ».

[19] Gesù rispose: « Distruggete questo tempio! In tre giorni lo farò risorgere ».

[20] Quelli replicarono: « Ci sono voluti quarantasei anni per costruirlo, questo tempio, e tu in tre giorni lo farai risorgere? ».

[21] Ma Gesù parlava del tempio del suo corpo.

[22] Quando poi fu risuscitato dai morti, i suoi *discepoli si ricordarono che egli aveva detto questo, e credettero alle parole della *Bibbia e a quelle di Gesù.

Gesù trascorre la Pasqua a Gerusalemme

[23] Gesù rimase a Gerusalemme durante le feste della Pasqua. Molti videro i *miracoli che faceva e credettero in lui. [24] Ma Gesù non si fidava di loro perché li conosceva tutti: [25] non aveva bisogno di informazioni, perché sapeva benissimo che cosa c'è nel cuore di ogni uomo.

Gesù e Nicodemo

3 [1] Nel gruppo dei *farisei c'era un tale che si chiamava Nicodèmo. Era uno dei capi ebrei. [2] Egli venne a cercare Gesù, di notte, e gli disse: « Rabbì, sappiamo che sei un *maestro mandato da Dio, perché nessuno può fare miracoli come fai tu, se Dio non è con lui ».

[3] Gesù gli rispose: « Credimi, nessuno può vedere il *regno di Dio se non nasce nuovamente ».

[4] Nicodemo gli fa: « Com'è possibile che un uomo nasca di nuovo quando è vecchio? Non può certo entrare una seconda volta nel ventre di sua madre e nascere! ».

[5] Gesù rispose: « Io ti assicuro che nessuno può entrare nel regno di Dio se non nasce da acqua e Spirito. [6] Dalla carne nasce carne, dallo Spirito nasce Spirito. [7] Non meravigliarti se ho detto: dovete nascere in modo nuovo. [8] Il vento soffia dove vuole: uno lo sente, ma non può dire da dove viene né dove va. Lo stesso accade con chiunque è nato dallo Spirito ».

[9] Nicodemo disse: « Com'è possibile? ».

[10] Gesù riprese: « Tu sei *maestro in Israele e non capisci queste cose? [11] Ebbene, ascolta quello che ti dico: noi parliamo di quello che sappiamo e siamo testimoni di quello che abbiamo visto. Ma voi non accettate la nostra testimonianza! [12] Se non credete quando parlo di cose terrene, come mi crederete se vi parlo di cose del cielo? [13] Nessuno è mai stato in cielo: soltanto il *Figlio dell'uomo. Egli infatti è venuto dal cielo.

[14] Mosè nel deserto alzò il serpente di bronzo su un palo. Così dovrà essere anche innalzato il *Figlio dell'uomo, [15] perché chiunque crede in lui abbia vita eterna.

[16] Dio ha tanto amato il mondo da dare il suo unico Figlio perché chi crede in lui non muoia ma abbia vita eterna.

[17] Dio non ha mandato il Figlio nel mondo per condannare il mondo, ma perché il mondo sia salvato per mezzo di lui. [18] Chi crede nel Figlio non è condannato. Chi non crede, invece, è già stato condannato, perché non ha creduto nell'unico *Figlio di Dio. [19] E questo è il motivo della loro condanna: che la luce è venuta nel mondo, ma gli uomini hanno preferito le tenebre alla luce, perché fanno il male.

[20] Chi fa il male odia la luce e ne sta lontano perché la luce non faccia conoscere le sue opere a tutti. [21] Invece chi

obbedisce alla verità viene verso la luce, perché la luce faccia vedere a tutti che le sue opere sono compiute con l'aiuto di Dio ».

Giovanni parla ancora di Gesù

²² Poi Gesù andò in Giudea con i suoi *discepoli; ci rimase qualche tempo e battezzava. ²³ Anche Giovanni battezzava, a Ennòn, vicino a Salìm, perché lì c'era molta acqua, e la gente veniva a farsi battezzare. ²⁴ Questo accadeva quando Giovanni non era ancora stato messo in prigione.

²⁵ Un tale, ebreo, cominciò a discutere dei riti di purificazione con i discepoli di Giovanni. ²⁶ Poi andarono da Giovanni e gli dissero: « *Maestro, tu ci avevi parlato bene di quel Gesù che era con te dall'altra parte del Giordano. Ora battezza anche lui e tutti lo seguono ».

²⁷ Giovanni rispose: « Tutto quello che uno ha gli è dato da Dio. ²⁸ Voi ricordate che ho detto: Non sono io il *Messia, ma Dio mi ha mandato davanti a lui. ²⁹ La sposa appartiene allo sposo; l'amico dello sposo sta lì e si rallegra delle sue parole. Questa è anche la mia gioia, e ora è completa. ³⁰ È lui che deve diventare importante. Io invece devo mettermi da parte.

³¹ Chi viene dall'alto è al di sopra di tutti. Chi viene dalla terra appartiene alla terra, e parla come un uomo di questa terra; chi viene dal cielo, ³² parla di ciò che ha visto e udito. Però nessuno accoglie la sua testimonianza. ³³ Chi invece la accoglie, riconosce e afferma che Dio dice la verità. ³⁴ L'inviato di Dio riferisce le parole di Dio; perché Dio gli ha dato tutto il suo Spirito.

³⁵ Il Padre ama il Figlio, e ha dato ogni cosa nelle sue mani. ³⁶ Chi crede nel Figlio ha la vita eterna. Chi disubbidisce al Figlio non vedrà la vita: il castigo di Dio non si allontana da lui ».

Gesù e la samaritana

4 ¹ I *farisei avevano sentito dire che Gesù battezzava e faceva più discepoli di Giovanni. Quando Gesù lo seppe, ²⁻³ lasciò il territorio della Giudea e se ne andò verso la Galilea. (Non era Gesù, però, che battezzava; erano i suoi *discepoli). ⁴ Per andare in Galilea, Gesù doveva attraversare la Samarìa.

⁵ Così arrivò alla città di Sicàr. Lì vicino c'era il campo
che anticamente Giacobbe aveva dato a suo figlio Giuseppe,
⁶ e c'era anche il pozzo di Giacobbe. Gesù era stanco di
camminare, e si fermò seduto sul pozzo. Era circa mezzogiorno.
⁷⁻⁸ I discepoli entrarono in città per comprare qualcosa da
mangiare. Intanto una donna della Samarìa viene al pozzo
a prendere acqua.
Gesù le dice: « Dammi un po' d'acqua da bere ».
⁹ Risponde la donna: « Perché tu che vieni dalla Giudea
chiedi da bere a me che sono *samaritana? » (Si sa che
i giudei non hanno buoni rapporti con i samaritani).
¹⁰ Gesù le dice: « Tu non sai chi è che ti ha chiesto da
bere e non sai che cosa Dio può darti per mezzo di lui.
Se tu lo sapessi, saresti tu a chiederglielo, ed egli ti darebbe
acqua viva ».
¹¹ La donna osserva: « Signore, tu non hai un secchio, e
il pozzo è profondo. Dove la prendi, l'acqua viva? ¹² Non
sei mica più grande di Giacobbe, nostro padre, che usò
questo pozzo per sé, per i suoi figli e per le sue bestie,
e poi lo lasciò a noi! ».
¹³ Gesù risponde alla donna: « Chiunque beve di quest'acqua
avrà di nuovo sete. ¹⁴ Invece, se uno beve dell'acqua che
io gli darò, non avrà mai più sete: l'acqua che io gli darò
diventerà in lui una sorgente per l'eternità ».
¹⁵ La donna dice a Gesù: « Signore, dammela, quest'acqua,
così non avrò più sete e non dovrò più venir qui a prendere
acqua ».
¹⁶ Gesù dice alla donna: « Va' a chiamare tuo marito e
torna qui ».
¹⁷ La donna gli risponde: « Non ho marito ».
Gesù le fa: « Giusto. È vero che non hai marito: ¹⁸ Ne
hai avuti cinque, di mariti, e l'uomo che ora hai non è
tuo marito ».
¹⁹ La donna esclama: « Signore, vedo che sei un *profeta!
²⁰ I nostri padri, samaritani, adoravano Dio su questo monte;
voi in Giudea, dite che il posto per adorare Dio è a Gerusalemme ».
²¹⁻²² Gesù le dice: « Voi samaritani adorate Dio senza conoscerlo; noi in Giudea lo adoriamo e lo conosciamo, perché
Dio salva gli uomini cominciando dal nostro popolo. Ma
credimi: viene il momento in cui l'adorazione di Dio non

sarà più legata a questo monte o a Gerusalemme; 23 viene un'ora, anzi è già venuta, in cui gli uomini adoreranno il Padre guidati dallo Spirito e dalla verità di Dio. 24 Dio è spirito. Chi lo adora deve lasciarsi guidare dallo Spirito e dalla verità di Dio».

25 La donna gli risponde: «So che deve venire un *Messia, cioè il Cristo, l'inviato di Dio. Quando verrà, ci spiegherà ogni cosa».

26 E Gesù: «Sono io il Messia, io che parlo con te».

Il tempo della mietitura è giunto

27 A questo punto giunsero i *discepoli di Gesù. Videro che parlava con una donna, e si meravigliarono. Nessuno però gli disse: «Che vuoi?» o: «Perché parli con lei?».

28 Intanto la donna aveva lasciato la brocca dell'acqua ed era tornata in città a dire alla gente: 29 «Venite a vedere: c'è uno che mi ha detto tutto quello che ho fatto. Non sarà per caso il *Messia?».

30 La gente allora uscì dalla città, e andò verso il pozzo dove c'era Gesù. 31 Intanto i discepoli gli dicevano: «*Maestro, mangia qualcosa!».

32 Ma egli disse: «Io ho un cibo che voi non conoscete».

33 I discepoli chiedevano l'uno all'altro: «Forse qualcuno gli ha portato da mangiare?».

34 Ma Gesù disse loro: «Il mio cibo è fare la volontà di Dio che mi ha mandato, e compiere la sua opera fino in fondo. 35 C'è un proverbio, da voi, che dice:

"Ancora quattro mesi,
    poi è ora di tagliare il grano".

Bene, io dico: Alzate gli occhi e guardate i campi! È il momento di mietere. 36 I mietitori ricevono già la paga e mettono insieme un raccolto per la vita eterna. Chi semina e chi raccoglie si rallegrano insieme. 37 Un altro proverbio dice: "Uno semina e l'altro raccoglie". Ebbene, esso si realizza qui: 38 voi non avevate faticato a seminare, eppure io vi ho mandati a raccogliere. Altri hanno faticato prima di voi, e voi siete venuti a raccogliere i frutti della loro fatica».

I samaritani credono in Gesù

[39] La donna *samaritana, intanto, raccontava che Gesù aveva saputo dirle tutto quello che lei aveva fatto; per questo, molti abitanti di quella città della Samarìa credettero in Gesù.
[40] I samaritani dunque andarono a cercarlo e lo pregarono di rimanere con loro, e Gesù restò due giorni in quella città. [41] E quando ascoltarono le sue parole, furono molti di più a credere. [42] E dicevano alla donna: « Prima ci aveva persuasi la tua storia, ma ora crediamo in lui perché l'abbiamo sentito con le nostre orecchie, e sappiamo che egli è veramente il salvatore del mondo ».
[43] Passati i due giorni, Gesù ripartì e si diresse verso la Galilea.
[44] Egli aveva dichiarato: « Un *profeta non è apprezzato dai suoi compaesani ». [45] Però, quando arrivò in Galilea gli fecero buona accoglienza. Anche loro, infatti, erano andati a Gerusalemme e avevano visto tutto quello che Gesù aveva fatto durante la festa.

Gesù guarisce il figlio di un funzionario
(vedi Matteo 8, 5-13; Luca 7, 1-10)

[46] Gesù andò di nuovo a Cana di Galilea. Era la città dove aveva mutato l'acqua in vino. C'era là un funzionario del re che aveva un figlio ammalato a Cafàrnao. [47] Quando sentì che Gesù dalla Giudea era venuto in Galilea, andò a cercarlo e lo pregava dicendo: « Vieni a Cafàrnao, e fai guarire mio figlio che sta per morire! ».
[48] Gesù gli disse: « Se non vedete prodigi e segni miracolosi, voi non credete ».
[49] Il funzionario disse: « Signore, vieni prima che il mio bambino muoia ».
[50] Gesù rispose: « Puoi andare, tuo figlio è fuori pericolo ». Quell'uomo credette alla parola di Gesù e tornò verso casa sua. [51] Mentre era per strada, i suoi servi gli andarono incontro dicendo: « Il tuo bambino è fuori pericolo ».
[52] Il padre volle sapere da loro a che ora suo figlio aveva cominciato a star meglio, e gli dissero: « Ieri pomeriggio verso l'una la febbre se n'è andata ». [53] Il padre si rese conto che era proprio l'ora in cui Gesù gli aveva detto:

« Tuo figlio è fuori pericolo ». Da quel momento credette in Gesù, lui e tutta la sua famiglia.
⁵⁴ Questo secondo segno miracoloso Gesù lo fece arrivando in Galilea dalla Giudea.

Gesù guarisce il paralitico di Betzaetà

5 ¹ Dopo queste cose ci fu una festa ebraica, e Gesù tornò a Gerusalemme. ² Vicino alla porta chiamata « Porta delle pecore » c'era una piscina con cinque portici. Il suo nome in ebraico era Betzaetà.
³ Sotto quei portici c'era sempre una folla di ammalati: ciechi, zoppi, *paralitici [⁴ che stavano lì ad aspettare che l'acqua si agitasse]. ⁵ Uno di loro, un uomo paralizzato, era infermo da trentotto anni.
⁶ Gesù lo vide lì sdraiato su una coperta, e sapendo che stava lì da molto tempo gli disse: « Vuoi guarire? ».
⁷ L'infermo gli rispose: « Signore, non ho nessuno che mi metta nella piscina quando l'acqua è agitata. Quando sto per entrarci, un altro scende in acqua prima di me ».
⁸ Gesù gli disse: « Alzati, prendi la tua coperta e cammina! ».
⁹ In quell'istante l'uomo tornò sano, e andava in giro con la coperta sotto il braccio.
Il paralitico era stato guarito di *sabato. ¹⁰ Perciò alcuni ebrei gli dissero: « È sabato. La legge di Mosè, di sabato non permette di trasportare neanche una coperta ».
¹¹ L'uomo rispose: « Chi mi ha fatto guarire mi ha detto: prendi la coperta e cammina! ».
¹² Allora gli chiesero: « Chi è stato a dirti di fare così? ».
¹³ Ma l'uomo che era stato guarito non lo conosceva, perché Gesù si era allontanato tra la folla che c'era lì intorno.
¹⁴ Più tardi, Gesù lo trovò nel tempio e gli disse: « Guarda, ora sei guarito; non peccare più, perché non ti accada qualcosa di peggio ».
¹⁵ L'uomo si allontanò, e informò le autorità che era stato Gesù a guarirlo. ¹⁶ Così cominciarono a perseguitare Gesù perché guariva gli ammalati nel giorno del riposo.
¹⁷ Ma Gesù dichiarò: « Mio Padre opera senza interruzione, e così faccio anch'io ».
¹⁸ Per questo cercavano ancor più decisamente di ucciderlo: infatti, non solo non rispettava il sabato, ma diceva pure che Dio era suo Padre, facendosi uguale a Dio.

L'unità del Padre e del Figlio

¹⁹ Così Gesù replicò a quelli che lo criticavano: «Io vi assicuro che il Figlio non può far nulla da sé; ma solo ciò che vede fare dal Padre. Quello che fa il Padre, anche il Figlio lo fa ugualmente. ²⁰ Il Padre infatti ama il Figlio e gli fa vedere tutto ciò che fa. Anzi, gli farà vedere anche opere più grandi di queste, e resterete meravigliati.

²¹ Come il Padre fa risorgere i morti e dà loro la vita, così pure il Figlio dà vita a chi vuole. ²² Il Padre non giudica nessuno perché ha affidato al Figlio tutto il potere di giudicare. ²³ Così, tutti onoreranno il Figlio come onorano il Padre. Chi non onora il Figlio non onora neppure il Padre che l'ha mandato.

²⁴ Io vi dichiaro che chi ascolta la mia parola e crede nel Padre che mi ha mandato, ha la vita eterna. Non sarà più condannato. È già passato dalla morte alla vita.

²⁵ Io vi dico una cosa: viene un'ora, anzi è già venuta, in cui i morti udranno la voce del *Figlio di Dio, e chi lo sente vivrà. ²⁶ Infatti, Dio è la fonte della vita, e ha dato anche al Figlio di essere la fonte della vita. ²⁷ Gli ha dato anche il potere di giudicare, perché è il *Figlio dell'uomo.

²⁸ Non vi meravigliate: viene un'ora in cui tutti i morti, nelle tombe, udranno la sua voce ²⁹ e verranno fuori. Quelli che hanno fatto il bene risorgeranno per vivere; quelli che hanno fatto il male risorgeranno per essere condannati.

³⁰ Io non posso far nulla da me. Giudico come Dio mi suggerisce, e il mio giudizio è giusto perché non cerco di fare come voglio io, ma come vuole il Padre che mi ha mandato».

I testimoni del Figlio

« ³¹ Certo, se io stesso mi presento a testimoniare a mio favore, la mia testimonianza non conta nulla. ³² In realtà, è un altro che testimonia per me; e certamente la sua testimonianza a mio favore è valida.

³³ Voi avete mandato a interrogare Giovanni, ed egli ha testimoniato a favore della verità. ³⁴ La testimonianza di un uomo a me non serve, ma ve la ricordo perché possiate salvarvi. ³⁵ Giovanni era la lampada accesa per illuminarvi, ma voi vi siete entusiasmati della sua luce solo per un po' di tempo.

³⁶ A mio favore c'è una testimonianza più grande di quella di Giovanni: le opere che io faccio, le opere che il Padre mi ha dato da compiere, testimoniano a mio favore. Esse dimostrano che il Padre mi ha mandato.

³⁷ C'è poi il Padre che mi ha mandato: anche lui ha testimoniato a mio favore, ma voi non avete mai ascoltato la sua voce e non avete mai visto il suo volto. ³⁸ La sua parola non è radicata in voi, perché voi non avete fede nel Figlio che egli ha mandato.

³⁹ Voi leggete continuamente la *Bibbia perché così pensate di avere vita eterna: ebbene, anche la Bibbia testimonia di me! ⁴⁰ ma voi non volete venire a me per avere la vita.

⁴¹ A me non importa affatto di ricevere i complimenti degli uomini. ⁴² D'altra parte io vi conosco: so bene che non amate Dio. ⁴³ Io son venuto, mandato dal Padre mio, e voi non mi accogliete. Se un altro venisse per conto proprio, gli fareste buona accoglienza! ⁴⁴ Ma come può avere fede gente come voi? Siete pronti a ricevere l'omaggio dei vostri simili, ma non vi preoccupate di ricevere la lode da Dio!

⁴⁵ Non pensate che sarò io ad accusarvi davanti al Padre; c'è già chi vi accusa: è Mosè; cioè proprio la persona in cui avete messo la vostra speranza. ⁴⁶ Se credeste a Mosè, credereste anche a me, perché Mosè ha scritto di me. ⁴⁷ Ma voi non credete a quello che Mosè ha scritto, dunque come crederete a quello che dico io?».

Gesù dà pane a cinquemila persone
(vedi Matteo 14, 13-21; Marco 6, 30-44; Luca 9, 10-17)

6 ¹ Dopo un po' di tempo, Gesù attraversò il lago di Galilea, detto anche di *Tiberìade. ² Molta gente gli andava dietro, perché vedevano i segni miracolosi che faceva guarendo i malati. ³⁻⁴ Mancavano pochi giorni alla festa ebraica della Pasqua.

Gesù salì sulla montagna, e si sedette lì con i suoi *discepoli.
⁵ Poi si guardò attorno, e vide tutta la gente che era venuta. Allora disse a Filippo: «Dove potremo comprare il pane necessario per sfamare questa gente?». ⁶ Gesù sapeva benissimo quello che avrebbe fatto, ma diceva così per mettere alla prova Filippo.

⁷ Filippo rispose: «Duecento monete d'argento non basterebbero neppure per dare un pezzo di pane a tutti».

⁸ Un altro discepolo, Andrea che era fratello di Simon Pietro,

disse: [9] « C'è qui un ragazzo che ha cinque pagnotte d'orzo e due pesci arrostiti. Ma non è nulla, per tanta gente! ».
[10] Gesù ordinò: « Dite alla gente di sedersi per terra ». Il terreno era erboso, e tutti si sedettero in terra. Erano circa cinquemila.
[11] Gesù prese il pane, fece una preghiera di ringraziamento, poi cominciò a distribuire a tutti pane e pesce a volontà.
[12] Quando tutti ebbero mangiato a sufficienza, Gesù disse ai suoi discepoli: « Raccogliete i pezzi avanzati, perché nulla vada perduto ». [13] Essi li raccolsero, e riempirono dodici cesti con gli avanzi delle cinque pagnotte.
[14] La gente, vedendo il segno miracoloso che Gesù aveva fatto, diceva: « Questo è veramente il *profeta che deve venire nel mondo ».
[15] Gesù allora, sapendo che volevano prenderlo per farlo diventare re, se ne andò di nuovo verso la montagna, tutto solo.

Gesù cammina sul lago
(vedi Matteo 14, 22-33; Marco 6, 45-52)

[16] Verso sera i *discepoli scesero in riva al lago; [17] presero la barca e si avviarono verso la riva opposta, in direzione di Cafàrnao. Ormai era notte e Gesù non li aveva ancora raggiunti. [18] Il lago era agitato perché soffiava forte vento.
[19] I discepoli avevano remato per circa quattro o cinque chilometri. A un tratto videro Gesù che camminava sul lago e si avvicinava alla barca, e si spaventarono. [20] Ma Gesù disse: « Sono io; non abbiate paura ».
[21] Allora fecero salire Gesù nella barca, e subito giunsero a riva là dove erano diretti.

La ricerca del vero pane

[22] Intanto, molta gente era rimasta sull'altra riva del lago. Il giorno seguente si accorsero che c'era solo una barca, e si ricordarono che il giorno prima Gesù non era salito in barca con i suoi *discepoli. I discepoli erano partiti da soli. [23] Però da *Tiberìade alcune barche arrivarono là dove il Signore aveva fatto la preghiera di ringraziamento e aveva dato da mangiare il pane a cinquemila persone. [24] Visto che Gesù e i suoi discepoli non c'erano più, la gente prese quelle barche e andò a Cafàrnao per cercarlo.

²⁵ Attraversato il lago, trovarono Gesù e gli dissero: « *Maestro, quando sei venuto qui? ».
²⁶ Gesù rispose: « Voi mi cercate, ma non per i segni miracolosi! Ve lo dico io: voi mi cercate solo perché avete mangiato il pane e vi siete levati la fame.
²⁷ Non datevi da fare per il cibo che si consuma e si guasta, ma per il cibo che dura e conduce alla vita eterna. Ve lo darà il *Figlio dell'uomo. Dio ha messo in lui il suo segno di approvazione ».
²⁸ La gente domandò a Gesù: « Quali sono le opere che Dio vuole da noi? Siamo pronti a farle! ».
²⁹ Gesù rispose: « Un'opera sola Dio vuole da voi, questa: che crediate in colui che Dio ha mandato ».
³⁰⁻³¹ Gli risposero: « Che cosa fai di straordinario, perché crediamo in te? I nostri antenati mangiarono la *manna nel deserto come dice la *Bibbia: *Ha dato loro da mangiare un pane venuto dal cielo.* Tu, che opere fai? ».
³² Gesù disse loro: « Io vi assicuro che non è Mosè che vi ha dato il pane venuto dal cielo. È il Padre mio che vi dà il vero pane venuto dal cielo. ³³ Il pane di Dio è quello che viene dal cielo e dà la vita al mondo ».
³⁴ La gente gli disse: « Signore, dacci sempre questo pane! ».

Gesù è il vero pane di Dio

³⁵ Gesù disse: « Io sono il pane che dà la vita. Chi si avvicina a me con fede, non avrà più fame; chi mette la sua fiducia in me, non avrà più sete. ³⁶ Ma come vi ho già detto, non volete credere. Eppure mi avete veduto!
³⁷ Tutti quelli che il Padre mi dà, si avvicineranno a me; e chi si avvicina a me con fede, io non lo respingerò. ³⁸ Non sono venuto dal cielo per fare quello che voglio io: devo fare la volontà del Padre che mi ha mandato. ³⁹ E questa è la volontà del Padre che mi ha mandato: che io non perda nessuno di quelli che mi ha dato, ma, invece, li faccia rivivere nell'ultimo giorno. ⁴⁰ Il Padre mio vuole così: chi riconosce il Figlio e crede in lui avrà la vita eterna, e io lo risusciterò nell'ultimo giorno ».
⁴¹ Quegli ebrei che parlavano con Gesù si misero a protestare perché aveva detto: « Io sono il pane venuto dal cielo »; ⁴² e osservavano: « Costui è Gesù, non è vero? È il figlio di Giuseppe. Conosciamo bene suo padre e sua madre. Come mai ora dice: Io sono venuto dal cielo? ».

⁴³ Gesù rispose: «Smettetela di protestare tra di voi. ⁴⁴ Nessuno può avvicinarsi a me con fede, se non lo attira il Padre che mi ha mandato. E io lo risusciterò nell'ultimo giorno. ⁴⁵ I profeti hanno scritto queste parole: *Tutti saranno istruiti da Dio*; ebbene, chiunque ascolta Dio Padre ed è istruito da lui si avvicina a me con fede. ⁴⁶ Nessuno però ha visto il Padre se non il Figlio che viene dal Padre. Egli ha visto il Padre.

⁴⁷ Ve lo assicuro: chi crede in me ha la vita eterna. ⁴⁸ Io sono il pane che dà la vita. ⁴⁹ I vostri antenati, nel deserto, mangiarono la *manna e poi morirono ugualmente; ⁵⁰ invece, il pane venuto dal cielo è diverso: chi ne mangia non morirà. ⁵¹ Io sono il pane, quello vivo, venuto dal cielo. Se uno mangia di questo pane, vivrà per sempre. Il pane che io gli darò è il mio corpo, dato perché il mondo abbia la vita».

⁵² Gli avversari di Gesù si misero a discutere tra di loro. Dicevano: «Come può darci il suo corpo da mangiare?».

⁵³ Gesù replicò: «Io vi dichiaro una cosa: se non mangiate il corpo del *Figlio dell'uomo e non bevete il suo sangue, non avete in voi la vita. ⁵⁴ Chi mangia il mio corpo e beve il mio sangue ha la vita eterna, e io lo risusciterò l'ultimo giorno; ⁵⁵ perché il mio corpo è vero cibo e il mio sangue è vera bevanda. ⁵⁶ Chi mangia la mia carne e beve il mio sangue rimane unito a me e io a lui. ⁵⁷ Il Padre è la vita: io sono stato mandato da lui e ho la vita grazie a lui; così, chi mangia me avrà la vita grazie a me. ⁵⁸ Questo è il pane venuto dal cielo. Non è come il pane che mangiarono i vostri antenati e morirono ugualmente; chi mangia questo pane vivrà per sempre».

⁵⁹ Così parlò Gesù insegnando nella sinagoga di Cafàrnao.

Soltanto i Dodici restano con Gesù

⁶⁰ Molti *discepoli, sentendo Gesù parlare così, dissero: «Adesso esagera! Chi può ascoltare cose simili?».

⁶¹ Ma Gesù si era accorto che i suoi discepoli protestavano, e disse loro: «Le mie parole vi scandalizzano? ⁶² Ma allora, che cosa direte se vedrete il *Figlio dell'uomo tornare là dove era prima? ⁶³ Soltanto lo Spirito di Dio dà la vita, l'uomo da solo non può far nulla. Le parole che vi ho detto, danno la vita perché vengono dallo Spirito di Dio.

⁶⁴ Ma tra voi ci sono alcuni che non credono ». Gesù infatti sapeva fin dal principio chi erano quelli che non credevano e chi stava per tradirlo. ⁶⁵ Poi aggiunse: « Per questo vi ho detto che nessuno si avvicina a me se il Padre non gli dà la forza ».

⁶⁶ Da quel momento, molti discepoli di Gesù si tirarono indietro e non andavano più con lui. ⁶⁷ Allora Gesù domandò ai *Dodici: « Forse volete andarvene anche voi? ».

⁶⁸ Simon Pietro gli rispose: « Signore, da chi andremo? Tu solo hai parole che danno la vita eterna. ⁶⁹ E ora noi crediamo e sappiamo che tu sei quello che Dio ha mandato ».

⁷⁰ Gesù rispose: « Sono stato io a scegliere voi, i Dodici; eppure, uno di voi è un *diavolo ». ⁷¹ Parlava di Giuda, il figlio di Simone Iscariota. Era uno dei Dodici; proprio lui farà arrestare Gesù.

Gesù e i suoi fratelli

7 ¹ Alcuni giorni dopo, Gesù andava in giro per la Galilea. In Giudea non voleva farsi vedere perché cercavano di ucciderlo. ² La festa ebraica delle *tende era vicina, ³ e i suoi fratelli gli dissero: « Parti, va' in Giudea! Così anche i tuoi *discepoli vedranno le opere che fai. ⁴ Quando uno vuole essere conosciuto non agisce di nascosto. Se tu fai queste cose, fa' che tutto il mondo le veda ». ⁵ Neppure i suoi fratelli, evidentemente, credevano in lui.

⁶ Gesù disse loro: « Per me non è ancora venuta l'ora; per voi, invece, ogni ora è buona. ⁷ Il mondo non può odiare voi, ma odia me, perché dichiaro che con le sue opere si oppone a Dio. ⁸ Andateci voi, alla festa; io non vado a questa festa, perché l'ora mia non è ancora venuta ».

⁹ Così rispose Gesù, e rimase in Galilea.

Gesù a Gerusalemme per la festa

¹⁰ Quando i suoi fratelli furono partiti per la festa, partì anche Gesù; di nascosto però, senza farsi vedere. ¹¹ A Gerusalemme, intanto, le autorità ebraiche lo cercavano alla festa, e dicevano: « Dov'è, quel tale? ». ¹² E tra la folla, a bassa voce, tutti parlavano di Gesù. Alcuni dicevano: « È un uomo sincero ». Altri dicevano: « No, imbroglia la gente ». ¹³ Nessuno però parlava di lui apertamente, perché avevano paura delle loro autorità.

¹⁴ La festa era già a metà quando Gesù andò al tempio e si mise a insegnare. ¹⁵ I capi ebrei si meravigliavano e dicevano: «Come fa costui a sapere tante cose, senza avere mai studiato?».

¹⁶ Gesù rispose: «Ciò che io vi insegno non è sapienza mia, ma viene da Dio che mi ha mandato. ¹⁷ Se uno è pronto a fare la volontà di Dio, riconoscerà se il mio insegnamento viene da Dio o soltanto da me. ¹⁸ Chi si fa avanti e parla con presunzione, cerca la propria gloria. Invece chi cerca la gloria di colui che l'ha mandato, dice la verità. Non cerca di ingannare. ¹⁹ Mosè vi ha dato la *legge, ma nessuno di voi la mette in pratica. Allora, perché cercate di uccidere me?».

²⁰ La folla replicò: «Sei pazzo! Chi cerca di ucciderti?».

²¹ Gesù rispose: «Ho fatto una sola opera potente, e siete tutti sconvolti? ²² Voi però circoncidete anche in giorno di *sabato, perché Mosè vi ha dato la legge della circoncisione (veramente essa non viene da Mosè ma dai *patriarchi). ²³ Dunque, per rispettare questa legge di Mosè uno può venir *circonciso anche di sabato! E allora, perché vi arrabbiate con me che di sabato ho guarito completamente un uomo? ²⁴ Non dovete giudicare secondo l'apparenza. Giudicate con giustizia, invece».

Alcuni sospettano che Gesù possa essere il Messia

²⁵⁻²⁶ Alcuni abitanti di Gerusalemme osservarono: «Quest'uomo parla in pubblico senza paura. Dev'essere quello che cercano di uccidere. Eppure nessuno gli dice niente! Forse i capi si sono accorti che egli è il *Messia? ²⁷ Però, quando apparirà il Messia, nessuno saprà di dove viene; questo qui, invece, sappiamo dov'è nato».

²⁸ Gesù dunque stava nel tempio. Mentre insegnava, esclamò a voce alta: «Voi credete di conoscermi e di sapere da dove vengo. In realtà, sono mandato da Dio e non ho deciso io di venire. Chi mi ha mandato dice la verità, ma voi non lo conoscete. ²⁹ Io invece lo conosco, perché vengo da lui, ed è lui che mi ha mandato».

³⁰ Allora cercarono di prendere Gesù, ma nessuno gli mise le mani addosso, perché non era ancora giunto il suo momento.

³¹ Molti tra la folla credettero in lui. Dicevano: «Quando

il Messia verrà, difficilmente farà più miracoli di questo Gesù ».

Un tentativo di arrestare Gesù

³² I *farisei udirono che tra la gente si facevano sottovoce questi commenti. Perciò, d'accordo con i capi dei sacerdoti, mandarono le guardie per arrestarlo. ³³ Allora Gesù disse: « Ormai, sono in mezzo a voi soltanto per poco. Sto per tornare da colui che mi ha mandato. ³⁴ Voi mi cercherete e non mi troverete, e dove sono io non potrete venire ». ³⁵ I suoi nemici commentarono tra di loro: « Dove va, che noi non potremo ritrovarlo? Forse dagli ebrei dispersi nei paesi dove si parla il greco? Vuole forse predicare ai greci? ³⁶ E perché dice: Mi cercherete e non mi troverete; dove sono io non potete venire? ».

La gente discute su Gesù

³⁷ Nell'ultimo giorno della festa, il più solenne, Gesù si alzò ed esclamò a voce alta:

« Se uno ha sete, si avvicini a me,
³⁸ e chi ha fede in me, beva!
Come dice la *Bibbia,
" fiumi d'acqua viva sgorgheranno da lui " ».

³⁹ Gesù diceva questo, pensando allo Spirito di Dio che i credenti avrebbero poi ricevuto. A quel tempo lo Spirito non era ancora stato dato, perché Gesù non era ancora stato innalzato alla gloria. ⁴⁰ Alcuni tra la folla udirono le parole di Gesù e dissero: « Questo è veramente il *Profeta! ». ⁴¹ Altri dicevano: « È il Messia ». Altri ancora replicavano: « Il Messia non può venire dalla Galilea! ⁴² La Bibbia dice che il Messia viene dalla famiglia di Davide e da Betlemme, il villaggio dove nacque il re Davide ». ⁴³ Così, la gente aveva idee diverse su Gesù. ⁴⁴ Anzi, alcuni addirittura avrebbero voluto arrestarlo, ma nessuno gli mise le mani addosso.

I capi ebrei rifiutano di ascoltare Gesù

⁴⁵ Le guardie ritornarono dai capi dei sacerdoti e dai *farisei, e questi li rimproverarono: « Perché non avete portato qui Gesù? ».
⁴⁶ Le guardie risposero: « Nessun uomo ha mai parlato come lui ».
⁴⁷ I farisei replicarono: « Vi siete lasciati incantare anche voi? ⁴⁸ Nessuno tra le autorità o tra i farisei si fida di lui; ⁴⁹ solo questa maledetta gente del popolo, che non conosce la *legge ».
⁵⁰ Allora intervenne Nicodemo, uno dei capi, quello che prima era andato a trovare Gesù. Disse: ⁵¹ « La nostra legge non ci permette di condannare un uomo senza prima ascoltare da lui che cosa ha fatto ».
⁵² Ma gli altri risposero: « Vieni anche tu dalla Galilea? Studia, e vedrai che nessun *profeta può venire dalla Galilea! ».

Gesù e la donna adultera

[⁵³ Ognuno se ne andò a casa propria.

8 ¹ Gesù invece andò al Monte degli Ulivi. ² La mattina presto tornò al tempio, e il popolo si affollò attorno a lui. Gesù si mise seduto, e cominciò a insegnare.
³ I *maestri della legge e i *farisei portarono davanti a Gesù una donna sorpresa in adulterio ⁴ e gli dissero: « *Maestro, questa donna è stata sorpresa mentre tradiva suo marito. ⁵ Nella sua *legge Mosè ci ha ordinato di uccidere queste donne infedeli a colpi di pietra. Tu, che cosa ne dici? ».
⁶ Parlavano così per metterlo alla prova: volevano avere pretesti per accusarlo. Ma Gesù guardava in terra, e scriveva col dito nella polvere. ⁷ Quelli però insistevano con le domande. Allora Gesù alzò la testa e disse: « Chi tra voi è senza peccati scagli per primo una pietra contro di lei ».
⁸ Poi si curvò di nuovo a scrivere in terra.
⁹ Udite queste parole, quelli se ne andarono uno dopo l'altro, cominciando dai più anziani. Rimase soltanto Gesù, e la donna che era là in mezzo.
¹⁰ Gesù si alzò e le disse: « Dove sono andati? Nessuno ti ha condannata? ».
¹¹ La donna rispose: « Nessuno, Signore ».

Gesù disse: «Neppure io ti condanno. Va', ma d'ora in poi non peccare più!»].

Gesù testimone di sé stesso

[12] Gesù riprese a parlare. Disse: «Io sono la luce del mondo. Chi mi segue, non camminerà mai nelle tenebre, anzi avrà la luce che dà vita».
[13] I *farisei gli dissero: «Tu sei testimone di te stesso, dunque la tua testimonianza non è valida».
[14] Gesù replicò: «È valida, invece, anche se io testimonio di me stesso. Perché io so da dove sono venuto e dove vado. Questo, voi non lo sapete. [15] Voi giudicate con criteri umani; io non giudico nessuno. [16] E se giudico qualcuno, il mio giudizio è valido perché non lo pronuncio da solo; insieme a me c'è il Padre che mi ha mandato. [17] La vostra *legge dice che la parola di due testimoni è valida: [18] ebbene, io testimonio di me stesso, ma anche il Padre che mi ha mandato testimonia di me».
[19] Allora gli domandarono: «Dov'è tuo padre?».
Gesù rispose: «Voi non mi conoscete e non conoscete neppure mio Padre. Se voi conosceste me, conoscereste anche il Padre mio».
[20] Così parlò Gesù mentre era nel tempio, nella sala del tesoro, e nessuno lo arrestò, perché non era ancora giunto il suo momento.

Un altro dibattito: chi è Gesù?

[21] Gesù tornò a dire: «Io me ne vado, e voi mi cercherete inutilmente. Il vostro peccato vi porterà alla rovina. E non potrete venire dove vado io».
[22] Allora dissero: «Forse vuole uccidersi! Per questo dice: dove vado io, voi non potete venire».
[23] Gesù rispose: «Voi siete della terra; io sono del cielo. Voi appartenete a questo mondo, io non appartengo a questo mondo. [24] Vi ho detto che andrete in rovina per i vostri peccati. IO SONO: se non credete questo, andrete in rovina per i vostri peccati».
[25] Allora gli dissero: «Tu chi sei?».
Gesù rispose: «Quello che vi sto dicendo dal principio.
[26] Avrei ancora molte cose da dire e da giudicare a vostro

riguardo. Ma io dico al mondo solo quello che ho udito da colui che mi ha mandato. Egli dice il vero ».

[27] Essi non capirono che Gesù parlava del Padre. [28] Perciò egli disse ancora: « Quando innalzerete il *Figlio dell'uomo, vi accorgerete che IO SONO e vedrete che non faccio nulla per conto mio; io dico ciò che mi ha insegnato il Padre. [29] E poi, colui che mi ha mandato è con me, non mi lascia solo; perché io faccio sempre quello che piace a lui ». [30] Così parlò Gesù, e molti credettero in lui.

La verità e la libertà

[31] Gesù disse a quelli che avevano creduto in lui: « Se rimanete ben radicati nella mia parola, siete veramente miei *discepoli. [32] Così conoscerete la verità, e la verità vi farà liberi ».

[33] Quelli risposero: « Noi siamo discendenti di Abramo, e non siamo mai stati schiavi di nessuno. Come fai a dire: Diventerete liberi? ».

[34] Gesù replicò: « Io vi dichiaro questo: chi pecca è schiavo del peccato. [35] Uno schiavo non appartiene alla famiglia per sempre. Un figlio invece, sì. [36] Dunque, se il Figlio vi renderà liberi, sarete veramente uomini liberi. [37] Lo so che siete discendenti di Abramo. Eppure cercate di uccidermi perché la mia parola non trova posto in voi. [38] Io dico quello che ho visto stando presso il Padre mio. Anche voi, dunque, fate quello che udite da parte del padre vostro ».

Figli di Abramo o del diavolo?

[39] Tornarono a dire a Gesù: « Noi siamo discendenti di Abramo ».

Gesù rispose: « Se siete veramente figli di Abramo, fate opere degne di Abramo! [40] Invece, ora cercate di uccidermi, perché vi ho detto la verità che ho ascoltato da Dio. Abramo non ha mai fatto così! [41] Voi non vi comportate come lui, ma come il vostro vero padre ».

Essi replicarono: « Noi non siamo figli bastardi! Abbiamo un solo padre, Dio ».

[42] Gesù disse: « Se Dio fosse vostro padre, voi mi amereste, perché vengo da Dio. Infatti non sono venuto di mia volontà, ma Dio mi ha mandato. [43] Perché non capite quello

che dico? Perché siete incapaci di ascoltare la mia parola.
⁴⁴ Voi avete il *diavolo per padre, e vi sforzate di fare ciò
che egli desidera. Fin dal principio egli vuole uccidere l'uomo, e non è mai stato dalla parte della verità, perché in
lui non c'è verità. Quando dice il falso, esprime veramente
se stesso, perché è bugiardo e padre della menzogna. ⁴⁵ Io
invece dico la verità, perciò non mi credete. ⁴⁶ Chi di voi
può accusarmi di peccato? Dunque, se dico la verità, perché
non mi credete? ⁴⁷ Ecco: chi appartiene a Dio ascolta le
parole di Dio; voi non le ascoltate perché non appartenete
a Dio ».

Gesù e Abramo

⁴⁸ Continuando a discutere con Gesù, quegli ebrei gli dissero: « Non abbiamo forse ragione di dire che sei un infedele, un *samaritano, e che sei pazzo? ».
⁴⁹ Gesù rispose: « Io non sono pazzo, anzi onoro il Padre
mio. Voi invece mi ingiuriate. ⁵⁰ Ma io non cerco la mia
gloria. C'è già un altro che si preoccupa della mia gloria.
È lui che giudica queste cose. ⁵¹ Io vi dichiaro solennemente
che chi ubbidisce alla mia parola non vedrà mai la morte ».
⁵² Allora i suoi avversari gli dissero: « Ora siamo sicuri che
sei veramente pazzo. Abramo è morto, i *profeti sono morti,
e tu dici: chi ubbidisce alla mia parola non morirà. ⁵³ Sei
tu più grande di Abramo nostro padre, che è morto? Anche
i profeti sono morti: tu, chi pretendi di essere? ».
⁵⁴ Gesù rispose: « Se io volessi dar gloria a me stesso, la
mia gloria sarebbe senza valore. Ma chi mi onora è il
Padre mio. Voi dite che è il vostro Dio, ⁵⁵ ma non lo conoscete. Io invece lo conosco, e se dicessi il contrario sarei
un bugiardo, come voi. Ma io lo conosco, e metto in pratica
la sua parola. ⁵⁶ Abramo, vostro padre, si rallegrò nella speranza di vedere il mio giorno; lo ha visto e si è rallegrato ».
⁵⁷ Gli obiettarono: « Non hai ancora cinquant'anni e hai
visto Abramo? ».
⁵⁸ Gesù disse: « Io ve lo dichiaro solennemente: prima che
Abramo nascesse, IO SONO ».
⁵⁹ Allora presero delle pietre per tirarle contro di lui, ma
Gesù si nascose e uscì dal tempio.

Gesù guarisce un cieco

9 [1] Camminando, Gesù passò accanto a un uomo che era cieco fin dalla nascita. [2] I *discepoli chiesero a Gesù: « *Maestro, se quest'uomo è nato cieco, di chi è la colpa? Sua o dei suoi genitori? ».

[3] Gesù rispose: « Non ne hanno colpa né lui né i suoi genitori, ma è così perché in lui si possano manifestare le opere di Dio. [4] Finché è giorno, io devo fare le opere del Padre che mi ha mandato. Poi verrà la notte, e allora nessuno può agire più. [5] Mentre sono nel mondo, io sono la luce del mondo ».

[6] Così disse Gesù, poi sputò in terra, fece un po' di fango e lo mise sugli occhi del cieco. [7] Poi gli disse: « Va' a lavarti alla piscina di Siloe » (Siloe vuol dire « mandato »). Quello andò, si lavò e tornò indietro che ci vedeva.

[8] Allora i vicini di casa e tutti quelli che prima lo vedevano chiedere l'elemosina dicevano: « Ma questo non è il mendicante che stava lì seduto a chiedere l'elemosina? ».

[9] Alcuni rispondevano: « È proprio lui ». Altri invece dicevano: « Non è lui, è uno che gli somiglia ».

Lui però dichiarava: « Sì, sono io ».

[10] La gente allora gli domandò: « Com'è che non sei più cieco? ».

[11] Rispose: « Quell'uomo, che chiamano Gesù, ha fatto un po' di fango e me l'ha messo sugli occhi. Poi mi ha detto: " Va' a lavarti nella piscina di Siloe ". Ci sono andato, mi sono lavato e ho cominciato a vedere ».

[12] Gli domandarono: « E dov'è, ora, quell'uomo? ».

Rispose: « Non lo so ».

I farisei fanno indagini sul miracolo

[13] Allora portarono davanti ai *farisei colui che era stato cieco. [14-15] I farisei chiesero di nuovo a quell'uomo in che modo aveva cominciato a vedere.

Egli rispose: « Mi ha messo un po' di fango sugli occhi. Poi mi sono lavato e ora vedo ».

Il giorno che Gesù gli aveva aperto gli occhi con il fango, era un *sabato. [16] Alcuni farisei dissero: « Quell'uomo non viene da Dio, perché non rispetta il sabato ».

Altri obiettavano: « Non è possibile che un peccatore faccia miracoli così straordinari». Non tutti dunque erano dello stesso parere.

¹⁷ Si rivolsero di nuovo al cieco e gli dissero: «Ma tu, che cosa dici di quel tale che ti ha aperto gli occhi?». Egli rispose: «È un *profeta».

¹⁸ Ma i capi degli ebrei non volevano credere che era stato cieco e ora vedeva; perciò chiamarono i suoi genitori ¹⁹ e li interrogarono: «È questo il figlio vostro, che secondo voi è nato cieco? E come mai ora vede?».

²⁰ I genitori risposero: «Noi sappiamo che questo è nostro figlio, e che è nato cieco. ²¹ Come mai ora vede, non lo sappiamo. Chi sia stato a ridargli la vista, non lo sappiamo. Chiedetelo a lui: è maggiorenne, può parlare per conto suo».

²² Dissero così perché avevano paura. Infatti se qualcuno riconosceva Gesù come *Messia, non lo lasciavano più entrare nella *sinagoga. ²³ Perciò i genitori dissero: «È abbastanza grande, chiedetelo a lui».

²⁴ Allora chiamarono per la seconda volta quello che era stato cieco e gli ordinarono: «Di' la verità di fronte a Dio! Noi sappiamo che quell'uomo è un peccatore!».

²⁵ Rispose: «Io non so se è un peccatore o no. Una cosa però io so di certo: che ero cieco e ora vedo».

²⁶ Allora gli dissero: «Che cosa ti ha fatto? In che modo ti ha aperto gli occhi?».

²⁷ Rispose: «Ve l'ho già detto e non avete ascoltato. Perché volete sentirlo ancora? Per caso, volete diventare suoi *discepoli anche voi?».

²⁸ Allora lo insultarono e gli dissero: «Tu sì; tu sei un discepolo di lui! Noi siamo discepoli di Mosè. ²⁹ A Mosè gli ha parlato Dio, ne siamo sicuri; ma questo Gesù, non sappiamo da dove viene».

³⁰ Rispose l'uomo: «Proprio questo è strano: voi non sapete da dove viene, ma intanto io non sono più cieco perché egli mi ha dato la vista! ³¹⁻³³ Non si è mai sentito, finora, che uno abbia dato la vista a un uomo nato cieco. Se lui non venisse da Dio non potrebbe farlo, perché Dio non ascolta i malvagi, ma ascolta chi lo rispetta e fa la sua volontà».

³⁴ Ma quelli replicarono: «Tu sei tutto quanto nel peccato fin dalla nascita e vuoi insegnare a noi?». E lo buttarono fuori.

I veri ciechi

[35] Gesù incontrò quello che prima era cieco. Sapendo che l'avevano espulso dalla *sinagoga gli disse: « Tu credi nel *Figlio dell'uomo? ».

[36] Quello rispose: « Signore, dimmi chi è, perché io creda in lui! ».

[37] Gesù gli disse: « È qui, davanti a te: è colui che ti parla ».

[38] Quello si inginocchiò ai piedi di Gesù esclamando: « Signore, io credo! ».

[39] Gesù disse: « Io sono venuto per mettere il mondo di fronte a un *giudizio; così quelli che non vedono vedranno, e quelli che vedono diventeranno ciechi ».

[40] I farisei che erano con lui udirono queste parole e gli domandarono: « Per caso, siamo ciechi anche noi? ».

[41] Gesù rispose: « Se foste ciechi, non avreste colpa; invece dite: " Noi vediamo ". Così il vostro peccato rimane ».

La parabola del pastore

10 [1] Gesù disse: « Io vi assicuro che se uno entra nel recinto delle pecore senza passare dalla porta, ma si arrampica da qualche altra parte, è un ladro e un bandito. [2] Invece, chi entra dalla porta è il *pastore. [3] A lui il guardiano apre, e le pecore ascoltano la sua voce; egli le chiama per nome e le porta fuori. [4] E dopo averle spinte fuori tutte, cammina davanti a loro. E le sue pecore lo seguono, perché conoscono la sua voce. [5] Un estraneo, invece, non lo seguono, anzi fuggono da lui, perché non conoscono la voce degli estranei ».

[6] Gesù disse questa parabola, ma quelli che ascoltavano non capirono ciò che egli voleva dire.

Gesù è la porta

[7] Gesù riprese a parlare. Disse: « Io sono la porta per le pecore. Ve l'assicuro. [8] Tutti quelli che sono venuti prima di me sono ladri e banditi; ma le pecore non li hanno ascoltati. [9] Io sono la porta: chi entra attraverso me sarà salvo. Potrà entrare e uscire e trovare cibo. [10] Il ladro viene soltanto per rubare, uccidere e distruggere. Io invece sono venuto perché abbiano la vita, una vita vera e completa ».

Gesù è il pastore

¹¹ « Io sono il buon *pastore. Il buon pastore è pronto a
dare la vita per le sue pecore. ¹² Un guardiano che è
pagato, quando vede venire il lupo lascia le pecore e scappa,
perché le pecore non sono sue. Così il lupo le rapisce e
le disperde. ¹³ Questo accade perché il guardiano non è
pastore: lavora solo per denaro e non gli importa delle
pecore.
¹⁴ Io sono il buon pastore: io conosco le mie pecore ed esse
conoscono me, ¹⁵ come il Padre mi conosce e io conosco
il Padre. E per queste pecore io do la vita.
¹⁶ Ho anche altre pecore, che non sono in questo recinto.
Anche di quelle devo diventare pastore. Udranno la mia voce,
e diventeranno un unico gregge con un solo pastore.
¹⁷ Per questo il Padre mi ama, perché io offro la mia vita,
e poi la riprendo. ¹⁸ Nessuno me la toglie; sono io che la
offro di mia volontà. Io ho il potere di offrirla e di ria-
verla: questo è il comando che il Padre mi ha dato ».
¹⁹ Sentendo queste parole di Gesù, la folla si divise di nuovo.
²⁰ Molti dicevano: « È pazzo, non ragiona. Perché state a
sentirlo? ». ²¹ Altri invece dicevano: « Un pazzo non parla
così. Uno *spirito maligno non può dare la vista ai ciechi ».

Gesù si dichiara il Figlio di Dio

²² Era inverno. A Gerusalemme, si celebrava la festa della
*Riconsacrazione del tempio. ²³ Gesù passeggiava nel *portico
di Salomone, lungo il cortile del tempio.
²⁴ La folla degli ebrei circondò Gesù e gli disse: « Fino a
quando ci terrai nell'incertezza? Se tu sei il *Messia, dillo
apertamente ».
²⁵ Gesù rispose: « Ve l'ho detto e voi non credete. Le opere
che faccio per incarico del Padre mio testimoniano a mio
favore. ²⁶ Ma voi non credete, perché non appartenete al
mio gregge. ²⁷ Le mie pecore ascoltano la mia voce: io le
conosco, ed esse mi seguono. ²⁸ E io gli do la vita eterna:
esse non andranno mai in rovina. Nessuno le strapperà dalla
mia mano. ²⁹ Il Padre mio, che me le ha date, è più grande
di tutti. Per questo, nessuno può strapparle dalle sue mani.
³⁰ Io e il Padre siamo una cosa sola ».
³¹ Quelli raccolsero di nuovo pietre per scagliarle addosso
a Gesù. ³² Allora egli disse: « Vi ho fatto vedere da parte

del Padre mio molte opere buone. Per quale di queste opere mi volete uccidere a colpi di pietra?».

[33] La folla gli rispose: «Non vogliamo ucciderti per un'opera buona, ma perché tu bestemmi. Infatti sei soltanto un uomo e pretendi di essere Dio».

[34] Gesù rispose: «Nella vostra *legge c'è scritto questo: *Io vi ho detto che siete dèi.* [35] La *Bibbia dunque chiama " dèi " coloro ai quali fu rivolta la *parola di Dio — e la Bibbia non può essere annullata. [36] Il Padre mi ha consacrato e mandato nel mondo; allora, perché mi accusate e mi dite che bestemmio se affermo di essere *Figlio di Dio? [37] Se non faccio le opere del Padre mio, continuate a non credere in me; [38] se invece le faccio, e non volete credere in me, credete almeno a queste opere. Così vi accorgerete e saprete che il Padre è in me e io sono nel Padre».

[39] Allora cercarono di nuovo di catturarlo, ma Gesù sfuggì loro di mano [40] e andò di nuovo dall'altra parte del fiume Giordano, dove prima c'era Giovanni che battezzava. Là, si fermò per qualche tempo, [41] e molti andavano da lui. Dicevano: «Giovanni non ha fatto nessun *miracolo, ma tutto quello che ha detto su Gesù è vero». [42] E da quelle parti molti credettero in lui.

La morte di Lazzaro

11 [1-2] Lazzaro era il fratello di Maria, la donna che poi unse il Signore con olio profumato e gli asciugò i piedi con i suoi capelli. Essi abitavano a Betània insieme a Marta, loro sorella. Lazzaro si ammalò [3] e le sorelle fecero avvisare Gesù: «Signore, il tuo amico è ammalato».

[4] Quando Gesù ebbe questa notizia, disse: «Questa malattia non porterà alla morte, ma servirà a manifestare la gloriosa potenza di Dio e quella di suo Figlio».

[5] Gesù voleva molto bene a Marta, a sua sorella Maria e a Lazzaro. [6] Quando sentì che Lazzaro era ammalato aspettò ancora due giorni, [7] poi disse ai *discepoli: «Torniamo in Giudea».

[8] I discepoli replicarono: «*Maestro, poco fa in Giudea cercavano di ucciderti, e tu ci vuoi tornare?».

[9] Gesù rispose: «Non ci sono forse dodici ore nel giorno? se uno cammina di giorno, non inciampa, perché vede la luce; [10] se uno invece cammina di notte, inciampa, perché non ha la luce».

¹¹ Poi disse ancora: « Il nostro amico Lazzaro si è addormentato, ma io vado a risvegliarlo ».
¹² I discepoli gli dissero: « Signore, se si è addormentato, guarirà ».
¹³ Ma Gesù parlava della morte di Lazzaro; essi invece pensavano che parlasse del sonno. ¹⁴ Allora Gesù disse chiaramente: « Lazzaro è morto; ¹⁵ sono contento per voi che non eravamo là, così crederete. Andiamo da lui! ».
¹⁶ Tommaso, soprannominato Gemello, disse agli altri discepoli: « Andiamo anche noi, a morire con lui! ».

Gesù incontra Marta e Maria

¹⁷⁻¹⁸ Betània era un villaggio distante circa tre chilometri da Gerusalemme: quando vi giunse Gesù, Lazzaro era nella tomba da quattro giorni. ¹⁹ Molta gente era andata a trovare Marta e Maria per confortarle dopo la morte del fratello.
²⁰ Quando Marta sentì che veniva Gesù, gli andò incontro; Maria invece rimase in casa.
²¹ Marta disse a Gesù: « Signore, se tu eri qui, mio fratello non moriva! ²² E anche ora so che Dio ascolterà tutto quello che tu gli domandi ».
²³ Gesù le disse: « Tuo fratello risorgerà ».
²⁴ Marta rispose: « Sì, lo so; nell'ultimo giorno risorgerà anche lui ».
²⁵ Gesù le disse: « Io sono la risurrezione e la vita. Chi crede in me, anche se muore, vivrà; ²⁶ anzi, chi vive e crede in me non morirà mai. Credi tu questo? ».
²⁷ Marta gli disse: « Signore, sì! Io credo che tu sei il *Messia, il *Figlio di Dio che deve venire nel mondo ».
²⁸ Detto questo, Marta uscì e chiamò di nascosto Maria, sua sorella: « Il *Maestro è qui e ti chiama ».
²⁹ Appena Maria lo seppe, si alzò e andò da lui. ³⁰ Gesù non era entrato nel villaggio, ma si trovava ancora là dove Marta gli era andata incontro.
³¹ La gente che era in casa a confortare Maria la vide uscire: pensarono che andava a piangere sulla tomba di Lazzaro e la seguirono.
³² Maria giunse dove era Gesù, e lo vide. Allora si inginocchiò ai suoi piedi e disse: « Signore, se tu eri qui, mio fratello non moriva ».

³³ Quando Gesù vide Maria che piangeva, e vide piangere anche quelli che erano venuti con lei, fu scosso dalla tristezza e dall'emozione.

Gesù risuscita Lazzaro

³⁴ Gesù domandò: «Dove l'avete sepolto?».
Risposero: «Signore, vieni a vedere».
³⁵ Gesù si mise a piangere. ³⁶ Allora la gente disse: «Guarda come gli voleva bene!».
³⁷ Ma alcuni di loro dissero: «Lui che ha aperto gli occhi al cieco non poteva fare in modo che Lazzaro non morisse?».
³⁸ Allora Gesù ebbe un nuovo fremito di tristezza. Poi giunse alla tomba. Era scavata nella roccia e chiusa con una pietra.
³⁹ Gesù disse: «Togliete la pietra!».
Marta, sorella del morto, osservò: «Signore, da quattro giorni è lì dentro; ormai puzza!».
⁴⁰ Gesù replicò: «Non ti ho detto che se credi vedrai la gloriosa potenza di Dio?».
⁴¹ Allora spostarono la pietra. Gesù alzò lo sguardo al cielo e disse: «Padre, ti ringrazio perché mi hai ascoltato. ⁴² Lo sapevo, che mi ascolti sempre. Ma ho parlato così per la gente che sta qui attorno, perché credano che tu mi hai mandato».
⁴³ Subito dopo gridò con voce forte: «Lazzaro, vieni fuori!».
⁴⁴ Il morto uscì con i piedi e le mani avvolti nelle bende e con il viso coperto da un lenzuolo. Gesù disse: «Liberatelo e lasciatelo andare».

Si decide la morte di Gesù
(vedi Matteo 26, 1-5; Marco 14, 1-2; Luca 22, 1-2)

⁴⁵ La gente che era venuta a trovare Maria vide quello che Gesù aveva compiuto. Molti di loro perciò credettero in lui.
⁴⁶ Alcuni invece andarono dai farisei e raccontarono quello che Gesù aveva fatto. ⁴⁷ Allora i capi dei sacerdoti e i *farisei riunirono il tribunale ebraico e dissero: «Che cosa faremo, ora? Perché quest'uomo opera molti miracoli. ⁴⁸ Se lo lasciamo fare, tutti crederanno in lui. Allora verranno i romani, e distruggeranno il tempio e la nostra nazione».

⁴⁹ Uno di loro era Caifa, sommo sacerdote in quell'anno.
Egli disse: « Voi non capite! ⁵⁰ Non vi rendete conto che
è meglio per voi la morte di un solo uomo piuttosto che
la rovina di tutta la nazione! ».
⁵¹ Caifa non parlò così di sua iniziativa, ma perché era sommo sacerdote in quell'anno. Come sommo sacerdote, fece
una profezia: disse che Gesù sarebbe morto per la nazione,
⁵² e non soltanto per la nazione, ma anche per unire i figli
di Dio dispersi.
⁵³ Da quel giorno, dunque, decisero di far morire Gesù.
⁵⁴ Per questo, egli evitava di andare e venire pubblicamente
per la Giudea, ma si ritirò nella regione vicino al deserto, nella città chiamata Èfraim, e rimase lì con i suoi *discepoli.
⁵⁵ Quando si avvicinò la *Pasqua ebraica, molti dalle campagne salirono a Gerusalemme per purificarsi prima della
festa. ⁵⁶ Là cercavano Gesù, e stando nel tempio dicevano fra
loro: « Che ne pensate? Verrà o non verrà alla festa? ».
⁵⁷ Intanto i capi dei sacerdoti e i farisei avevano ordinato:
« Chiunque conosce dove si trova Gesù, lo faccia sapere! ».
Fecero questo perché volevano arrestarlo.

Maria versa profumo su Gesù
(vedi Matteo 26, 6-13; Marco 14, 3-9)

12 ¹ Sei giorni prima della *Pasqua ebraica Gesù andò
a Betània dove c'era Lazzaro, quello che egli aveva
risuscitato dai morti. ² Lì preparano per lui una cena:
Marta serviva e Lazzaro era uno dei commensali.
³ Maria prese un vaso di *nardo purissimo, unguento profumato di grande valore, e lo versò sui piedi di Gesù; poi
li asciugò con i suoi capelli, e il profumo si diffuse per tutta
la casa.
⁴ C'era anche Giuda Iscariota (uno dei *discepoli di Gesù:
quello che poi lo tradirà). Giuda disse: ⁵ « Si poteva vendere questo unguento per trecento monete d'argento, e poi
distribuirle ai poveri! ».
⁶ Non lo disse perché si curava dei poveri, ma perché era
ladro: teneva la cassa comune, e prendeva quello che c'era
dentro.
⁷ Gesù dunque disse: « Lasciatela in pace: ha fatto questo
per il giorno della mia sepoltura. ⁸ I poveri li avete sempre
con voi, ma non sempre avrete me ».

⁹ Una gran folla venne a sapere che Gesù era a Betània, e ci andò: non solo per lui, ma anche per vedere Lazzaro che Gesù aveva risuscitato dai morti. ¹⁰ Allora i capi dei sacerdoti decisero di uccidere anche Lazzaro, ¹¹ perché molti andavano a vederlo e credevano in Gesù.

Gesù entra in Gerusalemme
(vedi Matteo 21, 1-11; Marco 11, 1-11; Luca 19, 28-40)

¹² Il giorno seguente, c'era molta gente che si recava alla festa. Quando sentirono che Gesù stava per arrivare a Gerusalemme, ¹³ presero rami di palma e gli andarono incontro. E gridavano:

> « Osanna! Gloria a Dio!
> Benedetto colui che viene nel nome del Signore!
> Benedetto il re d'Israele! ».

¹⁴ Poi Gesù trovò un asinello e vi montò sopra, come sta scritto nella *Bibbia:

> ¹⁵ Non temere, Gerusalemme, città di *Sion,
> perché il tuo re viene,
> seduto su un puledro d'asino.

¹⁶ I suoi *discepoli non pensarono subito a questa profezia, ma quando Gesù fu innalzato alla gloria, ricordarono che avevano fatto per lui proprio ciò che dice la *Bibbia. ¹⁷ La gente che era con Gesù quando aveva chiamato Lazzaro fuori dal sepolcro e l'aveva risuscitato dai morti, lo raccontava a tutti. ¹⁸ Anche per questa testimonianza tanti andavano incontro a Gesù: perché avevano sentito che aveva fatto quel segno miracoloso. ¹⁹ Allora i *farisei dissero tra loro: « Guardate! Non si ottiene niente: gli va dietro il mondo intero ».

Gesù e i greci

²⁰ Fra quelli che erano andati a Gerusalemme per la festa c'erano alcuni greci. ²¹ Essi si avvicinarono a Filippo (che era di Betsàida, città della Galilea) e gli dissero: « Signore, vogliamo conoscere Gesù ». ²² Filippo lo disse a Andrea, e poi Andrea e Filippo andarono a dirlo a Gesù. ²³ Gesù rispose: « L'ora è venuta. Il *Figlio dell'uomo sta per essere innalzato alla gloria. ²⁴ Se il seme di frumento non finisce sottoterra e non muore, non porta frutto. Se muore, invece, porta molto frutto. Ve l'assicuro. ²⁵ Chi ama

la propria vita la perderà. Chi è pronto a perdere la propria vita in questo mondo, la conserverà per la vita eterna. [26] Se uno mi vuol servire mi segua, e dove sono io ci saranno anche quelli che mi servono. E chi serve me sarà onorato dal Padre».

Gesù parla della sua morte

[27] Gesù disse ancora: «Sono profondamente turbato. Che devo fare? Dire al Padre: fammi evitare questa prova? Ma è proprio per quest'ora che sono venuto. [28] Padre, glorifica il tuo nome!».

Allora una voce disse dal cielo: «L'ho glorificato, e lo glorificherò ancora».

[29] La gente sentì e alcuni dissero: «È un tuono». Altri dicevano: «No, è un *angelo che gli ha parlato».

[30] Gesù rispose: «Quella voce non era per me, ma per voi. [31] Ora comincia il *giudizio per questo mondo: ora il *demonio, il capo di questo mondo, sta per essere buttato fuori. [32] E quando sarò innalzato dalla terra, attirerò a me tutti gli uomini».

[33] Gesù diceva: «Quando sarò innalzato» per far capire che sarebbe morto su una croce. [34] La folla replicò: «La *Bibbia dice che il *Messia vivrà per sempre. Come mai ora dici che il *Figlio dell'uomo dev'essere innalzato? Chi è questo Figlio dell'uomo?».

[35] Gesù rispose: «Ancora per poco la luce è fra voi. Camminate finché avete la luce, prima che il buio vi sorprenda. Chi cammina al buio non sa dove va. [36] Mentre avete la luce, credete nella luce! Così sarete veramente figli della luce».

Detto questo, se ne andò senza farsi notare.

Gesù e gli uomini del suo tempo

[37] Ormai Gesù aveva fatto tanti segni miracolosi davanti al popolo, eppure non credevano in lui. [38] Così si compivano le parole della *Bibbia dette dal *profeta Isaia:

> Signore, chi ha creduto alle nostre parole?
> A chi si è rivelata la forza del Signore?

[39] Perciò non potevano credere, come ha detto lo stesso profeta:

> [40] Dio ha reso ciechi i loro occhi
> e ha reso duro il loro cuore.

Così non vedono coi loro occhi,
non capiscono con il loro cuore
e non cambiano vita
per essere guariti.

⁴¹ Isaia disse queste cose perché già conosceva la gloria di Gesù. Era di lui che parlava.

⁴² Comunque, molti credettero in Gesù, anche fra i capi. Ma non lo dichiaravano davanti ai *farisei per non essere espulsi dalla loro comunità. ⁴³ Per loro era più importante essere rispettati dagli uomini che essere apprezzati da Dio.

⁴⁴ Allora Gesù esclamò: « Chi crede in me, in realtà crede nel Padre che mi ha mandato; ⁴⁵ chi vede me, vede il Padre che mi ha mandato.

⁴⁶ Io sono venuto nel mondo come luce, perché chi crede in me non rimanga nelle tenebre. ⁴⁷ Chi ascolta le mie parole e non le mette in pratica, io non lo condanno. Infatti non sono venuto per condannare il mondo, ma per salvarlo.

⁴⁸ Chi mi respinge e rifiuta le mie parole ha già un giudice: a condannarlo, nell'ultimo giorno, sarà proprio la parola che io ho annunziato.

⁴⁹ Io non parlo di mia iniziativa: il Padre che mi ha mandato, mi ha comandato quello che devo dire. ⁵⁰ Io so che l'incarico che ho ricevuto porta la vita eterna. Tutto quello che dico, lo dico come il Padre l'ha detto a me ».

Gesù lava i piedi ai suoi discepoli

13 ¹ Era ormai vicina la festa ebraica della *Pasqua. Gesù sapeva che era venuto per lui il momento di lasciare questo mondo e tornare al Padre. Egli aveva sempre amato i suoi *discepoli che erano nel mondo, e li amò sino alla fine.

² All'ora della cena, il diavolo aveva già convinto Giuda (il figlio di Simone Iscariota) a tradire Gesù. ³ Gesù sapeva di aver avuto dal Padre ogni potere; sapeva pure che era venuto da Dio e che a Dio ritornava. ⁴ Allora si alzò da tavola, si tolse la veste e si legò un asciugamano intorno ai fianchi, ⁵ versò acqua in un catino, e cominciò a lavare i piedi ai suoi discepoli. Poi li asciugava con il panno che aveva intorno ai fianchi.

⁶ Quando arrivò il suo turno, Simon Pietro gli disse: « Signore, tu vuoi lavare i piedi a me? ».

⁷ Gesù rispose: « Ora tu non capisci quello che io faccio; lo capirai dopo ».
⁸ Pietro replicò: « No, tu non mi laverai mai i piedi! ».
Gesù ribatté: « Se io non ti lavo, tu non sarai veramente unito a me ».
⁹ Simon Pietro gli disse: « Signore, non lavarmi soltanto i piedi, ma anche le mani e il capo ».
¹⁰ Gesù rispose: « Chi è già lavato non ha bisogno di lavarsi altro che i piedi. È completamente puro. Anche voi siete puri, ma non tutti ». ¹¹ Infatti, sapeva già chi lo avrebbe tradito. Per questo disse: « Non tutti siete puri ».
¹² Gesù terminò di lavare i piedi ai discepoli, riprese la sua veste e si mise di nuovo a tavola. Poi disse: « Capite quello che ho fatto per voi? ¹³ Voi mi chiamate *Maestro e Signore, e fate bene perché lo sono. ¹⁴ Dunque, se io, Maestro e Signore, vi ho lavato i piedi, anche voi dovete lavarvi i piedi gli uni gli altri. ¹⁵ Io vi ho dato un esempio perché facciate come io ho fatto a voi. ¹⁶ Certamente un servo non è più importante del suo padrone e un ambasciatore non è più grande di chi lo ha mandato. ¹⁷ Ora sapete queste cose — ma sarete beati quando le metterete in pratica.
¹⁸ Io non parlo per tutti voi: conosco gli uomini che ho scelto. Infatti devono realizzarsi queste parole della *Bibbia: *Colui che mangia il mio pane si è ribellato contro di me.*
¹⁹ Ve lo dico ora, prima che accada; così, quando accadrà, voi crederete che IO SONO. ²⁰ Io vi assicuro questo: chi accoglie uno che è mandato da me, accoglie me; e chi accoglie me, accoglie il Padre che mi ha mandato ».

Gesù e il traditore
(vedi Matteo 26, 20-25; Marco 14, 17-21; Luca 22, 21-23)

²¹ Gesù parlò così, ed era molto turbato. Poi disse: « Io vi assicuro che uno di voi mi tradirà ».
²² I *discepoli si guardarono gli uni gli altri, perché non capivano di chi parlava. ²³ Uno di loro, il discepolo prediletto di Gesù, era vicino a lui a tavola. ²⁴ Simon Pietro gli fece un cenno come per dire: « Chiedigli di chi sta parlando ».
²⁵ Il discepolo si voltò verso Gesù e appoggiandosi sul suo petto gli domandò: « Chi è, Signore? ».
²⁶ Gesù rispose: « È quello al quale darò un pezzo di

pane inzuppato». Poi prese un boccone di pane, lo intinse nel piatto e lo dette a Giuda, figlio di Simone Iscariota. [27] Appena Giuda ebbe preso quel pezzo di pane, Satana entrò in lui. Allora Gesù gli disse: «Quello che devi fare, fallo presto». [28] Nessuno di quelli che erano a tavola capì perché Gesù gli aveva parlato a quel modo. [29] Siccome Giuda teneva la cassa comune, alcuni pensarono: «Gli ha detto di comprare il necessario per la festa». Altri dicevano: «Vuole che dia qualcosa ai poveri». [30] Giuda dunque prese il pane e poi uscì subito. Era notte.

Il comandamento nuovo

[31] Uscito Giuda, Gesù disse: «Ora il *Figlio dell'uomo riceve gloria da Dio, e anche la gloria di Dio si manifesta per mezzo del Figlio. [32] Se il Figlio dell'uomo agisce in modo da manifestare la gloria di Dio, presto anche Dio darà la sua gloria al Figlio.

[33] Figli miei, per poco tempo sono ancora con voi. Voi mi cercherete, ma ora dico anche a voi quello che ho già detto ai capi ebrei: Dove io vado, voi non potete venire.

[34] Io vi do un comandamento nuovo: Amatevi gli uni gli altri. Amatevi come io vi ho amato! [35] Da questo tutti sapranno che siete miei discepoli: Se vi amate gli uni gli altri».

Gesù predice che Pietro lo rinnegherà
(vedi Matteo 26, 31-35; Marco 14, 27-31; Luca 22, 31-34)

[36] Simon Pietro disse a Gesù: «Dove vai, Signore?».
Gesù rispose: «Dove vado io, tu non puoi venire, per ora; ma mi seguirai dopo».
[37] Pietro replicò: «Signore, perché non posso seguirti ora? Sono pronto a morire per te!».
[38] Gesù rispose: «Tu sei pronto a morire per me? Ti dico io quello che farai: Prima dell'alba, prima che il gallo canti, tu per tre volte dirai che non mi conosci».

Gesù è la via che conduce al Padre

14 [1] Gesù disse ancora ai suoi *discepoli: «Non siate tristi: abbiate fede in Dio e abbiate fede anche in me. [2] Nella casa del Padre mio c'è molto posto. Altrimenti

ve lo avrei detto. Io vado a prepararvi un posto. [3] E se
vado e ve lo preparo, tornerò e vi prenderò con me. Così
anche voi sarete dove io sono. [4] Voi sapete dove io vado
e sapete anche la strada».
[5] Tommaso ribatté: «Signore, ma noi non sappiamo dove
vai; come facciamo a sapere la strada?».
[6] Gesù gli disse: «Io sono la via, io sono la verità e la
vita. Solo per mezzo di me si va al Padre. [7] Se mi conoscete, conoscerete anche il Padre, anzi, già lo conoscete
e lo avete veduto».
[8] Filippo gli chiese: «Signore, mostraci il Padre: questo
ci basta».
[9] Gesù rispose: «Filippo, sono stato con voi per tanto tempo
e non mi conosci ancora? Chi ha visto me ha visto il Padre.
Come puoi dire: Mostraci il Padre? [10] Dunque non credi
che io vivo nel Padre e il Padre vive in me? Quello che
dico non viene da me; il Padre abita in me, ed è lui che
agisce. [11] Abbiate fede in me perché io sono nel Padre e
il Padre è in me; se non altro, credete almeno per le opere
che vedete. [12] Ve lo assicuro: chi ha fede in me farà anche
lui le opere che faccio io, e ne farà di più grandi, perché
io ritorno al Padre. [13] E tutto quello che domanderete nel
mio nome, io lo farò, perché la gloria del Padre sia manifestata nel Figlio. [14] Se mi chiederete qualcosa nel mio nome,
io lo farò».

Gesù promette lo Spirito Santo

[15] «Se mi amate, osserverete i miei comandamenti. [16] Io
pregherò il Padre ed egli vi darà un altro avvocato, che
starà sempre con voi, lo Spirito della verità. [17] Il mondo
non lo vede e non lo conosce, perciò non può riceverlo.
Voi lo conoscete, perché è con voi e sarà con voi sempre.
[18] Non vi lascerò orfani, tornerò da voi. [19] Fra poco il mondo
non mi vedrà più, ma voi mi vedrete, perché io ho la
vita e anche voi vivrete. [20] In quel giorno conoscerete che
io vivo unito al Padre, e voi siete uniti a me e io a voi.
[21] Chi mi ama veramente, conosce i miei comandamenti e
li mette in pratica. Chi mi ama, sarà amato dal Padre mio;
anch'io l'amerò e mi farò conoscere a lui».
[22] Giuda (non l'Iscariota) gli disse: «Signore, perché vuoi
farti conoscere a noi e non al mondo?».

²³ Gesù rispose: « Se uno mi ama, metterà in pratica la mia parola, e il Padre mio lo amerà. Io verrò da lui con il Padre mio e abiteremo con lui. ²⁴ Chi non mi ama, non mette in pratica quello che dico. E la parola che voi udite non viene da me ma dal Padre che mi ha mandato.
²⁵ Vi ho detto queste cose mentre sono con voi. ²⁶ Ma il Padre vi manderà nel mio nome un avvocato: lo *Spirito Santo. Egli vi insegnerà ogni cosa e vi ricorderà tutto quello che ho detto. ²⁷ Vi lascio la pace, vi do la mia pace. La pace che io vi do, non è come quella del mondo: non vi preoccupate, non abbiate paura. ²⁸ Avete sentito quello che vi ho detto prima: Me ne vado, ma poi tornerò da voi. Se mi amate, dovreste rallegrarvi che io vada dal Padre, perché il Padre è più grande di me.
²⁹ Tutto questo ve l'ho detto prima, perché quando accadrà abbiate fede in me. ³⁰ Non parlerò più a lungo con voi, perché viene Satana, il dominatore di questo mondo. Egli non ha potere su di me, ³¹ ma il mondo deve capire che io amo il Padre e che faccio esattamente come mi ha comandato. Alzatevi, andiamo via! ».

Gesù è la vera vite

15 ¹ Gesù disse ancora: « Io sono la vera vite. Il Padre mio è il contadino. ² Ogni ramo che è in me e non dà frutto, egli lo taglia e getta via, e i rami che danno frutto, li libera da tutto ciò che impedisce frutti più abbondanti. ³ Voi siete già liberati grazie alla parola che vi ho annunziato. ⁴ Rimanete uniti a me, e io rimarrò unito a voi. Come il tralcio non può dar frutto da solo, se non rimane unito alla vite, neppure voi potete dar frutto, se non rimanete uniti a me.
⁵ Io sono la vite. Voi siete i tralci. Se uno rimane unito a me e io a lui, egli produce molto frutto; senza di me non potete far nulla.
⁶ Se uno non rimane unito a me, è gettato via come i tralci che diventano secchi e che la gente raccoglie per bruciare.
⁷ Se rimanete uniti a me, e le mie parole sono radicate in voi, chiedete quello che volete e vi sarà dato. ⁸ La gloria del Padre mio risplende quando portate molto frutto e diventate miei discepoli.
⁹ Come il Padre ha amato me, così io ho amato voi: rima-

nete nel mio amore! [10] Se metterete in pratica i miei comandamenti, sarete radicati nel mio amore; allo stesso modo io ho messo in pratica i comandamenti del Padre mio e sono radicato nel suo amore. [11] Vi ho detto questo, perché la mia gioia sia anche vostra, e la vostra gioia sia perfetta ».

Il comandamento dell'amore

[12] « Il mio comandamento è questo: amatevi gli uni gli altri come io ho amato voi. [13] Nessuno ha un amore più grande di questo: morire per i propri amici. [14] Voi siete miei amici, se fate quello che io vi comando. [15] Io non vi chiamo più schiavi, perché lo schiavo non sa che cosa fa il suo padrone. Vi ho chiamati amici, perché vi ho fatto sapere tutto quello che ho udito dal Padre mio. [16] Non siete voi che avete scelto me, ma io ho scelto voi, e vi ho destinati a portare molto frutto — un frutto duraturo. Allora il Padre vi darà tutto quello che chiederete nel nome mio. [17] Questo io vi comando: amatevi gli uni gli altri ».

Gesù predice ai discepoli odio e persecuzioni

[18] « Se il mondo vi odia, pensate che prima di voi ha odiato me. [19] Se voi apparteneste al mondo, il mondo vi amerebbe come suoi. Invece voi non appartenete al mondo, perché io vi ho scelti e vi ho strappati al potere del mondo. Perciò il mondo vi odia. [20] Ricordate quello che vi ho detto: un servo non è più importante del suo padrone. Se hanno perseguitato me, perseguiteranno anche voi; se hanno messo in pratica la mia parola, metteranno in pratica anche la vostra. [21] Vi tratteranno così per causa mia, perché non conoscono il Padre che mi ha mandato. [22] Se io non fossi venuto in mezzo a loro a insegnare, non avrebbero colpa. Ora invece non hanno nessuna scusa per il loro peccato. [23] Chi odia me, odia anche il Padre mio. [24] Se non avessi fatto in mezzo a loro opere che nessun altro ha fatto, non avrebbero colpa. Invece le hanno vedute, eppure hanno odiato me e il Padre mio. [25] Così si realizza quello che sta scritto nella loro *legge: Mi hanno odiato senza motivo.
[26] Quando verrà l'avvocato che io vi manderò da parte del Padre mio — lo Spirito della verità che proviene dal Pa-

dre — egli sarà il mio testimone, [27] e anche voi lo sarete,
perché siete stati con me dal principio».

16 [1] « Vi ho detto questo perché ciò che vi capiterà
non turbi la vostra fede. [2] Sarete espulsi dalle *sinagoghe; anzi verrà un momento in cui vi uccideranno pensando di fare cosa gradita a Dio. [3] Faranno questo perché
non hanno conosciuto né il Padre né me. [4] Ma io ve l'ho
detto perché, quando verrà il momento dei persecutori, vi
ricordiate che io ve ne avevo parlato. Non ne ho parlato
fin dal principio, perché ero con voi ».

Lo Spirito e il mondo

[5] « Adesso io ritorno al Padre che mi mandò fra gli uomini,
e nessuno di voi mi chiede dove vado. [6] Però siete tristi
perché vi ho detto queste cose. [7] Ma io vi assicuro che per
voi è meglio, se io me ne vado. Perché se non me ne vado,
non verrà da voi lo Spirito che vi difende. Invece, se me
ne vado ve lo manderò. [8] Egli verrà e mostrerà di fronte
al mondo cosa significa peccato, giustizia e *giudizio. [9] Il
peccato del mondo è questo: che non hanno creduto in
me. [10] La giustizia sta dalla mia parte, perché torno al
Padre e non mi vedrete più. [11] Il giudizio consiste in questo:
che Satana, il dominatore di questo mondo, è già stato
giudicato.
[12] Ho ancora molte cose da dirvi, ma ora sarebbe troppo
per voi; [13] quando però verrà lui, lo Spirito della verità vi
guiderà verso tutta la verità. Non vi dirà cose sue, ma
quelle che avrà udito, e vi parlerà delle cose che verranno.
[14] Nelle sue parole si manifesterà la mia gloria, perché riprenderà quello che io ho insegnato, e ve lo farà capire
meglio. [15] Tutto quello che ha il Padre, è mio. Per questo
ho detto: lo Spirito riprenderà quello che io ho insegnato,
e ve lo farà capire meglio ».

La tristezza diventerà gioia

[16] « Fra poco non mi vedrete più; poi, dopo un po', mi
rivedrete ».
[17] Alcuni dei discepoli commentarono tra di loro: « Che cosa
significa: Fra poco non mi vedrete, ma poi, dopo un po',
mi rivedrete; e che cosa vuol dire: Ritorno al Padre? ».

[18] Dicevano anche: « Che cosa vuol dire: fra poco? Non riusciamo a capire ».
[19] Gesù comprese che volevano domandargli spiegazioni e disse: « Discutete fra di voi perché ho detto: Fra poco non mi vedrete, ma poi, dopo un po', mi rivedrete? [20] Ebbene, io vi assicuro che voi piangerete e vi lamenterete, il mondo invece farà festa. Voi vi rattristerete, ma poi la vostra tristezza diventerà gioia.
[21] Una donna che deve partorire, quando viene il suo momento soffre molto. Ma quando il bambino è nato, dimentica le sue sofferenze per la gioia che è venuta al mondo una creatura. [22] Anche voi ora siete tristi, ma io vi rivedrò, e voi vi rallegrerete, e nessuno vi toglierà la vostra gioia.
[23] Quando quel giorno verrà, non mi farete più nessuna domanda.
Io vi assicuro che il Padre vi darà tutto quello che gli domanderete nel mio nome. [24] Fino a ora, non avete chiesto nulla nel mio nome. Chiedete e riceverete, così la vostra gioia sarà perfetta ».

Una fede chiara e coraggiosa

[25] « Finora ho parlato per mezzo di esempi. Ma verrà il momento che lascerò da parte gli esempi e vi parlerò del Padre con parole chiare. [26] Allora potrete pregare nel mio nome, e non ci sarà bisogno che io preghi il Padre per voi: [27] il Padre stesso, infatti, vi ama, perché voi avete amato me e avete creduto che provengo dal Padre. [28] Ero col Padre e di là son venuto nel mondo. Ora lascio il mondo, e torno al Padre ».
[29] I *discepoli gli dissero: « Sì, ora parli con chiarezza e non ti servi più di esempi. [30] Ora siamo sicuri che tu sai ogni cosa, e non hai bisogno che qualcuno ti faccia domande. Perciò crediamo che tu provieni da Dio ».
[31] Gesù rispose: « Adesso credete? [32] Viene il momento — anzi è già venuto — che sarete dispersi, ciascuno per conto suo, e mi lascerete solo. Ma io non sono solo, perché il Padre è con me.
[33] Vi ho detto tutto questo perché troviate in me la pace. Nel mondo avrete dolori; coraggio, però! Io ho vinto il mondo ».

Gesù e il Padre

17 [1] Dopo aver detto queste parole Gesù guardò in alto verso il cielo e disse: «Padre, l'ora è venuta. Manifesta la gloria del Figlio, perché il Figlio manifesti la tua gloria. [2] Tu gli hai dato potere sopra tutti gli uomini, perché tutti quelli che gli hai affidato ricevano vita eterna. [3] La vita eterna è questo: conoscere te, l'unico vero Dio, e conoscere colui che tu hai mandato, Gesù Cristo. [4] Io ho manifestato la tua gloria sulla terra, portando a termine l'opera che mi avevi affidato. [5] Innalzami, ora, accanto a te, dammi la gloria che avevo accanto a te, prima che il mondo esistesse».

Gesù e i discepoli

[6] «Tu mi hai affidato alcuni uomini scelti da questo mondo: erano tuoi, e tu li hai affidati a me. Io ho rivelato chi sei, ed essi hanno messo in pratica la tua parola. [7] Ora sanno che tutto ciò che mi hai dato viene da te. [8] Anche le parole che tu mi hai dato, io le ho date a loro. Essi le hanno accolte e hanno riconosciuto, senza esitare, che io provengo da te, e hanno creduto che tu mi hai mandato. [9] Io prego per loro. Non prego per il mondo, ma per quelli che mi hai affidato, perché ti appartengono. [10] Tutto ciò che è mio appartiene a te, e ciò che è tuo appartiene a me, e la mia gloria si manifesta in loro. [11] Io non sono più nel mondo, loro invece sì. Io ritorno a te. Padre santo, conserva uniti a te quelli che mi hai affidati, perché siano una cosa sola come noi. [12] Quando ero con loro, io li proteggevo. Per questo tu me li hai dati. Io li ho protetti, e nessuno di loro si è perduto, tranne quello che doveva perdersi, realizzando ciò che la *Bibbia aveva predetto. [13] Ma ora io ritorno verso di te, e dico queste cose mentre sono ancora sulla terra, perché essi abbiano tutta la mia gioia. [14] Io ho dato loro la tua parola. Perciò essi non appartengono più al mondo, come io non appartengo al mondo. E il mondo li odia. [15] Io non ti prego di toglierli dal mondo, ma di proteggerli dal Maligno. [16] Essi non appartengono al mondo, come io non appartengo al mondo. [17] Fa' che appartengano a te mediante la verità: la tua parola è verità. [18] Tu mi hai mandato nel mondo: così anch'io li ho mandati

nel mondo. [19] E io offro me stesso in sacrificio per loro, perché anch'essi siano veramente consacrati a te ».

Gesù e i futuri credenti

[20] « Io non prego soltanto per questi miei discepoli, ma prego anche per gli altri, per quelli che crederanno in me dopo aver ascoltato la loro parola. [21] Fa' che siano tutti una cosa sola: come tu, Padre, sei in me e io sono in te, anch'essi siano in noi. Così il mondo crederà che tu mi hai mandato.

[22] Io ho dato ad essi la stessa gloria che tu avevi dato a me, perché anch'essi siano una cosa sola come noi: [23] io unito a loro e tu unito a me. Così potranno essere perfetti nell'unità, e il mondo potrà capire che tu mi hai mandato, e che li hai amati come hai amato me. [24] Padre, voglio che dove sono io, siano anche quelli che tu mi hai dato, perché vedano la gloria che tu mi hai dato: infatti tu mi hai amato ancora prima della creazione del mondo.

[25] Padre giusto, il mondo non ti ha conosciuto, ma io ti ho conosciuto ed essi sanno che tu mi hai mandato. [26] Io ti ho fatto conoscere a loro e ti farò conoscere ancora; così l'amore che hai per me sarà in loro, e anch'io sarò in loro ».

L'arresto di Gesù
(vedi Matteo 26, 47-56; Marco 14, 43-50; Luca 22, 47-53)

18 [1] Dopo queste parole, Gesù uscì con i suoi *discepoli e andò oltre il torrente Cèdron, dove c'era un giardino. Entrò lì con i suoi discepoli. [2] Anche Giuda, il traditore, conosceva quel posto, perché spesso Gesù vi aveva riunito i suoi discepoli.

[3] Giuda intanto era andato a cercare i soldati e le guardie messe a disposizione dai capi dei sacerdoti e dai *farisei; quando arrivarono sul posto, erano armati e provvisti di fiaccole e lanterne.

[4] Gesù sapeva tutto quello che stava per accadergli. Perciò si fece avanti e disse: « Chi cercate? ».

[5] Risposero: « Gesù di Nazaret! ».

[6] Egli dichiarò: « Sono io! ».

Con le guardie c'era anche Giuda, il traditore. [7] Appena Gesù disse: Sono io, quelli fecero un passo indietro e caddero a terra.

[8] Gesù domandò una seconda volta: « Chi cercate? ».

Quelli dissero: « Gesù di Nazaret! ».

Gesù rispose: « Vi ho detto che sono io! Se cercate me, lasciate che gli altri se ne vadano ».

⁹ Con queste parole Gesù realizzava quello che aveva detto prima: « Nessuno di quelli che mi hai dato si è perduto ».

¹⁰ Simon Pietro aveva una spada: la prese, colpì il servo del *sommo sacerdote e gli staccò l'orecchio destro. Quel servo si chiamava Malco. ¹¹ Allora Gesù disse a Pietro: « Metti via la tua spada! Bisogna che io beva il calice di dolore che il Padre mi ha preparato ».

Gesù davanti al sommo sacerdote Anna
(vedi Matteo 26, 57-58; Marco 14, 53-54; Luca 22, 54)

¹² I soldati con il loro comandante, e le guardie delle autorità ebraiche, presero Gesù e lo legarono. ¹³ Poi lo portarono dal sacerdote Anna, suocero di Caifa. Caifa era il *sommo sacerdote in quell'anno. ¹⁴ Era stato lui a dire: « È meglio che un solo uomo muoia per tutto il popolo ».

Pietro nega di conoscere Gesù
(vedi Matteo 26, 69-70; Marco 14, 66-68; Luca 22, 55-57)

¹⁵ Simon Pietro, con un altro *discepolo, seguiva Gesù. Quell'altro discepolo conosceva il *sommo sacerdote, perciò riuscì a entrare insieme con Gesù nel cortile del palazzo. ¹⁶ Pietro invece rimase fuori vicino alla porta. Allora l'altro discepolo, che conosceva il sommo sacerdote, uscì e parlò alla portinaia e fece entrare anche Pietro.

¹⁷ La portinaia disse a Pietro: « Sei anche tu un discepolo di quell'uomo? ».

Ma Pietro disse: « No, non lo sono ».

¹⁸ I servi e le guardie avevano acceso un fuoco di carbone e si scaldavano, perché faceva freddo. Anche Pietro stava insieme con loro vicino al fuoco.

Il sacerdote Anna interroga Gesù
(vedi Matteo 26, 59-66; Marco 14, 55-64; Luca 22, 66-71)

¹⁹ Intanto il *sommo sacerdote cominciò a far domande a Gesù sui suoi *discepoli e sul suo insegnamento.

²⁰ Ma Gesù rispose: « Io ho parlato chiaramente al mondo. Ho sempre insegnato nelle *sinagoghe e nel tempio; non ho mai parlato di nascosto, ma sempre in pubblico, in mezzo alla gente. ²¹ Quindi, perché mi fai queste domande? Do-

manda a quelli che mi hanno ascoltato: essi sanno quello che ho detto ».
22 Così parlò Gesù. Allora uno dei presenti gli diede uno schiaffo e disse: « Così rispondi al sommo sacerdote? ».
23 Gesù replicò: « Se ho detto qualcosa di male, dimostralo; ma se ho detto la verità, perché mi dai uno schiaffo? ».
24 Allora Anna lo mandò, legato com'era, dal sommo sacerdote Caifa.

Pietro nega ancora di conoscere Gesù
(vedi Matteo 26, 71-75; Marco 14, 69-72; Luca 22, 58-62)

25 Intanto, Simon Pietro era rimasto a scaldarsi. Qualcuno gli disse: « Mi sembra che tu sei uno dei suoi *discepoli ». Ma Pietro negò e disse: « Non sono uno di quelli ». 26 Fra i servi del sommo sacerdote c'era un parente di quello che aveva avuto l'orecchio tagliato da Pietro. Gli disse: « Ma io ti ho visto nel giardino con Gesù! ».
27 Ancora una volta Pietro disse che non era vero, e subito un gallo cantò.

Gesù e Pilato
(vedi Matteo 27, 1-2.11-14; Marco 15, 1-5; Luca 23, 1-5)

28 Poi portarono Gesù dal palazzo di Caifa a quello del governatore romano. Era l'alba. Quelli che lo accompagnavano non entrarono: per poter celebrare la festa di Pasqua non dovevano avere contatti con gente non ebrea.
29 Pilato uscì incontro a loro e disse: « Quale accusa portate contro quest'uomo? ».
30 Gli risposero: « Se non era un malfattore, non te lo portavamo qui! ».
31 Pilato replicò: « Portatelo via e giudicatelo voi come la vostra *legge prescrive ».
Ma le autorità ebraiche obiettarono: « Noi non abbiamo l'autorizzazione a condannare a morte ».
32 Così si realizzava quello che Gesù aveva detto quando fece capire come sarebbe morto.
33 Poi Pilato rientrò nel palazzo, chiamò Gesù e gli chiese: « Sei tu, il re dei *giudei? ».
34 Gesù rispose: « Hai pensato tu questa domanda, o qualcuno ti ha detto questo di me? ».
35 Pilato rispose: « Non sono ebreo, io. Il tuo popolo e i capi dei sacerdoti ti hanno consegnato a me: che cos'hai fatto? ».

³⁶ Gesù rispose: «Il mio regno non appartiene a questo mondo. Se il mio regno appartenesse a questo mondo, i miei servi avrebbero combattuto per non farmi arrestare dalle autorità ebraiche. Ma il mio regno non appartiene a questo mondo ».
³⁷ Pilato gli disse di nuovo: «Insomma, sei un re, tu?».
Gesù rispose: «Tu dici che io sono re. Io sono nato e venuto nel mondo per essere un testimone della verità. Chi appartiene alla verità ascolta la mia voce ».
³⁸ Pilato disse a Gesù: «Ma cos'è la verità?».

Gesù è condannato a morte
(vedi Matteo 27, 15-31; Marco 15, 6-20; Luca 23, 13-25)

Pilato uscì di nuovo e si rivolse agli ebrei: «Io penso che quest'uomo non abbia fatto nulla di male. ³⁹ Voi però avete l'abitudine che a Pasqua si metta in libertà un condannato. Volete che io vi liberi il re dei giudei?».
⁴⁰ Ma quelli si misero di nuovo a gridare e a dire: «No, non lui, vogliamo Barabba!» (questo Barabba era un bandito).

19 ¹ Allora Pilato prese Gesù e lo fece frustare. ² I soldati intrecciarono una corona di rami spinosi, gliela misero in testa e gli gettarono sulle spalle un mantello rosso. ³ Poi si avvicinavano a lui, e dicevano: «Ti saluto, re dei *giudei!» e gli davano schiaffi.
⁴ Pilato uscì un'altra volta dal palazzo e disse: «Ora ve lo porto qui fuori, perché sappiate che io non trovo nessun motivo per condannarlo».
⁵ Gesù venne fuori, con la corona di spine e il mantello rosso. Pilato disse: «Ecco l'uomo».
⁶ I capi dei sacerdoti e le guardie lo videro e cominciarono a gridare: «Crocifiggilo! Mettilo in croce!».
Pilato allora disse: «Prendetelo e mettetelo voi in croce. Per me, non ha fatto nulla di male».
⁷ I capi ebrei risposero: «Noi abbiamo la nostra *legge: secondo la legge dev'essere condannato a morte, perché ha detto di essere il *Figlio di Dio».
⁸ Sentendo queste parole. Pilato si spaventò. ⁹ Entrò di nuovo nel palazzo e disse a Gesù: «Di dove vieni?», ma Gesù non rispose. ¹⁰ Allora Pilato gli disse: «Non dici nulla? Non sai che io ho il potere di liberarti e il potere di farti crocifiggere?».

¹¹ Gesù replicò: « Non avresti nessun potere su di me se non ti fosse dato da Dio. Perciò chi mi ha messo nelle tue mani è più colpevole di te ».
¹² Pilato allora cercò in tutti i modi di mettere Gesù in libertà. Ma i suoi accusatori gridavano: « Se liberi quest'uomo, non sei fedele all'imperatore! Chi si proclama re è nemico dell'imperatore ».
¹³ Quando Pilato udì queste parole, fece condurre fuori Gesù. Poi si mise seduto su una tribuna nel luogo chiamato « Lastricato » (in ebraico « Gabbatà »). ¹⁴ Era la vigilia della Pasqua, verso mezzogiorno. Pilato disse alla folla: « Ecco il vostro re! ».
¹⁵ Ma quelli gridarono: « A morte! A morte! Crocifiggilo! ». Pilato disse: « Devo far morire in croce il vostro re? ».
I capi dei sacerdoti risposero: « Il nostro re è uno solo: l'imperatore ».
¹⁶ Allora Pilato lasciò Gesù nelle loro mani perché fosse crocifisso.

Gesù viene crocifisso
(vedi Matteo 27, 32-44; Marco 15, 21-32; Luca 23, 26-43)

Allora le guardie presero Gesù ¹⁷ e lo fecero andare fuori della città costringendolo a portare la croce sulle spalle; giunsero al posto chiamato « Cranio », che in ebraico si dice « Gòlgota »; ¹⁸ e lo inchiodarono alla croce. Con lui crocifissero altri due, uno da una parte e uno dall'altra. Gesù era in mezzo.
¹⁹ Pilato scrisse il cartello e lo fece mettere sulla croce. C'era scritto: « Gesù di Nazaret, il re dei *giudei ». ²⁰ Molti lessero il cartello, perché il posto dove avevano crocifisso Gesù era vicino a Gerusalemme, e il cartello era scritto in tre lingue: in ebraico, in latino e in greco. ²¹ Perciò i capi dei sacerdoti dissero a Pilato: « Non scrivere: Il re dei giudei; scrivi che lui ha detto: Io sono il re dei giudei ».
²² Ma Pilato rispose: « Basta, quello che ho scritto, ho scritto ».
²³ I soldati che avevano crocifisso Gesù presero i suoi vestiti e ne fecero quattro parti, una per ciascuno. Poi presero la sua tunica, che era tessuta d'un pezzo solo da cima a fondo,
²⁴ e dissero: « Non dividiamola! Tiriamo a sorte a chi tocca ».

Così si realizzò la parola della *Bibbia che dice:
> Si divisero i miei vestiti
> e tirarono a sorte la mia tunica.

Mentre i soldati si occupavano di questo, accanto alla croce
25 stavano alcune donne: la madre di Gesù, sua sorella,
Maria di Clèofa e Maria di Màgdala. 26 Gesù vide sua madre e accanto a lei il discepolo preferito. Allora disse a sua madre: « Donna, ecco tuo figlio ». 27 Poi disse al discepolo: « Ecco tua madre ». Da quel momento il discepolo la prese in casa sua.

La morte di Gesù
(vedi Matteo 27, 45-56; Marco 15, 33-41; Luca 23, 44-49)

28 A questo punto Gesù, sapendo che tutto era compiuto, disse: « Ho sete ». Così realizzò una profezia della *Bibbia. 29 C'era lì un'anfora piena di aceto: bagnarono una spugna, la misero in cima a un ramo d'*issòpo e l'accostarono alla sua bocca. 30 Gesù prese l'aceto e poi disse: « È compiuto ». Abbassò il capo e morì.

31 Era la vigilia della festa: le autorità ebraiche non volevano che i corpi rimanessero in croce durante il giorno festivo, perché la Pasqua era una festa grande. Perciò chiesero a Pilato di far spezzare le gambe ai condannati e far togliere di lì i loro cadaveri. 32 I soldati andarono a spezzare le gambe ai due che erano stati crocifissi insieme a Gesù. 33 Poi si avvicinarono a Gesù e videro che era già morto. Allora non gli spezzarono le gambe, 34 ma uno dei soldati gli trafisse il fianco con la lancia. Subito dalla ferita uscì sangue con acqua. 35 Colui che ha visto ne è testimone, e la sua testimonianza è vera. Egli sa che dice il vero, perché anche voi crediate. 36 Così si avverò la parola della *Bibbia che dice: Le sue ossa non saranno spezzate, e: 37 Guarderanno colui che hanno trafitto.

Gesù è sepolto
(vedi Matteo 27, 57-61; Marco 15, 42-47; Luca 23, 50-55)

38 Giuseppe d'Arimatèa era stato discepolo di Gesù, ma di nascosto, per paura delle autorità. Egli chiese a Pilato il permesso di prendere il corpo di Gesù. Pilato diede il permesso. Allora Giuseppe andò a prendere il corpo di Gesù. 39 Arrivò anche Nicodèmo, quello che prima era andato a

trovare Gesù di notte; portava con sé un'anfora pesantissima, piena di profumo: mirra con *aloe. ⁴⁰ Presero dunque il corpo di Gesù e lo avvolsero nelle bende con i profumi, come fanno gli ebrei quando seppelliscono i morti.
⁴¹ Nel luogo dove avevano crocifisso Gesù c'era un giardino, e nel giardino c'era una tomba nuova dove nessuno era mai stato sepolto. ⁴² Siccome era la vigilia della festa ebraica, misero lì il corpo di Gesù, perché la tomba era vicina.

Gesù è risorto
(vedi Matteo 28, 1-8; Marco 16, 1-8; Luca 24, 1-12)

20 ¹ Il primo giorno della settimana, la mattina presto, Maria di Màgdala va verso la tomba, mentre è ancora buio, e vede che la pietra è stata tolta dall'ingresso.
² Allora corre da Simon Pietro e dall'altro *discepolo, il prediletto di Gesù, e dice: « Hanno portato via il Signore dalla tomba e non sappiamo dove l'hanno messo! ».
³ Allora Pietro e l'altro discepolo uscirono e andarono verso la tomba. ⁴ Andavano tutti e due di corsa, ma l'altro discepolo corse più in fretta di Pietro e arrivò alla tomba per primo. ⁵ Si chinò a guardare le bende che erano in terra, ma non entrò. ⁶ Pietro lo seguiva. Arrivò anche lui e entrò nella tomba: guardò le bende in terra ⁷ e il lenzuolo che prima copriva la testa. Questo non era in terra con le bende, ma stava da una parte, piegato. ⁸ Poi entrò anche l'altro discepolo che era arrivato per primo alla tomba, vide e credette. ⁹ Non avevano ancora capito quello che dice la *Bibbia, cioè che Gesù doveva risorgere dai morti. ¹⁰ Allora Pietro e l'altro discepolo tornarono a casa.

Maria *Maddalena vede Gesù
(vedi Matteo 28, 9-10; Marco 16, 9-11)

¹¹ Maria era rimasta a piangere vicino alla tomba. ¹² A un tratto, chinandosi verso il sepolcro, vide due *angeli vestiti di bianco. Stavano seduti dove prima c'era il corpo di Gesù, uno dalla parte della testa e uno dalla parte dei piedi.
¹³ Gli angeli le dissero: « Perché piangi? ».
Maria rispose: « Hanno portato via il mio Signore e non so dove lo hanno messo ».
¹⁴ Mentre parlava si voltò e vide Gesù in piedi — ma non sapeva che era lui. ¹⁵ Gesù le disse: « Perché piangi? Chi cerchi? ».
Maria pensò che era il giardiniere e gli disse: « Signore,

se tu l'hai portato via dimmi dove l'hai messo, e io andrò a prenderlo ».

¹⁶ Gesù le disse: « Maria! », e lei subito si voltò e gli disse: « Rabbunì! » (che in ebraico vuol dire: *Maestro!).

¹⁷ Gesù le disse: « Lasciami, perché io non sono ancora tornato al Padre. Va' e di' ai miei fratelli che io torno al Padre mio e vostro, al Dio mio e vostro ».

¹⁸ Allora Maria di Màgdala andò dai *discepoli e disse: « Ho visto il Signore! ». Poi riferì tutto quello che Gesù le aveva detto.

Gesù appare ai suoi discepoli
(vedi Matteo 28, 16-20; Marco 16, 14-18; Luca 24, 36-49)

¹⁹ La sera di quello stesso giorno, il primo della settimana, i *discepoli se ne stavano con le porte chiuse per paura dei capi ebrei. Gesù venne, si fermò in piedi in mezzo a loro e li salutò dicendo: « La pace sia con voi ». ²⁰ Poi mostrò ai discepoli le mani e il fianco, ed essi si rallegrarono di vedere il Signore.

²¹ Gesù disse di nuovo: « La pace sia con voi. Come il Padre ha mandato me, così io mando voi ». ²² Poi soffiò su di loro e disse: « Ricevete lo *Spirito Santo. ²³ A chi perdonerete i peccati, saranno perdonati; a chi non li perdonerete, non saranno perdonati ».

Gesù e Tommaso

²⁴ Uno dei dodici *discepoli, Tommaso, detto Gemello, non era con loro quando Gesù era venuto. ²⁵ Gli altri discepoli gli dissero: « Abbiamo veduto il Signore ».
Tommaso replicò: « Se non vedo il segno dei chiodi nelle sue mani, se non tocco col dito il segno dei chiodi e se non tocco con mano il suo fianco, io non crederò ».

²⁶ Otto giorni dopo, i discepoli erano di nuovo lì, e c'era anche Tommaso con loro. Le porte erano chiuse. Gesù venne, si fermò in piedi in mezzo a loro e li salutò: « La pace sia con voi ». ²⁷ Poi disse a Tommaso: « Metti qui il dito e guarda le mie mani; accosta la mano e tocca il mio fianco. Non essere incredulo, ma credente! ».

²⁸ Tommaso gli rispose: « Mio Signore e mio Dio! ».

²⁹ Gesù gli disse: « Tu hai creduto perché hai visto; beati quelli che hanno creduto senza aver visto! ».

Perché è stato scritto questo libro

[30] Gesù fece ancora molti altri segni miracolosi davanti ai suoi *discepoli. Quei *miracoli non sono stati scritti; [31] ma questi fatti sono stati scritti perché crediate che Gesù è il *Messia e il *Figlio di Dio. Se credete in lui, per mezzo di lui avrete la vita.

Gesù e i discepoli in Galilea

21 [1] In seguito, Gesù si fece vedere di nuovo ai *discepoli in riva al lago di *Tiberìade. Ed ecco come avvenne: [2] Simon Pietro, Tommaso detto Gemello, Natanàele (un galileo della città di Cana), i figli di Zebedèo e altri due discepoli di Gesù erano insieme. [3] Simon Pietro disse: « Io vado a pescare ».

Gli altri risposero: « Veniamo anche noi »; uscirono e salirono sulla barca. Ma quella notte non presero nulla.

[4] Era già mattina, quando Gesù si presentò sulla spiaggia, ma i discepoli non sapevano che era lui. [5] Allora Gesù disse: « Ragazzi, avete qualcosa da mangiare? ».

Gli risposero: « No ».

[6] Allora Gesù disse: « Gettate la rete dal lato destro della barca, e troverete pesce ».

I discepoli calarono la rete. Quando cercarono di tirarla su non ci riuscivano per la gran quantità di pesci che conteneva. [7] Allora il discepolo prediletto di Gesù disse a Pietro: « È il Signore! ».

Simon Pietro udì che era il Signore. Allora si legò la tunica intorno ai fianchi (perché non aveva altro addosso) e si gettò in mare. [8] Gli altri discepoli invece accostarono a riva con la barca, trascinando la rete con i pesci, perché erano lontani da terra un centinaio di metri. [9] Quando scesero dalla barca, videro un focherello di carboni con sopra alcuni pesci. C'era anche pane.

[10] Gesù disse loro: « Portate qui un po' di quel pesce che avete preso ora ».

[11] Simon Pietro salì sulla barca e trascinò a terra la rete piena di centocinquantatre grossi pesci. Erano molto grossi, ma la rete non s'era strappata.

[12] Gesù disse loro: « Venite a far colazione ».

Ma nessuno dei discepoli aveva il coraggio di domandargli: « Chi sei? ». Avevano capito che era il Signore.

[13] Gesù si avvicinò, prese il pane e lo distribuì; poi distribuì anche il pesce.
[14] Era la terza volta che Gesù si faceva vedere ai discepoli da quando era tornato dalla morte alla vita.

Gesù e Pietro

[15] Dopo mangiato, Gesù disse a Simon Pietro: «Simone, figlio di Giovanni, mi ami più di questi altri?».
Simone disse: «Sì, Signore, tu sai che ti voglio bene».
Gesù replicò: «Abbi cura dei miei agnelli!».
[16] Poi gli disse una seconda volta: «Simone, figlio di Giovanni, mi ami davvero?».
Simone gli disse: «Sì, Signore, tu sai che ti voglio bene».
Gesù replicò: «Abbi cura delle mie pecore».
[17] Una terza volta Gesù disse: «Simone, figlio di Giovanni, mi ami davvero?».
Pietro fu addolorato che Gesù gli dicesse per la terza volta «mi ami tu?». Rispose: «Signore, tu sai tutto. Tu sai che io ti amo».
Gesù gli disse: «Abbi cura delle mie pecore. [18] Quand'eri più giovane, ti mettevi da solo la cintura e andavi dove volevi; ma io ti assicuro che quando sarai vecchio, tu stenderai le braccia, e un altro ti legherà la cintura e ti porterà dove tu non vuoi».
[19] Gesù parlò così per far capire come Pietro sarebbe morto dando gloria a Dio. Poi disse ancora a Pietro: «Sèguimi!».
[20] Pietro si voltò e vide il *discepolo prediletto di Gesù, quello che nella cena si era appoggiato a Gesù e gli aveva chiesto chi fosse il traditore. [21] Pietro dunque lo vide e disse a Gesù: «Signore, che cosa sarà di lui?».
[22] Gesù gli disse: «Se voglio che lui viva fino al mio ritorno, che t'importa? Tu, seguimi!».
[23] Per questo, tra quelli che credevano, si diffuse la voce che quel discepolo non sarebbe morto. Però Gesù non aveva detto: «Non morirà». Aveva soltanto detto: «Se voglio che lui viva fino al mio ritorno, che t'importa?».
[24] È questo il discepolo che testimonia quei fatti e li ha scritti. Noi sappiamo che la testimonianza è vera.
[25] Gesù fece molte altre opere: se si scrivessero tutte, una per una, riempirebbero tanti libri. Io penso che neanche il mondo intero potrebbe contenerli.

ATTI DEGLI APOSTOLI

Gesù promette lo Spirito Santo
(vedi Luca 1, 1-4; 24, 36-49)

1 ¹ Caro *Teòfilo,
nel mio primo libro ho raccontato tutto quello che Gesù ha fatto e insegnato, cominciando dagli inizi della sua attività, ² fino a quando fu portato in cielo. Prima di salire in cielo egli, per mezzo dello *Spirito Santo, aveva dato istruzioni a coloro che aveva scelto come *apostoli. ³ Dopo la sua morte Gesù si presentò loro, e in diverse maniere si mostrò vivo. Per quaranta giorni apparve ad essi più volte, parlando del *regno di Dio. ⁴ Un giorno, mentre erano a tavola, fece questa raccomandazione: « Non allontanatevi da Gerusalemme, ma aspettate il dono che il Padre ha promesso e del quale io vi ho parlato. ⁵ Giovanni infatti ha battezzato con acqua; voi, invece, fra pochi giorni sarete battezzati con lo Spirito Santo ».

Gesù sale al cielo

⁶ Allora quelli che si trovavano con Gesù gli domandarono: « Signore, è questo il momento nel quale tu devi ristabilire il regno d'Israele? ». ⁷ Gesù rispose: « Non spetta a voi sapere quando esattamente ciò accadrà: solo il Padre può deciderlo. ⁸ Ma riceverete su di voi la forza dello *Spirito Santo, che sta per scendere. Allora diventerete miei testimoni in Gerusalemme, in tutta la regione della Giudea e della Samarìa e in tutto il mondo ».

⁹ Detto questo, Gesù incominciò a salire in alto, mentre gli *apostoli stavano a guardare. Poi venne una nube, ed essi non lo videro più. ¹⁰ Mentre avevano ancora gli occhi fissi verso il cielo, dove Gesù era salito, due uomini, vestiti di bianco, si avvicinarono loro ¹¹ e dissero: « Uomini di Galilea, perché ve ne state lì a guardare il cielo? Questo Gesù che vi ha lasciato per salire in cielo, un giorno ritornerà come lo avete visto partire ».

Mattia prende il posto di Giuda

¹² Allora gli *apostoli lasciarono il monte, detto Oliveto, e ritornarono a Gerusalemme. Questo monte è molto vicino

alla città: a mezz'ora di strada a piedi. [13] Quando furono arrivati, salirono al piano superiore della casa dove abitavano. Ecco i nomi degli apostoli: Pietro e Giovanni, Giacomo e Andrea, Filippo e Tommaso, Bartolomeo e Matteo, Giacomo figlio di Alfeo, Simone che era stato del partito degli zeloti, e Giuda figlio di Giacomo. [14] Erano tutti concordi, e si riunivano regolarmente per la preghiera con le donne, con Maria, la madre di Gesù, e con i suoi fratelli.

[15] In quei giorni, le persone radunate erano circa centoventi. Pietro si alzò in mezzo a tutti e disse: [16] « Fratelli, era necessario che si realizzasse quello che lo *Spirito Santo aveva detto nella Bibbia. Per mezzo di Davide egli aveva parlato di Giuda, che divenne la guida di coloro che arrestarono Gesù. [17] Giuda era uno di noi, e come noi era stato scelto per questa missione.

[18] Con i soldi ricavati dal suo delitto, Giuda comprò un campo e vi ha trovato la morte precipitando a capofitto: il suo corpo si è squarciato e le sue viscere si sono sparse. [19] Il fatto è così noto a tutti gli abitanti di Gerusalemme che quel campo, nella loro lingua, essi lo chiamano Akeldamà, cioè campo del sangue.

[20] Ricordate ciò che sta scritto nel libro dei Salmi:

> La sua casa rimanga vuota
> e nessuno vi possa abitare.

Sta pure scritto:

> Il suo incarico lo prenda un altro.

[21-22] È necessario dunque che un altro si unisca a noi per farsi testimone della risurrezione del Signore Gesù. Deve essere uno di quelli che ci hanno accompagnato mentre il Signore Gesù è vissuto con noi, da quando Giovanni predicava e battezzava fino a quando Gesù è stato portato in cielo, mentre era con noi ».

[23] Vennero allora presentati due uomini: un certo Giuseppe, detto Barsabba, o anche Giusto, e un certo Mattia. [24] Poi pregarono così: « O Signore, tu che conosci il cuore di tutti, facci sapere quale di questi due tu hai scelto. [25] Giuda ci ha lasciati ed è andato al suo destino. Chi di questi due dovrà prendere il suo posto e continuare la missione di *apostolo? ».

[26] Tirarono a sorte, e la scelta cadde su Mattia, che fu aggiunto al gruppo degli undici apostoli.

Lo Spirito Santo scende sugli apostoli

2 ¹ Quando venne il giorno della *Pentecoste, i credenti erano riuniti tutti insieme nello stesso luogo. ² All'improvviso si sentì un rumore in cielo, come quando tira un forte vento, e riempì tutta la casa dove si trovavano. ³ Allora videro qualcosa di simile a lingue di fuoco che si separavano e si posavano sopra ciascuno di loro. ⁴ Tutti furono riempiti di *Spirito Santo e si misero a parlare in altre lingue, come lo Spirito Santo concedeva loro di esprimersi.

⁵ A Gerusalemme c'erano ebrei, uomini molto religiosi, venuti da tutte le parti del mondo. ⁶ Appena si sentì quel rumore, si radunò una gran folla, e non sapevano che cosa pensare. Ciascuno infatti li sentiva parlare nella propria lingua, ⁷ per cui erano pieni di meraviglia e di stupore e dicevano: « Questi uomini che parlano sono tutti Galilei? ⁸ Come mai allora li sentiamo parlare nella nostra lingua nativa? ⁹ Noi apparteniamo a popoli diversi: Parti, Medi e Elamiti. Alcuni di noi vengono dalla Mesopotàmia, dalla Giudea e dalla Cappadòcia, dal Ponto e dall'Asia, ¹⁰ dalla Frigia e dalla Panfilia, dall'Egitto e dalla Cirenaica, da Creta e dall'Arabia. C'è gente che viene perfino da Roma: ¹¹ alcuni sono nati ebrei, altri invece si sono convertiti alla religione ebraica. Eppure tutti li sentiamo annunziare, ciascuno nella sua lingua, le grandi cose che Dio ha fatto ». ¹² Se ne stavano lì pieni di meraviglia e non sapevano che cosa pensare. Dicevano gli uni agli altri: « Che significato avrà tutto questo? ». ¹³ Altri invece ridevano e dicevano: « Sono completamente ubriachi ».

Pietro annunzia la risurrezione di Gesù

¹⁴ Allora Pietro si alzò insieme con gli altri undici *apostoli. A voce alta parlò così: « Uomini di Giudea e voi tutti che vi trovate a Gerusalemme: ascoltate attentamente le mie parole e saprete che cosa sta accadendo. ¹⁵ Questi uomini non sono affatto ubriachi, come voi supponete, — tra l'altro è presto: sono solo le nove del mattino —. ¹⁶ Si realizza invece quello che Dio aveva annunziato per mezzo del *profeta Gioele:

¹⁷ *Ecco* — dice Dio — *ciò che accadrà* negli ultimi giorni:

manderò il mio Spirito su tutti gli uomini:

> *i vostri figli e le vostre figlie avranno il dono della profezia,*
> *i vostri giovani avranno visioni,*
> *i vostri anziani avranno sogni.*

18 *Su tutti quelli che mi servono, uomini e donne,*
in quei giorni io manderò il mio Spirito
ed essi parleranno come profeti.

19 *Farò cose straordinarie lassù in cielo*
e prodigi giù sulla terra:
sangue, fuoco e nuvole di fumo.

20 *Il sole si oscurerà*
e la luna diventerà rossa come il sangue,
prima che venga il giorno grande e glorioso del Signore.

21 *Allora, chiunque invocherà il nome del Signore sarà salvo.*

22 Uomini di Israele, ascoltate ciò che sto per dire. Gesù di Nàzaret era un uomo mandato da Dio per voi. Dio gli ha dato autorità con *miracoli, con prodigi e con segni. È stato Dio stesso a compierli per mezzo di lui fra voi. E voi lo sapete bene! 23 Quest'uomo, secondo le decisioni e il piano prestabilito da Dio, è stato messo nelle vostre mani e voi, con la complicità di uomini malvagi, lo avete ucciso inchiodandolo a una croce. 24 Ma Dio l'ha fatto risorgere, liberandolo dal potere della morte. Era impossibile infatti che Gesù rimanesse schiavo della morte. 25 Un salmo di Davide infatti dice di lui:

> *Vedevo continuamente il Signore davanti a me:*
> *Egli mi sostiene perché io non abbia a cadere.*

26 *Per questo io sono pieno di gioia e posso cantare la mia felicità.*
Pur essendo mortale, vivrò nella speranza,

27 *Perché tu non mi abbandonerai nel mondo dei morti*
e non permetterai che il tuo santo vada in corruzione.

28 *Tu mi hai mostrato i sentieri che portano alla vita*
e con la tua presenza mi riempirai di gioia.

29 Fratelli, devo parlarvi molto chiaramente riguardo al nostro patriarca Davide. Egli è morto e fu sepolto, e la sua tomba si trova ancor oggi in mezzo a noi. 30 Egli però era profeta, e sapeva bene quello che Dio *gli aveva promesso* con giuramento: *uno dei suoi discendenti doveva diventare re come lui.*

31 Davide dunque vide in anticipo ciò che doveva accadere,
e queste sue parole si riferiscono alla risurrezione del *Messia:

*Egli non è stato abbandonato nel mondo dei morti
e il suo corpo non è andato in corruzione.*

32 Questo Gesù, Dio lo ha fatto risorgere, e noi tutti ne
siamo testimoni. 33 Egli è stato innalzato accanto a Dio e
ha ricevuto dal Padre lo *Spirito Santo che era stato promesso. Ora egli ci dona quello stesso Spirito come anche
voi potete vedere e udire. 34 Davide infatti non è salito in
cielo; eppure egli dice:

*Il Signore ha detto al mio Signore:
siedi accanto a me*
35 *finché io porrò i tuoi nemici
come sgabello dei tuoi piedi.*

36 Tutto il popolo d'Israele deve dunque saperlo con certezza: questo Gesù che voi avete crocifisso, Dio lo ha fatto
Signore e *Messia ».

37 All'udire queste parole, i presenti si sentirono come tra-
figgere il cuore e chiesero a Pietro e agli altri apostoli:
« Fratelli, che cosa dobbiamo fare? ».

38 Pietro rispose: « Cambiate vita e ciascuno di voi si faccia battezzare nel nome di Gesù Cristo. Riceverete il perdono dei vostri peccati e il dono dello Spirito Santo. 39 In
realtà, ciò che Dio ha promesso vale per voi, per i vostri
figli e per tutti quelli che sono lontani, per tutti quelli che
il Signore, Dio nostro, chiamerà ». 40 Pietro disse anche molte
altre cose per convincerli e per esortarli. Tra l'altro diceva:
« Mettetevi in salvo dal castigo che sta per venire sopra questa generazione perversa! ».

41 Alcuni diedero ascolto alle parole di Pietro e furono battezzati. Così, in quel giorno, circa tremila persone si ag-
giunsero al gruppo dei credenti.

La vita della comunità

42 Essi ascoltavano con assiduità l'insegnamento degli *apostoli, vivevano insieme fraternamente, partecipavano alla Cena
del Signore e pregavano insieme.

43 Dio faceva molti *miracoli e prodigi per mezzo degli apostoli: per questo ognuno era preso da timore. 44 Tutti i credenti vivevano insieme e mettevano in comune tutto quello
che possedevano. 45 Vendevano le loro proprietà e i loro beni

e distribuivano i soldi fra tutti, secondo le necessità di ciascuno. ⁴⁶ Ogni giorno, tutti insieme, frequentavano il tempio.
Spezzavano il pane nelle loro case e mangiavano con gioia
e semplicità di cuore. ⁴⁷ Lodavano Dio, ed erano benvisti
da tutta la gente. Di giorno in giorno il Signore faceva crescere la comunità con quelli che giungevano alla salvezza.

Pietro guarisce uno storpio

3 ¹ Un giorno Pietro e Giovanni salivano al tempio. Erano
le tre del pomeriggio, l'ora della preghiera. ² Presso la
porta del tempio che si chiamava la « Porta Bella » vi era
un uomo, storpio fin dalla nascita. Lo portavano là ogni
giorno, ed egli chiedeva l'elemosina a tutti quelli che entra-
vano nel tempio.
³ Appena vide Pietro e Giovanni che stavano per entrare,
domandò loro l'elemosina.
⁴ Ma Pietro, insieme a Giovanni, lo fissò negli occhi e disse:
« Guardaci! ».
⁵ Quell'uomo li guardò, sperando di ricevere da loro qualcosa.
⁶ Pietro invece gli disse: « Soldi non ne ho, ma quello che
ho te lo do volentieri: nel nome di Gesù Cristo, il *Nazareno, alzati e cammina ». ⁷ Poi lo prese per la mano destra
e lo aiutò ad alzarsi.
In quell'istante le gambe e le caviglie del malato diventarono robuste. ⁸ Con un salto si mise in piedi e cominciò
a camminare. Poi entrò nel tempio con gli *apostoli: camminava, anzi saltava per la gioia e lodava Dio.
⁹ Vedendolo camminare e lodare Dio, tutta la gente ¹⁰ lo riconobbe: era proprio lui, quello che stava alla « Porta Bella »
del tempio. Così rimasero tutti pieni di stupore e di meraviglia per quello che gli era accaduto.

Pietro annunzia la potenza di Gesù risorto

¹¹ Mentre quell'uomo cercava di trattenere Pietro e Giovanni,
tutta la gente, piena di meraviglia, corse verso di loro nel
*portico detto di Salomone. ¹² Vedendo ciò, Pietro si rivolse
alla folla con queste parole: « Uomini d'Israele, perché vi
meravigliate di questa guarigione? Voi ci guardate come se
fossimo stati noi a far camminare quest'uomo, noi con le
nostre forze e con le nostre preghiere. ¹³ Invece è stato Dio,

il Dio di Abramo, di Isacco e di Giacobbe, il Dio dei nostri padri. Con questa guarigione Dio ha manifestato il glorioso potere di Gesù, suo servo; proprio quel Gesù che voi avete consegnato alle autorità e avete accusato ingiustamente anche davanti a Pilato, anche se lui aveva deciso di liberarlo.

[14] Voi avete fatto condannare il Santo e il Giusto e avete preferito chiedere la liberazione di un criminale. [15] Così voi avete messo a morte Gesù, che dà la vita a tutti. Ma Dio lo ha fatto risorgere dai morti, e noi ne siamo testimoni. [16] Ed è per la fede in Gesù che quest'uomo che voi vedete e conoscete ha riacquistato le forze. Gesù gli ha dato la fede e con la sua potenza lo ha completamente guarito alla presenza di tutti voi.

[17] Fratelli, so bene che voi e i vostri capi avete agito contro Gesù senza sapere quello che stavate facendo. [18] Ma Dio, proprio in questo modo, ha portato a compimento quello che aveva annunziato per mezzo dei *profeti, e cioè che il suo *Messia doveva soffrire. [19] Cambiate vita, dunque, e ritornate a Dio, perché Dio perdoni i vostri peccati! [20] Così il Signore farà venire per voi i tempi della sua consolazione e vi manderà Gesù, il Messia, che egli vi aveva destinato. [21] Tuttavia, per il momento, Gesù deve restare in cielo fino a quando non verrà il tempo nel quale tutte le cose saranno rinnovate, come aveva detto Dio stesso per mezzo dei suoi santi profeti.

[22] Mosè infatti disse: *Il Signore, il vostro Dio, vi manderà un profeta come me e sarà uno del vostro popolo. Dovrete ascoltare tutto ciò che vi dirà.* [23] *Chiunque non ascolterà questo profeta sarà tagliato fuori dal popolo di Dio e sarà distrutto.* [24] Inoltre, anche tutti i profeti che hanno parlato dopo Samuele, hanno annunziato quello che è accaduto in questi giorni.

[25] Per voi hanno parlato i profeti, per voi Dio ha fatto un patto di *alleanza con i vostri padri quando disse ad Abramo: *Attraverso i tuoi discendenti io benedirò tutti i popoli della terra.* [26] Per questo Dio ha fatto risorgere il suo servo Gesù e lo ha mandato a portarvi la sua salvezza, a voi prima che agli altri, perché ognuno si converta dalla sua vita cattiva ».

Pietro e Giovanni davanti al tribunale

4 ¹ Pietro e Giovanni stavano ancora parlando al popolo, quando arrivarono i sacerdoti e i *sadducei insieme al comandante delle guardie del tempio. ² Essi erano molto irritati per il fatto che gli *apostoli insegnavano al popolo, ma soprattutto perché annunziavano che Gesù era risuscitato e che quindi i morti risorgono. ³ Perciò li arrestarono e li gettarono in prigione fino al giorno successivo, perché ormai era sera. ⁴ Tuttavia, molti di quelli che avevano ascoltato la predicazione degli apostoli credettero, e la comunità dei credenti aumentò di numero fino a circa cinquemila persone.

⁵ Il giorno dopo a Gerusalemme si radunarono i capi degli ebrei e del popolo e i *maestri della legge. ⁶ Erano presenti anche Anna, *sommo sacerdote, e Caifa, Giovanni e Alessandro, e quanti appartenevano alla famiglia del sommo sacerdote.

⁷ Fecero venire gli apostoli e incominciarono a interrogarli: « Da dove o da chi avete ricevuto il potere di far questo? ».

⁸ Allora Pietro, pieno di *Spirito Santo, rispose loro: « Capi del popolo e *anziani di questo tribunale, ascoltatemi. ⁹ Voi oggi ci domandate conto del bene che abbiamo fatto a un povero malato e per di più volete sapere come mai quest'uomo ha potuto essere guarito. ¹⁰ Ebbene, una cosa dovete sapere voi e tutto il popolo d'Israele: quest'uomo sta davanti a voi, guarito, perché abbiamo invocato Gesù Cristo, il *Nazareno, quel Gesù che voi avete messo in croce e che Dio ha fatto risorgere dai morti. ¹¹ Il libro dei Salmi parla di lui quando dice:

> *La pietra che voi, costruttori, avete eliminato*
> *è diventata la pietra più importante.*

¹² Gesù Cristo, e nessun altro, può darci la salvezza: infatti non esiste altro uomo al mondo al quale Dio abbia dato il potere di salvarci ».

¹³ I membri del tribunale ebraico erano davvero stupiti dalla franchezza con la quale Pietro e Giovanni parlavano, tanto più che si trattava di persone molto semplici e senza cultura, e avevano dovuto riconoscere che erano stati seguaci di Gesù. ¹⁴ In presenza di quell'uomo guarito, che stava accanto a loro, non sapevano che cosa dire.

¹⁵ Allora comandarono a Pietro e Giovanni di uscire dalla sala del tribunale e si misero a discutere tra di loro ¹⁶ così: « Che

cosa possiamo fare adesso con questi uomini? Ormai tutti gli abitanti di Gerusalemme sanno che essi hanno compiuto questo *miracolo pubblicamente, e noi non possiamo certamente dire che non è vero. [17] Tuttavia, dobbiamo proibire loro in modo assoluto di parlare nel nome di Gesù: così la notizia di questo miracolo non si diffonderà ancora di più fra la gente ». [18] Li fecero chiamare di nuovo e comandarono loro di non parlare assolutamente di Gesù e di non insegnare più nel suo nome.

[19] Ma Pietro e Giovanni risposero: « Giudicate voi stessi che cosa è giusto davanti a Dio: dobbiamo ascoltare voi oppure dobbiamo ubbidire a Dio? [20] Quanto a noi, non possiamo fare a meno di parlare di quelle cose che abbiamo visto e udito ».

[21] Quelli del tribunale ebraico li minacciarono di nuovo, poi li lasciarono andare liberi, perché non riuscivano a trovare un motivo per punirli. Avevano anche paura del popolo: tutti infatti ringraziavano ancora Dio per il miracolo che avevano fatto.

[22] L'uomo che era stato miracolosamente guarito aveva già più di quarant'anni.

Come pregavano i primi cristiani

[23] Pietro e Giovanni furono lasciati liberi, ritornarono dai loro compagni e raccontarono quello che avevano detto i capi dei sacerdoti e del popolo. [24] Tutti ascoltarono; poi si riunirono a pregare Dio con queste parole: « *O Dio, tu hai creato il cielo, la terra, il mare e tutto quello che essi contengono.* [25] Tu per mezzo dello *Spirito Santo hai fatto dire a Davide, nostro padre e tuo servitore, queste parole profetiche:

> *Perché i pagani si sono agitati con orgoglio?*
> *perché i popoli hanno fatto dei complotti inutili?*
> [26] *I re della terra si sono messi in stato di allarme,*
> *e i capi di eserciti si sono accordati tra di loro*
> *contro il Signore e contro il suo *Messia.*

[27] E davvero qui a Gerusalemme Erode e Ponzio Pilato si sono messi d'accordo con gli stranieri e con il popolo d'Israele contro il tuo santo servo Gesù, che tu hai scelto come Messia. [28] Così essi hanno eseguito quello che tu, o Signore, avevi

deciso e stabilito. 29 Ma ora, o Signore, guarda come ci minacciano e concedi a noi, tuoi servi, di poter annunziare la tua parola con grande coraggio. 30 Fa' vedere la tua potenza e fa' in modo che avvengano ancora guarigioni, prodigi e *miracoli, quando invochiamo Gesù, il tuo santo servo ». 31 Appena ebbero finito di pregare, il luogo nel quale erano radunati tremò: lo Spirito Santo venne su ciascuno di loro, e cominciarono ad annunziare la *parola di Dio senza paura.

I primi cristiani mettono in comune i loro beni

32 La comunità dei credenti viveva unanime e concorde, e quelli che possedevano qualcosa non la consideravano come propria, ma tutto quello che avevano lo mettevano insieme. 33 Gli *apostoli annunziavano con convinzione e con forza che il Signore Gesù era risuscitato. Dio li sosteneva con la sua grazia. 34 Tra i credenti nessuno mancava del necessario, perché quelli che possedevano campi o case li vendevano, e i soldi ricavati li mettevano a disposizione di tutti: 35 li consegnavano agli apostoli e poi venivano distribuiti a ciascuno secondo le sue necessità. 36 Ad esempio: un certo Giuseppe, un levita nato a Cipro e che gli apostoli chiamavano Bàrnaba (cioè uomo che infonde coraggio), 37 aveva un campo, lo vendette e portò i soldi agli apostoli.

Ananìa e Saffìra

5 1 Un certo Ananìa invece, d'accordo con sua moglie Saffìra, vendette un campo 2 ma tenne per sé una parte dei soldi ricavati e agli *apostoli consegnò soltanto l'altra parte. Sua moglie sapeva tutto questo ed era pienamente d'accordo. 3 Ma Pietro si accorse del fatto e disse: « Ananìa, come mai Satana ha potuto impadronirsi di te? Ti sei trattenuto una parte dei soldi ricavati dalla vendita, ma così facendo non sei stato sincero verso lo *Spirito Santo! 4 Prima che tu lo vendessi, il campo era tuo e anche dopo averlo venduto potevi benissimo tenere tutto il denaro per te: lo sai bene. Perché, invece, hai pensato di fare una simile azione? Tu non sei stato bugiardo verso gli uomini, ma verso Dio ». 5 Appena ebbe sentito queste parole, Ananìa cadde a terra morto. E tutti quelli che vennero a conoscenza di questo

fatto furono presi da grande paura. ⁶ Poi, alcuni giovani avvolsero in un lenzuolo il corpo di Ananìa e lo portarono via per seppellirlo.

⁷ Circa tre ore dopo arrivò anche la moglie di Ananìa. Essa non sapeva quel che era appena accaduto. ⁸ Pietro le chiese: « Dimmi, Saffìra, il vostro campo l'avete venduto proprio a questo prezzo? ».

Essa rispose: « Sì, a questo prezzo! ».

⁹ Allora Pietro le disse: « Perché vi siete messi d'accordo, tutti e due, di sfidare lo Spirito del Signore? Ecco, stanno tornando quelli che hanno seppellito il corpo di tuo marito: ora essi porteranno via anche te ». ¹⁰ In quello stesso momento Saffìra cadde a terra davanti a Pietro e morì. Quando i giovani entrarono la trovarono morta; allora la portarono via per seppellirla accanto al corpo di suo marito.

¹¹ Tutta la Chiesa e quelli che vennero a conoscenza di questo fatto, furono presi da grande paura.

I miracoli degli apostoli

¹² Gli *apostoli facevano molti prodigi e *miracoli in mezzo alla gente. I credenti, di solito, si riunivano sotto il *portico di Salomone. ¹³ Nessun altro osava unirsi a loro, eppure il popolo aveva grande stima di loro. ¹⁴ La comunità cresceva sempre di più, perché aumentava il numero di uomini e di donne che credevano nel Signore.

¹⁵ I malati venivano portati perfino nelle piazze: li mettevano sui giacigli e sulle barelle, per fare in modo che Pietro, passando, li potesse sfiorare almeno con l'ombra del suo corpo.

¹⁶ Molta gente accorreva anche dai villaggi vicini a Gerusalemme: portavano i malati e quelli che erano tormentati da *spiriti maligni; e tutti quanti venivano guariti.

Gli apostoli vengono perseguitati dalle autorità

¹⁷ Allora il *sommo sacerdote e tutti quelli che erano con lui, cioè quelli del partito dei *sadducei, pieni di gelosia, ¹⁸ fecero arrestare gli *apostoli e li gettarono in prigione. ¹⁹ Ma durante la notte un *angelo del Signore aprì le porte della prigione, li fece uscire e disse loro: ²⁰ « Andate nel tempio e predicate al popolo tutto quello che riguarda la

nuova vita». ²¹ Gli apostoli ubbidirono: di buon mattino andarono nel tempio e si misero a insegnare.

Nel frattempo, il sommo sacerdote e quelli che erano con lui, convocarono i capi del popolo ebraico per una seduta di tutto il loro tribunale. Intanto diedero ordine che gli apostoli fossero portati fuori dal carcere dinanzi a loro. ²² Ma quando le guardie arrivarono nella prigione non vi trovarono gli apostoli. Allora tornarono subito indietro e riferirono: ²³ «La prigione noi l'abbiamo trovata ben chiusa e le guardie stavano al loro posto davanti alle porte. Ma quando abbiamo aperto le porte, dentro non c'era più nessuno».

²⁴ Nel sentire queste cose il comandante delle guardie del tempio e i capi dei sacerdoti non sapevano cosa pensare e si domandavano cosa poteva essere accaduto.

²⁵ Allora si presentò un uomo e disse: «Ascoltate: quegli uomini che voi avete messo in prigione, ora si trovano nel tempio e stanno insegnando al popolo». ²⁶ Il comandante delle guardie partì subito con i suoi uomini per arrestare di nuovo gli apostoli, ma senza violenza, perché temevano di essere presi a sassate dalla gente.

²⁷ Li portarono via e li fecero comparire davanti al tribunale. Il sommo sacerdote cominciò ad accusarli: ²⁸ «Noi vi avevamo severamente proibito di insegnare nel nome di quell'uomo, e voi invece avete diffuso il vostro insegnamento per tutta Gerusalemme. Per di più, volete far cadere su di noi la responsabilità della sua morte».

²⁹ Ma Pietro e gli apostoli risposero: «Si deve ubbidire prima a Dio che agli uomini. ³⁰ Ora, il Dio dei nostri padri ha fatto risorgere Gesù, quello che voi avete fatto morire inchiodandolo a una croce. ³¹ Dio lo ha innalzato accanto a sé, come nostro capo e Salvatore, per offrire al popolo d'Israele l'occasione di cambiar vita e di ricevere il perdono dei peccati.

³² Noi siamo testimoni di questi fatti: noi e lo Spirito Santo, che Dio ha dato a quelli che gli ubbidiscono».

³³ I giudici del tribunale ebraico, sentendo queste cose, furibondi volevano eliminare gli apostoli. ³⁴ Ma tra di loro vi era un fariseo, un certo *Gamalièle: egli era anche un *maestro della legge, molto stimato dal popolo. Si alzò in mezzo al tribunale e chiese che gli apostoli fossero condotti momentaneamente fuori dalla sala. ³⁵ Poi disse: «Voi, Israeliti, pensate bene a quello che avete intenzione di fare con

questi uomini. ³⁶ Non molto tempo fa, ricordate, fece gran chiasso un certo Tèuda il quale diceva di essere un uomo importante, e aveva circa quattrocento seguaci. Ma poi egli fu ucciso e quelli che lo avevano seguito si dispersero fino a scomparire del tutto. ³⁷ Dopo di lui, all'epoca del censimento, si presentò un certo Giuda, oriundo della Galilea. Egli persuase un gran numero di persone a seguirlo, ma anche lui fu ucciso, e tutti quelli che lo avevano seguito si dispersero. ³⁸ Per quanto riguarda il caso di oggi, ecco quello che vi dico: non occupatevi più di questi uomini, lasciateli andare: perché se la loro pretesa e la loro attività sono cose solamente umane scompariranno da sé; ³⁹ se invece Dio è dalla loro parte, non sarete certamente voi a mandarli in rovina. Non correte il rischio di dover combattere contro Dio ».

Quelli del tribunale ebraico seguirono il parere di Gamalièle. ⁴⁰ Fecero richiamare gli apostoli e li punirono facendoli frustare; poi comandarono loro di non parlare più nel nome di Gesù e finalmente li lasciarono liberi. ⁴¹ Gli apostoli uscirono dal tribunale e se ne andarono tutti contenti, perché avevano avuto l'onore di essere maltrattati a causa del nome di Gesù. ⁴² Ogni giorno, nel tempio o nelle case, continuavano a insegnare e ad annunziare che Gesù è il *Messia.

Sette aiutanti per gli apostoli

6 ¹ Intanto in Gerusalemme cresceva il numero dei *discepoli e accadde che i credenti di lingua greca si lamentarono di quelli che parlavano ebraico: succedeva che le loro vedove venivano trascurate nella distribuzione quotidiana dei viveri. ² I dodici *apostoli allora riunirono il gruppo dei discepoli e dissero: « Non è giusto che noi trascuriamo la predicazione della *parola di Dio per occuparci della distribuzione dei viveri. ³ Ecco dunque, fratelli, la nostra proposta: scegliete fra di voi sette uomini, stimati da tutti, pieni di *Spirito Santo e di saggezza, e noi affideremo a loro questo incarico. ⁴ Noi apostoli, invece, impegneremo tutto il nostro tempo a pregare e ad annunziare la parola di Dio ».
⁵ Questa proposta degli apostoli piacque all'assemblea. Allora scelsero Stefano, uomo ricco di fede e di Spirito Santo, e poi Filippo, Pròcoro, Nicànore, Timòne, Parmenàs e Nicola, uno straniero che proveniva da Antiòchia. ⁶ Presentarono poi que-

sti sette uomini agli apostoli i quali pregarono e stesero le mani sopra di loro.

⁷ Intanto la parola di Dio si diffondeva sempre di più. A Gerusalemme il numero dei discepoli cresceva notevolmente, e anche molti sacerdoti prestavano ascolto alla predicazione degli apostoli e credevano.

Stefano viene arrestato

⁸ Dio era con Stefano e gli dava la forza di fare grandi *miracoli e prodigi in mezzo al popolo. ⁹ Ma alcuni individui gli si opposero: erano quelli della comunità ebraica detta dei Liberti, insieme con altri di Cirene e di Alessandria, e altri della Cilicia e dell'Asia. Costoro si misero a discutere con Stefano, ¹⁰ ma non potevano resistergli perché egli parlava con la saggezza che gli veniva dallo *Spirito Santo.

¹¹ Allora pagarono alcuni uomini perché dicessero: « Noi abbiamo sentito costui dire bestemmie contro Mosè e contro Dio ». ¹² Così misero in agitazione il popolo, i capi del popolo e i *maestri della legge. Poi gli piombarono addosso, lo catturarono e lo trascinarono in tribunale.

¹³ Presentarono poi dei falsi testimoni, i quali dissero: « Quest'uomo continua a parlare contro il luogo santo, il tempio, e contro la nostra *legge. ¹⁴ Anzi lo abbiamo sentito affermare che Gesù il *Nazareno distruggerà il tempio e cambierà le tradizioni che ci sono state date da Mosè ».

¹⁵ Tutti quelli che sedevano nella sala del tribunale fissarono gli occhi su di lui e videro il suo volto splendere come quello di un *angelo.

Stefano si difende di fronte al tribunale ebraico

7 ¹ Il sommo sacerdote domandò a Stefano: « È vero quello che dicono i tuoi accusatori? ». ² Stefano allora rispose: « Fratelli e padri, ascoltatemi! Il nostro Dio, al quale appartengono l'onore e la gloria, si manifestò ad Abramo, nostro antico padre, quando si trovava in Mesopotamia e non era ancora andato ad abitare nella terra di Carran. ³ Gli disse: " Esci dalla tua terra, lascia la tua famiglia e va' nella terra che io ti mostrerò ".

⁴ Abramo allora abbandonò la terra dei Caldei e andò ad abitare nella regione di Carran. Poi il padre di Abramo morì

e Dio lo fece emigrare in questa terra nella quale adesso abitate voi. ⁵ Ma in essa non gli diede alcun possesso, neppure un metro di terra; gli promise invece che *l'avrebbe data in proprietà più tardi a lui e ai suoi discendenti: ma a quel tempo Abramo non aveva figli.* ⁶ Poi Dio gli disse: *" I tuoi discendenti andranno ad abitare in una terra straniera: là diventeranno schiavi e per quattrocento anni saranno maltrattati.* ⁷ *Ma io punirò quel popolo che li avrà fatti diventare schiavi. Più tardi essi potranno uscire e mi adoreranno in questo luogo ".*

⁸ Così disse il Signore, poi fece con Abramo quell'*alleanza che ha per segno la *circoncisione. E così Abramo ebbe un figlio, Isacco, e lo circoncise l'ottavo giorno. Poi Isacco generò Giacobbe e Giacobbe generò i dodici *patriarchi.

⁹ I patriarchi erano invidiosi di uno di loro, Giuseppe; lo vendettero come schiavo e fu portato in Egitto. Ma Dio era con lui, ¹⁰ e lo liberò da tutte le sue tribolazioni: lo fece diventare sapiente e lo rese *simpatico al *faraone, re d'Egitto, il quale perciò nominò Giuseppe governatore dell'Egitto e amministratore di tutti i suoi beni.* ¹¹ *Poi, in tutto l'Egitto e nella terra di Canaan ci fu una grande carestia.* La miseria era grande e i nostri padri non trovavano nulla da mangiare. ¹² Giacobbe, però, aveva saputo che in Egitto c'era ancora del grano: allora vi mandò i nostri padri a comprarlo. ¹³ Quando tornarono la seconda volta, Giuseppe si fece riconoscere dai suoi fratelli, e così il faraone venne a sapere di che stirpe era Giuseppe. ¹⁴ Giuseppe allora mandò a chiamare Giacobbe suo padre e tutta la sua parentela: settantacinque persone in tutto. ¹⁵ Giacobbe si recò in Egitto e più tardi morì, lui e tutti i nostri antenati. ¹⁶ I loro corpi furono trasportati nella città di Sichem e furono deposti nel sepolcro che Abramo aveva comprato e pagato in denaro dai figli di Emor, in Sichem.

¹⁷ Mentre si avvicinava il tempo nel quale Dio avrebbe realizzato la promessa fatta ad Abramo, il popolo cresceva e si moltiplicava in Egitto. ¹⁸ Un giorno salì sul trono d'Egitto un altro re il quale non aveva conosciuto Giuseppe. ¹⁹ Questo re perseguitò la nostra gente e agì astutamente contro di essa: costrinse i nostri padri ad abbandonare i loro bambini per farli morire. ²⁰ In quel tempo nacque Mosè, un bambino straordinariamente bello. Per tre mesi fu allevato nella casa di suo padre. ²¹ Ma quando fu abbandonato, la figlia

del faraone lo raccolse e lo allevò come fosse suo figlio. ²² Così Mosè imparò tutte le scienze degli egiziani e divenne un uomo importante, sia per quello che diceva sia per quello che faceva.

²³ Quando giunse all'età di quarant'anni, Mosè sentì il desiderio di conoscere la sua gente, il popolo d'Israele. ²⁴ Andò da loro e vide uno che veniva maltrattato da un egiziano: lo difese e, per vendicarlo, uccise l'egiziano. ²⁵ Mosè pensava che i suoi fratelli di razza avrebbero capito che, per mezzo di lui, Dio intendeva salvarli dagli egiziani. Ma essi non capirono. ²⁶ Il giorno dopo si presentò in mezzo a loro mentre stavano litigando e si dava da fare per metterli in pace. Diceva loro: " Non sapete che siete fratelli? Perché vi insultate tra di voi? ". ²⁷ Ma colui che stava maltrattando il suo vicino lo respinse dicendo: " Chi ti ha fatto capo e giudice sopra di noi? ²⁸ Vuoi forse uccidermi, come ieri hai ucciso quell'egiziano? ". ²⁹ Sentendo queste parole, Mosè fuggì e andò ad abitare nella terra di Madian e là ebbe due figli.

³⁰ Quarant'anni dopo, quando era nel deserto del Sinai, gli apparve un *angelo tra le fiamme di un cespuglio che bruciava. ³¹ Mosè rimase stupito per questa visione, e mentre si avvicinava al cespuglio per vedere meglio, udì la voce del Signore che gli diceva: ³² Io sono il Dio dei tuoi padri, il Dio di Abramo, di Isacco e di Giacobbe ".

Tutto tremante, Mosè non osava alzare lo sguardo. ³³ Ma il Signore gli disse: " Togliti i sandali, perché il luogo in cui stai è terra santa. ³⁴ Ho visto il mio popolo duramente maltrattato in Egitto, ho udito i loro gemiti e sono venuto a liberarli. Ora vieni: voglio mandarti in Egitto ".

³⁵ Quest'uomo, Mosè, è colui che gli israeliti avevano rinnegato dicendo: " Chi ti ha fatto capo e giudice? ": proprio lui Dio ha mandato come capo e salvatore, per mezzo dell'angelo che gli era apparso nel cespuglio. ³⁶ Egli li fece uscire dall'Egitto, facendo prodigi e *miracoli in quel paese, nel Mar Rosso e nel deserto, per quarant'anni. ³⁷ Egli è quel Mosè che disse al popolo d'Israele: " Dio farà sorgere tra i vostri fratelli un profeta simile a me ". ³⁸ Egli è colui che, mentre erano radunati nel deserto, fece da intermediario tra l'angelo che gli parlava sul monte Sinai e i nostri padri. Egli ricevette da Dio parole capaci di dare la vita e le comunicò a noi.

³⁹ Ma i nostri padri non vollero ascoltarlo, anzi lo respin-

sero e desiderarono ritornare in Egitto. ⁴⁰ Dicevano infatti ad Aronne: *"Facci degli dèi che possano camminare davanti a noi, perché non sappiamo che cosa sia capitato a questo Mosè che ci ha condotto fuori dall'Egitto"*. ⁴¹ E in quei giorni si fecero un vitello d'oro, offrirono sacrifici a quell'idolo e furono contenti di quanto avevano fatto con le loro mani. ⁴² Allora Dio si allontanò da loro, li abbandonò a se stessi, e così adorarono gli astri del cielo, come sta scritto nel libro dei Profeti:

Voi, o popolo d'Israele, avete offerto vittime e sacrifici per quarant'anni nel deserto, ma non a me.
⁴³ *Avete invece preferito la tenda di *Mòloch*
*e la stella del dio *Refàn:*
tutte immagini che vi siete fabbricati per adorarle!
*Perciò io vi castigherò e vi porterò al di là di *Babilonia.*

⁴⁴ I nostri padri nel deserto avevano la tenda dell'alleanza, nella quale Dio parlava con Mosè. Dio stesso aveva ordinato a Mosè di costruirla secondo un modello che gli aveva indicato. ⁴⁵ Essa fu poi consegnata ai nostri padri ed essi, sotto la guida di Giosuè, la portarono con loro quando conquistarono la terra dei pagani che Dio cacciò davanti a loro. Così rimase fino ai tempi di Davide.
⁴⁶ Davide ottenne il favore di Dio e chiese di poter costruire una casa per il Dio di Giacobbe. ⁴⁷ Ma fu il re Salomone che costruì una casa al Signore. ⁴⁸ Dio onnipotente però non abita in edifici costruiti dalle mani dell'uomo. Lo dice anche il profeta:

⁴⁹ *Il cielo è il mio trono*
e la terra è lo sgabello dei miei piedi.
Quale casa potrete mai costruirmi, dice il Signore,
o quale sarà il luogo del mio riposo?
⁵⁰ *Non sono stato io a fare queste cose?*

⁵¹ Testardi! I vostri cuori sono insensibili e le vostre orecchie sorde. Voi vi opponete sempre allo Spirito Santo: come hanno fatto i vostri padri così fate anche voi. ⁵² Qual è il profeta che i vostri padri non hanno perseguitato? Essi uccisero i profeti che annunziavano la venuta di Gesù, il Giusto, quello che voi ora avete tradito e ucciso. ⁵³ Voi avete ricevuto la *legge di Dio per mezzo degli angeli, ma non l'avete osservata!».

Stefano viene lapidato

⁵⁴ Nel sentirlo parlare, quelli del tribunale ebraico si infuriarono e si agitarono contro Stefano. ⁵⁵ Ma egli, pieno di *Spirito Santo, fissando gli occhi al cielo, vide Dio glorioso e Gesù che stava alla sua destra. ⁵⁶ Disse: « Ecco, io vedo i cieli aperti e il *Figlio dell'uomo che sta in piedi alla destra di Dio ». ⁵⁷ Allora si turarono le orecchie e gridarono a gran voce; poi si scagliarono tutti insieme contro Stefano, ⁵⁸ lo trascinarono fuori città per ucciderlo a sassate. I testimoni deposero i loro mantelli presso un giovane, un certo *Saulo, perché li custodisse. ⁵⁹ Mentre gli scagliavano addosso le pietre, Stefano pregava così: « Signore Gesù, accogli il mio spirito ». ⁶⁰ E cadendo in ginocchio, gridò forte: « Signore, non tener conto del loro peccato ». Poi morì.

8 ¹ Saulo era uno di quelli che approvavano l'uccisione di Stefano.

Saulo perseguita la comunità cristiana

In quel giorno si scatenò una violenta persecuzione contro la comunità di Gerusalemme: tutti, eccetto gli *apostoli, si dispersero nelle regioni della Giudea e della Samarìa. ² Alcune persone buone seppellirono il corpo di Stefano e piansero molto per la sua morte. ³ *Saulo intanto infieriva contro la Chiesa: entrava nelle case, trascinava fuori uomini e donne e li faceva mettere in prigione.

Filippo parla di Gesù ai samaritani

⁴ Ma quelli che si erano dispersi andavano per il paese e annunziavano la parola di Dio. ⁵ Filippo, uno dei sette diaconi, giunto in una città della Samarìa, cominciò a parlare del *Messia ai suoi abitanti. ⁶ La folla seguiva attentamente i discorsi di Filippo per quel che diceva e perché vedeva i miracoli che egli faceva. ⁷ Molti tormentati da *spiriti maligni gridavano a gran voce, e gli spiriti se ne uscivano dagli ammalati; anche numerosi paralizzati e zoppi furono guariti. ⁸ Perciò, gli abitanti della città erano molto contenti.

Il mago Simone

⁹ Già da tempo viveva in quella città un certo Simone, che praticava la magia ed era molto ammirato dalla popolazione della Samarìa, perché si spacciava per un grande uomo. ¹⁰ Tutti, dai più piccoli ai più grandi, gli davano ascolto. Dicevano tra l'altro: «In quest'uomo si manifesta la potenza di Dio, la grande potenza di Dio». ¹¹ Gli davano ascolto perché già da molto tempo li aveva profondamente sconvolti con le sue arti magiche. ¹² Quando però credettero a Filippo che annunziava loro il *regno di Dio e Gesù Cristo, uomini e donne si fecero battezzare. ¹³ Anche Simone credette e fu battezzato: anzi egli stava sempre con Filippo, e vedendo i grandi *miracoli e prodigi che avvenivano, ne rimaneva incantato.

¹⁴ Gli *apostoli che erano rimasti in Gerusalemme vennero a sapere che gli abitanti della Samarìa avevano accolto la *parola di Dio: perciò mandarono da loro Pietro e Giovanni. ¹⁵ Quando questi due arrivarono in Samarìa, pregarono perché i samaritani ricevessero lo *Spirito Santo. ¹⁶ Nessuno di loro infatti aveva ricevuto lo Spirito Santo, ma erano stati semplicemente battezzati nel nome del Signore Gesù. ¹⁷ Allora Pietro e Giovanni posero le mani su loro, e quelli ricevettero lo Spirito Santo.

¹⁸ Simone vedeva che quando gli apostoli ponevano le mani su qualcuno, quello riceveva lo Spirito Santo; perciò offrì denaro agli apostoli ¹⁹ dicendo: «Date anche a me questo potere, fate in modo che coloro sui quali io poserò le mie mani ricevano lo Spirito Santo». ²⁰ Ma Pietro gli rispose: «Va' alla malora, tu e il tuo denaro, perché hai pensato che il dono di Dio si può acquistare con i soldi. ²¹ Tu non hai assolutamente nulla da condividere con noi in queste cose, perché tu non hai la coscienza a posto davanti a Dio. ²² Smettila di pensare a questo modo e prega il Signore perché ti perdoni l'intenzione malvagia che hai avuto. ²³ Mi accorgo infatti che sei pieno di male e prigioniero della cattiveria».

²⁴ Allora Simone rispose: «Pregate voi il Signore per me, perché non mi capiti nulla di quello che avete detto».

²⁵ Così Pietro e Giovanni davano la loro testimonianza e predicavano la parola del Signore. Poi ripresero la strada verso

Gerusalemme: cammin facendo predicavano anche in molti altri villaggi dei samaritani.

Filippo incontra un funzionario della regina d'Etiopia

26 Un *angelo del Signore parlò così a Filippo: «Alzati, e va' verso sud, sulla strada che scende da Gerusalemme a Gaza: è una strada deserta». 27 Filippo si alzò e si mise in cammino. Tutto a un tratto incontrò un etiope: era un eunuco, un funzionario di Candace, regina dell'Etiopia, amministratore di tutti i suoi tesori. Era venuto a Gerusalemme per adorare Dio 28 e ora ritornava nella sua patria. Seduto sul suo carro, egli stava leggendo una delle profezie di Isaia. 29 Allora lo Spirito di Dio disse a Filippo: «Va' avanti e raggiungi quel carro». 30 Filippo gli corse vicino e sentì che quell'uomo stava leggendo un brano del *profeta Isaia. Gli disse: «Capisci quello che leggi?». 31 Ma quello rispose: «Come posso capire se nessuno me lo spiega?». Poi invitò Filippo a salire sul carro e a sedersi accanto a lui. 32 Il brano della *Bibbia che stava leggendo era questo:

> Come una pecora fu condotto al macello,
> e come un agnello che tace dinanzi a chi lo tosa,
> così egli non aprì bocca.
> 33 È stato umiliato ma ottenne giustizia.
> Non potrà avere discendenti,
> perché con violenza gli è stata tolta la vita.

34 Rivoltosi a Filippo l'eunuco disse: «Dimmi, per piacere: queste cose il profeta di chi le dice? Di se stesso o di un altro?».

35 Allora Filippo prese la parola e cominciando da questo brano della Bibbia gli parlò di Gesù.

36 Lungo la via, arrivarono a un luogo dove c'era acqua e l'etiope disse: «Ecco, qui c'è dell'acqua! Che cosa mi impedisce di essere battezzato?».

37 Filippo disse: «Se credi fermamente, puoi ricevere il battesimo».

E quello rispose: «Sì, io credo che Gesù *Cristo è il *Figlio di Dio».

38 Allora l'eunuco fece fermare il carro: Filippo e l'eunuco discesero insieme nell'acqua e Filippo lo battezzò.

39 Quando risalirono dall'acqua, lo Spirito del Signore portò via Filippo, e l'eunuco non lo vide più. Tuttavia egli conti-

nuò il suo viaggio, pieno di gioia. ⁴⁰ Filippo poi si trovò presso la città di Azoto; da quella città fino a Cesarèa egli predicava a tutti.

Saulo diventa cristiano

9 ¹ *Saulo intanto continuava a minacciare i *discepoli del Signore e faceva di tutto per farli morire. Si presentò al *sommo sacerdote, ² e gli domandò una lettera di presentazione per le *sinagoghe di Damasco. Intendeva arrestare, qualora ne avesse trovati, uomini e donne, seguaci della nuova fede, e condurli a Gerusalemme.

³ Cammin facendo, mentre stava avvicinandosi a Damasco, all'improvviso una luce dal cielo lo avvolse. ⁴ Cadde subito a terra e udì una voce che gli diceva: « Saulo, Saulo, perché mi perseguiti? ».

⁵ E Saulo rispose: « Chi sei, Signore? ».

E quello disse: « Io sono Gesù che tu perseguiti! ⁶ Ma su, alzati, e va' in città: là c'è qualcuno che ti dirà quello che devi fare ».

⁷ I compagni di viaggio di Saulo si fermarono senza parola: la voce essi l'avevano sentita, ma non avevano visto nessuno. ⁸ Poi Saulo si alzò da terra. Aprì gli occhi ma non ci vedeva. I suoi compagni allora lo presero per mano e lo condussero in città, a Damasco. ⁹ Là passò tre giorni senza vedere. Durante quel tempo non mangiò né bevve.

¹⁰ A Damasco viveva un cristiano che si chiamava Ananìa. Il Signore in una visione lo chiamò: « Ananìa! ».

Ed egli rispose: « Eccomi, Signore! ».

¹¹ Ma il Signore gli disse di nuovo: « Alzati e va' nella via che è chiamata " Diritta ". Entra nella casa di Giuda e cerca un uomo di Tarso chiamato Saulo. Egli sta pregando ¹² e ha visto in visione un uomo, di nome Ananìa, venirgli incontro e mettergli le mani sugli occhi perché ricuperi la vista ».

¹³ Ananìa rispose: « Signore, ho sentito molti parlare di quest'uomo e so quanto male ha fatto ai tuoi fedeli in Gerusalemme. ¹⁴ So anche che ha ottenuto dai capi dei sacerdoti l'autorizzazione di arrestare tutti quelli che ti invocano ».

¹⁵ Ma il Signore disse: « Va', perché io ho scelto quest'uomo. Egli sarà utile per farmi conoscere agli stranieri, ai re e ai figli di Israele. ¹⁶ Io stesso gli mostrerò quanto dovrà soffrire per me ».

¹⁷ Allora Ananìa partì, entrò nella casa e pose le mani su di lui, dicendo: « Saulo, fratello mio! È il Signore che mi manda da te: quel Gesù che ti è apparso sulla strada che stavi percorrendo. Egli mi manda, perché tu ricuperi la vista e riceva lo *Spirito Santo ».
¹⁸ Subito dagli occhi di Saulo caddero come delle scaglie, ed egli ricuperò la vista. Si alzò e fu battezzato. ¹⁹ Poi mangiò e riprese forza.

Saulo predica a Damasco

*Saulo rimase alcuni giorni a Damasco insieme ai *discepoli, ²⁰ e subito si mise a far conoscere Gesù nelle *sinagoghe, dicendo apertamente: « Egli è il Figlio di Dio ». ²¹ Quanti lo ascoltavano si meravigliavano e dicevano: « Ma non è quel tale che a Gerusalemme perseguitava quelli che invocano il nome di Gesù? Non è venuto qui proprio per arrestarli e portarli dai capi dei sacerdoti? ». ²² Saulo diventava sempre più convincente quando dimostrava che Gesù è il *Messia, e gli ebrei di Damasco non sapevano più che cosa rispondergli.

Saulo riesce a sfuggire agli ebrei

²³ Trascorsero così parecchi giorni, e gli ebrei fecero un complotto per uccidere *Saulo; ²⁴ ma egli venne a sapere della loro decisione. Per poterlo togliere di mezzo, gli ebrei facevano la guardia, anche alle porte della città, giorno e notte. ²⁵ Ma una notte i suoi amici lo presero, lo misero in una cesta e lo calarono giù dalle mura.

Saulo arriva a Gerusalemme

²⁶ Giunto in Gerusalemme, *Saulo cercava di unirsi ai *discepoli di Gesù. Tutti avevano paura di lui perché non credevano ancora che si fosse davvero convertito. ²⁷ Ma Bàrnaba lo prese con sé e lo condusse dagli *apostoli. Raccontò loro che lungo la via il Signore era apparso a Saulo e gli aveva parlato, e che a Damasco Saulo aveva predicato senza paura, per la forza che gli dava Gesù. ²⁸ Da allora Saulo poté restare con i credenti di Gerusalemme. Si muoveva liberamente per la città e parlava apertamente nel nome del Signore. ²⁹ Parlava e discuteva anche con gli ebrei di lingua

greca, ma questi cercavano di ucciderlo. ³⁰ I credenti, venuti a conoscenza di questi fatti, condussero Saulo a Cesarèa e di là lo fecero partire per Tarso.
³¹ La Chiesa allora viveva in pace in tutta la Giudea, la Galilea e la Samarìa. Si consolidava e camminava nell'obbedienza al Signore e si fortificava con l'aiuto dello *Spirito Santo.

Pietro guarisce il paralitico Enea

³² In quel tempo Pietro andava a visitare tutte le comunità: capitò allora anche dai credenti della città di Lidda. ³³ Qui trovò un certo Enea che da otto anni non poteva muoversi dal letto perché era *paralitico. ³⁴ Pietro gli disse: « Enea, Gesù Cristo ti guarisce: alzati e metti in ordine il tuo letto ». E subito il paralitico si alzò. ³⁵ Gli abitanti di Lidda e della pianura di Saròn videro questo fatto e si convertirono al Signore.

Pietro risuscita una vedova

³⁶ Tra i credenti di Giaffa vi era una certa Tabità (in greco Dorca), nome che significa « Gazzella »: essa faceva molte opere buone e dava molto in elemosina. ³⁷ Proprio in quei giorni si ammalò e morì. Allora i parenti presero il suo corpo, lo lavarono e lo deposero in una stanza al piano superiore della casa. ³⁸ Lidda era una città vicino a Giaffa.
I *discepoli seppero che Pietro si trovava là e mandarono da lui due uomini. Questi gli dissero: « Vieni presto da noi! ».
³⁹ Pietro si mise subito in viaggio con loro. Appena arrivato lo condussero al piano superiore della casa. Gli andarono incontro tutte le vedove: piangendo mostravano a Pietro le tuniche e i mantelli che Tabità faceva quando era con loro.
⁴⁰ Pietro allora fece uscire tutti dalla stanza, si mise in ginocchio e pregò. Poi, rivolto alla morta, disse: « Tabità, alzati ». La donna aprì gli occhi, guardò Pietro e si sedette.
⁴¹ Dandole la mano, Pietro la fece alzare; poi chiamò i credenti e le vedove e la presentò loro viva. ⁴² In tutta la città di Giaffa si venne a sapere di questo fatto, e molti credettero nel Signore. ⁴³ Pietro rimase a Giaffa parecchi giorni in casa di un certo Simone che faceva il conciatore di pelli.

Pietro e Cornelio

10 ¹ C'era in Cesarèa un uomo che si chiamava Cornelio; era un ufficiale dell'esercito romano che comandava il reparto italiano. ² Egli era uomo religioso e con tutta
la sua famiglia credeva in Dio. Faceva molte elemosine al
popolo e pregava sempre Dio.

³ Un giorno, verso le tre del pomeriggio, Cornelio ebbe una
visione: vide chiaramente un *angelo di Dio che gli veniva
incontro e lo chiamava per nome.

⁴ Egli lo fissò e con timore disse: « Che c'è, Signore? ».
L'angelo gli rispose: « Dio ha accolto le tue preghiere e le
tue elemosine come un sacrificio gradito. ⁵ Manda perciò alcuni uomini a Giaffa e fa' venire qui un certo Simone, detto
anche Pietro. ⁶ Egli alloggia presso un altro Simone che fa
il conciatore di pelli e ha la casa in riva al mare ». ⁷ Poi
l'angelo che gli parlava si allontanò.

Allora Cornelio chiamò due suoi servitori e un soldato che
credeva in Dio, tra quelli a lui più fedeli. ⁸ Spiegò loro ogni
cosa e li mandò a Giaffa.

⁹ Il giorno dopo, mentre essi erano in cammino e stavano
avvicinandosi alla città, Pietro salì sulla terrazza a pregare:
era quasi mezzogiorno. ¹⁰ Gli venne fame e voglia di mangiare. Mentre gli preparavano il pranzo, Pietro ebbe una
visione. ¹¹ Vide il cielo aperto e qualcosa che scendeva: una
specie di tovaglia grande, tenuta per i quattro angoli, che
arrivava fino a terra. ¹² Dentro c'era ogni genere di animali,
di rettili e di uccelli.

¹³ Allora una voce gli disse: « Pietro, alzati! Uccidi e
mangia! ».

¹⁴ Ma Pietro rispose: « Non lo farò mai, Signore, perché io
non ho mai mangiato nulla di proibito o di *impuro ».

¹⁵ Quella voce per la seconda volta gli disse: « Non devi
considerare impuro quello che Dio ha dichiarato puro ».
¹⁶ Questo accadde per tre volte; poi, all'improvviso, tutto fu
risollevato verso il cielo.

¹⁷ Mentre Pietro cercava di capire il significato di ciò che
aveva visto, arrivarono gli uomini di Cornelio. Essi avevano
chiesto dove abitava Pietro e quando furono presso la porta
¹⁸ domandarono ad alta voce: « È qui Simone, detto anche
Pietro? ». ¹⁹ Mentre Pietro stava ripensando a quello che
aveva visto, lo Spirito gli disse: « Senti, ci sono qui alcuni

uomini che ti cercano. ²⁰ Alzati e va' con loro senza paura, perché li ho mandati io da te».

²¹ Pietro scese incontro agli uomini e disse loro: «Eccomi, sono io quello che voi cercate. Per quale motivo siete qui?».

²² Quelli risposero: «Veniamo per conto di Cornelio, ufficiale romano. Egli è un uomo giusto che crede in Dio ed è stimato da tutti gli ebrei. Un angelo del Signore gli ha suggerito di farti venire a casa sua e di ascoltare quello che tu hai da dirgli». ²³ Pietro allora li fece entrare e li ospitò per la notte.

Il giorno dopo, Pietro si mise in viaggio con gli uomini mandati da Cornelio. Anche alcuni credenti che abitavano a Giaffa vollero accompagnarlo. ²⁴ Il giorno seguente arrivarono a Cesarèa.

Cornelio aveva riunito in casa sua i parenti e gli amici più intimi e li stava aspettando.

²⁵ Mentre Pietro stava per entrare in casa, Cornelio gli andò incontro e si gettò ai suoi piedi. ²⁶ Ma Pietro lo rialzò dicendogli: «Alzati! Sono un uomo anch'io!». ²⁷ Poi, conversando con lui, entrò in casa. Qui trovò tutti quelli che si erano riuniti ²⁸ e disse loro: «Voi sapete che non è lecito a un ebreo stare con un pagano o entrare in casa sua. Ma Dio mi ha mostrato che non si deve evitare nessun uomo come impuro. ²⁹ Perciò, appena chiamato, son venuto senza alcuna esitazione. Ora vorrei sapere per quale motivo mi avete fatto venire».

³⁰ Cornelio disse: «Quattro giorni fa, proprio a quest'ora, ero in casa e stavo recitando la preghiera del pomeriggio, quando mi si presentò un uomo in vesti candide. ³¹ Egli mi disse: " Cornelio, Dio ha accolto la tua preghiera e si è ricordato delle tue elemosine. ³² Manda dunque degli uomini a Giaffa e fa' venire Simone, chiamato anche Pietro: è ospite nella casa di Simone, il conciatore di pelli, vicino al mare ". ³³ Io allora ho mandato subito qualcuno a cercarti e tu hai fatto bene a venire da me. Ecco, ora noi siamo qui tutti riuniti davanti a Dio per ascoltare quello che il Signore ti ha ordinato di dirci».

Pietro parla in casa di Cornelio

³⁴ Allora Pietro prese la parola e disse: «Davvero mi rendo conto che Dio tratta tutti alla stessa maniera: ³⁵ egli infatti

ama tutti quelli che credono in lui e vivono secondo la sua volontà, senza guardare al popolo al quale appartengono. [36] Egli ha inviato il suo messaggio al popolo d'Israele, annunziando loro la salvezza per mezzo di Gesù Cristo, che è il Signore di tutti gli uomini. [37] Voi siete al corrente di quello che è accaduto in Galilea prima e in Giudea poi, dopo che Giovanni era venuto a predicare e a battezzare. [38] Avete sentito parlare di Gesù di Nàzaret, che Dio ha consacrato con lo Spirito Santo e con la sua potenza. Egli poi è passato dovunque facendo del bene e guarendo tutti quelli che il *demonio teneva sotto il suo potere: Dio infatti era con lui. [39] Del resto, noi siamo testimoni di tutto quello che Gesù ha fatto nel paese degli ebrei e a Gerusalemme. Lo uccisero mettendolo in croce, [40] ma Dio lo ha fatto risorgere il terzo giorno e ha voluto che si facesse vedere [41] non a tutto il popolo, ma a noi, scelti da Dio come testimoni. Infatti dopo la sua risurrezione dai morti, noi abbiamo mangiato e bevuto con Gesù; [42] poi egli ci ha comandato di annunziare al popolo e di proclamare che egli è colui che Dio ha posto come giudice dei vivi e dei morti [43] Tutti i *profeti hanno parlato di Gesù dicendo che chiunque crede in lui riceve il perdono dei peccati: lui infatti ha il potere di perdonare».

Anche i pagani ricevono lo Spirito Santo

[44] Mentre Pietro stava ancora parlando, lo *Spirito Santo venne su tutti quelli che lo ascoltavano. [45] I credenti di origine ebraica che erano venuti con Pietro rimasero molto meravigliati per il fatto che il dono dello Spirito Santo veniva dato anche ai pagani. [46] Inoltre li sentivano parlare in modo strano e lodare Dio. Allora Pietro disse: [47] «Come si può ancora impedire che siano battezzati con l'acqua questi che hanno ricevuto lo Spirito Santo come noi?». [48] Allora ordinò di battezzarli nel nome di Gesù *Cristo. Essi poi pregarono Pietro di rimanere con loro per alcuni giorni.

Pietro si difende di fronte alla chiesa di Gerusalemme

11 [1] Gli *apostoli e i credenti che vivevano in Giudea vennero a sapere che anche i pagani avevano accolto la *parola di Dio. [2] Perciò i credenti di origine ebraica

rimproveravano Pietro quando egli ritornò a Gerusalemme. [3] Gli dicevano: «Tu hai osato entrare in casa di gente non circoncisa e hai mangiato con loro!».

[4] Allora Pietro cominciò a raccontare con ordine come erano andate le cose. Disse loro: [5] «Stavo pregando nella città di Giaffa e ebbi in estasi una visione. Vidi qualcosa che discendeva verso di me: una specie di tovaglia grande, tenuta per i quattro angoli, che dal cielo arrivava fino a me. [6] La fissai con attenzione e vidi che dentro c'era ogni specie di animali, di bestie selvatiche, di rettili e di uccelli. [7] Allora sentii una voce che mi diceva: "Pietro, alzati! Uccidi e mangia!". [8] Ma io risposi: "Non lo farò mai, Signore, perché io non ho mai mangiato nulla di proibito o di *impuro". [9] Quella voce per la seconda volta mi disse: "Non devi considerare come impuro quello che Dio ha dichiarato puro!". [10] Questo accadde per tre volte; poi tutto fu sollevato di nuovo verso il cielo.

[11] Ma proprio in quel momento, tre uomini si presentarono alla porta della casa in cui mi trovavo: venivano da Cesarea e mi cercavano. [12] Lo Spirito di Dio mi disse di andare con loro senza alcuna esitazione. Con me vennero anche questi nostri sei fratelli ed entrammo nella casa di Cornelio.

[13] Egli ci raccontò di aver visto in casa sua un *angelo che gli diceva: "Manda degli uomini a Giaffa e fa' venire Simone, detto anche Pietro. [14] Egli ti parlerà di quello che porta la salvezza a te e a tutta la tua famiglia".

[15] Mentre incominciavo a parlare, lo *Spirito Santo scese sopra di loro, come in principio era sceso su di noi. [16] Allora mi ricordai di quello che il Signore ci aveva detto: "Giovanni ha battezzato con acqua, ma voi sarete battezzati nello Spirito Santo". [17] Dunque Dio ha dato loro lo stesso dono che ha dato a noi, quando abbiamo creduto nel Signore Gesù Cristo: e io chi ero da potermi opporre a Dio?».

[18] Udite queste cose i credenti di Gerusalemme si calmarono, anzi glorificarono Dio con queste parole: «Dunque, anche ai pagani Dio ha offerto l'occasione di convertirsi perché possano partecipare alla sua vita».

La chiesa di Antiòchia

¹⁹ Dopo l'uccisione di Stefano si era scatenata la persecuzione. Allora molti credenti avevano abbandonato Gerusalemme e si erano dispersi, alcuni in Fenicia, altri a Cipro, altri fino ad Antiòchia. Essi però predicavano la *parola di Dio solo agli ebrei. ²⁰ Tuttavia alcuni di essi, che erano di Cipro e di Cirène, appena giunti ad Antiòchia si misero a predicare anche ai pagani, annunziando loro il Signore Gesù. ²¹ La potenza del Signore era con loro, così che un gran numero di persone credette e si convertì al Signore.

²² I credenti della chiesa di Gerusalemme vennero a sapere queste cose: allora mandarono Bàrnaba ad Antiòchia. ²³ Egli vi andò e vide quello che Dio aveva operato con la sua grazia. Se ne rallegrò e incoraggiava tutti a rimanere fedeli al Signore con cuore deciso. ²⁴ Bàrnaba era un uomo buono, pieno di *Spirito Santo e di fede. Un numero considerevole di persone allora si convertì al Signore. ²⁵ Bàrnaba poi andò a Tarso per cercare Paolo. ²⁶ Lo trovò e lo portò ad Antiòchia. In questa comunità rimasero insieme per un anno intero e istruirono molta gente. Proprio ad Antiòchia, per la prima volta, i *discepoli furono chiamati cristiani.

²⁷ In questo periodo di tempo alcuni *profeti scesero da Gerusalemme ad Antiòchia. ²⁸ Uno di loro, che si chiamava Àgabo, si alzò a parlare e per impulso dello Spirito Santo annunziò che stava per arrivare una grande carestia su tutta la terra. Di fatto ciò avvenne sotto l'imperatore *Claudio. ²⁹ I discepoli allora decisero di mandare soccorsi ai fratelli che abitavano in Giudea, ciascuno secondo le sue possibilità. ³⁰ Così fecero: per mezzo di Bàrnaba e *Saulo mandarono i soccorsi ai responsabili di quella comunità.

Erode fa uccidere Giacomo e fa imprigionare Pietro

12 ¹ In quel tempo il re *Erode cominciò a perseguitare la Chiesa per colpire alcuni suoi membri. ² Fece uccidere Giacomo, fratello di Giovanni. ³ Accortosi che gli ebrei erano contenti, ordinò anche l'arresto di Pietro, proprio durante le feste di *Pasqua.

⁴ Erode dunque fece arrestare Pietro e lo gettò in prigione. Pensava di fare il processo pubblico dopo le feste pasquali: intanto comandò a quattro squadre di quattro soldati ciascuna di sorvegliare il prigioniero.

⁵ Mentre Pietro stava in carcere, la Chiesa pregava intensamente Dio per lui.

Pietro liberato dal carcere

⁶ Si avvicinava il giorno nel quale *Erode voleva giudicare Pietro davanti al popolo. La notte prima del processo Pietro dormiva tra due soldati, legato con doppia catena. Davanti alla porta della prigione le sentinelle facevano la guardia. ⁷ Quand'ecco, improvvisamente, entrò un *angelo del Signore e la cella si riempì di luce. L'angelo toccò Pietro, lo svegliò e gli disse: « Svelto, alzati! ». E subito le catene caddero dai polsi di Pietro. ⁸ Poi l'angelo continuò: « Mettiti vesti e sandali », e Pietro ubbidì. Infine l'angelo gli disse: « Ora prendi il tuo mantello e vieni con me ».

⁹ Pietro lo seguì fuori dal carcere, ma non si rendeva conto di quello che l'angelo faceva e di ciò che stava succedendo. Gli sembrava che non fosse vero: credeva di avere una visione.

¹⁰ Pietro e l'angelo attraversarono i primi due posti di guardia. Poi arrivarono al portone di ferro che portava in città. Il portone si aprì davanti a loro, ed essi uscirono. Camminarono un po' in una strada, e all'improvviso l'angelo scomparve. ¹¹ Allora Pietro si rese conto di quello che stava accadendo e disse: « Ora capisco: è proprio il Signore che ha mandato il suo angelo per liberarmi dal potere di Erode e da tutto il male che il popolo voleva farmi ».

¹² Rimase un po' a pensare, poi andò verso la casa di Maria, madre di Giovanni detto anche Marco. Là si erano riuniti molti cristiani per pregare insieme. ¹³ Pietro bussò alla porta d'ingresso, e una ragazza che si chiamava Rode venne ad aprirgli. ¹⁴ Essa riconobbe subito la voce di Pietro e per la gioia non pensò neppure di aprire la porta ma tornò indietro e riferì che Pietro era là fuori. ¹⁵ Ma gli altri le dissero: « Tu sei matta ». La ragazza però insisteva e diceva che era proprio vero. Allora le dissero: « Sarà il suo angelo ».

¹⁶ Pietro, intanto, continuava a bussare alla porta. Quando finalmente gli aprirono, videro che era proprio lui e rimasero sbalorditi. ¹⁷ Ma Pietro con la mano fece segno di tacere; poi raccontò in che modo il Signore lo aveva liberato dal carcere. Alla fine disse: « Fatelo sapere a Giacomo e agli altri fratelli ». Poi uscì e se ne andò altrove.

[18] Quando fu giorno, tra i soldati ci fu grande agitazione: tutti domandavano che cosa era accaduto di Pietro. [19] Erode lo fece cercare con cura ma non riuscì a trovarlo. Allora processò le guardie e ordinò di ucciderle. In seguito Erode lasciò la regione della Giudea e si stabilì a Cesarea.

La morte di Erode

[20] In quel tempo *Erode era in forte contrasto con gli abitanti di Tiro e Sidone. Essi si misero d'accordo e vennero da lui. Avevano ottenuto anche l'appoggio di un certo Blasto, che era addetto agli affari del re. Volevano la pace perché avevano bisogno di importare viveri dal paese del re.
[21] Nel giorno stabilito per l'incontro, Erode indossò il manto regale, si sedette sul trono e cominciò a fare un discorso tra gli applausi del popolo. [22] La gente gridava: « È un dio che parla, non un uomo! ».
[23] Ma improvvisamente un *angelo del Signore colpì Erode perché aveva preso per sé la gloria che è dovuta solo a Dio. Egli morì, divorato dai vermi.

Bàrnaba e Saulo ricevono un nuovo incarico

[24] La *parola di Dio si diffondeva sempre di più e il numero dei credenti cresceva. [25] Intanto Bàrnaba e *Saulo portarono a termine il loro incarico a Gerusalemme. Ritornarono ad Antiòchia e condussero con sé anche Giovanni Marco.

13 [1] Nella comunità di Antiòchia vi erano alcuni che predicavano e insegnavano. Erano: Bàrnaba e Simeone, soprannominato il Niger, Lucio di Cirène e Manaèn, compagno d'infanzia di *Erode, e Saulo. [2] Un giorno, mentre essi stavano celebrando il culto del Signore e digiunavano, lo *Spirito Santo disse loro: « Mettetemi da parte Bàrnaba e Saulo perché li ho destinati a una missione speciale ». [3] Allora, dopo aver digiunato e pregato, stesero le mani su loro e li fecero partire.

Bàrnaba e Saulo nelle città di Cipro

[4] Mandati dallo *Spirito Santo, Bàrnaba e *Saulo andarono nella città di Selèucia e da qui si imbarcarono per Cipro. [5] Arrivarono quindi nella città di Salamina e si misero ad

annunziare la parola di Dio nelle sinagoghe degli ebrei.
Avevano con loro anche Giovanni Marco che li aiutava.
6-8 Attraversarono tutta l'isola fino alla città di Pafo: qui
trovarono un ebreo che si faceva passare per profeta e
conosceva l'arte della magia. Si chiamava Bar-Jesus (in greco
Elìmas) ed era amico di Sergio Paolo, governatore dell'isola,
il quale era un uomo intelligente. Costui fece chiamare Bàrnaba e Saulo perché desiderava ascoltare la *parola di Dio.
Ma Elìmas, il mago, si opponeva all'azione di Bàrnaba e
Saulo e faceva di tutto perché il governatore non credesse.
9 Allora Saulo, detto anche Paolo, pieno di Spirito Santo,
fissò gli occhi sul mago e gli disse: 10 « Tu sei pieno di
menzogna e di malizia. Tu sei figlio del *diavolo e nemico
di tutto ciò che è bene. Quando la finirai di sconvolgere i
progetti del Signore? 11 Ma ora il Signore ti colpisce: sarai cieco e per un certo tempo non potrai più vedere la luce ». Subito
il mago si trovò nelle tenebre più oscure: si muoveva a
tentoni e cercava qualcuno che lo guidasse per mano. 12 Dinanzi a questo fatto, il governatore credette, profondamente
scosso dall'insegnamento del Signore.

Paolo e Bàrnaba ad Antiòchia, in Pisidia

13 Paolo e i suoi compagni lasciarono la città di Pafo e giunsero a Perge, città della Panfilia. Qui Giovanni si separò
da loro per ritornare a Gerusalemme. 14 Essi invece partirono da Perge e arrivarono ad Antiòchia, capitale della Pisidia. Quando fu *sabato, Paolo e Bàrnaba entrarono nella
*sinagoga e si sedettero. 15 Dopo la lettura della *legge di
Mosè e degli scritti dei *profeti, i capi della sinagoga li
invitarono a parlare: « Fratelli, se volete esortare l'assemblea con qualche vostra parola, fatelo liberamente! ».
16 Allora Paolo si alzò, fece un cenno con la mano e disse:
« Israeliti e voi tutti che adorate Dio, ascoltatemi! 17 Il Dio
del popolo d'Israele scelse i nostri padri. Mentre il popolo
si trovava in esilio nella terra d'Egitto, lo fece diventare
un popolo numeroso; poi, con la sua grande potenza, li
fece uscire da quel paese. 18 Per circa quarant'anni, nel deserto, si prese cura di loro. 19 Distrusse sette popoli nel paese
di Canaan e diede le loro terre in eredità al suo popolo.
20 Per circa quattrocentocinquant'anni le cose andarono così.
Poi Dio stabilì alcuni giudici sopra il suo popolo fino ai

tempi del profeta Samuele. ²¹ Quando i nostri padri chiesero un re, Dio diede loro *Saul, figlio di Cis, uno della tribù di Beniamino. Egli regnò per quarant'anni. ²² Ma poi Dio lo tolse via dal trono e scelse per il suo popolo un altro re, Davide. Di lui abbiamo questa testimonianza nella *Bibbia: *Ecco Davide*, figlio di *Iesse. *Egli mi è caro* e farà in tutto la mia volontà.

²³ Dio è fedele alle sue promesse: perciò dalla discendenza di Davide egli ha fatto nascere per Israele un salvatore, Gesù. ²⁴ Prima dell'arrivo di Gesù è venuto Giovanni il Battezzatore. Egli predicava al popolo d'Israele di farsi battezzare e di cambiare vita. ²⁵ Verso la fine della sua missione Giovanni affermò: " Per chi mi avete preso? No, non sono io quello che voi aspettate. Ecco, egli verrà dopo di me, e io non sono degno neppure di slacciargli i sandali.

²⁶ Fratelli, discendenti di Abramo, e voi tutti che adorate Dio: a noi Dio ha mandato questo messaggio di salvezza. ²⁷ Gli abitanti di Gerusalemme e i loro capi non hanno capito che Gesù era il Salvatore. Eppure, condannando Gesù, essi hanno realizzato quelle profezie che si leggono ogni sabato. ²⁸ Non hanno trovato alcun motivo per poterlo condannare, ma hanno chiesto a Pilato di condannarlo a morte. ²⁹ Così, hanno portato a termine tutto quello che i profeti avevano scritto su Gesù. In seguito, qualcuno ha tolto Gesù dalla croce e lo ha messo in un sepolcro.

³⁰ Dio però lo ha fatto risorgere dai morti, ³¹ ed egli per molti giorni è apparso a quelli che erano venuti con lui dalla Galilea a Gerusalemme. Questi, ora, sono i suoi testimoni davanti al popolo.

³²⁻³³ Anche noi vi portiamo questo messaggio di salvezza: Dio ha fatto risorgere Gesù, e così la promessa che egli aveva fatto ai nostri padri l'ha realizzata per noi che siamo loro figli. Così sta scritto anche nel salmo secondo:

> *Tu sei mio figlio*
> *io oggi ti ho generato.*

³⁴ Dio ha risuscitato Gesù dai morti liberandolo una volta per sempre dalla potenza della morte. Anche questo era scritto nella *Bibbia:

> *Sarò fedele: vi darò la salvezza promessa a Davide.*

³⁵ E anche in un altro testo della Bibbia si dice:

> *Tu non permetterai che il tuo santo vada in corruzione.*

³⁶ Ora il re Davide servì Dio durante la vita facendo la sua

volontà; ma poi morì, fu sepolto, e il suo corpo è andato in polvere. [37] Colui invece che Dio ha fatto risorgere non è andato in polvere.
[38-39] Sappiate dunque, o fratelli: per mezzo della *legge di Mosè voi non potevate essere liberati dai vostri peccati: per mezzo di Gesù invece avete il perdono dei peccati, perché chiunque crede in lui è salvato. [40] Badate dunque che non capiti anche a voi quello che hanno scritto i profeti:

[41] *Voi, gente abituata a disprezzare, state a vedere!*
Guardate bene e sparite per sempre!
Mentre siete in vita io voglio compiere un'opera:
un'opera da non credere se qualcuno ve la racconta ».

[42] Mentre Paolo e Bàrnaba uscivano dalla *sinagoga, qualcuno chiese loro di riprendere questo discorso il sabato seguente. [43] Quando l'assemblea fu sciolta, molti tra gli ebrei e anche tra quelli che si erano convertiti alla religione ebraica, seguirono Paolo e Barnaba. Essi rimasero a parlare con loro e li esortavano a rimanere fedeli alla grazia di Dio.
[44] Il sabato seguente quasi tutti gli abitanti di Antiòchia si riunirono per ascoltare la parola del Signore. [45] Appena videro tutta quella gente, gli ebrei traboccarono di gelosia: si opponevano a tutto quello che Paolo diceva e lo insultavano. [46] Ma Paolo e Bàrnaba rispondevano loro con coraggio. Dicevano: « Noi dovevamo annunziare la *parola di Dio a voi, prima che a tutti gli altri; ma dal momento che voi la rifiutate e dimostrate che non vi importa nulla della vita eterna, ecco che noi ci rivolgiamo ai pagani. [47] Così infatti ci ha comandato il Signore:

Io voglio che tu sia come una luce per i pagani,
perché tu porti la salvezza in tutto il mondo ».

[48] Sentendo queste cose i pagani si rallegrarono molto e si misero a lodare la parola del Signore. Tutti quelli che erano destinati alla vita eterna diventarono credenti.
[49] Intanto la parola del Signore si diffondeva in tutta quella regione. [50] Gli ebrei però sobillarono le donne religiose dell'alta società e gli uomini più importanti della città. Così scatenarono una persecuzione contro Paolo e Bàrnaba e li scacciarono dal loro territorio. [51] Allora essi scossero la polvere dai piedi, come segno di rottura con loro. Poi se ne andarono verso la città di Icònio. [52] Intanto i cristiani di Antiòchia vivevano nella gioia ed erano pieni di *Spirito Santo.

Paolo e Bàrnaba nella città di Iconio

14 [1] Anche nella città di Icònio, Paolo e Bàrnaba entrarono nella *sinagoga degli ebrei. Parlarono così bene che molti ebrei e greci credettero. [2] Ma gli altri ebrei, quelli che avevano rifiutato di credere, convinsero i pagani a mettersi contro i cristiani.

[3] Paolo e Bàrnaba, tuttavia, rimasero ancora per un po' di tempo nella città di Icònio e con coraggio annunziavano la *parola di Dio. Essi avevano fiducia nell'aiuto del Signore, e il Signore confermava l'annunzio della sua grazia con *miracoli e prodigi.

[4] Gli abitanti della città si divisero in due partiti: alcuni stavano dalla parte degli ebrei, altri invece dalla parte degli *apostoli.

[5] A un certo punto tra i pagani e gli ebrei ci fu un accordo con i loro capi per malmenare gli apostoli e poi ucciderli a sassate. [6] Ma Paolo e Bàrnaba vennero a saperlo e fuggirono nelle città della Licaònia, Listra e Derbe e nei loro dintorni. [7] Anche qui continuarono ad annunziare la parola del Signore.

Attività di Paolo e Bàrnaba nella città di Listra

[8] Nella città di Listra viveva un uomo paralizzato alle gambe e storpio fin dalla nascita: non aveva mai camminato in vita sua. [9] Egli stava ascoltando il discorso di Paolo, quando Paolo lo fissò negli occhi e si accorse che aveva fede per essere guarito. [10] Perciò gli disse ad alta voce: «Alzati, diritto in piedi!». Quell'uomo saltò su e si mise a camminare.

[11] La gente che era lì attorno, vedendo quello che Paolo aveva fatto, si mise a gridare: «Gli dèi hanno preso forma umana e sono venuti tra noi». Essi gridavano usando il dialetto di quella regione: [12] dicevano che Bàrnaba era il dio Giove; Paolo, invece, era il dio Mercurio, perché parlava di più.

[13] All'ingresso della città vi era un tempio dedicato a Giove: allora il sacerdote di quel tempio portò tori e ghirlande di fiori davanti al tempio. Insieme alla folla voleva offrire un sacrificio in onore di Paolo e Bàrnaba.

[14] Appena se ne accorsero, gli *apostoli si stracciarono le vesti e si precipitarono verso il popolo, [15] gridando: «Per-

ché fate questo? Anche noi siamo uomini mortali, come voi! Siamo venuti solo a portarvi questo messaggio di salvezza: voi dovete abbandonare questi idoli senza valore e dovete rivolgervi al Dio vivente. *È lui che ha fatto il cielo e la terra, il mare e tutte le cose che essi contengono.* ¹⁶ Nel passato, Dio ha lasciato che ogni popolo seguisse la sua strada; ¹⁷ ma anche allora non ha mai smesso di farsi conoscere, anzi si è sempre mostrato come benefattore. Infatti dal cielo ha mandato le piogge e le stagioni ricche di frutti, vi ha dato il nutrimento e vi ha riempito di gioia».

¹⁸ Con questo discorso Paolo e Bàrnaba riuscirono a stento a trattenere quella gente dal fare un sacrificio in loro onore.

¹⁹ Poi, dalle città di Antiòchia e di Icònio arrivarono alcuni ebrei e riuscirono a conquistarsi le simpatie della folla. Presero Paolo a sassate e poi lo trascinarono fuori della città, credendo che fosse morto. ²⁰ Ma vennero attorno a lui i *discepoli, e allora Paolo si rialzò e entrò in città. Il giorno dopo, insieme a Bàrnaba, Paolo partì per la città di Derbe.

Paolo e Bàrnaba ritornano ad Antiòchia, in Siria

²¹ Paolo e Bàrnaba annunziarono il messaggio della salvezza anche nella città di Derbe e fecero un buon numero di *discepoli. Poi, iniziarono il viaggio di ritorno, passando da Listra e da Icònio fino ad Antiòchia, città della Pisidia: ²² dappertutto infondevano coraggio ai discepoli e li esortavano a rimanere saldi nella fede. Tra l'altro dicevano: «È necessario passare attraverso molte tribolazioni, per poter entrare nel *regno di Dio». ²³ In ogni comunità Paolo e Bàrnaba scelsero e lasciarono alcuni responsabili. Dopo aver pregato e *digiunato, li raccomandarono alla protezione del Signore nel quale avevano creduto.

²⁴ Poi attraversarono la regione della Pisidia e raggiunsero il territorio della Panfilia. ²⁵ Qui, predicarono la *parola di Dio agli abitanti della città di Perge e poi discesero nella città di Attalìa. ²⁶ Da qui, si imbarcarono per Antiòchia di Siria, la città da dove erano partiti e dove erano stati affidati alla grazia di Dio per quella missione che ora avevano compiuto.

²⁷ Appena arrivati, riunirono la comunità e raccontarono tutto quello che Dio aveva compiuto per mezzo di loro. Dissero che Dio aveva dato ai pagani la possibilità di credere.

²⁸ Poi, Paolo e Bàrnaba rimasero per un lungo periodo con i cristiani di Antiòchia.

Le decisioni prese a Gerusalemme

15 ¹ In quel tempo, alcuni cristiani della Giudea vennero nella città di Antiòchia e si misero a diffondere tra gli altri fratelli questo insegnamento: « Voi non potete essere salvati se non vi fate *circoncidere come ordina la *legge di Mosè ». ² Paolo e Bàrnaba non erano d'accordo, e ci fu una violenta discussione tra loro. Allora si decise che Paolo e Bàrnaba e alcuni altri andassero a Gerusalemme dagli *apostoli e dai responsabili di quella comunità per presentare la questione.

³ La comunità di Antiòchia diede a Paolo e a Bàrnaba tutto il necessario per questo viaggio. Essi attraversarono le regioni della Fenìcia e della Samarìa, raccontando che anche i pagani avevano accolto il Signore. Questa notizia procurava una grande gioia a tutti i cristiani. ⁴ Giunti a Gerusalemme, furono ricevuti dalla comunità, dagli apostoli e dai responsabili di quella chiesa. Ad essi riferirono tutto quello che Dio aveva compiuto per mezzo di loro.

⁵ Però, alcuni che erano del gruppo dei *farisei, ed erano diventati cristiani, si alzarono per dire: « È necessario circoncidere anche i credenti non ebrei e ordinar loro di osservare la legge di Mosè ».

⁶ Allora, gli apostoli e i responsabili della comunità di Gerusalemme si riunirono per esaminare questo problema. ⁷ Dopo una lunga discussione si alzò Pietro e disse: « Fratelli, come voi ben sapete, è da tanto tempo che Dio mi ha scelto tra di voi e mi ha affidato il compito di annunziare anche ai pagani il messaggio del *vangelo, perché essi credano. ⁸ Ebbene, Dio che conosce il cuore degli uomini, ha mostrato di accoglierli volentieri: infatti ha dato anche a loro lo *Spirito Santo, proprio come a noi. ⁹ Egli non ha fatto alcuna differenza fra noi e loro: essi hanno creduto e perciò Dio li ha liberati dai loro peccati. ¹⁰ Dunque, perché provocate Dio cercando di imporre ai credenti un peso che, né i nostri padri né noi, siamo stati capaci di sopportare? ¹¹ In realtà, sappiamo che anche noi siamo salvati per mezzo della grazia del Signore Gesù, esattamente come loro ».

¹² Tutta l'assemblea rimase in silenzio. Poi ascoltarono Paolo

e Bàrnaba che raccontavano i *miracoli e i prodigi che Dio aveva fatto per mezzo loro tra i pagani.

¹³ Quando essi ebbero finito di parlare, Giacomo disse: « Fratelli, ascoltatemi! ¹⁴ Simone ci ha raccontato come fin da principio Dio si è preso cura dei pagani, per accogliere anche loro nel suo popolo. ¹⁵ Questo concorda in pieno con le parole dei *profeti. Sta scritto infatti nella Bibbia:

¹⁶ *Dopo questi avvenimenti io ritornerò;*
    ricostruirò la casa di Davide che era caduta.
    Riparerò le sue rovine e la rialzerò.
¹⁷ *Allora gli altri uomini cercheranno il Signore,*
    anche tutti i pagani che ho chiamati ad essere miei.
    Così dice il Signore. Egli fa queste cose, ¹⁸ perché le
    vuole da sempre.

¹⁹ Per questo io penso che non si devono creare difficoltà per quei pagani che si convertono a Dio. ²⁰ A loro si deve soltanto chiedere di non mangiare la carne di animali che sono stati sacrificati agli idoli. Devono anche astenersi dai disordini sessuali. Infine non dovranno mangiare il sangue e la carne di animali morti per soffocamento. ²¹ Queste norme date da Mosè, fin dai tempi antichi sono conosciute in ogni città. Infatti da per tutto ci sono uomini che, ogni *sabato, nelle sinagoghe predicano la *legge di Mosè ».

Una lettera ai nuovi credenti

²² Allora gli *apostoli e i responsabili della chiesa di Gerusalemme, insieme a tutta l'assemblea decisero di scegliere alcuni tra di loro e di mandarli ad Antiòchia insieme con Paolo e Bàrnaba. Furono scelti due: Giuda, chiamato Barsabba, e Sila, che erano tra i primi di quella comunità. ²³ Ad essi fu consegnata questa lettera:
« Gli apostoli e i responsabili della comunità di Gerusalemme salutano i fratelli cristiani di origine non ebraica che vivono ad Antiòchia, in Siria e in Cilicia. ²⁴ Abbiamo saputo che alcuni della nostra comunità sono venuti fra voi per turbarvi e creare confusione. Non siamo stati noi a dare questo incarico. ²⁵ Perciò, abbiamo deciso, tutti d'accordo, di scegliere alcuni uomini e di mandarli da voi. Essi accompagnano i nostri carissimi Bàrnaba e Paolo, ²⁶ i quali hanno rischiato la vita per il nostro Signore Gesù Cristo. ²⁷ Noi quindi vi mandiamo Giuda e Sila: essi vi riferiranno a voce

le stesse cose che noi vi scriviamo. [28] Abbiamo infatti deciso,
lo *Spirito Santo e noi, di non imporvi nessun altro obbligo
al di fuori di queste cose che sono necessarie: [29] non mangiate la carne di animali che sono stati sacrificati agli idoli;
non mangiate sangue o carne di animali morti per soffocamento. Infine astenetevi dai disordini sessuali; tenetevi lontani
da tutte queste cose e sarete sulla buona strada. Saluti! ».
[30] Gli incaricati partirono e giunsero ad Antiòchia. Qui riunirono la comunità e consegnarono la lettera. [31] Quando l'ebbero letta, tutti furono pieni di gioia, per l'incoraggiamento
che avevano ricevuto. [32] Anche Giuda e Sila erano *profeti:
perciò parlarono a lungo ai fratelli nella fede, per incorag-
giarli e per sostenerli.
[33] Rimasero là ancora un po' di tempo; poi, gli altri augu-
rarono loro buon viaggio e li lasciarono tornare a Gerusalemme da quelli che li avevano mandati; [34] ma Sila decise
di restare là. [35] Paolo e Bàrnaba invece rimasero ad Antiòchia. Insieme a molti altri, essi insegnavano e annunziavano
la *parola del Signore.

Paolo e Bàrnaba si separano

[36] Dopo alcuni giorni Paolo disse a Bàrnaba: « Ritorniamo
a visitare i fratelli in tutte le città dove abbiamo annunziato
la parola del Signore, per vedere come stanno ». [37] Bàrnaba
voleva prendere con sé anche Giovanni Marco. [38] Paolo invece era contrario, perché nel viaggio precedente Giovanni
Marco si era staccato da loro fin dalla Panfilia e non li
aveva più aiutati nella loro missione. [39] Il loro disaccordo
fu tale che alla fine si separarono: Bàrnaba prese con sé
Marco e si imbarcò verso l'isola di Cipro; [40] Paolo invece
scelse Sila e partì, raccomandato dai fratelli alla protezione
del Signore. [41] Paolo passò attraverso le regioni della Siria
e della Cilicia, e incoraggiava tutte le comunità che visitava.

Paolo attraversa l'Asia Minore

16 [1] Paolo arrivò nella città di Derbe e poi a Listra.
In questa città viveva un credente, chiamato Timòteo: sua madre era una ebrea convertita, suo padre invece
era greco. [2] I cristiani di Listra e di Icònio avevano grande
stima per Timòteo. [3] Paolo lo volle prendere come compa-

gno di viaggio. Però, per riguardo agli ebrei che vivevano
in quelle regioni, lo fece circoncidere: tutti sapevano che
il padre di Timòteo era greco. ⁴ Passando da una città al-
l'altra, essi facevano conoscere alle varie comunità le decisioni prese dagli *apostoli e dai responsabili della chiesa
di Gerusalemme e raccomandavano loro di osservarle. ⁵ Così
le chiese, si fortificavano nella fede, e i cristiani aumenta-
vano di numero ogni giorno.

Troade: la visione di Paolo

⁶ Lo *Spirito Santo non permise a Paolo, a Sila e Timòteo
di annunziare la *parola di Dio nella provincia dell'*Asia;
perciò essi attraversarono le regioni della Frigia e della *Galazia. ⁷ Arrivarono quindi vicino alla regione della Misia,
e sarebbero voluti andare verso la Bitinia, ma lo Spirito di
Gesù non glielo permise. ⁸ Allora attraversarono la regione
della Misia e scesero nella città di Tròade.
⁹ Qui Paolo ebbe una visione: una notte egli vide davanti
a sé un uomo, un abitante della *Macedonia. Costui lo supplicava con queste parole: « Vieni da noi, in Macedonia,
ad aiutarci! ».
¹⁰ Subito dopo questa visione, decidemmo di partire e di andare in Macedonia: eravamo convinti che Dio ci chiamava
ad annunziare il messaggio della salvezza agli abitanti di
quella regione.

Filippi: la conversione di Lidia

¹¹ Ci imbarcammo a Tròade e arrivammo diretti all'isola di
Samotràcia. Il giorno dopo continuammo il viaggio verso la
città di Neàpoli. ¹² Da qui andammo a Filippi, che è una
colonia romana e capoluogo della Macedonia.
A Filippi ci fermammo per alcuni giorni. ¹³ Un *sabato
uscimmo dalla città per andare a pregare: pensavamo infatti che lungo il fiume ci fosse un luogo di preghiera. Arrivati là, ci sedemmo e ci mettemmo a parlare alle donne che
si erano già riunite.
¹⁴ Una di esse si chiamava Lidia: veniva dalla città di Tiàtira ed era commerciante di porpora. Essa credeva in Dio
e stava ad ascoltare. Il Signore le aprì il cuore, perché credesse alle parole di Paolo. ¹⁵ Allora si fece battezzare, lei

e tutta la sua famiglia. Poi ci invitò a casa sua: « Se siete convinti che ho accolto sinceramente il Signore, siate miei ospiti ». E ci costrinse ad accettare.

Paolo e Sila imprigionati a Filippi

16 Un altro giorno, mentre ritornavamo al luogo della preghiera, ci venne incontro una giovane schiava. Uno *spirito maligno si era impossessato di lei e la rendeva capace di indovinare il futuro. Faceva l'indovina e procurava molti soldi ai suoi padroni. 17 Quella ragazza si mise a seguire Paolo e noi, e gridava: « Questi uomini sono servitori del Dio onnipotente. Essi vi fanno conoscere la via che porta alla salvezza ». 18 Questa scena si ripeté per molti giorni, finché Paolo non poté più sopportarla. Si voltò bruscamente e disse allo spirito maligno: « Esci da questa donna! Te lo comando in nome di Gesù *Cristo ». In quello stesso istante lo spirito maligno si allontanò dalla schiava.

19 Ma i suoi padroni, vedendo svanire la speranza di altri guadagni, presero Paolo e Sila e li trascinarono in tribunale davanti alle autorità cittadine. 20 Li presentarono ai giudici e dissero: « Questi uomini creano disordine nella nostra città. Essi sono ebrei 21 e stanno diffondendo usanze che noi, come sudditi di Roma, non possiamo accettare e tanto meno mettere in pratica ». 22 Allora anche la folla si scagliò contro Paolo e Sila; i giudici comandarono di spogliarli e di bastonarli. 23 Dopo averli bastonati, li gettarono in prigione. Al carceriere raccomandarono di custodirli nel modo più sicuro possibile. 24 Dinanzi a questi ordini, il carceriere prese Paolo e Sila, li gettò nella cella più interna della prigione e legò loro i piedi a grossi ceppi di legno.

Paolo e Sila liberati dal carcere

25 Verso mezzanotte Paolo e Sila pregavano e cantavano inni di lode a Dio. Gli altri carcerati stavano ad ascoltare. 26 All'improvviso ci fu un terremoto tanto forte che la prigione tremò fin dalle fondamenta. Tutte le porte si spalancarono di colpo e le catene dei carcerati si slegarono. 27 Il carceriere si svegliò e vide che le porte della prigione

erano aperte: pensò che i carcerati fossero fuggiti. Allora prese la spada e stava per uccidersi. ²⁸ Ma Paolo gli gridò con tutta la voce che aveva: « Non farti del male! Siamo ancora tutti qui ».

²⁹ Il carceriere chiese una lanterna, corse nella cella di Paolo e Sila, e tutto tremante si gettò ai loro piedi. ³⁰ Poi li condusse fuori e domandò loro: « Signori, che cosa devo fare per essere salvato? ».

³¹ Essi risposero: « Credi nel Signore Gesù. Sarai salvato tu e la tua famiglia ».

³² Quindi, Paolo e Sila annunziarono la parola del Signore al carceriere e a tutti quelli di casa sua. ³³ Egli li prese in disparte, in quella stessa ora della notte, e curò le loro piaghe. Subito si fece battezzare, lui e tutta la sua famiglia. ³⁴ Poi li invitò a casa sua e offrì loro un pranzo, e insieme con tutti i suoi fece festa per la gioia di aver creduto in Dio.

³⁵ Quando fu giorno, i giudici mandarono le guardie a dire: « Lascia liberi quegli uomini! ».

³⁶ Il carceriere andò da Paolo per informarlo. Gli disse: « I giudici hanno dato l'ordine di lasciarvi liberi! Potete dunque uscire e andarvene in pace ».

³⁷ Ma Paolo si rivolse alle guardie e disse loro: « Prima ci hanno fatto picchiare in pubblico e senza processo e poi ci hanno buttato in prigione, noi che siamo cittadini romani. Ora vogliono farci uscire di nascosto! No! Devono venire loro, personalmente, a farci uscire di qui ».

³⁸ Le guardie riferirono queste parole ai giudici, ed essi si spaventarono, appena sentirono che Paolo e Sila erano cittadini romani. ³⁹ Andarono subito alla prigione a scusarsi. Poi li fecero uscire dalla prigione e li pregarono di lasciare la città.

⁴⁰ Paolo e Sila allora, lasciata la prigione, andarono in casa di Lidia. Qui incontrarono i cristiani di Filippi e li incoraggiarono. Poi partirono.

Paolo e Sila arrivano a Tessalonica

17 ¹ Paolo e Sila passarono per le città di Anfìpoli e di Apollonia; poi arrivarono a Tessalonica. In questa città gli ebrei avevano una *sinagoga. ² Come al solito, Paolo andò da loro, e per tre *sabati rimase a discutere con loro

sulla base di quello che sta scritto nella *Bibbia. ³ Spiegava le profezie e dimostrava agli ebrei presenti che il *Messia doveva soffrire e poi risorgere dai morti. E concludeva così: « Questo Gesù che io vi annunzio, è lui il Messia ».

⁴ Alcuni dei presenti restarono convinti e si unirono a Paolo e Sila; così pure un buon numero di greci credenti in Dio e molte donne dell'alta società.

⁵ Ma gli ebrei furono presi da grande gelosia. Raccolsero nelle piazze alcuni malviventi, provocarono una sommossa tra la folla e crearono disordini in città. Poi assalirono la casa di un certo Giasone, per catturare Paolo e Sila e condurli davanti al popolo.

⁶ Poiché non li trovarono, presero Giasone e alcuni altri credenti e li trascinarono davanti ai responsabili della città e si misero a gridare: « Questi uomini hanno messo in agitazione il mondo intero e ora sono arrivati anche qui da noi. ⁷ Giasone li ha accolti in casa sua. Tutta questa gente agisce contro la legge dell'imperatore: essi infatti dicono che c'è un altro re, Gesù ».

⁸ Con queste accuse gli ebrei eccitarono la folla e i capi della città. ⁹ Giasone e gli altri credenti dovettero pagare una multa alle autorità e così furono lasciati liberi.

Paolo e Sila nella città di Berèa

¹⁰ Durante la notte i cristiani di Tessalonica fecero partire in fretta Paolo e Sila per la città di Berèa. Appena arrivati, essi entrarono nella *sinagoga degli ebrei.

¹¹ Gli ebrei di questa città però erano migliori di quelli di Tessalonica: infatti accolsero la loro predicazione con grande entusiasmo. Ogni giorno esaminavano le profezie della *Bibbia per vedere se le cose stavano come Paolo diceva. ¹² Molti tra gli ebrei di Berèa diventarono credenti, e anche tra i greci, molti uomini e molte nobildonne.

¹³ Ma gli ebrei di Tessalonica vennero a sapere che Paolo predicava la *parola di Dio anche nella città di Berèa: allora corsero in quella città per mettere in agitazione la folla e spingerla contro di lui. ¹⁴ Ma i cristiani di Berèa fecero subito partire Paolo verso il mare. Sila e Timòteo invece restarono in città.

¹⁵ Quelli che accompagnavano Paolo andarono con lui fino

ad Atene. Qui Paolo li incaricò di dire a Sila e Timòteo di raggiungerlo il più presto possibile.

Paolo nella città di Atene

[16] Mentre Paolo aspettava Sila e Timòteo ad Atene, fremeva dentro di sé nel vedere quella città piena di idoli. [17] Nella *sinagoga invece discuteva con gli ebrei e con i greci credenti in Dio. E ogni giorno, in piazza, discuteva con quelli che incontrava. [18] Anche alcuni filosofi, *epicurei e *stoici, si misero a discutere con Paolo.
Alcuni dicevano: «Che cosa pretende di insegnarci questo ciarlatano?». Altri invece sentendo che annunziava Gesù e la risurrezione osservavano: «A quanto pare è venuto a parlarci di divinità straniere».
[19] Per questo lo presero e lo portarono al tribunale dell'*Areòpago. Poi gli dissero: «Possiamo sapere cos'è questa nuova dottrina che vai predicando? [20] Tu ci hai fatto ascoltare cose piuttosto strane: vorremmo dunque sapere di che cosa si tratta».
[21] Infatti per tutti i cittadini di Atene e per gli stranieri che vi abitavano il passatempo più gradito era questo: ascoltare o raccontare le ultime notizie.
[22] Paolo allora si alzò in mezzo all'*Areòpago e disse: «Cittadini ateniesi, io vedo che voi siete gente molto religiosa da tutti i punti di vista. [23] Ho percorso la vostra città e ho osservato i vostri monumenti sacri; ho trovato anche un *altare con questa dedica: al dio sconosciuto. Ebbene, io vengo ad annunziarvi quel Dio che voi adorate ma non conoscete.
[24] Egli è colui che ha fatto il mondo e tutto quello che esso contiene. Egli è il Signore del cielo e della terra, e non abita in templi costruiti dagli uomini. [25] Non si fa servire dagli uomini come se avesse bisogno di qualche cosa; anzi è lui che dà a tutti la vita, il respiro e tutto il resto.
[26] Da un solo uomo, Dio ha fatto discendere tutti i popoli, e li ha fatti abitare su tutta la terra. Ha stabilito per loro i periodi delle stagioni e i confini dei territori da loro abitati. [27] Dio ha fatto tutto questo perché gli uomini lo cerchino e si sforzino di trovarlo, anche a tentoni, per poterlo incontrare. In realtà Dio non è lontano da ciascuno di noi.

²⁸ In lui infatti noi viviamo, ci muoviamo ed esistiamo. Anche alcuni vostri poeti l'hanno detto:

" *Noi siamo figli di Dio* ".

²⁹ Se dunque noi veniamo da Dio non possiamo pensare che Dio sia simile a statue d'oro, d'argento o di pietra scolpite dall'arte e create dalla fantasia degli uomini. ³⁰ Ebbene: Dio, ora, non tiene più conto del tempo passato, quando gli uomini vivevano nell'ignoranza. Ora, egli rivolge un ordine agli uomini: che tutti dappertutto devono convertirsi. ³¹ Dio infatti ha fissato un giorno nel quale giudicherà il mondo con giustizia. E lo farà per mezzo di un uomo, che egli ha stabilito e ha approvato davanti a tutti, facendolo risorgere dai morti ».

³² Appena sentirono parlare di risurrezione dei morti, alcuni dei presenti cominciarono a deridere Paolo. Altri invece gli dissero: « Su questo punto ti sentiremo un'altra volta ». ³³ Così Paolo si allontanò da loro. ³⁴ Alcuni però lo seguirono e credettero. Fra questi vi era anche un certo Dionìgi, uno del consiglio dell'Areòpago, una donna di nome Dàmaris e alcuni altri.

Paolo nella città di Corinto

18 ¹ Dopo questi fatti, Paolo lasciò Atene e andò a Corinto. ² In quella città trovò un ebreo che si chiamava Aquila, nato nella provincia del Ponto. Con Priscilla sua moglie, era appena arrivato dall'Italia, perché l'imperatore *Claudio aveva espulso da Roma tutti gli ebrei. Paolo andò a casa loro, ³ e siccome faceva lo stesso mestiere, rimase con loro e li aiutava a fabbricare tende. ⁴ Ogni sabato però andava nella *sinagoga, si metteva a discutere, e cercava di convincere tutti, ebrei e greci.

⁵ Poi arrivarono Sila e Timòteo dalla Macedonia: allora Paolo si dedicò soltanto alla predicazione. Di fronte agli ebrei egli sosteneva che Gesù è il *Messia mandato da Dio. ⁶ Gli ebrei però gli facevano opposizione e lo insultavano. Allora Paolo si stracciò le vesti in segno di sdegno e disse loro: « Se non vi salverete è colpa vostra: io ho fatto per voi tutto quello che potevo! D'ora in poi mi rivolgerò soltanto a quelli che non sono ebrei ».

⁷ Quindi Paolo lasciò la sinagoga e andò in casa di un tale che si chiamava Tizio Giusto: era un greco che seguiva la

religione ebraica e la sua casa si trovava vicino alla sinagoga. [8] Crispo, il capo della sinagoga, credette nel Signore insieme con tutti i suoi familiari. Anche altri abitanti di Corinto ascoltarono quello che Paolo diceva, e così credettero e si fecero battezzare.

[9] Una notte il Signore apparve in sogno a Paolo e gli disse: « Non aver paura! Continua a predicare, e non tacere, [10] perché io sono con te! Nessuno potrà farti del male. Anzi, molti abitanti di questa città appartengono già al mio popolo ».

[11] Paolo rimase a Corinto un anno e mezzo, e annunziava loro la *parola di Dio.

[12] Mentre *Gallione era governatore romano della provincia della Acaia, gli ebrei insorsero in massa contro Paolo: lo presero e lo portarono davanti al tribunale, [13] dicendo: « Quest'uomo cerca di convincere la gente ad adorare Dio in modo contrario alla *legge ».

[14] Paolo stava per rispondere, ma Gallione disse agli ebrei: « Se si tratta di un delitto o di una colpa grave, o ebrei, è logico che vi ascolti, come vuole la legge. [15] Ma visto che si tratta di sottigliezze dottrinali della vostra legge, arrangiatevi da soli! Io non voglio essere giudice in queste faccende ».

[16] Così li fece uscire dal tribunale. [17] Allora tutti afferrarono Sòstene, capo della sinagoga, e si misero a picchiarlo davanti al tribunale. Gallione però non volle interessarsi di queste cose.

Paolo lascia la Grecia

[18] Paolo rimase a Corinto ancora un po' di tempo. Poi salutò i cristiani di quella città e si imbarcò verso la provincia della Siria, insieme a Priscilla e Aquila. Siccome aveva fatto un voto, a Cencre si era fatto tagliare del tutto i capelli.

[19] Quando arrivarono nella città di Èfeso, Paolo si separò dai due coniugi. Entrò nella *sinagoga e si mise a discutere con gli ebrei. [20] Essi lo pregarono di rimanere più a lungo, ma Paolo non accettò. [21] Tuttavia li salutò dicendo: « Se Dio vorrà, tornerò da voi un'altra volta ».

Da Èfeso si imbarcò [22] per Cesarèa. Di qui andò a salutare la comunità di Gerusalemme, poi discese ad Antiòchia. [23] In questa città Paolo rimase per un po' di tempo. Di là partì di nuovo e attraversò una dopo l'altra le regioni della *Galazia e della Frigia. Dappertutto egli rafforzava i *discepoli nella fede.

Apollo predica nella città di Èfeso

24 A Èfeso in quei giorni arrivò un ebreo, un certo Apollo, nato ad Alessandria d'Egitto. Parlava molto bene ed era esperto nella *Bibbia. 25 Apollo era già stato istruito nella dottrina del Signore; predicava con entusiasmo e insegnava con esattezza quello che riguardava Gesù (egli però conosceva soltanto il battesimo di Giovanni il Battezzatore). 26 Con grande coraggio Apollo cominciò a predicare nella *sinagoga. Priscilla e Aquila lo sentirono parlare: allora lo presero con loro e lo istruirono più accuratamente nella fede cristiana.

27 Apollo aveva intenzione di andare in Grecia; i fratelli allora lo incoraggiarono e scrissero ai cristiani di quella provincia di accoglierlo bene. Appena arrivato, Apollo sostenuto dalla grazia di Dio, si rese molto utile a quelli che erano diventati credenti. 28 Egli infatti sapeva rispondere con sicurezza alle obiezioni degli ebrei e pubblicamente, con la Bibbia alla mano, dimostrava che Gesù è il *Messia promesso da Dio.

Paolo nella città di Èfeso

19 1 Mentre Apollo si trovava a Corinto, Paolo attraversò le regioni montuose dell'Asia Minore e arrivò alla città di Èfeso. Qui trovò alcuni discepoli 2 e domandò loro: « Avete ricevuto lo *Spirito Santo quando siete diventati cristiani? ».

Gli risposero: « Non abbiamo nemmeno sentito dire che esiste uno Spirito Santo ».

3 Paolo domandò loro ancora: « Ma che battesimo avete ricevuto? ». Quelli risposero: « Il battesimo di Giovanni il Battezzatore ».

4 Allora Paolo spiegò loro: « Quello di Giovanni era un battesimo per quelli che accettavano di cambiar vita; egli invitava la gente a credere in colui che doveva venire dopo di lui, cioè in Gesù ».

5 Dopo questa spiegazione i *discepoli di Èfeso si fecero battezzare nel nome del Signore Gesù. 6 Quindi Paolo stese

le mani su loro, ed essi ricevettero lo Spirito Santo. Cominciarono a parlare in altre lingue e a profetizzare. [7] Erano in tutto circa dodici uomini.

[8] Per tre mesi Paolo poté andare regolarmente nella *sinagoga. Discuteva con franchezza del *regno di Dio e cercava di convincere quelli che lo ascoltavano. [9] C'erano però alcuni che si dimostravano ostinati e si rifiutavano di credere; anzi, in pubblico, parlavano male della fede cristiana. Allora Paolo li abbandonò e i cristiani li separò nettamente dalla sinagoga. Ogni giorno si metteva a discutere nella scuola di un tale che si chiamava Tiranno. [10] Così Paolo continuò per due anni: tutti gli abitanti dell'Asia Minore, ebrei e greci, poterono ascoltare la parola del Signore.

I figli di Sceva

[11] Dio intanto faceva *miracoli straordinari per opera di Paolo. [12] La gente prendeva fazzoletti o grembiuli che erano stati a contatto con Paolo, li metteva sopra i malati e questi guarivano. Anche gli *spiriti maligni uscivano dai malati.
[13] Allora alcuni ebrei che andavano in giro a scacciare gli spiriti maligni dai malati, pensarono di servirsi del nome del Signore Gesù nei loro scongiuri. Dicevano agli spiriti maligni: « Nel nome di quel Gesù che Paolo predica, io vi comando di uscire da questi malati ».
[14] Così facevano, ad esempio, i sette figli di un certo Sceva, ebreo e capo dei sacerdoti. [15] Ma una volta lo spirito maligno rispose loro: « Gesù lo conosco e Paolo so chi è! Ma voi, chi siete? ». [16] Poi l'uomo posseduto dallo spirito maligno si scagliò contro di loro e li afferrò: li picchiò con tale violenza che essi fuggirono da quella casa nudi e pieni di ferite.
[17] Tutti gli abitanti di Èfeso, ebrei e greci, vennero a sapere questo fatto. Furono pieni di meraviglia e dicevano: « Il Signore Gesù è grande! ». [18] Molti di quelli che erano diventati cristiani venivano e riconoscevano davanti a tutti il male che avevano fatto. [19] Altri che avevano praticato la magia portarono i loro libri e li bruciavano davanti a tutti. Il valore di quei libri, secondo i calcoli fatti, era di circa cinquantamila monete d'argento. [20] Così la parola del Signore si diffondeva e si rafforzava sempre più.

La sommossa di Èfeso

²¹ Dopo questi fatti, Paolo decise di attraversare le province della Macedonia e della Grecia, e poi andare a Gerusalemme. Diceva: « Prima vado a Gerusalemme, poi dovrò andare anche a Roma ». ²² Per il momento, però, mandò nella provincia della Macedonia due suoi aiutanti, Timòteo ed Erasto. Egli, invece, rimase ancora per un po' di tempo in *Asia.

²³ Durante questo periodo, nella città di Èfeso ci fu un grande tumulto a causa di questo nuovo insegnamento. ²⁴ Un certo Demetrio, di professione orafo, fabbricava tempietti della dea *Artèmide in argento: un mestiere che procurava agli artigiani un buon guadagno. ²⁵ Egli radunò gli orafi e tutti gli artigiani che facevano un mestiere del genere e disse loro: « Cittadini, voi sapete che questo lavoro è la fonte del nostro benessere. ²⁶ Ma avete sentito dire che questo Paolo continua a ripetere che non sono divinità quelle che noi facciamo con le nostre mani. E così, ha convinto e portato fuori strada molta gente, non solo qui ad Èfeso ma in quasi tutta l'Asia Minore. ²⁷ Dunque c'è il pericolo che il nostro mestiere vada in rovina. Ma c'è di più: nessuno si interessa più del tempio della grande dea *Artèmide; la dea che l'*Asia e il mondo intero adorano perderà la sua grandezza ».

²⁸ Sentendo questo discorso tutti si accesero di collera e si misero a gridare: « Grande è Artèmide, la dea degli efesini! ».

²⁹ La sommossa si estese a tutta la città. La gente corse in massa al teatro, trascinando con sé Gaio e Aristarco, nativi della Macedonia e compagni di viaggio di Paolo.

³⁰ Paolo voleva presentarsi al popolo, ma i cristiani di Èfeso non glielo permisero. ³¹ Anche alcuni funzionari della provincia dell'Asia, amici di Paolo, gli mandarono a dire di non andare al teatro.

³² Intanto, al teatro chi gridava una cosa e chi un'altra. Nella assemblea vi era una grande confusione e la maggior parte della gente non sapeva neppure per quale motivo era andata là.

³³ Alcuni della folla volevano far parlare un certo Alessandro che gli ebrei avevano spinto avanti. Egli fece un segno con la mano per ottenere il silenzio e parlare alla folla. ³⁴ Ma

appena si accorsero che era ebreo, tutti cominciarono a gridare: « Grande è Artèmide, la dea degli efesini! », e gridarono in coro per quasi due ore.

³⁵ Alla fine il cancelliere della città riuscì a calmare la folla e disse: « Cittadini di Èfeso, tutti sanno che la nostra città custodisce il tempio della grande dea Artèmide e che la sua statua è stata a noi donata dal cielo! ³⁶ Nessuno al mondo può contestare questi fatti! State dunque calmi e non fate azioni imprudenti. ³⁷ Voi avete trascinato qui questi uomini, ma essi non hanno derubato il tempio e non hanno bestemmiato contro la nostra dea. ³⁸ Può darsi che Demetrio e i suoi colleghi di lavoro abbiano qualche diritto da rivendicare contro qualcuno, ma per questo ci sono i tribunali e i giudici. Vadano dunque in tribunale a esporre le loro accuse. ³⁹ Se invece avete qualche altra questione da discutere, si deciderà in una assemblea legalmente costituita. ⁴⁰ Per i fatti di oggi, c'è il pericolo di essere accusati di aver provocato disordini. Non c'è nessun motivo che possa giustificare questa riunione ».

⁴¹ Con queste parole il cancelliere della città sciolse l'assemblea.

Paolo va in Macedonia e in Grecia

20 ¹ Quando la sommossa finì, Paolo radunò i cristiani e li incoraggiò a continuare; quindi li salutò e partì verso la provincia della *Macedonia. ² Mentre l'attraversava, Paolo esortava continuamente i fedeli con molti discorsi. Finalmente arrivò in Grecia ³ e vi rimase tre mesi.

Mentre stava partendo per la Siria, venne a sapere che alcuni ebrei avevano preparato un complotto contro di lui. Allora decise di fare il viaggio di ritorno passando di nuovo per la Macedonia. ⁴ Lo accompagnava Sòpatro, figlio di Pirro, abitante nella città di Berèa, Aristarco e Secondo di Tessalonica, Gaio di Derbe e Timòteo, Tìchico e Tròfimo della provincia dell'*Asia. ⁵ Questi però partirono prima di noi e ci aspettarono a Tròade. ⁶ Noi invece lasciammo Filippi dopo le feste pasquali. Con cinque giorni di viaggio li raggiungemmo a Tròade. Qui restammo per una settimana.

Paolo visita i cristiani di Tròade

⁷ Il sabato sera ci riunimmo per la celebrazione della Cena del Signore, e Paolo rimase a parlare con i *discepoli. Siccome il giorno dopo doveva partire, continuò a parlare fino a mezzanotte.
⁸ La stanza della riunione, al piano superiore della casa, era molto illuminata. ⁹ Un ragazzo, che si chiamava Èutico e stava seduto sul davanzale della finestra, si addormentò, mentre Paolo continuava a parlare. A un certo punto cadde dal terzo piano e fu raccolto morto. ¹⁰ Paolo allora scese, si piegò su di lui, lo prese nelle sue braccia e disse: « Calma e coraggio. Èutico è vivo! ». ¹¹ Poi risalì nella sala, spezzò il pane e lo mangiò con gli altri. Parlò ancora a lungo e quando spuntò il sole partì. ¹² Intanto quel ragazzo era stato portato a casa sano e salvo, con gran sollievo di tutti.

Paolo in viaggio da Tròade a Milèto

¹³ Noi eravamo partiti per primi, con la nave, ed eravamo andati verso la città di Asso. Qui dovevamo prendere a bordo Paolo. Era stato lui a decidere così, perché voleva fare il viaggio a piedi. ¹⁴ Quando ci raggiunse ad Asso, Paolo salì a bordo con noi e arrivammo nella città di Mitilène.
¹⁵ Il giorno dopo, partimmo da Mitilène e arrivammo di fronte a Chio. Con un altro giorno di viaggio arrivammo nella città di Samo, e il giorno dopo giungemmo a Milèto. ¹⁶ Paolo infatti aveva deciso di non fermarsi ad Èfeso, per non trattenersi troppo a lungo in *Asia. Aveva fretta di arrivare a Gerusalemme, possibilmente per il giorno di *Pentecoste.

Paolo parla ai responsabili della chiesa di Èfeso

¹⁷ Trovandosi a Milèto, Paolo fece venire da Èfeso i responsabili di quella comunità. ¹⁸ Quando arrivarono, Paolo disse loro: « Voi sapete come io mi sono comportato con voi per tutto questo tempo: dal primo giorno che arrivai in *Asia fino a oggi. ¹⁹ Ho lavorato per il Signore con profonda umiltà. Ho sofferto e ho anche pianto. Ho dovuto subire le insidie degli ebrei a rischio della vita. ²⁰ Voi sapete che non ho mai trascurato quello che poteva esservi utile: non ho mai cessato di predicare e di istruirvi sia in pubblico che nelle vostre case. ²¹ A tutti, ebrei e greci, ho racco-

mandato con insistenza di cambiar vita, di tornare a Dio
e di credere nel Signore nostro Gesù.
[22] Ed ora, ecco: io devo andare a Gerusalemme senza sapere quel che mi accadrà. È lo *Spirito Santo che mi
spinge. [23] Durante tutto questo viaggio lo Spirito Santo mi
avverte e mi dice che mi aspettano catene e tribolazioni.
[24] Tuttavia, quel che più mi importa non è la mia vita,
ma portare a termine la mia corsa e la missione che il Signore Gesù mi ha affidato: annunziare a tutti che Dio ama
gli uomini.
[25] Ecco: io sono passato in mezzo a voi annunziando il
*regno di Dio; ora so che voi tutti non vedrete più il mio
volto. [26] Per questo, oggi, vi dichiaro solennemente che se
qualcuno di voi non accoglie il Signore, io non ne ho colpa.
[27] Io infatti non ho mai trascurato di annunziarvi tutta la
volontà di Dio. [28] Badate a voi stessi e abbiate cura di tutti
i fedeli: lo Spirito Santo ve li ha affidati e vi ha fatto essere
loro pastori. Dio si è acquistata la Chiesa con la morte del
Figlio suo, e ora tocca a voi guidarla come pastori.
[29] Io so, che quando sarò partito, altri verranno fra voi e si
comporteranno come lupi rapaci. Essi faranno del male al
gregge. [30] Perfino in mezzo a voi sorgeranno alcuni a insegnare dottrine perverse e cercheranno di tirarsi dietro altri
credenti. [31] Perciò state bene attenti, e ricordate che per tre
anni, notte e giorno, non ho mai smesso di esortare ciascuno
di voi anche con le lacrime.
[32] Ed ora, ecco: io vi affido a Dio e alla parola che vi annunzia il suo amore. Egli ha il potere di farvi crescere nella
fede, e di darvi tutto quello che ha promesso a quelli che
gli appartengono. [33] Io non ho desiderato né argento, né oro,
né i vestiti di nessuno. [34] Voi sapete bene che alle necessità
mie e di quelli che erano con me ho provveduto con il lavoro di queste mie mani. [35] Vi ho sempre mostrato che è necessario lavorare per soccorrere i deboli, ricordandoci di
quello che disse il Signore Gesù: " C'è più gioia nel dare
che nel ricevere " ».
[36] Quando ebbe finito di parlare, Paolo si inginocchiò con
i responsabili della chiesa di Èfeso, e insieme si misero a pregare. [37] Piangevano tutti, si gettavano al collo di Paolo e lo
abbracciavano. [38] Erano molto tristi, specialmente per quello
che Paolo aveva detto: « Voi non mi vedrete più ». Poi lo
accompagnarono fino alla nave.

Paolo in viaggio verso Gerusalemme

21 [1] Venne poi il momento di separarci da loro e partimmo con la nave. Andammo direttamente fino a Cos, il giorno dopo a Rodi e infine a Pàtara. [2] Qui trovammo una nave che faceva la traversata verso la Fenicia: vi salimmo e prendemmo il largo. [3] Giunti in vista dell'isola di Cipro, la lasciammo sulla sinistra e puntammo verso la regione della Siria. Quindi arrivammo nella città di Tiro, dove si doveva lasciare a terra il carico della nave.

[4] Visitammo i cristiani di questa città e restammo con loro una settimana. Per suggerimento dello Spirito, essi dicevano a Paolo di non salire a Gerusalemme. [5] Ma quando furono passati quei giorni partimmo. Tutta la comunità, comprese le donne e i bambini, ci accompagnò, finché arrivammo fuori città. Qui ci mettemmo in ginocchio sulla spiaggia a pregare. [6] Poi ci salutammo a vicenda: noi salimmo sulla nave, ed essi ritornarono alle loro case.

[7] Dalla città di Tiro andammo a Tolemàide, e così si concluse il nostro viaggio per mare. Andammo a salutare i cristiani della città di Tolemàide, restando con loro un giorno. [8] Il giorno dopo partimmo di nuovo per raggiungere Cesarèa. Là ci ospitò l'evangelista Filippo [9] che era uno dei sette diaconi. Egli aveva quattro figlie non sposate, che avevano il dono della profezia.

[10] Eravamo a Cesarèa da parecchi giorni, quando giunse nella regione della Giudea un certo Àgabo, *profeta. [11] Egli venne a farci visita. A un certo punto, prese la cintura di Paolo, si legò i piedi e le mani, poi disse: « Ecco che cosa dice lo *Spirito Santo: l'uomo al quale appartiene questa cintura sarà legato in questa maniera dagli ebrei a Gerusalemme e sarà consegnato in mano ai pagani ».

[12] Sentendo queste parole, noi e gli altri presenti pregammo Paolo di non andare a Gerusalemme. [13] Ma Paolo ci rispose: « Perché piangete e cercate di togliermi il coraggio? Io sono pronto ad affrontare in Gerusalemme non solo la prigione ma anche la morte per amore del Signore Gesù ».

[14] Visto che Paolo non si lasciava convincere, noi, rassegnati, dicemmo: « Sia fatta la volontà del Signore ».

[15] Alcuni giorni più tardi, ci preparammo per il viaggio e si partì per Gerusalemme. [16] Vennero con noi anche alcuni cristiani di Cesarèa: essi ci condussero da un certo Mnasòne,

presso il quale trovammo alloggio. Egli era nativo di Cipro,
ed era stato uno dei primi a diventare cristiano.

Paolo va a far visita a Giacomo

¹⁷ Appena arrivati a Gerusalemme, i cristiani ci accolsero
con gioia. ¹⁸ Il giorno dopo, Paolo venne con noi da Giacomo, e trovammo uniti tutti i responsabili della comunità.
¹⁹ Paolo li salutò e poi riferì loro, ad una ad una, tutte le
cose che Dio aveva fatto tra i pagani per mezzo del lavoro
missionario che egli aveva svolto. ²⁰ I responsabili lo ascoltarono e ringraziarono Dio.
Poi dissero a Paolo: « Tu vedi, fratello, quante migliaia di
ebrei sono diventati cristiani e tu sai che tutti sono rimasti
molto attaccati alla *legge di Mosè. ²¹ Ebbene, essi hanno
sentito dire che tu insegni a tutti gli ebrei che vivono tra
i pagani di abbandonare la legge di Mosè, dici di non circoncidere più i figli e di non seguire più le tradizioni ebraiche. ²² Ora che cosa accadrà, quando gli ebrei di questa
città verranno a sapere che sei arrivato?
²³ Fa' quello che ti suggeriamo: ci sono tra di noi quattro
uomini che hanno fatto il *voto di non bere vino e di non
tagliarsi i capelli per un po' di tempo. ²⁴ Va' al tempio con
loro e partecipa anche tu alla cerimonia della purificazione.
Poi paga per loro le spese per i sacrifici che sciolgono dal
voto. Così tutti capiranno che non c'è nulla di vero nelle
informazioni ricevute riguardo a te, e che tu invece vivi
in modo conforme alla legge di Mosè.
²⁵ Ai pagani che sono diventati cristiani noi abbiamo fatto
conoscere per lettera le nostre decisioni: essi non devono
mangiare la carne di animali sacrificati agli idoli; non devono
mangiare il sangue o la carne di animali morti per soffocamento; infine devono astenersi dai disordini sessuali ».
²⁶ Paolo prese con sé quei quattro uomini e con loro, il
giorno seguente, partecipò al rito della purificazione. Poi
entrò nel tempio per far sapere ai sacerdoti quando scadeva
il loro voto: per quel giorno infatti ciascuno di loro doveva
offrire il sacrificio.

Paolo arrestato nel tempio

²⁷ Stavano ormai per finire i sette giorni, quando gli ebrei
della provincia dell'*Asia videro Paolo nel tempio. Eccita-

rono la folla contro di lui e riuscirono a prenderlo. ²⁸ Gridavano: «Uomini d'Israele, venite ad aiutarci! Questo è l'uomo che va predicando a tutti e dappertutto contro il popolo d'Israele, contro la *legge di Mosè e contro il tempio di Dio. Adesso, per di più, ha fatto entrare alcuni non ebrei nel tempio e così ha profanato questo luogo santo». ²⁹ Poco prima infatti essi avevano visto Paolo in giro per la città in compagnia di Tròfimo, nativo di Èfeso, e pensavano che Paolo lo avesse fatto entrare nel tempio. ³⁰ Allora in tutta la città ci fu grande agitazione e il popolo accorse da ogni parte. Presero Paolo e lo trascinarono fuori del tempio. Poi chiusero subito le porte del tempio. ³¹ La gente stava cercando di ucciderlo, ma qualcuno salì in fretta dal comandante romano e gli disse: «Tutta Gerusalemme è in agitazione». ³² Subito il comandante prese con sé alcuni soldati e ufficiali e si precipitò verso la folla. Vedendo il comandante e i soldati, gli ebrei smisero di picchiare Paolo. ³³ Allora il comandante si avvicinò, e arrestò Paolo e lo fece legare con due catene. Intanto chiedeva alla gente: «Chi è costui? Che cosa ha fatto?».
³⁴ Ma in mezzo alla folla chi gridava una cosa, chi un'altra. Non potendo conoscere con sicurezza quello che era accaduto, a causa della confusione, il comandante ordinò di condurre Paolo nella fortezza. ³⁵ Quando arrivarono ai gradini della fortezza, la folla premeva con tale violenza che i soldati dovettero prendere Paolo sulle spalle. ³⁶ Una gran massa di popolo infatti veniva dietro e gridava: «A morte!».

Paolo si difende di fronte agli ebrei di Gerusalemme

³⁷ Mentre lo portavano nella fortezza, Paolo disse al comandante dei soldati: «Posso dirti una cosa?».
Il comandante allora gli disse: «Come, tu sai parlare in greco? ³⁸ Non sei tu, dunque, quell'egiziano che recentemente ha provocato una rivolta e ha condotto nel deserto quattromila briganti?».
³⁹ Paolo rispose: «Io sono un ebreo, nato a Tarso, una città abbastanza importante della Cilicia. Ti prego, permettimi di parlare al popolo».
⁴⁰ Il comandante acconsentì. Allora Paolo in piedi, dall'alto della scala, con un cenno della mano invitò la folla a tacere.

Ottenuto il silenzio Paolo cominciò a parlare loro in ebraico così:

22 ¹ « Fratelli e padri, ascoltate quello che sto per dirvi in mia difesa ». ² Quando sentirono che parlava in ebraico, fecero più silenzio di prima. Paolo continuò: ³ « Io sono ebreo. Sono nato a Tarso, città della Cilicia, e sono cresciuto a Gerusalemme. *Gamalièle è stato il mio maestro e mi ha insegnato a osservare scrupolosamente la *legge dei nostri padri. Sono sempre rimasto fedele a Dio, come lo siete voi oggi. ⁴ Ho perseguitato a morte quelli che seguono questa nuova dottrina. Ho arrestato e gettato in prigione uomini e donne cristiani. ⁵ Anche il *sommo sacerdote e tutti i capi del popolo possono testimoniare che dico il vero: da loro infatti ho avuto una lettera da portare agli ebrei di Damasco. Allora partii, e avevo l'intenzione di arrestare e condurre a Gerusalemme anche i cristiani di Damasco, per farli punire.

⁶ Ma durante il viaggio, verso mezzogiorno, prima di entrare nella città di Damasco, ecco che all'improvviso dal cielo venne una gran luce. ⁷ Caddi a terra, e sentii una voce che mi diceva: " *Saulo, Saulo, perché mi perseguiti? ".

⁸ Allora io domandai: " Chi sei, o Signore? ". E quella voce disse: " Io sono Gesù di Nazaret, quello che tu stai perseguitando ".

⁹ Anche i miei compagni di viaggio videro la luce, ma la voce che mi parlava non la sentirono.

¹⁰ Allora io chiesi: " Che cosa devo fare, Signore? ".

E il Signore mi rispose: " Alzati, entra in Damasco: là qualcuno ti dirà quello che Dio vuole da te ".

¹¹ La luce era così forte che io non ci vedevo più. Allora i miei compagni di viaggio mi presero per mano e così giunsi a Damasco.

¹² In quella città abitava un certo Ananìa, un uomo molto religioso, che obbediva alla legge di Mosè. Tutti gli ebrei di Damasco lo stimavano molto. ¹³ Egli venne a trovarmi, si avvicinò e mi disse: " Saulo, fratello mio, guardami! ". In quello stesso istante io ricuperai la vista e lo vidi.

¹⁴ Ananìa allora mi disse: " Il Dio dei nostri padri ti ha scelto perché tu conosca la sua volontà, perché tu veda *Cristo, il Giusto, e ascolti direttamente la sua voce. ¹⁵ Tu infatti devi diventare suo testimone per annunziare a tutti

gli uomini quello che hai visto e udito. ¹⁶ Dunque, perché
aspetti? Alzati e fatti battezzare! Invoca il nome del Signore e sarai liberato dai tuoi peccati ".
¹⁷ Allora ritornai a Gerusalemme, e mentre pregavo nel
tempio ebbi una visione. ¹⁸ Vidi il Signore che mi disse:
" Svelto, lascia subito Gerusalemme perché i suoi abitanti
non ascolteranno la tua testimonianza su di me ".
¹⁹ Ma io risposi: " Signore, tutti sanno che io andavo nelle
sinagoghe per imprigionare e far frustare quelli che credono
in te. ²⁰ E quando fu ucciso Stefano, tuo testimone, ero
presente anch'io. Approvavo quelli che lo uccidevano e
custodivo i loro mantelli ".
²¹ Ma il Signore mi disse: " Va'! Io ti manderò lontano tra
gente straniera " ».

Paolo nella fortezza Antonia

²² Fino a questo punto lo ascoltarono, ma poi cominciarono
a gridare: « Togli di mezzo quest'uomo! Non è degno di
vivere ». ²³ La folla urlava, si stracciava le vesti, e faceva
un gran polverone. ²⁴ Allora il comandante dei soldati ordinò
di condurre Paolo nella fortezza, di frustarlo a sangue e
d'interrogarlo. Sperava in tal modo di poter sapere perché
gli ebrei erano così infuriati contro Paolo.
²⁵ Appena fu legato, pronto per essere frustato, Paolo disse
all'ufficiale che gli stava vicino: « Potete voi frustare un
cittadino romano, senza fargli prima il processo? ».
²⁶ L'ufficiale corse subito a informare il comandante. Gli
disse « Che cosa stai facendo? Quell'uomo è un cittadino
romano! ».
²⁷ Allora il comandante venne da Paolo e gli chiese: « Dimmi
un po': sei davvero cittadino romano? ».
Paolo rispose: « Sì ».
²⁸ Il comandante disse ancora: « Per poter essere cittadino
romano, io ho dovuto pagare una grossa somma di danaro ».
« Io invece — disse Paolo — sono cittadino fin dalla nascita ».
²⁹ Subito quelli che stavano per frustarlo si allontanarono
da lui. Anche il comandante ebbe paura, perché aveva fatto
incarcerare Paolo senza sapere che egli era cittadino romano.

Paolo davanti al tribunale ebraico

[30] Ma il comandante romano voleva sapere con esattezza perché gli ebrei accusavano Paolo. Perciò il giorno dopo gli fece togliere le catene e ordinò ai capi dei sacerdoti e a tutti i membri del tribunale ebraico di radunarsi. Poi fece venire Paolo davanti a loro.

23 [1] Paolo fissò lo sguardo su di loro e disse: «Fratelli, fino ad oggi io ho servito Dio e la mia coscienza è perfettamente tranquilla». [2] Il *sommo sacerdote Anania comandò a quelli che stavano vicino a Paolo di colpirlo sulla bocca. [3] Paolo allora disse: «Dio colpirà te, specie di muro imbiancato. Proprio tu che siedi lì per giudicarmi secondo la *legge, contro la legge comandi di percuotermi?».

[4] I presenti fecero notare a Paolo: «Ma tu stai insultando il sommo sacerdote di Dio!».

[5] Allora Paolo disse: «Fratelli, io non sapevo che egli fosse il sommo sacerdote. So che nella *Bibbia sta scritto: *Non offendere il capo del tuo popolo*».

[6] Paolo sapeva che i membri del tribunale ebraico erano di idee diverse: alcuni erano *sadducei e altri *farisei. Perciò esclamò dinanzi a loro: «Fratelli, io sono fariseo, figlio di farisei e mi vogliono condannare perché spero nella risurrezione dei morti».

[7] Queste parole di Paolo fecero scoppiare un contrasto tra i farisei e i sadducei, e l'assemblea si trovò divisa. [8] I sadducei infatti dicono che i morti non risorgono e che non esistono né *angeli né spiriti. I farisei invece credono a tutte queste cose. [9] Ci fu dunque una grande confusione. Poi alcuni *maestri della legge appartenenti al partito dei farisei, si alzarono e protestarono: «Noi non troviamo nulla di male in quest'uomo. Non potrebbe darsi che uno spirito o un angelo gli abbia parlato?».

[10] A questo punto il contrasto si fece tanto forte che il comandante ordinò ai soldati di scendere nell'assemblea per portare via Paolo e ricondurlo in fortezza. Temeva infatti che Paolo venisse fatto a pezzi.

[11] La notte seguente il Signore apparve a Paolo e gli disse: «Coraggio! Tu sei stato mio testimone a Gerusalemme: dovrai essere mio testimone anche a Roma».

Alcuni ebrei cercano di uccidere Paolo

12 La mattina dopo, alcuni ebrei si riunirono per organizzare una congiura contro Paolo, e giurarono di non toccare né cibo né bevanda fino a quando non lo avessero ucciso. 13 Quelli che avevano partecipato a questa congiura erano più di quaranta.

14 Essi andarono dai capi dei sacerdoti e dai capi del popolo e dissero: «Noi ci siamo impegnati con solenne giuramento a non mangiare nulla finché non avremo ucciso Paolo. 15 Voi dunque, d'accordo con il tribunale ebraico, dite al comandante di portarvi qui Paolo. Il pretesto potrebbe essere questo: che voi volete esaminare un po' meglio il suo caso. Noi intanto ci terremo pronti a ucciderlo prima che egli arrivi qui».

16 Ma un nipote di Paolo venne a sapere qualcosa di questa congiura. Perciò andò alla fortezza, entrò e informò Paolo. 17 Allora Paolo chiamò uno degli ufficiali e gli disse: «Accompagna questo ragazzo dal comandante; egli ha qualcosa da dirgli». 18 L'ufficiale lo prese con sé, lo portò dal comandante e gli disse: «Il prigioniero Paolo mi ha fatto chiamare e mi ha pregato di accompagnare da te questo giovane perché ha qualcosa da dirti».

19 Il comandante prese per mano quel giovane, si ritirò in disparte e gli domandò: «Che cosa hai da dirmi?».

20 Egli rispose: «Gli ebrei, tutti d'accordo, ti domanderanno di condurre Paolo domani davanti al loro tribunale con il pretesto di esaminare più accuratamente il suo caso. 21 Tu però non crederci perché ci sono più di quaranta ebrei che stanno preparando un tranello a Paolo. Essi hanno giurato di non mangiare né bere prima di aver ucciso Paolo. E ora sono già pronti, in attesa che tu lo faccia uscire dalla fortezza». 22 Allora il comandante gli raccomandò: «Non raccontare a nessuno le cose che mi hai detto!». Poi lo lasciò andare.

Paolo viene trasferito nella città di Cesarèa

23 Il comandante fece chiamare due ufficiali e disse loro: «Tenete pronti per stasera alle nove duecento soldati, settanta cavalieri e duecento uomini armati di lance: dovranno andare fino a Cesarèa. 24 Preparate anche alcuni cavalli per

trasportare Paolo: egli deve arrivare sano e salvo dal governatore *Felice».

²⁵ Poi scrisse anche una lettera che press'a poco diceva: ²⁶ «Claudio Lisia saluta Sua Eccellenza il governatore Felice. ²⁷ Quest'uomo che io ti mando, lo hanno arrestato gli ebrei. Stavano per ammazzarlo, quando intervenni con le mie guardie. Venni a sapere che era cittadino romano e lo liberai. ²⁸ Poi volevo sapere perché gli ebrei lo accusavano, e per questo lo condussi davanti al loro tribunale. ²⁹ Ho potuto stabilire che contro quest'uomo non c'erano accuse degne di morte o di prigione: si trattava solo di questioni che riguardano la loro *legge. ³⁰ Tuttavia sono venuto a sapere che gli ebrei stanno preparando una congiura contro di lui: perciò te lo mando subito. Nello stesso tempo faccio sapere a quelli che lo accusano che devono rivolgersi a te».

³¹ Con questi ordini, i soldati presero Paolo e lo condussero di notte fino alla città di Antipàtride. ³² Il giorno dopo lasciarono partire con lui soltanto i cavalieri. Gli altri tornarono alla fortezza. ³³ I cavalieri arrivarono a Cesarèa, consegnarono la lettera al governatore e gli presentarono anche Paolo. ³⁴ Il governatore lesse la lettera e domandò a Paolo in quale provincia era nato. Paolo gli rispose: «Sono originario della Cilicia».

³⁵ Allora Felice disse: «Ti ascolterò quando saranno qui anche quelli che ti accusano». Poi comandò di rinchiudere Paolo nel palazzo di *Erode.

Paolo processato davanti a Felice

24 ¹ Cinque giorni dopo, Ananìa, il *sommo sacerdote, arrivò con alcuni capi del popolo e un avvocato che si chiamava Tertullo. Si presentarono al governatore *Felice per dichiarare le loro accuse contro Paolo. ² Fu chiamato anche lui.

Poi Tertullo cominciò la sua accusa dicendo: «Per merito tuo, eccellentissimo Felice, noi godiamo di una lunga pace. Tu hai provveduto a concedere a questa nazione alcune riforme. ³ Noi accogliamo tutto ciò con la più profonda gratitudine. ⁴ Ma non ti voglio far perdere troppo tempo; perciò ti prego di ascoltare, con la tua bontà, quello che brevemente abbiamo da dirti.

11.

⁵ Quest'uomo, secondo noi, è estremamente pericoloso. Egli è capo del gruppo dei nazarei, e provoca disordini dappertutto tra gli ebrei sparsi nel mondo. ⁶ Ha tentato perfino di profanare il tempio, ma noi l'abbiamo arrestato e volevamo giudicarlo secondo la nostra *legge. ⁷ Ma il comandante Lisia è intervenuto e con grande violenza lo ha tolto dalle nostre mani. ⁸ Poi Lisia ha comandato agli accusatori di quest'uomo di presentarsi davanti a te. Se tu lo interroghi potrai accertarti di tutte queste cose delle quali noi lo accusiamo».

⁹ Anche gli ebrei appoggiarono l'accusa di Tertullo e dissero che i fatti stavano proprio così.

Paolo si difende davanti al governatore Felice

¹⁰ Il governatore fece cenno a Paolo di parlare. Allora egli cominciò a dire: «So che da molti anni sei giudice di questo popolo. Perciò con fiducia parlerò in mia difesa. ¹¹ Sono venuto a Gerusalemme appena dodici giorni fa, per pregare nel tempio; è un fatto questo che tu stesso puoi controllare. ¹² Gli ebrei non mi hanno mai trovato nel tempio a discutere con qualcuno o a mettere confusione tra la folla. Neppure nelle *sinagoghe o per la città. ¹³ Essi non possono dimostrare le accuse che ora lanciano contro di me. ¹⁴ Ma ti dichiaro questo: che seguo quella nuova dottrina che essi considerano falsa. Io però riconosco e servo solo il Dio dei nostri padri e accetto tutto quello che è scritto nella *legge di Mosè e quello che è scritto nei libri dei *profeti. ¹⁵ Come loro, io ho questa sicura speranza nel Signore: che tutti gli uomini, sia buoni che malvagi, risorgeranno dai morti. ¹⁶ Per questo cerco anch'io di conservare sempre una coscienza pura dinanzi a Dio e dinanzi agli uomini.

¹⁷ Ora, dopo molti anni, sono tornato per portare aiuti al mio popolo e per offrire sacrifici. ¹⁸ Proprio durante questi riti, gli ebrei mi hanno trovato nel tempio: stavo partecipando alla cerimonia della purificazione e non c'era folla né agitazione di popolo. ¹⁹ C'erano però alcuni ebrei della provincia d'*Asia: questi sì dovrebbero essere qui davanti a te per accusarmi se proprio hanno qualcosa contro di me. ²⁰ Oppure, lo dicano quelli che sono qui ora, se hanno trovato in me qualche colpa quando sono stato portato al

tribunale ebraico. ²¹ L'unica cosa che potrebbero dire è, che una volta, stando in mezzo a loro, io gridai: Oggi, io vengo processato davanti a voi perché credo alla risurrezione dei morti ».

²² *Felice era molto ben informato sulla fede cristiana; perciò mandò via gli accusatori di Paolo dicendo: « Quando verrà il comandante Lisia, allora esaminerò il vostro caso ».

²³ Poi ordinò al capo dei soldati di fare la guardia a Paolo e di concedergli una certa libertà. Tutti gli amici di Paolo potevano andare da lui per aiutarlo.

Paolo in carcere si incontra con Felice e Drusilla

²⁴ Alcuni giorni dopo, *Felice fece chiamare Paolo per sentirlo parlare della fede in Cristo Gesù: era presente anche sua moglie, *Drusilla, che era ebrea. ²⁵ Ma quando Paolo cominciò a parlare del giusto modo di vivere, del dovere di dominare gli istinti e del *giudizio futuro di Dio, Felice si spaventò e disse: « Basta, per ora puoi andare. Quando avrò tempo ti farò richiamare ». ²⁶ Intanto sperava di poter ricevere da Paolo un po' di soldi: per questo lo faceva chiamare abbastanza spesso e parlava con lui.

²⁷ Trascorsero così due anni. Poi al posto di Felice venne Porcio *Festo. Ma Felice voleva fare un altro favore agli ebrei, e così lasciò Paolo in prigione.

Paolo fa ricorso all'imperatore

25 ¹ Il governatore *Festo, dunque, arrivò nella sua provincia e dopo tre giorni salì dalla città di Cesarèa a Gerusalemme.

² Subito vennero da lui i capi dei sacerdoti e i capi degli ebrei e presentarono le loro accuse contro Paolo. Poi, con molta insistenza, ³ per l'odio che avevano contro Paolo, chiesero a Festo il favore di farlo condurre a Gerusalemme. Stavano infatti preparando un tranello per ammazzarlo durante il viaggio.

⁴ Ma Festo rispose: « Paolo deve restare in prigione a Cesarèa. Anch'io vi tornerò presto. ⁵ Quelli tra voi che hanno autorità vengano con me a Cesarèa, e se quest'uomo è colpevole di qualche cosa, là lo potranno accusare ».

⁶ Festo rimase a Gerusalemme ancora otto o dieci giorni,

poi ritornò a Cesarèa. Il giorno dopo aprì il processo e fece portare Paolo in tribunale.

[7] Appena arrivò, gli ebrei venuti da Gerusalemme lo circondarono e lanciarono contro di lui molte gravi accuse. Essi però non erano capaci di provarle.

[8] Paolo allora parlò in sua difesa e disse: «Io non ho fatto niente di male; né contro la *legge degli ebrei, né contro il tempio e neppure contro l'imperatore romano».

[9] Festo però voleva fare un favore agli ebrei; perciò domandò a Paolo: «Accetti di andare a Gerusalemme? Il processo per queste accuse potrebbe essere fatto là, davanti a me».

[10] Ma Paolo rispose: «Mi trovo davanti al tribunale dell'imperatore: qui devo essere processato. Io non ho fatto nessun torto agli ebrei e tu lo sai molto bene. [11] Se dunque sono colpevole e ho fatto qualcosa che merita la morte, io non rifiuto di morire. Ma se non c'è niente di vero nelle accuse che questa gente lancia contro di me, nessuno ha il potere di consegnarmi a loro. Io faccio ricorso all'imperatore!».

[12] Allora Festo si consultò con i suoi consiglieri. Poi decise: «Tu hai fatto ricorso all'imperatore e dall'imperatore andrai».

Paolo dinanzi al re Agrippa e a Berenìce

[13] Alcuni giorni dopo il re *Agrippa e sua sorella *Berenìce arrivarono a Cesarea per salutare *Festo. [14] Siccome si fermarono parecchi giorni, Festo raccontò al re il caso di Paolo. Gli disse:

«Il governatore *Felice mi ha lasciato qui un prigioniero. [15] Quando io mi trovavo a Gerusalemme vennero da me i capi dei sacerdoti e i capi degli ebrei per accusarlo e mi domandarono di condannarlo. [16] Risposi loro che i romani non hanno l'abitudine di condannare un uomo prima che egli abbia la possibilità di difendersi davanti ai suoi accusatori. [17] I capi dei sacerdoti e i capi degli ebrei vennero dunque qui da me, e io, senza perder tempo, il giorno dopo cominciai il processo e vi feci condurre anche Paolo. [18] Quelli che lo accusavano si misero attorno a lui, e io pensavo che lo avrebbero accusato di alcuni delitti. Invece no: [19] si trattava solo di questioni che riguardano la loro religione e un certo Gesù, che era morto, mentre Paolo sosteneva che era ancora vivo. [20] Di fronte a un caso come questo io non sapevo che decisione prendere; perciò domandai a Paolo se accettava di andare a Gerusalemme e di essere processato in quella città. ²¹ Ma Paolo fece ricorso e volle che la sua causa fosse riservata all'imperatore. Allora ho comandato di tenerlo in prigione fino a quando non potrò mandarlo all'imperatore ».

²² A questo punto il re Agrippa disse al governatore Festo: « Avrei piacere anch'io di ascoltare quest'uomo! ».

E Festo gli rispose: « Domani lo potrai ascoltare ».

²³ Il giorno dopo, Agrippa e Berenìce arrivarono con grande seguito ed entrarono nell'aula delle udienze, accompagnati dai comandanti e dai cittadini più importanti.

Festo fece venire Paolo ²⁴ e disse: « Re Agrippa e voi cittadini tutti, qui presenti con noi: questo è l'uomo per il quale il popolo degli ebrei si è rivolto a me a Gerusalemme e in questa città. Essi pretendono di farlo morire; ²⁵ io invece mi sono convinto che egli non ha commesso niente che meriti la condanna a morte. Ora egli ha fatto ricorso all'imperatore e io ho deciso di mandarlo a lui. ²⁶ Sul suo caso però non ho nulla di preciso da scrivere all'imperatore. Perciò ho voluto condurlo qui davanti a voi e specialmente davanti a te, re Agrippa, per avere, dopo questa udienza, qualcosa da scrivere all'imperatore. ²⁷ Mi sembra assurdo infatti mandare a Roma un prigioniero senza indicare le accuse che si fanno contro di lui ».

Paolo si difende di fronte ad Agrippa

26 ¹ Il re *Agrippa disse a Paolo: « Ora tu puoi difenderti ». Allora Paolo fece un cenno con la mano e si difese così:

² « Sono contento, o re Agrippa, di potermi difendere oggi, davanti a te, di tutte le accuse che gli ebrei lanciano contro di me. ³ So che tu conosci molto bene le usanze e le questioni religiose degli ebrei. Ti prego dunque di ascoltarmi con pazienza.

⁴ Tutti gli ebrei sono al corrente della mia vita: fin da quando ero ragazzo ho vissuto tra il mio popolo, a Gerusalemme. ⁵ E tutti sanno anche, da molto tempo, che io ero *fariseo e vivevo nel gruppo più rigoroso della nostra religione. Se vogliono, essi lo possono testimoniare. ⁶ Ora invece mi trovo sotto processo, perché spero nella promessa

che Dio ha fatto ai nostri padri. [7] Anche le dodici tribù del nostro popolo servono Dio con perseveranza giorno e notte, perché sperano di vedere realizzata questa promessa. Proprio per questa speranza, o re, io sono accusato dagli ebrei. [8] Perché ritenete assurdo che Dio faccia ritornare i morti alla vita?

[9] Anch'io una volta credevo di dover combattere contro Gesù, il *Nazareno, [10] ed è quello che ho fatto in Gerusalemme. I capi dei sacerdoti mi avevano dato un potere speciale, e io gettavo in prigione molti cristiani. E quando essi venivano condannati a morte, anch'io votavo contro di loro. [11] Spesso andavo da una *sinagoga all'altra per costringerli con torture a bestemmiare. Ero crudele contro i cristiani senza alcun riguardo, e li perseguitavo anche nelle città straniere.

[12] Un giorno però stavo andando a Damasco: i capi dei sacerdoti mi avevano autorizzato dandomi pieni poteri. [13] Durante il viaggio, o re Agrippa, io vidi, in pieno giorno, una luce che scendeva dal cielo e sfolgorava intorno a me e a quelli che mi accompagnavano: era più forte del sole. [14] Tutti cademmo a terra, e io sentii una voce in ebraico che diceva: " *Saulo, Saulo, perché mi perseguiti? Perché ti rivolti come fa un animale quando il suo padrone lo pungola? ".

[15] Io domandai: " Chi sei, Signore? ".

Allora il Signore rispose: " Io sono Gesù, quello che tu perseguiti. [16] Ma ora alzati e sta in piedi. Io ti sono apparso per fare di te un mio servitore. Tu mi renderai testimonianza dicendo quello che hai visto oggi e proclamando quello che ti rivelerò ancora. [17] Io ti libererò da tutti i pericoli, quando ti manderò dagli ebrei e dai pagani. [18] Andrai da loro per aprire i loro occhi, per farli passare dalle tenebre alla luce e dal potere di *Satana al servizio di Dio. Quelli che crederanno in me riceveranno il perdono dei loro peccati e faranno parte del mio popolo santo ".

[19] Perciò, o re Agrippa, io non ho disubbidito a questa apparizione celeste, [20] ma mi sono messo a predicare prima agli abitanti di Damasco e di Gerusalemme, poi a quelli della provincia della Giudea e anche ai pagani. A tutti dicevo di cambiar vita volgendosi all'unico Dio e di mostrare con le azioni la sincerità della loro conversione. [21] Questo è il motivo per il quale gli ebrei mi arrestarono mentre

ero nel tempio e tentarono di uccidermi. 22 Ma Dio mi ha dato il suo aiuto fino ad oggi: per questo sono testimone di *Cristo davanti a tutti, piccoli e grandi. Io dico soltanto quello che gli scritti dei *profeti e la *legge di Mosè avevano previsto per il futuro: 23 e cioè che il *Messia doveva soffrire, che doveva essere il primo a risuscitare dai morti, e che doveva portare al popolo di Israele e ai pagani una luminosa speranza ».

Paolo invita il re Agrippa a credere

24 Mentre Paolo parlava così per difendersi, il governatore *Festo disse ad alta voce: « Tu sei pazzo, Paolo! Hai studiato troppo e sei diventato matto! ».
25 Ma Paolo gli rispose: « Io non sono pazzo, eccellentissimo Festo; sto dicendo cose vere e ragionevoli. 26 Il re *Agrippa conosce bene queste cose e a lui posso parlare con franchezza. I fatti dei quali sto parlando non sono accaduti in segreto: per questo io penso che egli li conosce tutti. 27 Re Agrippa, tu credi alle promesse dei *profeti? Io so, che tu ci credi! ».
28 Agrippa allora rispose a Paolo: « Ancora un po' e tu mi convincerai a farmi cristiano ».
29 Paolo gli disse: « Io non so quanto manca alla tua conversione. Vorrei però chiedere a Dio che non solo tu, ma tutti quelli che oggi mi ascoltano diventino simili a me, tranne ovviamente per queste catene ».
30 Allora il re Agrippa si alzò e con lui anche il governatore Festo, *Berenìce e tutti quelli che avevano partecipato alla seduta. 31 Mentre si allontanavano parlavano insieme e dicevano: « Quest'uomo non ha fatto niente che meriti la morte o la prigione ». 32 Agrippa disse a Festo: « Se non avesse fatto ricorso all'imperatore, quest'uomo poteva essere liberato ».

Inizia il viaggio di Paolo verso Roma

27 1 Quando decisero di farci partire per l'Italia, consegnarono Paolo e alcuni altri prigionieri a un ufficiale, un certo Giulio, che apparteneva al reggimento imperiale. 2 Salimmo a bordo di una nave della città di Adramitto, che stava per partire verso i porti della provincia d'*Asia, e si partì. C'era con noi Aristarco, un cittadino

macèdone, originario di Tessalonica. ³ Il giorno seguente arrivammo nella città di Sidone; qui Giulio gentilmente permise a Paolo di andare a trovare i suoi amici che lo ospitarono e lo circondarono di premure.
⁴ Poi partimmo da Sidone. Il vento soffiava in senso contrario e noi allora navigammo al riparo dell'isola di Cipro.
⁵ Costeggiammo la Cilicia e la Panfilia e arrivammo alla città di Mira, nella regione della Licia.
⁶ Qui l'ufficiale Giulio trovò una nave di Alessandria diretta verso l'Italia e ci fece salire su di essa. ⁷ Navigammo lentamente per molti giorni, e solo a gran fatica arrivammo all'altezza della città di Cnido. Ma il vento non ci era favorevole; perciò navigammo al riparo dell'isola di Creta, presso capo Salmòne. ⁸ Con molta difficoltà ci fu possibile costeggiare l'isola e finalmente arrivammo a una località chiamata « Buoni Porti », vicino alla città di Lasèa.
⁹ Avevamo perso molto tempo. Era già passato anche il periodo del *digiuno ebraico d'autunno, ed era ormai pericoloso continuare la navigazione. Paolo l'aveva fatto notare, dicendo ai marinai : ¹⁰ « Io vedo che questo viaggio sta diventando molto pericoloso, non soltanto per la nave e il carico ma anche per tutti noi che rischiamo di perdere la vita ». ¹¹ Ma Giulio, l'ufficiale romano, dette ascolto al parere del pilota e del padrone della nave e non alle parole di Paolo. ¹² D'altra parte, la località di « Buoni Porti » era poco adatta per passarvi l'inverno : perciò la maggior parte dei passeggeri decise di ripartire per raggiungere possibilmente Fenice, porto di Creta, aperto a sud-ovest e a nord-ovest : là si poteva passare l'inverno.

La tempesta e il naufragio

¹³ Intanto si alzò un leggero vento del sud, ed essi credettero di poter realizzare il loro progetto. Levarono le ancore e ripresero a navigare, tenendosi il più possibile vicino alle coste dell'isola di Creta. ¹⁴ Ma subito si scatenò sull'isola un vento impetuoso, detto Euroaquilone. ¹⁵ La nave fu travolta dalla bufera : era impossibile resistere al vento, e perciò ci lasciavamo portare alla deriva.
¹⁶ Mentre passavamo sotto un isolotto chiamato Càudas, a fatica riuscimmo a prendere la scialuppa di salvataggio.
¹⁷ I marinai la tirarono a bordo e con gli attrezzi comin-

ciarono a legare la struttura della nave per renderla più forte. Poi, per paura di andare a finire sui banchi di sabbia della Libia, i marinai gettarono l'àncora galleggiante e così si andava alla deriva.
¹⁸ La tempesta continuava a sbatterci qua e là con violenza: perciò, il giorno dopo, si cominciò a gettare in mare il carico. ¹⁹ Il terzo giorno, i marinai stessi scaricarono con le loro mani anche gli attrezzi della nave. ²⁰ Per parecchi giorni non si riuscì a vedere né il sole né le stelle, e la tempesta continuava sempre più forte. Ogni speranza di salvarci era ormai perduta per noi.
²¹ Da molto tempo nessuno più mangiava.
Allora Paolo si alzò in mezzo ai passeggeri e disse: « Amici, se mi davate ascolto e non partivamo da Creta, avremmo evitato questo pericolo e questo danno. ²² Ora però io vi raccomando di avere coraggio. Soltanto la nave andrà perduta: ma nessuno di noi morirà. ²³ Questa notte, infatti, mi è apparso un *angelo di quel Dio che io servo e al quale io appartengo. ²⁴ Egli mi ha detto: " Non temere, Paolo! Tu dovrai comparire davanti all'imperatore e Dio, nella sua bontà, ti dona anche la vita dei tuoi compagni di viaggio ". ²⁵ Perciò fatevi coraggio, amici! Ho fiducia in Dio: sono sicuro che accadrà come mi è stato detto. ²⁶ Andremo a finire su qualche isola ».
²⁷ Da due settimane noi ci trovavamo alla deriva nel mare Mediterraneo quand'ecco, verso mezzanotte, i marinai ebbero l'impressione di trovarsi vicino a terra. ²⁸ Gettarono lo scandaglio e misurarono circa quaranta metri di profondità. Un po' più avanti provarono di nuovo e misurarono circa trenta metri di profondità. ²⁹ Allora, per paura di finire contro gli scogli, gettarono da poppa quattro ancore, e aspettarono con ansia la prima luce del giorno. ³⁰ Ma i marinai cercavano di fuggire dalla nave: per questo stavano calando in mare la scialuppa di salvataggio, col pretesto di gettare le ancore da prora. ³¹ Allora Paolo disse all'ufficiale e ai soldati: « Se i marinai non restano sulla nave, voi non potrete mettervi in salvo ». ³² Subito i soldati tagliarono le corde che sostenevano la scialuppa di salvataggio e la lasciarono cadere in mare.
³³ Nell'attesa che spuntasse il giorno, Paolo esortava tutti a prendere cibo. Diceva: « Da due settimane vivete sotto questo incubo senza mangiare. ³⁴ Per questo vi prego di

mangiare: dovete farlo, se volete mettervi in salvo. Nessuno di voi perderà neppure un capello».
³⁵ Dopo queste parole Paolo prese il pane, rese grazie a Dio davanti a tutti, lo spezzò e incominciò a mangiare. ³⁶ Tutti si sentirono incoraggiati e si misero a mangiare anche loro. ³⁷ Sulla nave vi erano in tutto duecentosettantasei persone. ³⁸ Quando tutti ebbero mangiato a sufficienza, gettarono in mare il frumento per alleggerire la nave.

Il naufragio

³⁹ Spuntò il giorno, ma i marinai non riconobbero la terra alla quale ci eravamo avvicinati. Videro però un'insenatura che aveva una spiaggia e decisero di fare il possibile per spingervi la nave. ⁴⁰ Staccarono le ancore e le abbandonarono in mare. Nello stesso tempo slegarono le corde dei timoni, spiegarono al vento la vela principale e così poterono muoversi verso la spiaggia. ⁴¹ Ma andarono a sbattere contro un banco di sabbia, e la nave si incagliò. Mentre la prua, incastrata sul fondo, rimaneva immobile, la poppa invece minacciava di sfasciarsi sotto i colpi delle onde.
⁴² I soldati allora pensarono di uccidere i prigionieri: avevano paura che fuggissero gettandosi in mare. ⁴³ Ma l'ufficiale voleva salvare Paolo e perciò impedì loro di attuare questo progetto. Anzi, comandò a quelli capaci di nuotare di gettarsi per primi in acqua per raggiungere la terra. ⁴⁴ Gli altri fecero lo stesso, aiutandosi con tavole di legno e rottami della nave. In questa maniera tutti arrivarono a terra sani e salvi.

Paolo nell'isola di Malta

28 ¹ Dopo essere scampati al pericolo, venimmo a sapere che quell'isola si chiamava Malta. ² I suoi abitanti ci trattarono con straordinaria gentilezza: siccome si era messo a piovere e faceva freddo, essi ci radunarono tutti intorno a un gran fuoco che avevano acceso.
³ Anche Paolo raccolse un fascio di rami per gettarlo nel fuoco; ma ecco che una vipera, a causa del calore, saltò fuori e si attaccò alla sua mano. ⁴ La gente del luogo, come vide la vipera che pendeva dalla mano di Paolo, diceva fra sé: «Certamente questo uomo è un assassino: infatti si è salvato dal mare, ma ora la giustizia di Dio non lo lascia più vivere».

⁵ Ma Paolo, con un colpo, gettò la vipera nel fuoco e non ne ebbe alcun male. ⁶ La gente invece si aspettava che la mano di Paolo si gonfiasse, oppure che Paolo cadesse a terra morto sul colpo. Aspettarono un bel po', ma alla fine dovettero costatare che Paolo non aveva alcun male. Allora cambiarono parere e dicevano: « Questo uomo è un dio ».
⁷ Vicino a quel luogo, aveva i suoi possedimenti il governatore dell'isola, un certo Publio. Egli ci accolse e ci ospitò per tre giorni con grande cortesia.
⁸ Un giorno il padre di Publio si ammalò di dissenteria ed era a letto con febbre alta. Paolo andò a visitarlo: pregò, stese le mani su lui e lo guarì. ⁹ Dopo questo fatto, anche gli altri abitanti dell'isola che erano ammalati, vennero da Paolo e furono guariti. ¹⁰ I maltesi perciò ci trattavano con grandi onori, e al momento della nostra partenza ci diedero tutto quello che era necessario per il viaggio.

Paolo arriva a Roma

¹¹ Dopo tre mesi ci imbarcammo su una nave della città di Alessandria che aveva passato l'inverno in quell'isola. La nave si chiamava « I Diòscuri ». ¹² Arrivammo a Siracusa e qui rimanemmo tre giorni. ¹³ Poi, navigando lungo la costa, giungemmo a Reggio. Il giorno seguente si levò il vento del sud e così in due giorni potemmo arrivare a Pozzuoli. ¹⁴ Qui trovammo alcuni cristiani che ci invitarono a restare una settimana con loro. Infine partimmo per Roma. ¹⁵ I cristiani di Roma furono avvertiti del nostro arrivo e ci vennero incontro fino al Foro Appio e alle Tre Taverne. Appena li vide, Paolo ringraziò il Signore e si sentì molto incoraggiato.
¹⁶ Arrivati a Roma, fu permesso a Paolo di abitare per suo conto, con un soldato di guardia.

Paolo predica a Roma

¹⁷ Dopo tre giorni, Paolo invitò a casa sua i capi degli ebrei di Roma. Quando furono riuniti disse loro: « Fratelli, io non ho fatto nulla contro il nostro popolo e le *tradizioni dei padri. Eppure a Gerusalemme gli ebrei mi hanno arrestato e mi hanno consegnato ai Romani. ¹⁸ I Romani mi hanno interrogato e volevano lasciarmi libero perché non trovavano in me nessuna colpa che meritasse la morte.

¹⁹ Ma gli ebrei si sono opposti a questa decisione, e allora sono stato costretto a fare ricorso all'imperatore. Io però non ho alcuna intenzione di portare accuse contro il mio popolo. ²⁰ Per questo motivo ho chiesto di vedervi e di parlarvi. Infatti io porto queste catene a causa di colui che il popolo di Israele ha sempre aspettato ».

²¹ Gli risposero: « Noi non abbiamo ricevuto dalla Giudea nessuna lettera che ti riguarda, e nessuno dei nostri fratelli è venuto a riferire o a parlar male di te. ²² Tuttavia, noi vorremmo ascoltare da te quello che pensi: perché abbiamo saputo che il gruppo al quale tu appartieni trova opposizione un po' dappertutto ». ²³ Poi si diedero un appuntamento.

Nel giorno fissato, vennero nell'alloggio di Paolo ancor più numerosi. Dal mattino fino alla sera Paolo dava spiegazioni e annunziava ai presenti il *regno di Dio. Partendo dalla *legge di Mosè e dagli scritti dei *profeti, Paolo cercava di convincerli a credere in Gesù. ²⁴ Alcuni si lasciarono convincere dalle parole di Paolo, altri invece non vollero credere. ²⁵ Poi se ne andarono, senza essere d'accordo tra di loro.

Allora Paolo aggiunse soltanto queste parole: « Lo *Spirito Santo aveva ragione quando, per mezzo del profeta Isaia, disse ai vostri padri:

²⁶ *Va' da questo popolo e parlagli così:*
   Ascolterete con le vostre orecchie, ma non capirete;
   guarderete con i vostri occhi, ma non vedrete
²⁷ *perché il cuore di questo popolo è diventato insensibile:*
   sono diventati duri d'orecchi,
   e hanno chiuso i loro occhi,
   per non vedere con gli occhi,
   per non udire con gli orecchi,
   per non comprendere nel loro cuore
   e non tornare verso Dio.
   E io li salverò? ».

²⁸ Poi Paolo aggiunse: « Sappiate che questa salvezza Dio ora la offre ai pagani, ed essi l'accoglieranno ». [²⁹]

³⁰ Paolo rimase due anni interi nella casa che aveva preso in affitto, e riceveva tutti quelli che andavano da lui. ³¹ Egli annunziava il regno di Dio e insegnava tutto quello che riguarda il Signore Gesù *Cristo con coraggio e senza essere ostacolato.

LETTERA DI PAOLO AI CRISTIANI DI ROMA

Saluto

1 ¹ Vi scrive Paolo, servo di Gesù Cristo. Dio mi ha scelto e mi ha fatto apostolo perché porti il suo messaggio di salvezza.

² Dio, nella *Bibbia per mezzo dei suoi *profeti, ³ aveva già promesso questo messaggio di salvezza. Esso riguarda il *Figlio di Dio Gesù Cristo, nostro Signore. Sul piano umano egli è discendente di Davide, ⁴ ma sul piano dello Spirito che santifica, Dio lo ha costituito Figlio suo, con potenza, quando lo ha risuscitato dai morti.

⁵ Da Gesù Cristo io ho ricevuto il dono di essere *apostolo: perché lui abbia gloria, devo portare tutti i popoli a credere in Dio e a ubbidirgli nella fede.

⁶⁻⁷ Tra questi ci siete anche voi che state in Roma: anche voi Dio ha chiamati; anche voi appartenete a Gesù Cristo; siete amati da Dio e chiamati ad essere suo popolo. Dio nostro padre e Gesù Cristo nostro Signore diano a voi tutti grazia e pace.

Paolo desidera visitare i cristiani di Roma

⁸ Prima di tutto, per mezzo di Gesù *Cristo, io ringrazio il mio Dio di questo: perché in ogni parte del mondo si parla della vostra fede; ⁹ e Dio, che servo con tutto me stesso annunziando il Figlio suo, sa che dico la verità e che vi ricordo sempre, ¹⁰ instancabilmente, nelle mie preghiere. Sempre io chiedo a Dio di poter finalmente, in qualche modo, venire da voi: ¹¹ perché io ho un desiderio ardente di vedervi e di fare anche voi partecipi dei doni dello Spirito, che vi rendano ancora più forti. ¹² Ma soprattutto io desidero vedervi, perché in mezzo a voi, anch'io possa sentirmi confortato da quella che è la vostra e la mia fede.

¹³ Voglio che voi sappiate, fratelli, che già molte volte avevo deciso di venire da voi per raccogliere anche tra voi qualche buon frutto, come l'ho ottenuto tra altri popoli; ma fino a ora non mi è stato possibile. ¹⁴ Il mio còmpito è di rivolgermi a tutti: ai popoli di civiltà greca e agli altri, alla gente istruita e agli ignoranti; ¹⁵ e per quanto dipende

da me, sono pronto ad annunziare il messaggio di Cristo
anche a voi che siete in Roma.

La potenza del messaggio che viene da Dio

[16] Io non mi vergogno del messaggio del *vangelo, perché
è potenza di Dio per salvare chiunque ha fede, prima
l'ebreo e poi tutti gli altri. [17] Questo messaggio rivela come
Dio, mediante la fede, riabilita gli uomini davanti a sé.
Lo afferma la *Bibbia: *Il giusto per fede vivrà.*

La situazione degli uomini senza *Cristo

[18] Di fatto, l'ira di Dio si manifesta dal cielo contro tutti
gli uomini, perché lo hanno rifiutato e hanno commesso
ogni specie di ingiustizie soffocando la verità.
[19] La sua ira li colpisce perché ciò che si può conoscere di
Dio è visibile a tutti: Dio stesso l'ha rivelato agli uomini.
[20] Infatti, fin da quando Dio ha creato il mondo, gli uomini con la loro intelligenza possono vedere nelle cose che
Dio ha fatto le sue qualità invisibili, ossia la sua eterna
potenza e la sua natura divina.
Gli uomini non hanno perciò alcun motivo di scusa: [21] hanno
conosciuto Dio, poi si sono rifiutati di adorarlo e di ringraziarlo come Dio. Si sono smarriti in stupidi ragionamenti
e così non hanno capito più nulla. [22] Essi, che pretendono
di essere sapienti, sono impazziti: [23] adorano immagini del-
l'uomo mortale, di uccelli, di quadrupedi e di rettili, invece
di adorare il Dio glorioso e immortale.
[24] Per questo, Dio li ha abbandonati ai loro desideri: si
sono lasciati andare a impurità di ogni genere fino al punto
di comportarsi in modo vergognoso tra di loro; [25] proprio
essi che hanno messo idoli al posto del vero Dio, e hanno
adorato e servito ciò che Dio ha creato, anziché il creatore.
A lui solo sia la lode per sempre. *Amen.
[26] Dio li ha abbandonati lasciandoli travolgere da passioni
vergognose: le loro donne hanno avuto rapporti sessuali
contro natura, anziché seguire quelli naturali. [27] Anche gli
uomini, invece di avere rapporti con le donne, si sono in-
fiammati di passione gli uni per gli altri. Uomini con uomini commettono azioni turpi, e ricevono così in loro stessi
il giusto castigo per questo traviamento.

²⁸ E poiché si sono allontanati nei loro pensieri da Dio, Dio li ha abbandonati, li ha lasciati soli in balìa della loro mente corrotta, ed essi hanno compiuto cose orribili. ²⁹ Sono ormai giunti al colmo di ogni specie di ingiustizie e di vergognosi desideri. Sono avidi, cattivi, invidiosi, assassini. Litigano e ingannano. Sono maligni, traditori, ³⁰ calunniatori, nemici di Dio, violenti, superbi, presuntuosi, inventori di mali, ribelli ai genitori. ³¹ Sono disonesti e non mantengono le promesse. Sono senza pietà e incapaci di amare. ³² Eppure sanno benissimo come Dio giudica quelli che commettono queste colpe: sono degni di morte. Tuttavia, non solo continuano a commetterle, ma anche battono le mani a tutti quelli che si comportano come loro.

Nessuno è innocente

2 ¹⁻² Noi sappiamo che Dio pronunzia una giusta condanna contro quelli che si comportano in questo modo. Perciò, chiunque tu sia, se giudichi gli altri, non hai nessuna scusa: mentre giudichi gli altri condanni te stesso, perché fai proprio le stesse cose che condanni. ³ O credi forse di sfuggire al *giudizio di Dio, visto che condanni negli altri quello che tu stesso fai? ⁴ O forse fai così, perché disprezzi la grande bontà, la tolleranza e la pazienza di Dio? Ma non sai che Dio usa la sua bontà per spingerti a cambiar vita? ⁵ Tu invece sei ostinato, e non sei disposto a cambiar vita. In tal modo attiri su di te la collera di Dio, per il giorno del castigo nel quale egli si manifesterà per pronunziare la sua giusta sentenza.

Dio giudica gli uomini

⁶ Allora Dio pagherà ciascuno per quello che avrà fatto. ⁷ Darà vita eterna a quelli che cercano gloria, onore e immortalità facendo continuamente il bene; ⁸ manifesterà invece la sua collera e la sua indignazione contro quelli che sono egoisti e perciò non seguono la verità, ma ubbidiscono a tutto ciò che è ingiusto. ⁹ Sofferenza e angoscia colpiranno quelli che fanno il male, prima gli ebrei e poi tutti gli altri. ¹⁰ Ma Dio darà gloria, onore e pace a coloro che compiono il bene, prima agli ebrei, e poi a tutti gli altri. ¹¹ Dio infatti non fa differenze quando giudica.

¹² Per questo, quelli che hanno peccato senza conoscere la
*legge di Mosè, non saranno giudicati in base a tale legge;
ma coloro che hanno peccato conoscendo la legge di Mosè,
verranno giudicati secondo quella legge. ¹³ Così dinanzi a
Dio sono giusti non quelli che ascoltano la legge, ma
quelli che la mettono in pratica. ¹⁴ Certo i pagani non conoscono la legge data da Dio; ma quando essi compiono
ugualmente ciò che la legge comanda, è come se l'avessero
in se stessi. ¹⁵ La loro condotta dimostra che nei loro cuori
è scritto ciò che la legge prescrive. Lo dimostrano pure
la loro coscienza e i ragionamenti che fanno tra di loro, con
i quali, a volte, si accusano, e a volte si difendono. ¹⁶ Tutto
ciò sarà chiaro il giorno in cui Dio, per mezzo di Gesù
Cristo, giudicherà ciò che è nascosto nella vita degli uomini.
Questo è il messaggio che io ho ricevuto.

La colpa degli ebrei

¹⁷ E che dire di te che porti con orgoglio il nome di ebreo?
Ti senti sicuro perché ti appoggi alla *legge di Mosè, e sei
fiero del tuo Dio. ¹⁸ Tu credi di conoscere la sua volontà
e di sapere ciò che è meglio fare, perché ti hanno insegnato
la legge. ¹⁹ Tu credi addirittura di essere una guida per i
ciechi, una luce per quelli che sono nelle tenebre, ²⁰ un
maestro degli ignoranti e un educatore dei semplici, perché
possiedi la legge che rappresenta per te la sapienza e la
verità. ²¹ Perché dunque tu che insegni agli altri non insegni
a te stesso? Predichi di non rubare, e rubi. ²² Tu dici di
non commettere adulterio, e sei adultero. Tu disprezzi gli
idoli, e fai affari nei loro templi. ²³ Ti vanti della legge, ma
non l'osservi, e così offendi Dio. ²⁴ La *Bibbia ha davvero
ragione quando afferma: *per colpa vostra i non credenti
parlano male di Dio.*
²⁵ Anche il fatto che tu sia circonciso ha un senso soltanto
se metti in pratica la legge; se invece non la osservi, è
come se tu non avessi mai ricevuto la *circoncisione. ²⁶ E viceversa: Dio considera come circonciso colui che non lo è,
ma che di fatto ubbidisce ai precetti della legge. ²⁷ E allora
chi non è circonciso sul corpo ma adempie la legge, giudicherà te che non la metti in pratica, anche se la possiedi
per iscritto e sei un circonciso. ²⁸ Vero ebreo non è infatti
colui che è tale esteriormente, e la vera circoncisione non

è un segno visibile sul corpo: [29] vero ebreo è colui che è tale nel suo intimo, e vera circoncisione è quella del cuore: essa dipende dallo Spirito di Dio, e non dalla legge scritta. Il vero ebreo è lodato da Dio, non dagli uomini.

3 [1] Ma allora gli ebrei hanno ancora dei vantaggi in confronto agli altri popoli? E la circoncisione ha ancora per loro qualche utilità? [2] Senz'altro, e per molti motivi. Anzitutto, perché Dio ha affidato le sue promesse al popolo ebraico. [3] È vero che alcuni sono stati infedeli, ma la loro infedeltà può forse impedire che Dio sia fedele? [4] No di certo! Sia chiaro piuttosto che l'uomo è infedele, mentre Dio agisce sempre con fedeltà. Lo afferma la Bibbia:

> *Tu, o Dio, sarai riconosciuto giusto quando parli.*
> *È quando sarai chiamato in *giudizio risulterai*
> *vincitore.*

[5] Qualcuno potrebbe dire: se il male che commettiamo serve a dimostrare che Dio è fedele, allora è ingiusto se ci castiga. [6] Ma non è così, perché Dio è il giudice del mondo! [7] Qualcuno potrebbe ancora insistere: perché Dio mi condanna come peccatore? Io non faccio altro che mettere in risalto la fedeltà di Dio e contribuisco alla sua gloria quando agisco male. [8] Non sarebbe addirittura meglio dire: facciamo il male perché ne venga un bene?
Alcuni parlano male di me e affermano che io dico queste cose. Sono falsi ed è giusto che siano condannati.

Tutti sono colpevoli

[9] Noi ebrei abbiamo quindi qualche superiorità sugli altri? No! Infatti ho dimostrato che tutti sono peccatori; sia gli ebrei, sia gli altri uomini. [10] La *Bibbia dice:

> *Nessun uomo è giusto, nemmeno uno.*
> [11] *Non c'è nessuno che capisca,*
> *nessuno che cerchi Dio.*
> [12] *Tutti hanno smarrito la retta via,*
> *tutti insieme si sono corrotti.*
> *Non c'è nessuno che faccia il bene, neppure uno.*
> [13] *La loro gola è una tomba aperta.*
> *E se parlano ingannano.*
> *C'è veleno di vipera sulle loro labbra,*
> [14] *E la loro bocca è piena di amare maledizioni.*

¹⁵ *Corrono veloci quando si tratta di uccidere,*
¹⁶ *E dove passano lasciano distruzione e miseria.*
¹⁷ *Non conoscono la via della pace*
¹⁸ *e vivono senza alcun timore di Dio.*

¹⁹ Tutto ciò lo dice la Bibbia e noi sappiamo che lo dice per coloro che sono sotto il dominio della *legge. Perciò, tutti chiudano la bocca e il mondo intero si riconosca colpevole davanti a Dio, ²⁰ perché nessuno potrà essere riconosciuto giusto da Dio in base alle opere che la legge comanda. La legge serve soltanto a far conoscere ciò che è male.

È per fede che si è giusti davanti a Dio

²¹⁻²² Ora si rivela ciò che la *legge di Mosè e i *profeti hanno affermato: Dio riabilita davanti a sé tutti quelli che credono in Gesù Cristo, e lo fa indipendentemente dalla legge e senza alcuna distinzione tra gli uomini, ²³ perché tutti hanno peccato e sono privi della presenza di Dio che salva. ²⁴ Perciò, ora siamo nella giusta relazione con Dio perché egli, nella sua bontà, ci ha liberati gratuitamente per mezzo di Gesù *Cristo.

²⁵⁻²⁶ Dio infatti ha presentato Gesù che muore in croce, come mezzo di perdono per quelli che credono in lui. Dio così dimostra che egli è giusto, sia perché nel passato tollerava pazientemente i peccati commessi in vista del perdono, sia perché ora, nel tempo presente, egli accoglie come suoi coloro che credono in Gesù.

²⁷ Ci sono ancora motivi per insuperbirsi? No! Sono stati tutti eliminati, perché non vale più la legge delle opere, ma quella della fede. ²⁸ Noi riteniamo infatti che Dio accoglie come suoi quelli che credono, indipendentemente dalle opere della legge. ²⁹ È Dio forse soltanto il Dio degli ebrei? No! Egli è anche il Dio di tutti gli altri popoli. ³⁰ È chiaro infatti che vi è un solo Dio, che mette nella giusta relazione con sé tutti quelli che credono, ebrei e non ebrei.

³¹ Ma allora togliamo mediante la fede ogni valore alla legge? No di certo! Anzi diamo alla legge il suo vero valore.

Dio e Abramo

4 ¹ Che cosa dobbiamo dire del nostro antenato Abramo? Che cosa ha ottenuto con le sole sue forze? ² Se la posizione di Abramo dinanzi a Dio dipendesse dalle sue opere,

egli potrebbe vantarsene. Ma non con Dio. [3] Che cosa dice la *Bibbia? *Abramo ebbe fede in Dio e per questo Dio lo considerò giusto.* [4] Quando uno lavora e riceve un compenso, questo compenso non gli è dato come regalo, ma perché gli è dovuto. [5] Quando invece un uomo non compie un lavoro, ma semplicemente crede che Dio accoglie favorevolmente il peccatore, allora per questa sua fede Dio lo considera giusto. [6] Anche Davide proclama beato l'uomo che Dio considera giusto indipendentemente dalle opere che compie:

> [7] *Beati coloro ai quali Dio ha perdonato le colpe*
> *e cancellato i peccati.*
> [8] *Beato l'uomo al quale il Signore*
> *non mette in conto il peccato.*

[9] La gioia del perdono è data solamente a chi è circonciso, o anche a chi non lo è? Abbiamo appena detto: *Abramo ebbe fede in Dio e per questo Dio lo considerò giusto.* [10] Ma quando lo considerò giusto? Prima che fosse circonciso, o dopo? Prima, quando non lo era ancora. [11] Egli ricevette la *circoncisione in seguito, come segno che Dio lo aveva considerato giusto per la sua fede. Così Abramo è diventato padre di tutti quelli che credono in Dio, senza essere circoncisi: Dio considera giusti anche loro. [12] Allo stesso modo, Abramo è anche il padre di tutti quelli che sono circoncisi, ma che non si accontentano di questo fatto, bensì seguono l'esempio della fede che Abramo, nostro padre, ha avuto prima di essere circonciso.

Le promesse di Dio e la fede

[13] Dio promise ad Abramo che i suoi discendenti avrebbero avuto in eredità il mondo intero. Questa promessa fu fatta non perché Abramo avesse ubbidito alla *legge, ma perché Dio l'aveva considerato giusto a motivo della sua fede. [14] Se gli eredi fossero quelli che ubbidiscono alla legge di Mosè, la fede diventerebbe inutile e la promessa di Dio non avrebbe più alcun senso. [15] La legge infatti provoca la collera di Dio, ma dove non c'è nessuna legge non ci può essere nemmeno una disubbidienza. [16] Quindi, si diventa eredi della promessa di Dio perché si ha la fede. L'eredità è data per grazia. Solo così la promessa è sicura per tutti i discendenti di Abramo. Non soltanto per quelli che hanno a che fare con

la legge, ma anche per quelli che hanno fede, come Abramo. Egli è il padre di tutti noi. [17] Dice infatti la *Bibbia: *Ti ho fatto diventare padre di molti popoli.*

Egli è nostro padre dinanzi a Dio, perché ha creduto in colui che fa rivivere i morti e chiama all'esistenza le cose che ancora non esistono. [18] Al di là di ogni umana speranza, egli credette che sarebbe diventato *padre di molti popoli*, perché Dio gli aveva detto: *tale sarà la tua discendenza.* [19] Abramo aveva allora circa cent'anni e si rendeva conto che il suo corpo e quello di Sara erano come morti, cioè ormai incapaci di avere figli. Eppure continuò a credere. [20] Egli non dubitò minimamente della promessa di Dio, anzi rimase forte nella fede e diede gloria a Dio. [21] Egli era pienamente convinto che Dio era in grado di mantenere ciò che aveva promesso. [22] Ecco perché Dio lo *considerò giusto.*

[23] Ma non soltanto per lui la Bibbia dice che lo considerò giusto, [24] ma anche per noi. Anche noi infatti saremo considerati giusti, perché crediamo in Dio che ha risuscitato dai morti Gesù nostro Signore. [25] Egli è stato messo a morte a causa dei nostri peccati, ma Dio lo ha risuscitato per metterci in rapporto giusto con sé.

Riconciliàti con Dio

5 [1] Dio dunque ci ha accolti come suoi perché crediamo. Perciò, noi ora siamo in pace con Dio per mezzo del Signore nostro Gesù *Cristo. [2] Per mezzo suo possiamo accostarci con la fede a Dio. Ora godiamo della sua bontà, e siamo orgogliosi della nostra speranza: un giorno parteciperemo alla gloria di Dio. [3] Ma c'è di più: addirittura siamo orgogliosi delle nostre sofferenze, perché sappiamo che la sofferenza produce perseveranza, [4] la perseveranza ci rende forti nella prova, e questa forza ci apre alla speranza. [5] La speranza poi non porta alla delusione, perché Dio ha messo il suo amore nei nostri cuori per mezzo dello *Spirito Santo che ci ha dato.

[6] Noi eravamo ancora incapaci di avvicinarci a Dio, quando Cristo, nel tempo stabilito, morì per i peccatori. [7] È difficile che qualcuno sia disposto a morire per un uomo onesto; al più si potrebbe forse trovare qualcuno disposto a dare la propria vita per un uomo buono. [8] Cristo invece è morto per noi, quando eravamo ancora peccatori: questa è la prova

che Dio ci ama. ⁹ Ma vi è di più: ora Dio per mezzo della morte di Cristo ci ha messo nella giusta relazione con sé; a maggior ragione ci salverà dal castigo, per mezzo di lui. ¹⁰ Noi eravamo nemici suoi, eppure Dio ci ha riconciliati a sé mediante la morte del Figlio suo; a maggior ragione ci salverà mediante la vita di Cristo, dopo averci riconciliati. ¹¹ E non basta! Addirittura possiamo vantarci di quel che siamo di fronte a Dio, perché ora Dio ci ha riconciliati con sé, per mezzo del Signore nostro Gesù Cristo.

Le conseguenze del peccato di Adamo

¹² Il peccato è entrato nel mondo a causa di un solo uomo, Adamo. E il peccato ha portato con sé la morte. Di conseguenza, la morte passa su tutti gli uomini, perché tutti hanno peccato. ¹³ Prima che Dio facesse conoscere la *legge di Mosè, c'era già il peccato nel mondo. Ora, dove non vi è legge, non si dovrebbe neppure tener conto del peccato. ¹⁴ Eppure, da Adamo fino a Mosè, la morte ha sempre dominato gli uomini, anche quelli che non avevano disubbidito come Adamo a un ordine di Dio.

Adamo e Cristo

Adamo era la figura di colui che doveva venire. ¹⁵ Ma quale differenza tra il peccato di Adamo e ciò che Dio ci dà per mezzo di *Cristo! Adamo da solo, con il suo peccato, ha causato la morte di tutti gli uomini. Dio invece, per mezzo di un solo uomo, Gesù Cristo, ci ha dato con abbondanza i suoi doni e la sua grazia. ¹⁶ Dunque, il dono di Dio ha un effetto diverso da quello del peccato di Adamo: il giudizio provocato dal peccato di un sol uomo ha portato alla condanna, mentre il dono concesso dopo tanti peccati ci ha messi nel giusto rapporto con Dio. ¹⁷ Certo, la morte ha dominato per la colpa di un solo uomo; ma ora si ha ben di più: quelli che ricevono l'abbondante grazia di Dio e sono stati accolti da lui, parteciperanno alla vita eterna unicamente per mezzo di Gesù Cristo.

¹⁸ Dunque uno solo è caduto e ha causato la condanna di tutti gli uomini: Adamo. Così, uno solo ha ubbidito, Gesù Cristo. Egli ci ha ristabiliti nella giusta relazione con Dio che è fonte di vita per tutti gli uomini. ¹⁹ Per la disubbi-

dienza di uno solo, tutti risultarono peccatori; per l'ubbidienza di uno solo, tutti sono accolti da Dio come suoi. [20] In seguito venne la *legge, e così i peccati si moltiplicarono; ma dove era abbondante il peccato, ancora più abbondante fu la grazia. [21] Il peccato ha manifestato il suo potere nella morte; la grazia manifesta il suo potere nel fatto che Dio ci accoglie e ci dà la vita eterna per mezzo di Gesù Cristo, nostro Signore.

Morti al peccato, ma viventi in Cristo

6 [1] Quale sarà la conclusione? Che dobbiamo restare nel peccato affinché sia più abbondante la grazia di Dio? [2] No di certo! Noi che siamo morti nei confronti del peccato, come potremo ancora vivere in esso? [3] Vi siete dimenticati che il nostro battesimo ci ha talmente uniti a *Cristo che ci ha uniti anche alla sua morte? [4] Mediante il battesimo che ci ha uniti alla sua morte, siamo dunque stati sepolti con lui, affinché, come Cristo è risuscitato dai morti mediante la potenza gloriosa del Padre, così anche noi vivessimo una nuova vita.

[5] Infatti, se siamo stati totalmente uniti a lui con una morte simile alla sua, saremo uniti a lui anche con una risurrezione simile alla sua. [6] Una cosa sappiamo di certo: ciò che eravamo prima, ora è stato crocifisso con Cristo, per distruggere la nostra natura peccaminosa e liberarci dal peccato. [7] Colui che è morto, è libero dal dominio del peccato. [8] Ma se siamo morti con Cristo, crediamo che vivremo con lui, [9] perché sappiamo che Cristo, risorto dai morti, non muore più: la morte non ha più potere su lui. [10] Quando egli morì, morì nei confronti del peccato una volta per sempre, ma ora vive, e vive per Dio. [11] Così, anche voi, consideratevi morti nei confronti del peccato, ma viventi per Dio, con Cristo Gesù.

[12] Il peccato dunque non abbia più potere su di voi. Anche se dovete ancora morire non ubbidite più ai vostri desideri perversi. [13] Non trasformatevi in strumenti di male al servizio del peccato. Offritevi invece come strumenti di bene al servizio di Dio, perché siete come uomini che sono tornati dalla morte alla vita. [14] Il peccato non avrà più alcun potere su di voi, perché non siete più sotto la *legge, ma sotto la grazia.

Al servizio di Dio che salva

[15] Che cosa dunque faremo? Ci metteremo a peccare perché non siamo più sotto la *legge, ma sotto la grazia? Sarebbe assurdo! [16] Sapete benissimo che se vi mettete al servizio di qualcuno, dovete ubbidirgli e diventate suoi schiavi: sia del peccato che conduce alla morte, sia di Dio che vi conduce a una vita giusta dinanzi a lui. [17] Prima, voi eravate schiavi del peccato; poi, avete ubbidito di tutto cuore all'insegnamento che avete ricevuto. Perciò ringraziamo Dio [18] perché non siete più servi del peccato, ma siete entrati al servizio di ciò che è giusto.

[19] Sto parlando con esempi umani, perché possiate capire. Come prima avevate posto voi stessi al servizio dell'impurità e della malvagità che conducono alla ribellione contro Dio, così, ora, mettetevi al servizio di ciò che è giusto per vivere una vita santa. [20-21] Infatti, quando eravate schiavi del peccato ed estranei al volere di Dio, che cosa ne avete ricavato? Una vita che vi conduceva alla morte e di cui ora vi vergognate; [22] ora, invece, liberati dal servizio del peccato, siete passati al servizio di Dio: il risultato è una vita che piace a Dio, e il traguardo è la vita eterna. [23] Perché il peccato ci paga con la morte, Dio invece ci dà la vita eterna mediante *Cristo Gesù, nostro Signore.

Liberi dalla legge

7 [1] Fratelli, voi conoscete bene le leggi e sapete certamente che la *legge ha potere sull'uomo solo mentre egli è in vita. [2] La donna sposata, per esempio, è legata al marito dalla legge, finché egli vive. Ma se il marito muore, la donna è sciolta dalla legge che la legava a lui. [3] In base a questo principio, la donna è considerata adultera se va con un altro uomo quando il marito è ancora in vita; ma se questi muore, è libera per quel che riguarda la legge, e non è più adultera se essa va con un altro uomo.

[4] Qualche cosa di simile accade per voi, fratelli miei. Voi siete morti nei confronti della legge di Mosè, perché siete stati uniti a *Cristo nella sua morte. Perciò, ora voi appartenete a colui che è risuscitato dai morti, affinché la vostra vita sia ricca di opere gradite a Dio. [5] Quando infatti noi vivevamo seguendo i nostri desideri, la legge stimolava passioni malvagie che ci facevano agire in modo da portarci alla

morte. ⁶ Ma ora siamo morti nei confronti della legge che
ci teneva in suo potere: non siamo più al suo servizio. Perciò, non serviamo più Dio secondo il vecchio sistema che
era fondato sulla legge scritta, ma lo serviamo in modo nuovo, guidati dallo Spirito.

Legge e peccato

⁷ Dobbiamo forse concludere che la *legge è peccato? No
di certo! La legge però mi ha fatto conoscere che cos'è il
peccato. Per esempio, io ho saputo che era possibile desiderare cose cattive, perché la legge ha detto: *non desiderarle*.
⁸ Il peccato allora ha preso l'occasione offerta da quel comandamento, per far nascere in me malvagi desideri di ogni
specie. Invece, dove non c'è la legge, il peccato è senza vita.
⁹ E io vivevo prima senza la legge, ma quando venne il comandamento, allora il peccato prese vita, ¹⁰ e io morii. E così
il comandamento che doveva condurmi alla vita, nel mio
caso invece mi ha condotto alla morte. ¹¹ Il peccato infatti
colse l'occasione offerta dal comandamento, mi ha sedotto e
mi ha fatto morire per mezzo dello stesso comandamento.
¹² Di per sé, la legge è santa e il comandamento è santo,
giusto e buono. ¹³ Ciò che è buono, sarebbe dunque diventato per me causa di morte? No di certo! È il peccato che
causa la morte. Il quale si è manifestato per quel che
realmente è: si è mostrato in tutta la sua violenza per
mezzo di una cosa buona, servendosi cioè del comandamento.

L'uomo dominato dal peccato

¹⁴ Noi certo sappiamo che la *legge è spirituale. Ma io
sono un essere debole, schiavo del peccato. ¹⁵ Infatti non
riesco nemmeno a capire quello che faccio: quello che
voglio non lo faccio, faccio invece ciò che odio. ¹⁶ Ma se
io faccio quello che non voglio, riconosco che la legge
è buona. ¹⁷ Allora non sono più io che agisco, ma il peccato che abita in me. ¹⁸ So infatti che in me, in quanto
uomo peccatore, non abita il bene. In me c'è il desiderio
del bene, ma non la capacità di compierlo. ¹⁹ Infatti io
non compio il bene che voglio, ma faccio il male che non
voglio. ²⁰ Ora, se faccio quello che non voglio, non sono
più io ad agire, ma il peccato che è in me.
²¹ Io scopro allora questa contraddizione: ogni volta che

voglio fare il bene, trovo in me soltanto la capacità di fare
il male. ²² Nel mio intimo io sono d'accordo con la legge
di Dio, ²³ ma vedo in me un'altra legge che contrasta fortemente la legge che la mia mente approva e mi rende
schiavo della legge del peccato che abita in me. ²⁴⁻²⁵ Eccomi dunque, con la mente, pronto a servire la legge di
Dio, mentre, di fatto, servo la legge del peccato. Me in-
felice! La mia condizione di uomo peccatore mi trascina
verso la morte: chi mi libererà? Rendo grazie a Dio che
mi libera per mezzo di Gesù *Cristo, nostro Signore.

L'opera dello Spirito

8 ¹ Ma ora, non c'è più nessuna condanna per quelli che
sono uniti a *Cristo Gesù. ² Perché la legge dello Spirito che dà la vita, per mezzo di Cristo Gesù, mi ha liberato dalla legge del peccato e della morte. ³ Per togliere
il peccato, Dio ha mandato suo Figlio in una condizione
simile alla nostra di uomini peccatori, e in lui uomo, ha
condannato il peccato. Dio ha così compiuto ciò che la
*legge di Mosè non poteva ottenere, a causa della debo-
lezza umana; ⁴ e noi ora possiamo adempiere quel che la
legge comanda, e lo possiamo perché non viviamo più
nella nostra debolezza, ma siamo fortificati dallo Spirito.
⁵ Quelli che si lasciano guidare dallo Spirito si preoccupano
di ciò che vuole lo Spirito; quelli invece che non si lasciano
guidare dallo Spirito, ma dal proprio egoismo, cercano di
soddisfarlo. ⁶ Seguire l'egoismo conduce alla morte, seguire
lo Spirito conduce alla vita e alla pace. ⁷ Perché quelli che
seguono le inclinazioni dell'egoismo sono nemici di Dio,
non si sottomettono alla legge di Dio: non ne sono capaci.
⁸ Essi non possono piacere a Dio, perché vivono secondo
il proprio egoismo.
⁹ Voi, però, non vivete così: vi lasciate guidare dallo Spi-
rito, perché lo Spirito di Dio abita in voi. Ma se qualcuno
non ha lo Spirito donato da Cristo, non gli appartiene. ¹⁰ Se
invece Cristo agisce in voi, voi morite, sì, a causa del
peccato, ma Dio vi accoglie e il suo Spirito vi dà vita. ¹¹ Se
lo Spirito di Dio che ha risuscitato Gesù dai morti abita
in voi, lo stesso Dio che ha risuscitato Cristo dai morti
darà la vita anche a voi, sebbene dobbiate ancora morire,
mediante il suo Spirito che abita in voi.

¹² Fratelli, noi non siamo dunque impegnati a seguire la voce del nostro egoismo, ma quella dello Spirito. ¹³ Se seguite la voce dell'egoismo, morirete; se invece, mediante lo Spirito, la soffocherete, voi vivrete. ¹⁴ Infatti quelli che si lasciano guidare dallo Spirito di Dio sono figli di Dio. ¹⁵ E voi non avete ricevuto in dono uno spirito che vi rende schiavi o che vi fa di nuovo vivere nella paura, ma avete ricevuto lo Spirito di Dio che vi fa diventare figli di Dio e vi permette di gridare « Abbà », che vuol dire « Padre », quando vi rivolgete a Dio. ¹⁶ Perché lo stesso Spirito ci assicura che siamo figli di Dio. ¹⁷ E dal momento che siamo suoi figli, parteciperemo anche all'eredità che Dio ha promesso al suo popolo: saremo eredi insieme con Cristo, perché se soffriamo con lui, parteciperemo anche con lui alla gloria.

La gloria futura

¹⁸ Io penso che le sofferenze del tempo presente non siano assolutamente paragonabili alla gloria che Dio ci manifesterà. ¹⁹ Tutto l'universo aspetta con grande impazienza il momento in cui Dio mostrerà il vero volto dei suoi figli. ²⁰ Il creato è stato condannato a non aver senso, non perché esso l'abbia voluto, ma a causa di chi ve lo ha trascinato. Vi è però una speranza: ²¹ anch'esso sarà liberato dal potere della corruzione per partecipare alla libertà dei figli di Dio. ²² Noi sappiamo che fino a ora tutto il creato soffre e geme come una donna che partorisce. ²³ E non soltanto il creato, ma anche noi, che già abbiamo le primizie dello Spirito, soffriamo in noi stessi perché aspettiamo che Dio, liberandoci totalmente, manifesti che siamo suoi figli. ²⁴ Perché è vero che siamo salvati, ma soltanto nella speranza. E se ciò che si spera si vede, non c'è più speranza: evidentemente nessuno spera in ciò che già vede. ²⁵ Se invece speriamo in ciò che non vediamo ancora, lo aspettiamo con pazienza.

²⁶ Allo stesso modo, anche lo Spirito viene in aiuto della nostra debolezza, perché noi non sappiamo neppure come dobbiamo pregare, mentre lo Spirito stesso prega Dio per noi con sospiri che non si possono spiegare a parole. ²⁷ E Dio che conosce i nostri cuori, conosce anche le intenzioni dello Spirito che prega per i credenti come Dio vuole.

²⁸ Noi siamo convinti di questo: Dio fa tendere ogni cosa al bene di quelli che lo amano, perché li ha chiamati in base al suo progetto di salvezza. ²⁹ Da sempre li ha conosciuti e amati, e da sempre li ha destinati a essere simili al Figlio suo, così che il Figlio sia il primogenito fra molti fratelli. ³⁰ Ora, Dio che da sempre aveva preso per loro questa decisione, li ha anche chiamati, li ha accolti come suoi, e li ha fatti partecipare alla sua gloria.

La grandezza dell'amore di Dio

³¹ Che cosa diremo dunque di fronte a questi fatti? Se Dio è per noi, chi sarà contro di noi? ³² Dio non ha risparmiato il proprio Figlio, ma lo ha dato per tutti noi; perciò, come potrebbe non darci ogni cosa insieme con lui? ³³ E chi potrà mai accusare quelli che Dio ha scelto? Nessuno, perché Dio dichiara che non sono più colpevoli. ³⁴ Chi allora potrà condannarli? Nessuno, perché Gesù *Cristo è morto. Anzi, egli è risuscitato, e ora si trova accanto a Dio, dove sostiene la nostra causa.
³⁵ Chi ci separerà dall'amore di Cristo? Sarà forse il dolore o l'angoscia? La persecuzione o la fame o la miseria? I pericoli o la morte violenta?
³⁶ La *Bibbia così dice:

> *Per causa tua siamo messi a morte ogni giorno*
> *e siamo trattati come pecore portate al macello.*

³⁷ Ma in tutte queste cose, noi otteniamo la più completa vittoria, grazie a colui che ci ha amati. ³⁸ Io sono sicuro che né morte né vita, né *angeli né altre autorità o potenza celeste, né il presente né l'avvenire, ³⁹ né forze del cielo né forze della terra, niente e nessuno ci potrà strappare da quell'amore che Dio ci ha rivelato in Cristo Gesù, nostro Signore.

Dio e il popolo d'Israele

9 ¹ Non racconto bugie e quello che dico è vero, perché appartengo a *Cristo. La mia coscienza, guidata dallo Spirito, testimonia che dico la verità. ² C'è in me una grande tristezza e una continua sofferenza. ³ Vorrei essere io stesso maledetto da Dio, separato da Cristo, se ciò potesse aiutare i miei fratelli, quelli del mio stesso popolo.

⁴ Essi sono israeliti, Dio li ha scelti come figli, e ad essi ha manifestato la sua gloriosa presenza. Con loro, Dio ha concluso i suoi patti, e a loro ha dato la *legge, il culto e le promesse. ⁵ Essi sono i discendenti dei *patriarchi e da loro, sul piano umano, proviene il Cristo che è Dio e regna su tutto il creato. Sia benedetto in eterno. Amen.

Dio sceglie chi vuole

⁶ La *parola di Dio non ha fallito in nessun modo. Perché non tutti i discendenti d'Israele sono il vero popolo d'Israele, ⁷ e non tutti i discendenti di Abramo sono veri figli di Abramo. Anzi, Dio ha detto ad Abramo: *Per mezzo di Isacco tu avrai discendenti.* ⁸ Questo significa che non sono considerati figli di Dio quelli generati naturalmente, ma quelli nati in seguito alla promessa. ⁹ La promessa è questa: *Ritornerò fra un anno e Sara avrà un figlio.*
¹⁰ E non basta! C'è anche il caso di Rebecca. Rebecca ebbe da Isacco, nostro antenato, due gemelli. ¹¹⁻¹³ Quando non erano ancora nati e non avevano ancora fatto nulla, né di bene né di male, Dio disse a Rebecca: *Il maggiore servirà il minore.* Proprio come dice la *Bibbia: *Ho scelto Giacobbe e non Esaù.* Ciò dimostra che Dio ha il suo progetto per scegliere gli uomini: la sua scelta non dipende dalle loro opere, ma da lui che chiama.
¹⁴ Dovremmo dunque dire che Dio è ingiusto? No di certo!
¹⁵ Perché egli dice a Mosè:
　　　Avrò pietà di chi vorrò aver pietà;
　　　e avrò compassione di chi vorrò avere compassione.
¹⁶ Tutto dipende da Dio che ha misericordia, e non da ciò che l'uomo vuole o si sforza di fare. ¹⁷ Nella *Bibbia Dio dice al *faraone: *Proprio per questo ti ho fatto diventare re, per mostrare in te la mia potenza e per far conoscere il mio nome su tutta la terra.* ¹⁸ Dio ha dunque pietà di chi vuole, e indurisce il cuore a chi vuole.

Dio agisce con misericordia

¹⁹ A questo punto qualcuno potrebbe dirmi: ma allora perché Dio ci rimprovera, dal momento che nessuno può andare contro la sua volontà? ²⁰ Ma chi credi di essere tu, o uomo, che vuoi contestare Dio? *Dice forse il vaso di*

argilla a colui che l'ha plasmato: perché mi hai fatto così?
²¹ Il *vasaio, con lo stesso impasto fa quel che vuole: può
fare sia un vaso di valore e sia un vaso più comune.

²²⁻²³ Ebbene Dio, volendo, avrebbe potuto mostrare la sua
collera, ma invece ha sopportato con molta pazienza coloro
che meritavano il suo castigo e la distruzione. Inoltre ha
fatto conoscere quanto è grande e potente la sua misericordia: ci ha preparati per la sua gloria, ²⁴ noi che egli
ha scelto tra gli ebrei e tra gli altri popoli. ²⁵ Come Dio
dice nel libro del profeta Osea:

> Io chiamerò « mio popolo » coloro che non sono il
>   mio popolo
> e « nazione amata » quella che non era amata.
> ²⁶ E avverrà che nel luogo stesso dove fu detto loro:
> « voi non siete mio popolo »
> lì saranno chiamati « figli del Dio vivente ».

²⁷ Per quanto riguarda Israele il *profeta Isaia esclama:

> Se anche i figli d'Israele fossero tanto numerosi
> quanto i grani della sabbia del mare,
> solo un piccolo resto sarà salvato.
> ²⁸ Il Signore realizzerà appieno
> e rapidamente questa sua parola sulla terra.

²⁹ Lo stesso Isaia ha ancora predetto:

> Se il Signore onnipotente
> non ci avesse lasciato una discendenza,
> avremmo fatto la fine della città di *Sòdoma,
> saremmo stati distrutti come la città di *Gomorra.

Gesù Cristo pietra di inciampo

³⁰ Ecco dunque la nostra conclusione: gente che non era
del popolo d'Israele e che non aveva fatto nulla per mettersi a posto con Dio, è stata messa da Dio stesso in quella
giusta relazione con lui che viene dalla fede. ³¹ Israele invece, che cercava di mettersi a posto con Dio con l'osser-
vanza della *legge, non c'è riuscito. ³² Perché? Perché Israele
non si fondava sulla fede, ma sulle opere. Così ha urtato
nella pietra di inciampo ³³ di cui Dio dice nella *Bibbia:

> Ecco, io pongo nella città di *Sion una pietra di
>   inciampo
> un sasso che fa cadere.
> Ma chi crede in lui non sarà deluso.

10 ¹ Fratelli, io desidero con tutto il cuore e domando a Dio che gli ebrei siano salvati. ² Posso infatti testimoniare che essi sono pieni di zelo per Dio, ma il loro zelo non è guidato da una giusta conoscenza. ³ Essi non hanno capito che Dio mette egli stesso gli uomini nel giusto rapporto con sé, e hanno cercato di arrivarci da soli. Per questo non si sono sottoposti a Dio che salva in *Cristo. ⁴ Cristo è lo scopo e la fine della legge di Mosè; perciò, chiunque crede, è messo nella giusta relazione con Dio.

La salvezza è per tutti

⁵ Così Mosè descrive la salvezza mediante la *legge: *L'uomo che la mette in pratica vivrà.* ⁶⁻⁷ Riguardo alla salvezza che viene dalla fede invece dice: *Non chiederti* se è necessario *salire in cielo* e *scendere nell'*abisso, perché Cristo è sceso dal cielo ed è risuscitato dai morti. ⁸ Come la *Bibbia dice che *la parola è vicino a te, sulla tua bocca e nel tuo cuore,* così è l'annunzio della fede che noi predichiamo. ⁹ Se credi nel tuo cuore che Dio ha risuscitato Gesù dai morti e con la tua voce dichiari che Gesù è il Signore, sarai salvato. ¹⁰ Chi crede veramente, Dio lo accoglie; chi proclama la propria fede sarà salvato. ¹¹ Infatti la Bibbia dice: *Chiunque crede in lui non sarà deluso.* ¹² Non vi è perciò differenza fra chi è ebreo e chi non lo è, perché il Signore è lo stesso per tutti, immensamente generoso verso tutti quelli che lo invocano. ¹³ Afferma infatti la Bibbia: *Chiunque invocherà il nome del Signore sarà salvato.*

La fede nasce dall'annunzio di Cristo

¹⁴ Ma come potranno invocare il Signore se non hanno creduto? E come potranno credere in lui se non ne hanno sentito parlare? E come ne sentiranno parlare se nessuno l'annunzia? ¹⁵ E chi l'annunzierà se nessuno è inviato a questo scopo? Come dice la *Bibbia:

   Quant'è bello vedere giungere chi porta buone notizie!
¹⁶ Ma non tutti hanno ubbidito alla parola del Signore. Lo dice Isaia: *Signore, chi ha creduto al nostro annunzio?*
¹⁷ La fede dipende dall'ascolto della predicazione, ma l'ascolto è possibile se c'è chi predica *Cristo.
¹⁸ Ora io mi domando: il popolo d'Israele non ha forse udito l'annunzio dei messaggeri? Anzi:

La loro voce s'è fatta udire su tutta la terra
e la loro parola fino alle estremità del mondo.

[19] Ma io insisto ancora: Israele non ha forse capito? Vediamo quello che Dio ha già detto per bocca di Mosè:

Vi renderò gelosi di gente che non è neppure un
popolo,
provocherò il vostro sdegno contro gente che non
capisce.

[20] E poi giunge perfino a dichiarare nel libro di Isaia:

Sono stato trovato da coloro che non mi cercavano,
mi sono fatto conoscere da coloro che non chiedevano
di me.

[21] Parlando invece di Israele:

Tutto il giorno ho teso le mani verso un popolo
disubbidiente e ribelle.

Dio non ha respinto Israele

11 [1] Ora, io chiedo: Dio ha forse respinto il suo popolo? No di certo! Io stesso infatti sono israelita, discendente di Abramo, della tribù di Beniamino. [2] Dio non ha respinto il suo popolo che aveva scelto e amato sin dall'inizio.

Voi conoscete certamente quel passo della *Bibbia in cui Elia si rivolge a Dio parlando contro Israele: [3] *Signore, hanno ucciso i tuoi *profeti, hanno demolito i tuoi *altari. Io solo sono scampato e cercano di uccidermi.*
[4] Ma Dio gli rispose: *Mi sono riservato settemila uomini che non hanno mai adorato il dio *Baal.*
[5] Così, anche nel presente, vi è un certo numero di israeliti che Dio ha scelto per grazia. [6] E se ha agito per grazia non è a causa delle opere, altrimenti la grazia non sarebbe veramente tale.

[7] Possiamo quindi concludere che il popolo d'Israele non ha ottenuto ciò che cercava, mentre l'hanno ottenuto quelli che Dio si è scelti. Gli altri invece sono stati resi incapaci di comprenderlo.
[8] Come è scritto nella Bibbia:

Dio li ha resi insensibili,
ha fatto in modo che avessero occhi che non vedano
e orecchi che non odano,
fino a oggi.

⁹ E Davide dice:

> *Le loro feste diventino per loro un laccio e una*
> *trappola,*
> *causa di caduta e di giusto castigo.*
> ¹⁰ *I loro occhi si oscurino tanto da non vedere!*
> *Fa curvare per sempre la loro schiena.*

¹¹ Gli ebrei hanno inciampato, ma io mi domando: la loro caduta è definitiva? No di certo! Ma la loro caduta ha favorito la salvezza degli altri popoli, e ciò per spingere gli ebrei alla gelosia. ¹² Se la loro caduta ha già arricchito il mondo e il loro fallimento ha avvantaggiato gli altri popoli, quale maggior beneficio si avrà quando tutti loro accetteranno il *Cristo?

La salvezza dei non ebrei

¹³ Mi rivolgo ora a voi che non siete ebrei, proprio perché sono stato inviato a voi come *apostolo. Cerco di fare onore a questo mio incarico, ¹⁴ rendendo gelosi di voi alcuni dei miei connazionali perché accolgano la salvezza. ¹⁵ Se Dio li ha messi da parte per riconciliare a sé il mondo, che cosa avverrà quando li accoglierà di nuovo? Sarà veramente un ritorno da morte a vita!

¹⁶ Se la primizia del raccolto è consacrata a Dio, anche il resto gli è consacrato. E se la radice di un albero è consacrata a Dio, lo sono anche i rami. ¹⁷ Ora, Israele è come un ulivo, al quale Dio ha tagliato alcuni rami. Al loro posto ha innestato te che non sei ebreo e che eri come un ulivo selvatico, e ti ha reso partecipe dell'abbondante linfa che sale dalla radice. ¹⁸ Tu però non pensare di essere superiore ai rami tagliati. Non ti puoi vantare in alcun modo perché non sei tu che porti la radice, ma la radice porta te.

¹⁹ Tu potresti dirmi: quei rami sono stati tagliati perché io fossi innestato al loro posto. ²⁰ È vero! Sono stati tagliati per mancanza di fede, e tu ti trovi al loro posto perché hai fede. Tu però non diventare superbo, ma sta' attento, ²¹ perché se Dio non ha risparmiato gli ebrei che sono i rami naturali, non risparmierà neppure te.

²² Ricorda dunque come Dio è allo stesso tempo buono e severo. È stato severo verso quelli che sono caduti, ma buono verso di te. Rimani perciò fedele alla sua bontà, altrimenti anche tu sarai tagliato via. ²³ E gli altri, ossia

gli ebrei, se non continuano a rimanere nella loro incredulità, saranno innestati di nuovo: Dio ha il potere di farlo. ²⁴ Perché se Dio ha tagliato te da quell'olivo selvatico in cui eri cresciuto e, contro ogni regola di innesto, ti ha inserito sull'olivo buono, tanto più potrà innestare di nuovo gli ebrei sul loro proprio olivo.

La conversione d'Israele

²⁵ Fratelli, io voglio farvi conoscere il misterioso progetto di Dio, perché non diventiate presuntuosi: una parte d'Israele continuerà nella sua ostinazione fino a che tutti gli altri popoli non saranno giunti alla salvezza. ²⁶ E così tutto Israele sarà salvato. Lo dice la *Bibbia:

> *Il liberatore verrà da *Sion*
> *ed eliminerà la disubbidienza dei discendenti di Giacobbe.*
> ²⁷ *Sarà questo il patto che io farò con loro*
> *quando distruggerò i loro peccati.*

²⁸ Gli ebrei, per la posizione che hanno preso di fronte al messaggio del *vangelo, sono nemici di Dio, e ciò torna a vostro vantaggio. Siccome però, nonostante tutto, rimangono il popolo che Dio ha scelto, sono amati da Dio a causa dei loro antenati. ²⁹ Perché Dio non ritira i doni che ha fatto, e non muta parere verso quelli che ha chiamato. ³⁰⁻³¹ Come voi nel passato avete disubbidito a Dio, così ora Israele. Ma Dio, ora, malgrado la disubbidienza di Israele, ha avuto misericordia di voi per usare poi misericordia anche verso di loro. ³² Dio ha rinchiuso tutti gli uomini nella disubbidienza, per concedere a tutti la sua misericordia.

Inno alla sapienza di Dio

> ³³ O Dio, come è immensa la tua ricchezza,
> come è grande la tua scienza e la tua saggezza!
> Davvero nessuno potrebbe conoscere le tue decisioni,
> né capire le tue vie verso la salvezza.
> ³⁴ *Chi mai ha potuto conoscere il tuo pensiero, o Signore?*
> *e chi mai ha saputo darti un consiglio?*
> ³⁵ *Chi ti ha dato qualche cosa per riceverne il contraccambio?*

12.

³⁶ Tutto viene da te, tutto esiste grazie a te e tutto tende verso di te.

A te sale, o Dio, il nostro inno di lode per sempre. *Amen.

La vita al servizio di Dio

12 ¹ Dio ha manifestato la sua misericordia verso di noi. Vi esorto dunque, fratelli, a offrire voi stessi a Dio in sacrificio vivente, a lui dedicato, a lui gradito. È questo il vero culto che gli dovete. ² Non adattatevi alla mentalità di questo mondo, ma lasciatevi trasformare da Dio con un completo mutamento della vostra mente. Sarete così capaci di capire qual è la volontà di Dio, vale a dire ciò che è buono, a lui gradito, perfetto.

³ Per la grazia che mi è stata data, dico a ciascuno di voi di non sopravvalutarsi, ma di valutarsi invece in modo giusto, secondo la misura della fede che Dio gli ha dato. ⁴ In un solo corpo vi sono molte membra, ma non tutte hanno la stessa funzione. ⁵ E così noi, che siamo molti, siamo tutti uniti a *Cristo, e siamo uniti agli altri come parti di un solo corpo. ⁶ Secondo la capacità che Dio ci ha data, ciascuno di noi ha compiti diversi. Se uno di noi ha ricevuto il dono di essere *profeta, annunzi la *parola di Dio secondo la misura della fede. ⁷ Chi ha ricevuto il dono di aiutare gli altri, li aiuti. Chi ha avuto il dono dell'insegnamento, insegni. ⁸ Chi, il dono di esortare, esorti. Chi dà qualcosa agli altri, lo faccia con semplicità. Chi ha responsabilità nella comunità, dimostri cura e diligenza. Chi aiuta i poveri, lo faccia con gioia.

L'opera dell'amore cristiano

⁹ Il vostro amore sia sincero! Fuggite il male, seguite fermamente il bene. ¹⁰ Amatevi gli uni gli altri, come fratelli. Siate premurosi nello stimarvi gli uni gli altri. ¹¹ Siate impegnati, non pigri; pronti a servire il Signore, ¹² allegri nella speranza, pazienti nelle tribolazioni, perseveranti nella preghiera. ¹³ Siate pronti ad aiutare i vostri fratelli quando hanno bisogno, e fate di tutto per essere ospitali.

¹⁴ Chiedete a Dio di benedire quelli che vi perseguitano; di perdonarli, non di castigarli. ¹⁵ Siate felici con chi è

nella gioia. Piangete con chi piange. [16] Andate d'accordo tra di voi. Non inseguite desideri di grandezza, volgetevi piuttosto verso le cose umili. Non vi stimate sapienti da voi stessi!

[17] Non rendete a nessuno male per male. *Sforzatevi di fare il bene* dinanzi a tutti. [18] Se è possibile, per quanto dipende da voi, vivete in pace con tutti. [19] Non vendicatevi, carissimi, ma lasciate agire la collera di Dio, perché nella *Bibbia si legge: *A me la vendetta, dice il Signore, darò io il contraccambio.* [20] *Anzi, se il tuo nemico ha fame, dagli da mangiare; se ha sete, dagli da bere. Comportati così, e lo farai arrossire di vergogna.*

[21] *Non lasciarti vincere dal male*, ma vinci il male con il bene.

L'ubbidienza alle autorità

13 [1] Ognuno sia sottomesso a chi ha ricevuto autorità, perché non c'è autorità che non venga da Dio, e quelle che esistono sono stabilite da Dio. [2] Perciò, chi si oppone all'autorità si oppone all'ordine stabilito da Dio, e attirerà su di sé un castigo.

[3] Chi agisce bene non ha infatti paura di chi comanda; chi agisce male, invece, ha paura. Vuoi non aver paura delle autorità? Fa' il bene, e le autorità ti loderanno, [4] perché sono al servizio di Dio per il tuo bene. Ma se fai il male, allora devi temere perché le autorità hanno realmente il potere di punire; sono al servizio di Dio per manifestare la sua collera verso chi fa il male. [5] Ecco perché bisogna stare sottomessi alle autorità: non soltanto per paura delle punizioni, ma anche per una ragione di coscienza. [6] È la stessa ragione per cui pagate loro le tasse: perché se assolvono coscienziosamente il loro incarico sono al servizio di Dio. [7] Date a ciascuno ciò che gli è dovuto: l'imposta, le tasse, il timore, il rispetto: a ciascuno quello che gli dovete dare.

L'amore del prossimo

[8] Non abbiate alcun debito tra di voi, salvo quello dell'amore vicendevole: perché chi ama il prossimo, ha ubbidito a tutta la *legge di Dio. [9] La legge dice: *Ama il tuo prossimo*

come te stesso. In questo comandamento sono contenuti tutti gli altri, come: *Non commettere adulterio, non uccidere, non rubare, non desiderare*. [10] Chi ama il suo prossimo, non gli fa del male. Quindi, chi ama, compie tutta la legge.

Vivere nella luce

[11] Voi sapete bene che viviamo in un momento particolare. È tempo di svegliarsi, perché la nostra salvezza è ora più vicina di quando abbiamo cominciato a credere. [12] La notte è avanzata, il giorno è vicino! Buttiamo via le opere delle tenebre e prendiamo le armi della luce. [13] Comportiamoci onestamente, come in pieno giorno: senza orge e ubriachezze, senza immoralità e vizi, senza litigi e invidie. [14] Non vogliate soddisfare i cattivi desideri del vostro egoismo, ma piuttosto vivete uniti a Gesù *Cristo, nostro Signore.

Non giudicare gli altri

14 [1] Accogliete chi è debole nella fede, senza criticare le sue opinioni. [2] Uno, per esempio, crede di potere mangiare di tutto, invece un altro che è debole nella fede, mangia soltanto verdura. [3] Se uno mangia di tutto, non disprezzi chi mangia soltanto determinati cibi e, d'altra parte, costui non condanni chi mangia di tutto, perché Dio ha accolto anche lui. [4] Chi sei tu, per giudicare uno che non è tuo servitore? Che egli faccia bene il suo lavoro, o no, riguarda il suo padrone. Ma lo farà bene, perché il Signore lo sostiene.

[5] C'è chi pensa che vi siano dei giorni più importanti degli altri, e c'è invece chi li considera tutti uguali. Ciò che importa è che ognuno agisca con piena convinzione. [6] Chi dà importanza a un giorno particolare, lo fa per onorare il Signore, e chi mangia qualsiasi cibo, lo fa per onorare il Signore; tant'è vero che rende grazie a Dio. [7] Nessuno di noi infatti vive per se stesso o muore per se stesso. [8] Perché se viviamo, viviamo per il Signore, e se moriamo, moriamo per il Signore. E così, sia che viviamo, sia che moriamo, apparteniamo al Signore. [9] *Cristo infatti è morto ed è tornato in vita per essere il Signore dei morti e dei vivi.

¹⁰ Ma tu, perché giudichi tuo fratello? E tu, perché disprezzi tuo fratello? Tutti dovremo presentarci di fronte a Dio, per essere giudicati da lui.

> ¹¹ *Com'è vero che io vivo, dice il Signore,* nella *Bibbia,
> *ognuno si porrà in ginocchio dinanzi a me,*
> *e tutti riconosceranno a gran voce*
> *la potenza di Dio.*

¹² Ognuno di noi dovrà quindi rendere conto di se stesso a Dio. ¹³ Smettiamo quindi di giudicarci a vicenda.

Non turbare la fede dei fratelli

Non fate nulla che possa essere occasione di caduta o di scandalo per un vostro fratello. ¹⁴ Io sono pienamente convinto, come ha detto il Signore Gesù, che niente è *impuro di per sé. Ma se qualcuno pensa che una determinata cosa sia impura, per lui lo è. ¹⁵ Ma se tu, per un cibo, sei causa di tristezza per un tuo fratello, non ti comporti più con amore verso di lui. Non rovinare, per una questione di cibo, uno per il quale *Cristo è morto. ¹⁶ Ciò che è bene per voi, non deve diventare per altri occasione di rimprovero. ¹⁷ Perché il *regno di Dio non è fatto di questioni che riguardano il mangiare e il bere, ma esso è giustizia, pace e gioia che viene dallo *Spirito Santo. ¹⁸ Chi serve a Cristo in questo modo, piace a Dio, ed è stimato dagli uomini.

¹⁹ Cerchiamo quindi ciò che contribuisce alla pace e ci fortifica insieme nella fede. ²⁰ Non distruggere l'opera di Dio per una questione di cibi. Certo ogni cibo può essere mangiato, ma se qualcuno, mangiando un determinato cibo, causa turbamento a un fratello, allora fa male. ²¹ Perciò, è bene non mangiar carne, né bere vino, né fare qualche altra cosa che possa spingere un fratello ad agire contro la sua fede.

²² La tua personale convinzione conservala per te stesso dinanzi a Dio. Beato colui che non si sente colpevole nelle sue scelte. ²³ Chi invece mangia certi cibi contro coscienza, è condannato perché non agisce secondo la convinzione che viene dalla fede. E tutto ciò che non viene dalla fede, è peccato.

Agire per il bene degli altri

15 [1] Noi che siamo forti nella fede, abbiamo il dovere di non pensare soltanto a noi stessi, ma di prendere sinceramente a cuore gli scrupoli di chi è debole nella fede. [2] Ciascuno di noi cerchi di fare ciò che piace al prossimo ed è per il suo bene, per farlo progredire nella fede. [3] Anche *Cristo non ha cercato ciò che piaceva a lui. Anzi, come dice la *Bibbia: *Le offese di quelli che ti insultano mi hanno colpito.* [4] Tutto quel che leggiamo nella Bibbia, è stato scritto nel passato per istruirci e tener viva la nostra speranza, con la costanza e l'incoraggiamento che da essa ci vengono. [5] Dio, il quale soltanto può dare forza e incoraggiamento, vi dia la capacità di vivere d'accordo tra voi, come vuole Gesù Cristo. [6] Allora, tutti d'accordo, a una sola voce, loderete Dio, il Padre di Gesù Cristo, nostro Signore.

Tutti gli uomini loderanno Dio

[7] Accoglietevi quindi l'un l'altro, come *Cristo ha accolto voi, per la gloria di Dio. [8] Cristo si è fatto servitore degli ebrei, per compiere le promesse che Dio fece ai *patriarchi e dimostrare così che Dio è fedele. [9] Ed è venuto, perché anche i non ebrei lodino la bontà di Dio. Dice la *Bibbia:

> *Per questo ti loderò fra le nazioni*
> *e canterò degli inni in tuo onore.*

[10] E ancora:

> *Nazioni, rallegratevi col popolo che Dio ha scelto.*

[11] E di nuovo:

> *Lodate il Signore, voi nazioni tutte,*
> *e tutti i popoli cantino la sua lode.*

[12] Anche Isaia dice:

> *Verrà il discendente di Davide.*
> *Sorgerà per essere a capo delle nazioni.*
> *Gli uomini spereranno in lui.*

[13] Dio che dà speranza, ricolmi voi che credete di gioia e di pace, e per mezzo dello *Spirito Santo accresca la vostra speranza.

L'impegno apostolico di Paolo

[14] Sono fermamente convinto, fratelli miei, che voi avete buone disposizioni, siete pieni di conoscenza, e quindi siete

capaci di consigliarvi gli uni gli altri. [15] Tuttavia in alcune
parti della mia lettera ho usato parole forti, come per ricordarvi ciò che già conoscevate. L'ho fatto a motivo del-
l'incarico che Dio mi ha dato, [16] quello di essere ministro
di *Cristo Gesù fra i non ebrei.
Annunziando la *parola di Dio, io agisco come un sacerdote, perché faccio in modo che i non ebrei diventino un'offerta gradita a Dio, santificata dallo *Spirito Santo. [17] Perciò,
unito a Cristo, posso essere fiero dell'opera di Dio. [18] Ciò
che io ho detto è che Cristo si è servito di me per condurre
i non ebrei a ubbidire a Dio. Lo ha fatto con parole e con
opere, [19] con la potenza di segni miracolosi e con la forza
dello Spirito. Partendo da Gerusalemme e muovendomi in
tutte le direzioni sino ai confini dell'*Illiria, ho parlato di
Cristo e ho così portato a termine il mio compito. [20] Mi
sono però proposto di portare la parola di Dio dove il
nome di Cristo non era ancora conosciuto: non volevo costruire su un fondamento già posto da altri. [21] E così ho
fatto come dice la *Bibbia:

> Lo vedranno coloro ai quali non è stato annunziato
> e capiranno coloro che non ne avevano mai udito
> parlare.

Progetti di Paolo per un viaggio a Roma

[22] Per questo motivo, più di una volta, mi è stato impossibile venire da voi.
[23-24] Ma ora che ho terminato la mia missione in questi
luoghi, conto di recarmi da voi, quando passerò per andare
in Spagna, perché già da molto tempo ho il vivo desiderio
di conoscervi. Spero di vedervi nel corso del mio viaggio
e di essere aiutato da voi a proseguirlo. Prima però voglio
godere un po' della vostra compagnia.
[25] Ora vado a Gerusalemme, perché devo compiere un servizio
a favore dei credenti di quella città. [26] Le comunità della *Macedonia e dell'Acaia hanno deciso di fare una colletta per aiutare i poveri della comunità di Gerusalemme. [27] Hanno deciso
così, anche perché era un loro dovere: infatti i credenti
ebrei hanno dato ai non ebrei i loro beni spirituali, ed è
quindi giusto che questi li aiutino nelle loro necessità materiali. [28] Consegnata ufficialmente questa colletta, e finito
così il mio compito, andrò in Spagna e passerò da voi a

Roma. ²⁹ So che verrò da voi con la pienezza della benedizione di *Cristo.

³⁰ E ora, fratelli, per il Signor nostro Gesù Cristo e per l'amore che viene dallo Spirito, vi chiedo di pregare intensamente Dio per me. ³¹ Pregate che io possa sfuggire agli increduli della Giudea, e che sia bene accolto l'aiuto che porto ai credenti di Gerusalemme. ³² Allora, se Dio lo vuole, verrò da voi pieno di gioia, per riposarmi in vostra compagnia. ³³ La pace che viene da Dio sia con tutti voi. *Amen.

Raccomandazioni e saluti personali

16 ¹ Vi raccomando la nostra sorella Febe che lavora al servizio della chiesa di Cencre. ² Accoglietela nel nome del Signore, com'è bene che si faccia tra credenti, e aiutatela in qualsiasi cosa abbia bisogno di voi. Anch'essa ha aiutato molta gente, e anche me.

³ Salutate Prisca e Aquila, miei collaboratori nel servizio di Gesù *Cristo. ⁴ Essi hanno rischiato la loro vita per salvare la mia. Non io soltanto, ma anche tutte le comunità dei credenti non ebrei, devono essere loro grati. ⁵ Salutate anche la comunità che si raduna in casa loro.

Salutate il mio caro Epèneto che è stato il primo cristiano nella provincia dell'*Asia. ⁶ Salutate Maria che ha lavorato molto per voi. ⁷ Salutate Andronìco e Giunia, miei parenti, che sono stati in prigione con me. Sono molto stimati fra gli *apostoli, e sono diventati cristiani prima di me.

⁸ Salutate Ampliato che mi è caro nel Signore. ⁹ Salutate Urbano, nostro compagno al servizio di Cristo e il mio caro Stachi. ¹⁰ Salutate Apelle che è stato messo alla prova per la sua fede in Cristo. Salutate la famiglia di Aristòbulo. ¹¹ Salutate il mio parente Erodione. Salutate quelli della casa di Narcìso che credono nel Signore. ¹² Salutate Trifèna e Trifòsa che lavorano per il Signore, e la mia cara Pèrside che pure ha molto lavorato per lui. ¹³ Salutate Rufo, degno di lode nel Signore, e sua madre, che è una madre anche per me. ¹⁴ Salutate Asìncrito, Flegònte, Erme, Pàtroba, Erma e i fratelli che sono con loro. ¹⁵ Salutate Filòlogo e Giulia, Nèreo e sua sorella Olimpas, e tutti i credenti che sono con loro.

¹⁶ Salutatevi tra di voi con un fraterno abbraccio. Tutte le chiese di Cristo vi salutano.

Esortazioni finali

[17] Io vi esorto, fratelli, a tenere d'occhio quelli che creano divisioni e ostacoli tra i credenti, opponendosi all'insegnamento che avete ricevuto. State lontani da loro, [18] perché essi non servono *Cristo, nostro Signore, ma il loro proprio ventre. Con belle parole e con discorsi affascinanti, ingannano il cuore delle persone semplici.

[19] È vero che la vostra ubbidienza è nota a tutti, e io quindi me ne rallegro; ma voglio che voi siate saggi per fare il bene e siate puri per evitare il male. [20] Dio che dà la pace schiaccerà presto Satana sotto i vostri piedi.

La grazia di Gesù, nostro Signore, sia con voi.

[21] Vi saluta Timòteo, mio collaboratore, e vi salutano Lucio, Giasone e Sosìpatro, miei parenti.

[22] Anch'io, Terzo, che ho scritto questa lettera, aggiungo i miei saluti nel Signore.

[23] Vi saluta Gaio, che mi ospita: in casa sua si raduna tutta la comunità. Vi saluta Erasto, tesoriere della città, e il fratello Quarto. [[24]]

Lode a Dio

[25] Lodiamo Dio! Egli è colui che può fortificarvi nella fede, perché avete ricevuto da me la parola di Gesù Cristo. In questa parola, Dio rivela quel progetto segreto che per lunghissimo tempo aveva tenuto nascosto. [26] Ma ora, per volontà di Dio, questo segreto è stato rivelato con l'aiuto di quello che hanno detto i profeti, ed è stato fatto conoscere a tutti i popoli, perché giungano all'ubbidienza della fede.

[27] A Dio, che solo è sapiente, a lui per mezzo di Gesù *Cristo, sia la gloria per sempre. *Amen.

PRIMA LETTERA DI PAOLO AI CRISTIANI DI CORINTO

Saluto

1 ¹ Paolo, che Dio ha chiamato a essere *apostolo di Gesù *Cristo, e il fratello Sòstene, ² scrivono alla chiesa di Dio che si trova in Corinto.

Salutiamo voi che, uniti a Gesù Cristo, siete diventati il popolo di Dio insieme con tutti quelli che, ovunque si trovino, invocano il nome di Gesù. ³ Dio, nostro Padre, e Gesù Cristo, nostro Signore, diano a voi grazia e pace.

I doni ricevuti da Dio

4-5 Ringrazio sempre il mio Dio per voi perché è stato molto generoso verso di voi. Vi ha arricchito con tutti i suoi doni per mezzo di *Cristo Gesù: doni della predicazione e doni della conoscenza. ⁶ Poiché il Cristo che vi ho annunziato è diventato il solido fondamento della vostra vita, ⁷ non vi manca nessuno dei doni di Dio, mentre aspettate il ritorno di Gesù Cristo, nostro Signore. ⁸ Dio vi manterrà saldi fino alla fine, e così nessuno vi potrà accusare quando nel giorno del *giudizio verrà Gesù Cristo, nostro Signore. ⁹ Dio stesso vi ha chiamati a partecipare alla vita di Gesù Cristo, suo Figlio e nostro Signore, e Dio mantiene le sue promesse.

Divisioni nella Chiesa

¹⁰ Fratelli, in nome di Gesù *Cristo, nostro Signore, vi chiedo di mettervi d'accordo. Non vi siano contrasti e divisioni tra voi, ma siate uniti: abbiate gli stessi pensieri e le stesse convinzioni. ¹¹ Purtroppo alcuni della famiglia di Cloe mi hanno fatto sapere che vi sono litigi tra voi. ¹² Mi spiego: uno di voi dice: «Io sono di Paolo»; un altro, «Io di Apollo», un terzo sostiene: «Io sono di Pietro»; e un quarto afferma: «Io sono di Cristo».

¹³ Ma Cristo non può essere diviso! E Paolo, d'altra parte, non è stato crocifisso per voi. E nessuno vi ha battezzato nel nome di Paolo. ¹⁴ Grazie a Dio non ho battezzato nes-

suno di voi, eccetto Crispo e Gaio. ¹⁵ Così nessuno può dire di essere stato battezzato nel mio nome. ¹⁶ È vero: ho anche battezzato la famiglia di Stefana, ma non credo proprio di averne battezzati altri.

La predicazione di Paolo

¹⁷ *Cristo non mi ha mandato a battezzare, ma ad annunziare la salvezza. E questo io faccio senza parole sapienti, per non rendere inutile la morte di Cristo in croce.
¹⁸ Predicare la morte di Cristo in croce sembra una pazzia a quelli che vanno verso la perdizione; ma per noi, che Dio salva, è la potenza di Dio. ¹⁹ La *Bibbia dice infatti:
> Distruggerò la sapienza dei sapienti
> e squalificherò l'intelligenza degli intelligenti.
²⁰ Infatti, che hanno ora da dire i sapienti, gli studiosi, gli esperti in dibattiti culturali? Dio ha ridotto a pazzia la sapienza di questo mondo. ²¹ Gli uomini con tutto il loro sapere non sono stati capaci di conoscere Dio e la sua sapienza. Perciò, Dio ha deciso di salvare quelli che credono, mediante questo annunzio di salvezza che sembra una pazzia. ²² Gli ebrei infatti vorrebbero *miracoli, e i non ebrei si fidano solo della ragione. ²³ Noi invece annunziamo Cristo crocifisso, e per gli ebrei questo messaggio è offensivo, mentre per gli altri è assurdo. ²⁴ Ma per quelli che Dio ha chiamato, siano essi ebrei o no, Cristo è potenza e sapienza di Dio. ²⁵ Perché la pazzia di Dio è più sapiente della sapienza degli uomini, e la debolezza di Dio è più forte della forza degli uomini.
²⁶ Guardate tra voi, fratelli. Chi sono quelli che Dio ha chiamato? Vi sono forse tra voi, dal punto di vista umano, molti sapienti o molti potenti o molti personaggi importanti? No! ²⁷ Dio ha scelto quelli che gli uomini considerano ignoranti per coprire di vergogna i sapienti; ha scelto quelli che gli uomini considerano deboli per distruggere quelli che si credono forti. ²⁸ Dio ha scelto quelli che, nel mondo, non hanno importanza e sono disprezzati o considerati come se non esistessero, per distruggere quelli che pensano di valere qualcosa. ²⁹ Così, nessuno potrà vantarsi davanti a Dio. ³⁰ Dio però ha unito voi a Gesù Cristo: egli è per noi la sapienza che viene da Dio. E Gesù Cristo ci rende

graditi a Dio, ci dà la possibilità di vivere per lui e ci libera dal peccato. ³¹ Si compie così ciò che dice la Bibbia:

> Chi vuol vantarsi si vanti per quello che ha fatto il Signore.

L'annunzio di Cristo morto in croce

2 ¹ Quando son venuto tra voi, fratelli, per farvi conoscere il messaggio di Dio, l'ho fatto con semplicità, senza sfoggio di parole piene di sapienza umana. ² Avevo infatti deciso di non insegnarvi altro che *Cristo, e Cristo crocifisso. ³ Mi presentai a voi debole, pieno di timore e di preoccupazione. ⁴ Vi ho predicato e insegnato non con abili discorsi di sapienza umana. Era la forza dello Spirito a convincervi. ⁵ Così la vostra fede non è fondata sulla sapienza umana, ma sulla potenza di Dio.

La sapienza di Dio

⁶ Anche noi però, tra i cristiani spiritualmente adulti, parliamo di una sapienza. Ma non si tratta di una sapienza di questo mondo né di quella dei potenti che lo governano, e che presto saranno distrutti. ⁷ Parliamo della misteriosa sapienza di Dio, del suo progetto di farci partecipare alla sua gloria. Dio l'aveva già stabilito prima della creazione del mondo, ma noi non l'avevamo conosciuto. ⁸ Nessuna delle potenze che governano questo mondo ha conosciuto questa sapienza. Se l'avessero conosciuta non avrebbero crocifisso il Signore della gloria. ⁹ Ma, come si legge nella *Bibbia:

> Quel che nessuno ha mai visto e udito,
> quel che nessuno ha mai immaginato,
> Dio lo ha preparato per quelli che lo amano.

¹⁰ Dio lo ha fatto conoscere a noi per mezzo dello Spirito. Lo Spirito infatti conosce tutto, anche i pensieri segreti di Dio.

¹¹ Nessuno può conoscere i pensieri segreti di un uomo: solo lo spirito che è dentro di lui può conoscerli. Allo stesso modo solo lo Spirito di Dio conosce i pensieri segreti di Dio. ¹² Ora, noi non abbiamo ricevuto lo spirito del mondo, ma lo Spirito che viene da Dio; perciò conosciamo quello che Dio ha fatto per noi. ¹³ E ne parliamo con parole non insegnate dalla sapienza umana, ma sug-

gerite dallo Spirito di Dio. Così, spieghiamo le verità spirituali a quelli che hanno ricevuto lo Spirito.
¹⁴ Ma l'uomo che non ha ricevuto lo Spirito di Dio non è in grado di accogliere le verità che lo Spirito di Dio fa conoscere. Gli sembrano assurdità, e non le può comprendere perché devono essere capite in modo spirituale. ¹⁵ Colui che ha ricevuto lo Spirito giudica tutto in modo spirituale, ma lui, nessuno può giudicarlo.

> ¹⁶ *Chi è in grado di conoscere i pensieri del Signore?*
> *E chi può dargli dei consigli?*

Ora noi abbiamo lo Spirito di Cristo.

Uniti nel lavoro per servire Dio

3 ¹ Io, fratelli, non ho potuto parlarvi come a cristiani maturi. Eravate ancora troppo legati ai valori di questo mondo, e nella fede in Cristo ancora troppo bambini. ² Ho dovuto nutrirvi di latte, non di cibo solido, perché non avreste potuto sopportarlo. Nemmeno ora lo potete, ³ perché siete come tutti gli altri. Le vostre discordie e le vostre divisioni dimostrano che voi ancora pensate e vi comportate come gli altri. ⁴ Quando uno di voi dice: « Io sono di Paolo », e un altro ribatte « Io invece di Apollo! », non fate forse come fanno tutti?
⁵ Ma chi è poi Apollo? e chi è Paolo? Semplici servitori per mezzo dei quali voi siete giunti alla fede. A ciascuno di noi Dio ha affidato un compito. ⁶ Io ho piantato, Apollo ha innaffiato, ma è Dio che ha fatto crescere. ⁷ Perciò, chi pianta e chi innaffia non contano nulla: chi conta è Dio che fa crescere. ⁸ Chi pianta e chi innaffia hanno la stessa importanza. Ognuno di loro riceverà la ricompensa per il lavoro svolto. ⁹ Siamo infatti collaboratori di Dio nel suo campo, e voi siete il campo di Dio.
Voi siete anche l'edificio di Dio. ¹⁰ Dio mi ha dato il compito e il privilegio di mettere il fondamento, come fa un saggio architetto. Altri poi innalza su di esso la costruzione. Ciascuno però badi bene a come costruisce. ¹¹ Il fondamento già posto è Gesù *Cristo. Nessuno può metterne un altro. ¹² Su quel fondamento altri costruiranno servendosi di oro, di argento, di pietre preziose, di legno, di fieno, di paglia. ¹³ Ma nel giorno del *giudizio Dio rivelerà quel che vale l'opera di ciascuno. Essa verrà sottoposta alla prova del

fuoco, e il fuoco ne proverà la consistenza. [14] Se uno ha fatto un'opera che supererà la prova, ne avrà la ricompensa. [15] Se invece la sua opera sarà distrutta dal fuoco, egli perderà la ricompensa. Egli personalmente sarà tuttavia salvo, come uno che passa attraverso un incendio.
[16] Voi sapete che siete il tempio di Dio, e che lo Spirito di Dio abita in voi. [17] Ebbene, se qualcuno distrugge la vostra comunità che è il santo tempio di Dio, Dio distruggerà lui.

Contro ogni superbia

[18] Nessuno inganni se stesso. Se qualcuno pensa di essere sapiente in questo mondo, diventi pazzo, e allora sarà sapiente davvero. [19] Dio infatti considera pazzia quel che il mondo crede sia sapienza. Si legge infatti nella *Bibbia:

> Dio fa cadere i sapienti
> nella trappola della loro astuzia.

[20] E ancora, in un altro passo, leggiamo:

> Il Signore conosce i pensieri dei sapienti.
> Sa che non valgono nulla.

[21] Perciò non vantatevi di appartenere a qualcuno, perché tutti appartengono a voi: [22] Paolo, Apollo, Pietro. E tutto è vostro: il mondo, la morte, il presente e il futuro. [23] Voi invece appartenete a *Cristo, e Cristo appartiene a Dio.

Il servizio degli apostoli

4 [1] Dovete quindi considerarci come servi di Cristo e amministratori dei segreti di Dio. [2] Ebbene, a un amministratore si chiede di essere fedele.
[3] Ora, ha perciò poco valore che io sia giudicato da voi o da un tribunale umano sulla mia fedeltà, anzi non mi giudico neppure da me stesso. [4] D'altronde, la mia coscienza non mi rimprovera nulla, ma ciò non significa che io sia fedele. Colui che mi giudica è solo il Signore. [5] Non state dunque a far giudizi prima del tempo: aspettate che venga il Signore. Egli porterà alla luce quello che è nascosto nelle tenebre, e farà conoscere le intenzioni segrete degli uomini. Allora ciascuno riceverà da Dio la sua lode.
[6] Fratelli, vi ho parlato di me e di Apollo per darvi un esempio. Imparate a non andare oltre certi limiti. Non en-

tusiasmatevi di una persona per disprezzarne un'altra. [7] Che cosa infatti ti fa pensare di essere superiore a un altro? Se hai qualche cosa, non è forse Dio che te l'ha data? E se è Dio che te l'ha data, perché te ne vanti come se fossi stato tu a conquistarla? [8] Si direbbe che siate già ricchi e che possediate tutto quel che desiderate. Si direbbe che siate già arrivati a regnare senza di noi. Magari fosse vero! Anche noi regneremmo con voi.

[9] Penso che Dio abbia messo invece noi *apostoli all'ultimo posto. Siamo come dei condannati a morte, messi in piazza, spettacolo al mondo intero, agli *angeli e agli uomini. [10] Così, a causa di Cristo, noi siamo i pazzi e voi i sapienti! Noi i deboli, voi i forti! Noi i disprezzati e voi gli onorati! [11] Noi, fino a questo momento almeno, soffriamo la fame, la sete, il freddo, i maltrattamenti e non abbiamo una casa. [12] Lavoriamo con le nostre mani e ci affatichiamo. Quando ci insultano, benediciamo. Quando ci perseguitano, sopportiamo. [13] Quando dicono male di noi, rispondiamo amichevolmente. Siamo diventati la spazzatura del mondo, il rifiuto di tutti, e lo siamo tuttora.

[14] Non vi scrivo questo per mortificarvi. Voglio soltanto ammonirvi, perché siete per me come figli che amo. [15] Potreste avere infatti anche diecimila maestri nella fede, ma non molti padri. Ebbene, io sono diventato vostro padre nella fede in Cristo Gesù, quando vi ho annunziato la sua parola. [16] Vi chiedo dunque di imitarmi. [17] Vi mando Timòteo per aiutarvi. Egli è per me come un figlio carissimo. È un credente che vi ricorderà quali sono i principi della vita con Cristo che io vivo e insegno dappertutto nella Chiesa.

[18] Alcuni di voi sono diventati prepotenti pensando che non ritornerò più tra voi. [19] Invece, se lo vorrà il Signore, verrò presto. E allora vedrò che cosa sanno fare questi orgogliosi che parlano tanto. [20] Il *regno di Dio non è fatto di parole, ma di potenza. [21] Cosa preferite? Che venga tra voi con un bastone, o con amore e dolcezza?

Un caso di immoralità nella Chiesa

5 [1] Tutti sanno che vi sono casi d'immoralità tra voi. Ve n'è addirittura uno, così grave, che non si tollera neppure tra i pagani: uno di voi convive con la sua matrigna.

[2] E siete anche pieni di superbia! Dovreste invece essere pieni di tristezza e allontanare da voi chi commette un tale misfatto. [3-4] A ogni modo, io spiritualmente presente tra voi sebbene assente di fatto, ho già giudicato chi ha agito così male. Perciò quando vi riunirete nel nome di Gesù *Cristo, nostro Signore, io sarò spiritualmente presente tra voi, e voi, con la potenza che viene da Gesù, nostro Signore, [5] dovrete abbandonare quel tale a Satana. Egli ne soffrirà in questa vita terrena, ma sarà salvo nel giorno del Signore.

[6] Non avete proprio alcun motivo per vantarvi! Sapete benissimo che un po' di lievito fa lievitare tutta la pasta. [7] Togliete via quel vecchio lievito che vi corrompe. Siate come una pasta nuova, come pani azzimi di Pasqua che non contengono lievito. E in effetti lo siete già, perché Cristo, il nostro agnello pasquale, è già stato sacrificato. [8] Celebriamo dunque la nostra Pasqua senza il vecchio lievito del peccato e dell'immoralità. Serviamoci invece del pane azzimo, immagine di purezza e di verità.

[9] Vi ho già scritto di non avere nulla a che fare con chi vive nell'immoralità. [10] Ma non pensavo certo a tutti quelli che, in questo mondo, sono immorali, invidiosi, ladri, adoratori di idoli, altrimenti dovreste vivere lontano da ogni terra abitata. [11] Volevo dire: non abbiate più rapporti con quelli che dichiarano di essere credenti, ma poi, di fatto, sono immorali, invidiosi, adoratori di idoli, calunniatori, ubriaconi, ladri. Con simile gente non dovete neppure mangiare insieme. [12-13] Non è mio compito giudicare quelli che non sono credenti. È Dio che li giudica. Ma voi dovete giudicare quelli che fanno parte della comunità. Lo dice la *Bibbia: *Scacciate il malvagio di mezzo a voi.*

Processi tra cristiani

6 [1] Quando due di voi sono in lite, non dovrebbero neppure chiedere giustizia ai giudici pagani; dovrebbero invece rivolgersi alla comunità. [2] Voi ben sapete che il popolo di Dio giudicherà il mondo. E se dovrete giudicare il mondo, a maggior ragione dovete essere capaci di risolvere questioni di minore importanza. [3] Dovremo addirittura giudicare gli *angeli, quindi dobbiamo sapere risolvere le questioni di questo mondo. [4] Quando dunque avete da risolvere le questioni di questa

vita, perché stabilite come giudici, nella Chiesa, persone
estranee? [5] Lo dico per farvi vergognare, perché è impossibile che tra voi non si possa trovare qualche persona saggia, capace di risolvere una questione tra fratelli. [6] Del resto,
è proprio indispensabile che un fratello citi in giudizio un
altro fratello, e per di più, dinanzi a giudici non credenti?
[7] È già cattivo segno che ci siano processi tra voi. Perché
non sopportate piuttosto qualche torto? Perché piuttosto non
siete disposti a rimetterci qualcosa? [8] Invece siete proprio
voi che commettete ingiustizie e rubate e vi comportate così
con i fratelli! [9] Sappiate però che non c'è posto per i malvagi nel nuovo mondo di Dio. Non illudetevi: nel *regno
di Dio non entreranno gli immorali, gli adoratori di idoli,
gli adùlteri, i maniaci sessuali, [10] i ladri, gli invidiosi, gli
ubriaconi, i calunniatori, i delinquenti.
[11] E alcuni di voi erano così. Ma ora siete stati strappati
al peccato, siete stati uniti a *Cristo, e accolti da Dio nel
nome del Signore Gesù Cristo mediante lo Spirito del nostro Dio.

Vivere per la gloria di Dio

[12] Voi dite spesso: «Posso fare tutto quel che voglio!».
È vero! Ma io vi domando se tutto è bene per voi. Certamente «io posso fare tutto quel che voglio», ma non mi
lascerò mai dominare da qualsiasi desiderio.
[13] Voi dite anche: «Il cibo è fatto per lo stomaco e lo stomaco è fatto per il cibo», ma Dio distruggerà l'uno e l'altro.
È vero! Voi non siete fatti per l'immoralità, ma appartenete al Signore, e il Signore è anche il vostro Signore. [14] Ebbene, Dio che ha fatto risorgere il Signore, risusciterà anche
noi con la sua potenza.
[15] Voi dovete sapere che appartenete a *Cristo. E chi prenderebbe ciò che appartiene a Cristo per unirlo a una prostituta? [16] Dovete infatti sapere che chi si unisce a una prostituta diventa un tutt'uno con lei. Infatti la *Bibbia dice:
I due diventeranno un essere solo. [17] Ma chi si unisce al Signore diventa spiritualmente un solo essere con lui.
[18] Fuggite l'immoralità! Qualsiasi altro peccato che l'uomo
commetta gli resta in un certo senso estraneo, ma chi si dà
all'immoralità distrugge fondamentalmente se stesso. [19] Dovete
sapere che voi stessi siete il tempio dello *Spirito Santo.

Dio ve lo ha dato, ed egli è in voi. Voi quindi non appartenete più a voi stessi. [20] Perché Dio vi ha fatti suoi riscattandovi a caro prezzo. Rendete quindi gloria a Dio col vostro stesso corpo.

Matrimonio e verginità

7 [1] Rispondo così alla domanda che mi avete posto nella vostra lettera: è meglio per l'uomo non sposarsi. [2] Tuttavia, per non cadere nell'immoralità, ogni uomo abbia la propria moglie e ogni donna il proprio marito.
[3] L'uomo sappia donarsi alla propria moglie, e così pure la moglie si doni al proprio marito. [4] La moglie non deve considerarsi padrona di se stessa: lei è del marito. E così pure il marito non deve considerarsi padrone di se stesso: egli è della moglie. [5] Non rifiutatevi l'un l'altro, a meno che non vi siate messi d'accordo di agire così per un tempo limitato, per dedicarvi alla preghiera. Ritornate però subito dopo a stare insieme per evitare che Satana vi tenti facendo leva sui vostri istinti. [6] Quel che vi sto dicendo è solo un suggerimento, non è un ordine. [7] Io vorrei che tutti fossero celibi, come me; ma Dio dà a ognuno un dono particolare: agli uni dà questo dono, ad altri uno diverso.
[8] Ai celibi e alle vedove dico che sarebbe bene per essi continuare a essere soli, come lo sono io. [9] Se però non possono dominare i loro istinti, contraggano matrimonio. È meglio sposarsi che ardere di desiderio.

Divorzio e matrimoni misti

[10] Agli sposati do quest'ordine, che non viene da me, ma dal Signore: la moglie non si separi dal marito. [11] Se si è già separata dal marito, non si risposi. Cerchi piuttosto di riconciliarsi con lui. E, d'altra parte, il marito non mandi via la moglie.
[12] Agli altri do un consiglio, e questo è un parere mio, non un ordine del Signore: se un cristiano ha una moglie che non è credente, e questa desidera continuare a vivere con lui, non la mandi via. [13] E così pure la moglie cristiana non mandi via il marito che non è credente, se egli vuol restare con lei. [14] Il marito non credente infatti appartiene già al Signore per la sua unione con la moglie credente; e vice-

versa, la moglie non credente appartiene già al Signore per
la sua unione con il marito credente. In caso contrario, anche voi dovreste rinnegare i vostri figli, mentre invece essi
appartengono al Signore.

¹⁵ Ma se uno dei due non è credente e vuole separarsi, lo
faccia pure. In tal caso il credente, sia esso marito o moglie, è libero dal legame matrimoniale. Dio infatti vi ha chiamati a vivere in pace. ¹⁶ Perché, se tu sei una moglie credente, come puoi essere sicura di salvare tuo marito che
non crede? E se tu sei un marito credente, come puoi essere
sicuro di salvare tua moglie che non crede?

Non cercate inutili cambiamenti

¹⁷ A eccezione di questo caso, la direttiva che do in ogni
comunità è questa: ognuno continui a vivere nella condizione che il Signore gli ha dato, e nella quale si trovava
quando Dio lo ha chiamato alla fede. ¹⁸ Chi era circonciso
quando Dio lo ha chiamato, non cerchi di far sparire il segno della sua *circoncisione. Chi invece non era circonciso
quando Dio lo ha chiamato, non si faccia circoncidere. ¹⁹ Essere circoncisi o non esserlo non conta nulla. Conta solo
l'obbedienza ai comandamenti di Dio. ²⁰ Ognuno rimanga
nella condizione in cui si trovava quando Dio lo ha chiamato alla fede. ²¹ Dio ti ha chiamato quando eri uno schiavo?
Non fartene un problema. Se però hai l'opportunità di diventare libero, non rifiutarla. ²² Infatti chi era schiavo quando
il Signore lo ha chiamato alla fede, è già diventato un uomo
libero che è al servizio del Signore. E, viceversa, chi era
un uomo libero quando il Signore lo ha chiamato alla fede,
è diventato ora uno schiavo di *Cristo. ²³ Siete stati riscattati a caro prezzo. Non ritornate a essere schiavi degli uomini.
²⁴ Fratelli, ciascuno rimanga quindi dinanzi a Dio nella condizione in cui si trovava quando fu chiamato alla fede.

Le persone non sposate e le vedove

²⁵ Parliamo ora delle persone non sposate: non ho nessun
comandamento del Signore per loro, ma vi do il mio parere: il parere di uno degno di fiducia, perché Dio ha avuto
misericordia di me. ²⁶ Stiamo andando incontro a una difficile situazione. Perciò, ritengo opportuno che l'uomo rimanga

nella condizione in cui si trova. ²⁷ Sei sposato? Non ti separare dalla moglie. Ancora non sei sposato? Non cercare moglie. ²⁸ Se però ti sposi, non fai nulla di male. E se una ragazza si sposa, non fa nulla di male. Certo quelli che si sposano avranno maggiori difficoltà a causa della vita familiare, e io vorrei risparmiarvele.

²⁹ Fratelli, io vi dico questo: è poco il tempo che ci rimane. Perciò, da ora in poi, quelli che sono sposati vivano come se non lo fossero, ³⁰ quelli che piangono come se non fossero tristi, quelli che sono allegri come se non fossero nella gioia, quelli che comprano come se non possedessero nulla, ³¹ e quelli che usano i beni di questo mondo come se non se ne servissero. Perché, questo mondo così com'è, non durerà più a lungo.

³² Vorrei sapervi liberi da preoccupazioni. L'uomo non sposato infatti si preoccupa di quel che riguarda il Signore e cerca di piacergli. ³³ L'uomo sposato invece si preoccupa di quel che riguarda il mondo e cerca di piacere alla moglie. ³⁴ E così finisce con l'essere diviso nel suo modo di pensare e di agire. Allo stesso modo, una donna non sposata, sia essa adulta o ragazza, si preoccupa di quel che riguarda il Signore, perché desidera vivere interamente per lui. La donna sposata invece si preoccupa di quel che riguarda questo mondo, e cerca di piacere al marito.

³⁵ Dico questo per il vostro bene: non per costringervi. Io desidero soltanto che voi viviate in modo conveniente completamente al servizio del Signore.

³⁶ Se a causa della sua esuberanza un fidanzato si trova a disagio dinanzi alla fidanzata e pensa che dovrebbe sposarla, ebbene la sposi! Non commette alcun peccato! ³⁷ Può darsi però che il giovane, senza subire alcuna costrizione, mantenga fermamente la decisione di non sposarsi. In tal caso, se sa dominare la sua volontà e mantiene fermo il proposito di non avere relazioni con la sua compagna, agisce rettamente se non la sposa. ³⁸ Così, chi si sposa fa bene, ma chi non si sposa fa meglio.

³⁹ La moglie è legata al marito per tutto il tempo che egli vive. Se però egli muore, la moglie può passare a seconde nozze con chi vuole, purché sia un credente. ⁴⁰ Sarà però più felice se rimane così com'è.

Questo è il mio parere, e penso di avere anch'io lo spirito del Signore.

La carne sacrificata agli idoli

8 [1] Trattiamo ora il problema delle carni che vengono sacrificate agli idoli. So che tutti siamo pieni di conoscenza su questo argomento. Ma la conoscenza rende gli uomini superbi, l'amore soltanto fa crescere nella fede. [2] Chi pensa di possedere una certa conoscenza, in realtà non la possiede ancora come dovrebbe. [3] Invece, se uno ama Dio, costui è conosciuto da Dio.

[4] Dunque: le carni sacrificate agli idoli si possono mangiare? Noi sappiamo che gli idoli di questo mondo non sono niente, e che vi è un solo Dio. [5] È vero che si parla di certe divinità del cielo e della terra; e di fatto ve ne sono molti di questi « dèi » e « signori ». [6] Per noi invece vi è un solo Dio e Padre. Egli ha creato ogni cosa, ed è per lui che viviamo. E vi è un solo Signore, Gesù *Cristo, per mezzo del quale esiste ogni cosa. Anche noi viviamo per mezzo di lui.

[7] Non tutti però hanno questa conoscenza. Alcuni, abituati finora al culto degli idoli, mangiano ancora quelle carni come se appartenessero agli idoli. E la loro debole coscienza ne è turbata. [8] Ma non sarà certo un cibo a rendermi gradito a Dio. Non perderemo nulla se non lo mangiamo e non guadagneremo nulla se lo mangiamo.

[9] Badate però a questa vostra libertà: non diventi un'occasione di turbamento per chi è debole nella fede. [10] Supponiamo che uno, debole nella fede, veda te che sei « pieno di conoscenza », seduto a tavola in un tempio di idoli. Non si sentirà forse spinto nella sua coscienza a mangiare della carne sacrificata agli idoli? [11] E così tu, con tutta la tua « conoscenza », metti in pericolo la fede di quel fratello per il quale Cristo è morto. [12] Così, peccate contro i fratelli e urtate le loro coscienze deboli. Questo vuol dire che peccate contro Cristo stesso. [13] Per conto mio, piuttosto che turbare la fede di un fratello a causa di un cibo, preferisco non mangiar mai più la carne. Così non turberò la fede di un mio fratello.

Diritti e doveri di un apostolo

9 [1] Non sono libero io? Non sono forse *apostolo? Non ho veduto Gesù, il nostro Signore? E voi? Non siete proprio voi il risultato del mio lavoro al servizio del Signore?

² Se altri non vogliono riconoscermi come apostolo, per voi lo sono senz'altro. Il fatto che voi crediate in *Cristo, è la prova che io sono apostolo.

³ A chi mi critica rispondo così: ⁴ Non abbiamo anche noi il diritto di mangiare e di bere? ⁵ Non abbiamo anche noi il diritto di portare con noi una moglie credente come l'hanno gli altri apostoli e i fratelli del Signore e Pietro? ⁶ O forse solo io e Bàrnaba dobbiamo lavorare per mantenerci? ⁷ Da quando in qua un soldato presta servizio nell'esercito a sue spese? E chi pianta una vigna non mangia forse la sua uva? E chi conduce un gregge al pascolo non beve il latte di quelle pecore?

⁸ Ma non porto soltanto esempi tratti dall'esperienza umana. ⁹ Anche la *legge di Mosè prescrive: *Non mettere la museruola al bue che trebbia il grano.* Dio si preoccupa forse dei buoi? O è per noi che parla? ¹⁰ Certamente! Questa regola è stata scritta per noi. Perché, chi ara il campo e chi trebbia il grano deve fare il lavoro nella speranza di avere la sua parte del raccolto. ¹¹ Noi abbiamo seminato per voi beni spirituali. Non c'è dunque nulla di strano se raccogliamo da voi beni materiali. ¹² Se altri hanno questo diritto su di voi, tanto più l'abbiamo noi.

Ma noi non facciamo uso di questo diritto, anzi sopportiamo ogni specie di difficoltà per eliminare qualsiasi ostacolo all'annunzio di Cristo.

¹³ Chi lavora nel tempio riceve dal tempio il proprio nutrimento, e chi si occupa dei sacrifici offerti sull'*altare, riceve una parte dei sacrifici. ¹⁴ Allo stesso modo, per quelli che annunziano il *vangelo, il Signore ha stabilito che hanno il diritto di vivere di questo lavoro.

¹⁵ Io però non ho mai fatto uso di questo diritto. E non vi scrivo per pretenderlo ora. Piuttosto preferisco morire! Nessuno potrà togliermi questo vanto. ¹⁶ Infatti non posso vantarmi di annunziare la parola del Signore. Non posso farne a meno, e guai a me se non annunzio Cristo. ¹⁷ Se avessi deciso di annunziarla di mia spontanea volontà, sarebbe giusto che ricevessi una paga. Ma poiché mi è stato imposto di farlo, compio semplicemente il mio dovere. ¹⁸ Quale sarà dunque la mia ricompensa? La soddisfazione di annunziare Cristo gratuitamente, senza usare quei diritti che la predicazione del vangelo mi darebbe.

¹⁹ Io sono libero. Non sono schiavo di nessuno. Tuttavia mi

sono fatto schiavo di tutti, per portare a Cristo il più gran numero possibile di persone. 20 Quando sono tra gli ebrei, vivo come loro, per portare a Cristo gli ebrei. Io non sono sottoposto alla legge di Mosè, eppure vivo come se lo fossi, per condurre a Cristo chi è sottoposto a quella legge. 21 Quando invece mi trovo tra persone che non conoscono quella legge, vivo come loro senza tenerne conto, per portare a Cristo chi è senza legge. Questo non vuol dire che io sia privo di obblighi verso Dio, anzi sono sottoposto alla legge di Cristo. 22 Con i deboli nella fede, vivo come se anch'io fossi debole, per condurli a Cristo. 23 Tutto questo lo faccio per il vangelo, e per ricevere anch'io insieme con gli altri ciò che esso promette.

Esempi tratti dalla vita sportiva

24 Sapete che nelle gare allo stadio corrono in molti, ma uno solo ottiene il premio. Dunque, correte anche voi in modo da ottenerlo! 25 Sapete pure che tutti gli atleti, durante i loro allenamenti, si sottopongono a una rigida disciplina. Essi l'accettano per avere in premio una corona che presto appassisce; noi invece lo facciamo per avere una corona che durerà sempre. 26 Perciò, io mi comporto come uno che corre per raggiungere il traguardo, e come un pugile che non tira colpi a vuoto. 27 Mi sottopongo a dura disciplina, e cerco di dominarmi per non essere squalificato proprio io che ho predicato agli altri.

Contro gli idoli

10 1 Voglio che vi ricordiate, fratelli, che tutti i nostri antenati attraversarono il Mar Rosso e camminarono protetti dalla nuvola. 2 Uniti a Mosè, tutti sono stati battezzati nella nuvola e nel mare. 3 Tutti hanno mangiato lo stesso cibo spirituale 4 e tutti hanno bevuto la stessa bevanda spirituale: bevevano infatti alla stessa roccia spirituale che li accompagnava. Quella roccia era *Cristo. 5 Tuttavia la maggior parte di loro non fu gradita a Dio, e questi morirono nel deserto.

6 Questi fatti sono accaduti molto tempo fa. Essi sono un esempio perché impariamo a non desiderare il male come loro. 7 Quindi, non adorate gli idoli come hanno fatto alcuni

di loro. La *Bibbia afferma: *Il popolo si sedette per mangiare e per bere, si mise a far baldoria.* 8 Non abbandoniamoci all'immoralità come fecero una parte di loro, tanto che in un sol giorno ne morirono ventitremila. 9 Non mettiamo alla prova Dio come hanno fatto alcuni di loro, che poi morirono avvelenati dai serpenti. 10 Non vi lamentate come hanno fatto alcuni di loro, i quali, di conseguenza, furono distrutti dall'*angelo sterminatore. 11 Questi fatti che sono accaduti a loro diventano un esempio per noi. Sono stati scritti nella Bibbia perché siano un severo ammonimento per noi che viviamo in un tempo vicino alla fine.

12 Dunque, chi si sente sicuro, stia attento a non cadere. 13 Tutte le difficoltà che avete dovuto affrontare non sono state superiori alle vostre forze. Perché Dio mantiene le sue promesse e non permetterà che siate tentati al di là della vostra capacità di resistenza. Nel momento della tentazione Dio vi dà la forza di resistere e di vincere.

14 Perciò, carissimi, non adorate gli idoli. 15 Vi parlo come a persone intelligenti: giudicate quel che dico. 16 Pensate al calice per il quale ringraziamo Dio: quando lo beviamo ci mette in comunione col sangue di Cristo; e il pane che spezziamo ci mette in comunione con il corpo di Cristo. 17 Vi è un solo pane e quindi formiamo un solo corpo, anche se siamo molti, perché tutti insieme mangiamo quell'unico pane.

18 Osservate il popolo d'Israele. Quelli che mangiano la carne del sacrificio sono in comunione col Dio dell'*altare. 19 Non voglio dire con questo che il sacrificio offerto all'idolo abbia qualche valore o che l'idolo stesso valga qualcosa. 20 Affermo invece che i pagani quando fanno un sacrificio lo offrono agli *spiriti maligni, non certo a Dio. E io non voglio che siate in comunione con gli spiriti maligni. 21 Non potete infatti bere il calice del Signore e quello degli spiriti maligni. Non potete mangiare alla mensa del Signore e alla mensa degli spiriti maligni. 22 Vogliamo forse scatenare la gelosia di Dio? Siamo forse più forti di lui?

Agire sempre per la gloria di Dio

23 Voi dite spesso: «Posso fare tutto quel che voglio». È vero! Ma non tutto è utile. Si può far tutto quel che si vuole, ma non tutto serve al bene della comunità. 24 Nes-

suno pensi a se stesso, ma agli altri. ²⁵ Mangiate pure qualsiasi carne venduta al mercato, senza tormentarvi per motivi di coscienza. ²⁶ Perché, come afferma la *Bibbia, *appartiene al Signore la terra e tutto quello che essa contiene.*
²⁷ Se un non credente vi invita a pranzo e voi accettate, andate da lui, mangiate tutto quel che vi verrà servito, senza farne un problema di coscienza. ²⁸ Se però qualcuno degli invitati vi dice: «Questa carne è stata offerta agli idoli», allora, per motivo di coscienza, non mangiatela, proprio perché vi ha avvisato. ²⁹ Naturalmente parlo della sua coscienza, non della vostra. Qualcuno mi obbietterà: «Ma perché la coscienza di un altro deve limitare la mia libertà? ³⁰ Io ringrazio sempre Dio per quel che mangio. Perché mai dovrei essere criticato per cibi che mangio con riconoscenza?».
³¹ D'accordo! quando mangiate o bevete o quando fate qualsiasi altra cosa, fate tutto per la gloria di Dio. ³² Però agite in modo da non scandalizzare nessuno: né ebrei, né pagani, né cristiani. ³³ Comportatevi come me, che in ogni cosa cerco di piacere a tutti. Non cerco il mio bene personale, ma quello di tutti, perché tutti siano salvati.

11 ¹ Siate miei imitatori, come anch'io lo sono di *Cristo.

Contegno delle donne e degli uomini nel culto

² Mi rallegro con voi perché in ogni occasione vi ricordate di me, e perché conservate l'insegnamento che vi ho trasmesso. ³ Tuttavia desidero che sappiate questo: Cristo è il capo di ogni uomo, il marito è il capo della moglie, e Dio è il capo di Cristo. ⁴ Quindi, se un uomo prega o annunzia la *parola di Dio a capo coperto disonora il suo capo, che è Cristo. ⁵ Invece, la donna se prega o annunzia la parola di Dio a capo scoperto disonora il suo capo cioè suo marito: è come se fosse completamente senza capelli. ⁶ Se non vuole coprirsi il capo con un velo, allora si faccia anche rasare. Ma se una donna prova vergogna a stare con i capelli completamente rasati, allora si copra anche il capo con un velo.
⁷ L'uomo non ha bisogno di coprirsi il capo, perché è immagine e gloria di Dio; la donna invece è gloria dell'uomo. ⁸ Infatti, l'uomo non è stato tratto dalla donna; ma la donna

è stata tratta dall'uomo. ⁹ E, inoltre, l'uomo non è stato
creato per la donna; ma la donna è stata creata per l'uomo.
¹⁰ Per tutte queste ragioni e anche a motivo degli *angeli,
la donna deve portare sul capo un segno della sua appar-
tenenza all'uomo.

¹¹ Tuttavia, di fronte al Signore, la donna non esiste senza
l'uomo né l'uomo senza la donna. ¹² Infatti, se è vero che
la donna è stata tratta dall'uomo, è altrettanto vero che ogni
uomo nasce da una donna e che entrambi vengono da Dio
che ha creato tutto.

¹³ Giudicate voi stessi: sta bene che una donna preghi a
capo scoperto? ¹⁴ La natura stessa ci insegna che non sta
bene che gli uomini portino i capelli lunghi, ¹⁵ mentre invece una donna può essere fiera quando ha una lunga capi-
gliatura perché le serve da velo. ¹⁶ Se qualcuno poi vuole
ancora discutere su quest'argomento, sappia che noi e le
altre comunità non seguiamo un comportamento diverso.

Abusi nella celebrazione della Cena del Signore

¹⁷ Mentre vi do queste istruzioni non posso certo lodarvi:
le vostre assemblee vi fanno più male che bene. ¹⁸ Innanzitutto mi dicono che nella vostra comunità quando vi riunite si formano dei gruppi rivali. Credo che in parte sia
vero. ¹⁹ Infatti le divisioni sono necessarie perché si possano
riconoscere quelli che superano la prova.
²⁰ Ma quando vi riunite, in realtà la vostra cena non è la
Cena del Signore! ²¹ Infatti quando siete a tavola ognuno
si affretta a mangiare il proprio cibo. E così accade che
mentre alcuni hanno ancora fame, altri sono già ubriachi.
²² Ma non potreste mangiare e bere a casa vostra? Perché
disprezzate la Chiesa di Dio e umiliate i poveri? Che devo
dirvi? Dovrei forse lodarvi? Per questo vostro atteggiamento
non posso proprio lodarvi.

L'istituzione della Cena del Signore

²³ Io ho ricevuto dal Signore ciò che a mia volta vi ho insegnato: nella notte in cui fu tradito, Gesù il Signore prese
del pane. ²⁴ Ringraziò Dio, spezzò il pane e disse: « Questo
è il mio corpo che è dato per voi. Fate questo in memoria
di me ». ²⁵ Poi, dopo aver cenato, fece lo stesso col calice.

Lo prese e disse: « Questo calice è la nuova alleanza stabilita col mio sangue. Tutte le volte che ne berrete, fate questo in memoria di me ».
²⁶ Infatti, ogni volta che mangiate di questo pane e bevete da questo calice, voi annunziate la morte del Signore, fino a quando egli non ritornerà.

Come mangiare la Cena del Signore

²⁷ Perciò, chi mangia il pane del Signore o beve il suo calice in modo indegno, si rende colpevole verso il corpo e il sangue del Signore. ²⁸ Ciascuno perciò prima esamini se stesso, e poi mangi di quel pane e beva da quel calice. ²⁹ Perché, chi mangia del pane e beve dal calice senza discernere il corpo del Signore, mangia e beve la sua propria condanna. ³⁰ Per questa ragione vi sono tra voi molti malati e molti infermi, e parecchi sono morti. ³¹ Però, se ci esaminiamo attentamente, non cadremo sotto la condanna di Dio. ³² D'altra parte, se il Signore ci punisce, lo fa per correggerci e per non condannarci insieme col mondo.
³³ Così, fratelli, quando vi riunite per la Cena in comune, aspettatevi gli uni gli altri. ³⁴ Se qualcuno ha fame, mangi a casa sua, così Dio non dovrà punirvi per il modo col quale vi riunite.
Le altre questioni le metterò in ordine quando verrò.

I doni dello Spirito

12 ¹ Fratelli, parliamo ora dei doni dello Spirito. Voglio che abbiate le idee chiare in proposito.
² Sapete bene che prima di conoscere Dio, vi lasciavate continuamente trascinare verso idoli muti. ³ Vi assicuro perciò che nessuno può dire: « Gesù è maledetto! », se è veramente guidato dallo Spirito di Dio. D'altra parte, nessuno può dire: « Gesù è il Signore », se non è veramente guidato dallo *Spirito Santo.
⁴ Vi sono diversi doni, ma uno solo è lo Spirito. ⁵ Vi sono vari modi di servire il Signore, ma uno solo è il Signore. ⁶ Vi sono molti tipi di attività, ma chi muove tutti all'azione è sempre lo stesso Dio. ⁷ In ciascuno, lo Spirito si manifesta in modo diverso, ma sempre per il bene comune. ⁸ Uno riceve dallo Spirito la capacità di esprimersi con saggezza,

un altro quello di parlare con sapienza. ⁹ Lo stesso Spirito
ad uno dà la fede, a un altro il potere di guarire i malati.
¹⁰ Lo Spirito concede a uno la possibilità di fare *miracoli,
e a un altro il dono di essere *profeta. A questi dà la capacità di distinguere i falsi spiriti dal vero Spirito, a quello
il dono di esprimersi in lingue sconosciute, e a quell'altro
ancora il dono di spiegare tali lingue. ¹¹ Tutti questi doni
vengono dall'unico e medesimo Spirito. Egli li distribuisce
a ognuno, come vuole.

Il corpo e le sue parti

¹² *Cristo è come un corpo che ha molte parti. Tutte le
parti, anche se sono molte, formano un unico corpo. ¹³ E tutti
noi credenti, schiavi o liberi, di origine ebraica o pagana,
siamo stati battezzati con lo stesso Spirito per formare un
solo corpo, e tutti siamo stati dissetati dallo stesso Spirito.
¹⁴ Il corpo infatti non è composto da una sola parte, ma da
molte. ¹⁵ Se il piede dicesse: « Io non sono una mano, perciò non faccio parte del corpo », non cesserebbe per questo
di fare parte del corpo. ¹⁶ E se l'orecchio dicesse: « Io non
sono un occhio, perciò non faccio parte del corpo », non
cesserebbe per questo di essere parte del corpo. ¹⁷ Se tutto
il corpo fosse occhio, dove sarebbe l'udito? O se tutto il
corpo fosse udito, dove sarebbe l'odorato? ¹⁸ Ma Dio ha
dato a ciascuna parte del corpo il proprio posto secondo
la sua volontà. ¹⁹ Se tutto l'insieme fosse una parte sola,
dove sarebbe il corpo? ²⁰ Invece le parti sono molte, ma il
corpo è uno solo.
²¹ Quindi, l'occhio non può dire alla mano: « Non ho bisogno di te », o la testa non può dire ai piedi: « Non ho bisogno di voi ». ²² Anzi, proprio le parti del corpo che ci
sembrano più deboli, sono quelle più necessarie. ²³ E le parti
che consideriamo meno nobili e decenti, le circondiamo di
maggior premura. ²⁴ Le altre parti considerate più nobili non
ne hanno bisogno. Dio ha disposto il corpo in modo che
venga dato più onore alle parti che non ne hanno. ²⁵ Così
non ci sono divisioni nel corpo: tutte le parti si preoccupano le une delle altre. ²⁶ Se una parte soffre, tutte le altre
parti soffrono con lei; e se una parte è onorata, tutte le altre
si rallegrano con lei.
²⁷ Voi siete il corpo di Cristo, e ciascuno di voi ne fa parte.

28 Dio ha assegnato a ciascuno il proprio posto nella Chiesa: anzitutto gli *apostoli, poi i *profeti, quindi i catechisti. Poi ancora quelli che fanno miracoli, quelli che guariscono i malati o li assistono, quelli che hanno capacità organizzative e quelli che hanno il dono di parlare in lingue sconosciute. 29 Non tutti sono apostoli o profeti o catechisti. Non tutti hanno il dono di fare miracoli, 30 di compiere guarigioni, di parlare in lingue sconosciute o di sapere interpretarle. 31 Cercate di avere i doni migliori.

L'inno dell'amore

Ora vi insegno qual è la via migliore:

13 1 Se io so parlare le lingue degli uomini e degli *angeli
ma non posseggo l'amore:
sono come una campana che suona
come un tamburo che rimbomba.
2 Se ho il dono di essere *profeta
di svelare tutti i segreti
se ho il dono di tutta la scienza
anche se ho una fede che smuove i monti:
se non ho l'amore
che vale?
3 Se distribuisco ai poveri tutti i miei averi
e come martire lascio bruciare il mio corpo:
senza l'amore
niente io ho.
4 Chi ama è paziente e premuroso.
Chi ama non è geloso
non si vanta
non si gonfia di orgoglio.
5 Chi ama è rispettoso
non va in cerca del proprio interesse
non conosce la collera
dimentica i torti.
6 Chi ama rifiuta l'ingiustizia
la verità è la sua gioia.
7 Chi ama, tutto scusa
di tutti ha fiducia
tutto sopporta
non perde mai la speranza.

8 Cesserà il dono delle lingue
la profezia passerà
finirà il dono della scienza
l'amore mai tramonterà.
9 Il dono della scienza è imperfetto
il dono della profezia è limitato.
10 Verrà ciò che è perfetto
ed essi svaniranno.
11 Da bambino parlavo come un bambino
come uno di loro pensavo e ragionavo.
Poi diventato uomo
ho smesso di fare così.
12 Ora
vediamo Dio in modo confuso
come in un antico specchio:
ma quel giorno
quando verrà ciò che è perfetto
lo vedremo faccia a faccia.
Ora
lo conosco solo in parte:
ma quel giorno
quando verrà
lo conoscerò come lui mi conosce.
13 Ora
solo tre cose contano:
fede speranza amore.
La più grande di tutte
è l'amore.

I doni dello Spirito per il bene della comunità

14 1 Cercate dunque di vivere nell'amore, ma desiderate intensamente anche i doni dello Spirito, soprattutto quello di essere profeta. 2 Infatti, chi parla in lingue sconosciute, non parla agli uomini, ma a Dio, e nessuno lo capisce. Mosso dallo Spirito dice cose misteriose. 3 Il *profeta, invece, fa crescere spiritualmente la comunità, la esorta, la consola. 4 Chi parla in lingue sconosciute fa bene soltanto a se stesso, mentre il profeta fa crescere tutta la comunità.
5 Io sono contento se tutti voi parlate in lingue sconosciute, ma lo sono ancor più se avete il dono della profezia. Perché il profeta è più utile di chi parla in lingue sconosciute,

a meno che qualcuno le interpreti, e così l'assemblea ne riceva un beneficio.

[6] Fratelli: se io, quando vengo da voi, mi mettessi a parlare in lingue sconosciute, non sarei per voi un aiuto. Vi aiuto invece se vi comunico da parte di Dio una rivelazione o un messaggio o un insegnamento.

[7] Pensate agli strumenti musicali che pure non hanno vita, come il flauto o la cetra: se i loro suoni non fossero diversi, non si potrebbe distinguere la musica del flauto da quella della cetra. [8] E ancora: se la tromba emette soltanto un suono confuso, chi si preparerà a combattere? [9] Così anche voi: chi potrà capire quel che dite, se parlate in una lingua incomprensibile? È come se parlaste a vuoto! [10] Non so quante specie di lingue vi siano al mondo, ma so che tutte hanno un senso. [11] Ma se io non conosco la lingua di chi mi parla, sono uno straniero per lui ed egli è uno straniero per me.

[12] Così, voi che desiderate intensamente i doni dello Spirito, cercate di avere in abbondanza quelli che servono alla crescita della comunità. [13] Perciò, chi parla in una lingua sconosciuta, chieda a Dio anche la capacità di spiegarla. [14] Se infatti io prego in una lingua sconosciuta, è il mio Spirito che prega, ma la mia mente rimane inattiva. [15] Dunque, che cosa devo fare? Pregherò con lo Spirito, ma pregherò anche con la mente, canterò con il mio Spirito, ma canterò anche con la mia intelligenza. [16] Altrimenti, se tu ringrazi Dio soltanto con lo Spirito, chi ti sta ad ascoltare senza capire, non potrà dire « *Amen » al termine della tua preghiera, proprio perché non ha capito quel che dici. [17] La tua preghiera sarà bellissima, ma gli altri non ne ricevono beneficio.

[18] Io ringrazio Dio perché parlo in lingue sconosciute più di tutti voi, [19] ma in chiesa, in assemblea, preferisco dire cinque parole che si capiscano, piuttosto che diecimila incomprensibili. Così posso istruire anche gli altri.

[20] Fratelli, non ragionate come bambini. Siate come bambini per quel che riguarda il male, ma siate adulti nel modo di ragionare. [21] Nella *Bibbia Dio dice:

Parlerò a questo popolo,
per mezzo di persone che parlano altre lingue,
per mezzo di stranieri.
Ma neppure così mi ascolterà.

²² Così la capacità di parlare in lingue sconosciute è un segno non per i credenti, ma per gli increduli. Profetizzare invece, è un segno utile anche per i credenti.
²³ Se la comunità si riunisce, e tutti si mettono a parlare in lingue sconosciute ed entrano degli estranei o dei non credenti, che cosa accadrà? Diranno che siete pazzi!
²⁴ Se invece tutti fanno discorsi profetici, ed entra un non credente o un estraneo, si sentirà rimproverato e giudicato da tutto quel che ascolta. ²⁵ I suoi pensieri segreti verranno posti in chiaro. Allora, volgendo verso terra il suo sguardo, adorerà Dio dicendo: « Dio è veramente tra voi ».

Fare tutto con ordine

²⁶ Quindi, fratelli, che cosa concludere? Quando vi riunite, ognuno può cantare o dare un insegnamento, o trasmettere una rivelazione, o parlare in una lingua sconosciuta e interpretare quella lingua. Ebbene, tutto questo abbia lo scopo di far crescere la comunità. ²⁷ Quando si parla in una lingua sconosciuta, siano al massimo due o tre a farlo, uno dopo l'altro, e poi qualcuno spieghi. ²⁸ Se non vi è interprete, chi vorrebbe parlare in una lingua sconosciuta, stia invece zitto in assemblea, parli solo a se stesso e a Dio. ²⁹ Lo stesso vale per i *profeti. Parlino due o tre, e gli altri giudicheranno. ³⁰ Se però uno che sta seduto riceve una rivelazione da Dio, il primo smetta di parlare. ³¹ Così, uno dopo l'altro, potrete tutti parlare per istruire e incoraggiare tutti gli uditori. ³² Chi profetizza deve controllare il suo dono. ³³ Dio infatti non vuole il disordine, ma la pace.
Come in tutte le comunità di credenti, ³⁴ le donne tacciano in assemblea, perché a loro non è permesso parlare. Stiano sottomesse, come dice anche la *legge di Mosè. ³⁵ Se vogliono spiegazioni, le chiedano ai loro mariti, a casa, perché non sta bene che una donna parli in assemblea.
³⁶ È forse partita da voi la *parola di Dio? Ha raggiunto soltanto voi? ³⁷ Se qualcuno pensa che Dio gli parla, se pensa di avere lo Spirito del Signore, deve riconoscere che quanto vi scrivo è un ordine del Signore. ³⁸ Se qualcuno non lo riconosce, Dio non riconosce lui.
³⁹ Così, fratelli miei, sforzatevi di annunziare la parola di Dio, e non impedite di parlare a chi si esprime in lingue sconosciute. ⁴⁰ Però, tutto sia fatto con dignità e con ordine.

La risurrezione di Cristo

15 [1] Fratelli, vi ricordo il messaggio di salvezza che vi ho portato, che voi avete accolto, e sul quale è fondata la vostra fede. [2] È per mezzo suo che siete salvati, se lo conservate come io ve l'ho annunziato. Altrimenti avreste creduto invano.

[3] Innanzitutto vi ho trasmesso l'insegnamento che anch'io ho ricevuto: *Cristo è morto per i nostri peccati, come è scritto nella *Bibbia, [4] ed è stato sepolto. È risuscitato il terzo giorno, come è scritto nella Bibbia, [5] ed è apparso a Pietro. Poi è apparso ai dodici *apostoli, [6] quindi a più di cinquecento *discepoli riuniti insieme. La maggior parte di essi è ancora in vita, mentre alcuni sono già morti. [7] In seguito è apparso a Giacomo, e poi a tutti gli apostoli. [8] Dopo essere apparso a tutti, alla fine è apparso anche a me, benché io, tra gli apostoli, sia come un aborto. [9] Infatti, io sono l'ultimo degli apostoli; non sono neanche degno di essere chiamato apostolo, perché ho perseguitato la Chiesa di Dio. [10] Tuttavia, per grazia di Dio, io sono quello che sono. E la sua grazia non è stata inefficace: io ho lavorato più di tutti gli altri apostoli; non io, a dir la verità, ma la grazia di Dio che agisce in me.

[11] Questo è il messaggio che io e gli altri vi annunziamo. E voi l'avete accettato.

La nostra risurrezione

[12] Noi dunque predichiamo che *Cristo è risuscitato dai morti. Allora come mai alcuni tra voi dicono che non vi è risurrezione dei morti? [13] Ma se non c'è risurrezione dei morti, neppure Cristo è risuscitato! [14] E se Cristo non è risuscitato, la nostra predicazione è senza fondamento e la vostra fede è senza valore. [15] Anzi finiamo per essere falsi testimoni di Dio, perché, contro Dio, abbiamo affermato che egli ha risuscitato Cristo. Ma se è vero che i morti non risuscitano, Dio non lo ha risuscitato affatto. [16] Infatti se i morti non risuscitano, neppure Cristo è risuscitato. [17] E se Cristo non è risuscitato, la vostra fede è un'illusione, e voi siete ancora nei vostri peccati. [18] E anche i credenti in Cristo che sono morti sono perduti. [19] Ma se abbiamo sperato in Cristo solamente per questa vita, noi siamo i più infelici di tutti gli uomini.

²⁰ Ma Cristo è veramente risuscitato dai morti, primizia di risurrezione per quelli che sono morti. ²¹ Infatti per mezzo di un uomo è venuta la morte, e per mezzo di un uomo è venuta la risurrezione. ²² Come tutti gli uomini muoiono per la loro unione con Adamo, così tutti risusciteranno per la loro unione a Cristo. ²³ Ma ciascuno nel suo ordine. Prima Cristo che è la primizia, poi, quando Cristo tornerà, quelli che gli appartengono. ²⁴ Poi Cristo distruggerà ogni dominio, autorità e potenza e consegnerà il regno a Dio Padre, allora sarà la fine. ²⁵ Perché Cristo deve regnare, finché Dio abbia messo tutti i nemici sotto i suoi piedi. ²⁶ L'ultimo nemico a essere distrutto sarà la morte. ²⁷ Infatti la *Bibbia afferma: *Dio gli ha sottomesso ogni cosa.*
Quando afferma che ogni cosa gli è stata sottomessa, si intende però che è escluso Dio il quale ha dato a Cristo questa autorità. ²⁸ Quando poi tutto gli sarà stato sottomesso, allora anche il Figlio sarà sottomesso a chi lo ha fatto Signore di ogni cosa. E così Dio regnerà effettivamente in tutti.

²⁹ Fra voi, alcuni si fanno battezzare per i morti. A che serve farsi battezzare per loro, se effettivamente i morti non risuscitano? ³⁰ E perché noi stessi affrontiamo pericoli continuamente? ³¹ Ogni giorno io rischio la vita, è vero, fratelli miei, come è vero che mi vanto di voi perché siete credenti in Gesù Cristo, nostro Signore. ³² A Èfeso ero pronto a lottare contro le bestie feroci. Se l'avessi fatto solo per motivi umani, quale vantaggio ne avrei? Perché se i morti non risuscitano, allora,

>   mangiamo e beviamo
>   perché domani morremo.

³³ Non vi lasciate ingannare: i suggerimenti delle cattive compagnie rovinano chi si comporta bene. ³⁴ Tornate a vivere in modo giusto e smettete di peccare! Alcuni di voi non conoscono Dio, lo dico a vostra vergogna.

Il corpo dei risorti

³⁵ Qualcuno forse chiederà: " Ma come risuscitano i morti? Quale aspetto avranno? ". ³⁶ Sciocco che sei! Nessun seme rivive se prima non muore. ³⁷ E il seme che metti in terra, per esempio di grano o di qualche altra pianta, è soltanto un seme nudo, non la pianta che nascerà. ³⁸ Dio gli darà

poi la forma che vuole, e a ogni seme corrisponderà una pianta.
³⁹ Gli esseri viventi non sono tutti uguali. L'aspetto degli uomini è di un certo tipo, quello degli animali di un altro. Diversa ancora è la forma degli uccelli e quella dei pesci.
⁴⁰ Inoltre vi sono anche corpi celesti e corpi terrestri, e il loro splendore è diverso. ⁴¹ Lo splendore del sole è di un certo tipo, quello della luna e delle stelle è di un altro genere: ogni stella poi brilla in modo diverso.
⁴² Lo stesso avviene per la risurrezione dei morti.

> Si è sepolti mortali, si risorge immortali.
> ⁴³ Si è sepolti miseri, si risorge gloriosi.
> Si è sepolti deboli, si risorge pieni di forza.
> ⁴⁴ Si seppellisce un corpo materiale, ma risusciterà un corpo animato dallo Spirito. Se vi è un corpo materiale, vi è anche un corpo animato dallo Spirito.

⁴⁵ Così dice la *Bibbia: il primo *uomo*, Adamo, è *stato fatto creatura vivente*, ma l'ultimo Adamo, *Cristo, è stato fatto* Spirito che dà vita. ⁴⁶ Ma non vien prima ciò che è spirituale, prima viene ciò che è materiale. Quel che è spirituale viene dopo. ⁴⁷ Il primo uomo « Adamo » è stato tratto dalla polvere della terra, il secondo, Cristo, viene dal cielo. ⁴⁸ Finché siamo su questa terra, siamo simili a Adamo, fatto con la terra. Quando invece apparterremo al cielo, saremo simili a Cristo che viene dal cielo. ⁴⁹ Come siamo simili all'uomo tratto dalla terra, così allora saremo simili a quello che è venuto dal cielo.
⁵⁰ Ecco, fratelli, quello che voglio dire: il nostro corpo fatto di carne e di sangue non può far parte del *regno di Dio, e ciò che muore non può partecipare all'immortalità. ⁵¹ Ecco, io vi dico un segreto. Non tutti moriremo, ma tutti saremo trasformati ⁵² in un istante, in un batter d'occhio, quando si sentirà l'ultimo suono di tromba. Perché ci sarà come un suono di tromba, e i morti risusciteranno per non morire più e noi saremo trasformati. ⁵³ Quest'uomo che va in corruzione, deve infatti rivestirsi di una vita che non si corrompe, e quest'uomo che muore, deve rivestirsi di una vita che non muore. ⁵⁴ E quando quest'uomo che va in corruzione si sarà rivestito di una vita che non si corrompe, e quest'uomo che muore si sarà rivestito di una vita che non muore, allora si compirà quel che dice la Bibbia:

> *La morte è distrutta! la vittoria è completa!*

[55] *O morte, dov'è la tua vittoria?*
O morte, dov'è la tua forza che uccide?
[56] La morte prende il suo potere dal peccato e il peccato prende la sua forza dalla *legge. [57] Rendiamo grazie a Dio che ci dà la vittoria per mezzo di Gesù *Cristo, nostro Signore.
[58] Così, fratelli miei, siate saldi, incrollabili. Impegnatevi sempre più nell'opera del Signore, sapendo che grazie al Signore il vostro lavoro non va perduto.

La colletta per i fratelli in fede

16 [1] Ora, se volete partecipare alla colletta per i nostri fratelli di Gerusalemme, seguite anche voi le istruzioni che ho dato alle comunità della *Galazia. [2] Ogni domenica, ciascuno di voi, secondo le sue possibilità, metta da parte quel che è riuscito a risparmiare e lo conservi a casa sua. Così quando verrò da voi, non ci sarà più bisogno di fare una colletta. [3] Manderò gli uomini che voi avrete scelti, con lettere di presentazione, a portare la vostra offerta a Gerusalemme. [4] Se poi sarà opportuno che ci vada anch'io, faranno il viaggio con me.

Progetti di viaggio

[5] Ora passerò dalla *Macedonia, e poi arriverò da voi. [6] Probabilmente resterò da voi per un po' di tempo, forse anche tutto l'inverno. Così, potrete fornirmi i mezzi per proseguire il mio viaggio, qualunque sia la mèta. [7] Perché non voglio vedervi soltanto di passaggio. Se il Signore lo permetterà, io vorrei restare un po' di tempo con voi.
[8] Tuttavia rimarrò a Èfeso fino a Pentecoste, [9] perché ho trovato qui un'occasione preziosa di lavorare per il Signore, anche se i nemici sono numerosi.
[10] Se viene Timòteo, accoglietelo in modo che non si senta a disagio tra voi, perché egli lavora come me nell'opera del Signore. [11] Nessuno lo disprezzi. Anzi, aiutatelo a continuare in pace il suo viaggio per venire da me: io e gli altri fratelli lo stiamo aspettando.
[12] Per quel che riguarda Apollo, nostro fratello, più di una volta l'ho incoraggiato a venire da voi con gli altri fratelli, ma non è voluto venire ora. Verrà alla prima occasione.

Esortazioni finali e saluti

[13] Siate attenti, siate saldi nella fede, coraggiosi, forti.
[14] Fate ogni cosa con amore.
[15] Voi conoscete Stefana e la sua famiglia. Sapete che in Grecia sono stati i primi a convertirsi, e che si sono messi al servizio dei credenti. Ebbene, io vi raccomando, fratelli, [16] di lasciarvi guidare da quelle persone e da tutti quelli che lavorano e faticano insieme con loro.
[17] Mi rallegro perché sono venuti da me Stefana, Fortunato e Acàico. Mi hanno consolato della vostra assenza. [18] Hanno tranquillizzato voi e me. Sappiate apprezzare persone come loro.
[19] Vi salutano le chiese dell'*Asia Minore. Vi salutano molto nel Signore Aquila e Priscilla con tutta la comunità che si riunisce in casa loro. [20] Vi salutano tutti i fratelli. Salutatevi tra di voi con un fraterno abbraccio.
[21] Io, Paolo, vi mando questo saluto scritto proprio di mia mano. [22] Se qualcuno non ama il Signore sia maledetto. Maranà tha, vieni, Signore.
[23] La grazia del Signore Gesù sia con voi.
[24] Il mio affetto è con voi tutti, in *Cristo Gesù.

SECONDA LETTERA DI PAOLO
AI CRISTIANI DI CORINTO

Saluto

1 ¹ Paolo, *apostolo di Gesù Cristo per volontà di Dio, e il fratello Timòteo scrivono alla chiesa di Dio che si trova in Corinto e a tutti quelli che in Grecia sono il popolo di Dio.
² Dio, nostro Padre, e il Signore Gesù Cristo diano a voi grazia e pace.

Paolo ringrazia Dio

³ Lodiamo Dio, Padre di Gesù *Cristo nostro Signore! Il Padre che ha compassione di noi, il Dio che ci consola. ⁴ Egli ci consola in tutte le nostre sofferenze, perché anche a noi sia possibile consolare tutti quelli che soffrono, portando quelle stesse consolazioni che egli ci dà. ⁵ Perché, se molto ci tocca soffrire con Cristo, molto siamo da lui consolati. ⁶ Se soffriamo, è perché voi riceviate consolazione e salvezza. Se siamo consolati, è perché voi riceviate quella consolazione che vi renderà forti nel sopportare le stesse avversità che anche noi sopportiamo. ⁷ Questa nostra speranza è ben fondata, perché sappiamo che condividete non solo le nostre sofferenze ma anche le nostre consolazioni.
⁸ Dovete sapere, fratelli, che in *Asia ho dovuto sopportare sofferenze grandissime, addirittura superiori alle mie forze. Temevo di non potere sopravvivere. ⁹ Mi sentivo già un condannato a morte. Dio ha voluto così, per insegnarmi a non mettere la mia fiducia in me stesso, ma in colui che dà vita ai morti. ¹⁰ Egli mi ha liberato da un grande pericolo di morte, e mi libererà ancora. Sì! sono sicuro che mi libererà ancora ¹¹ con l'aiuto delle vostre preghiere. Dio risponderà alle preghiere che molti faranno per me. Così, molti lo ringrazieranno per avermi liberato.

Perché Paolo non è andato a Corinto

¹²⁻¹³ Di questo mi vanto: in coscienza posso dire che a questo mondo mi sono comportato verso di voi con la semplicità e la sincerità che vengono da Dio. Infatti, anche nelle

mie lettere, vi scrivo soltanto quello che leggete e capite. Non è la sapienza umana che mi guida, ma la grazia di Dio. Spero che alla fine riuscirete a capire bene [14] quello che ora capite solamente in parte, cioè che quando ritornerà il Signore Gesù, voi potrete essere fieri di me, come io potrò esserlo di voi.

[15-16] Con questa convinzione avevo pensato di procurarvi la gioia di una seconda visita, passando da voi mentre mi recavo in *Macedonia. Poi volevo passare ancora da voi nel viaggio di ritorno. Voi mi avreste quindi aiutato a proseguire il viaggio verso la Giudea.

[17] Pensate forse che ho fatto questo progetto con leggerezza? O forse pensate che c'è stata contraddizione in me, perché prima vi ho detto « sì » e poi « no »? [18] Come è vero che Dio mantiene le sue promesse, quando parlo con voi non faccio un miscuglio di « sì » e di « no ». [19] Dio, per mezzo di Gesù *Cristo, suo figlio, che io, Silvano e Timòteo vi abbiamo annunziato, non ha detto « sì » e « no », ma soltanto « sì ». [20] E così, in Cristo, ha compiuto tutte le sue promesse. Perciò, per mezzo di Gesù Cristo, noi lodiamo Dio dicendogli « *Amen ».

[21] Dio ha messo noi e voi insieme su quel solido fondamento che è Cristo. Egli ci ha scelto, [22] ci ha segnati col suo nome, e ci ha dato lo *Spirito Santo come garanzia di quello che riceveremo.

[23] Se non son venuto a Corinto, come avevo pensato, è stato per non urtarvi. Dio mi è testimone, e mi faccia morire se non dico la verità. [24] Io non voglio dominare la vostra fede, perché è già salda. Voglio soltanto lavorare con voi per la vostra gioia.

2 [1] Ho deciso di non venire da voi per non rattristarvi di nuovo. [2] Perché se io rattristo voi, chi mi potrà rallegrare? Certamente non potrà farlo chi è stato rattristato da me. [3] E proprio per questo vi scrivo, perché se fossi venuto, sarei stato reso triste proprio dalle persone che avrebbero dovuto farmi felice. Perché sono convinto che anche voi siete contenti quando io sono nella gioia. [4] Vi scrissi in un momento di grande tristezza, fra le lacrime e con molta angoscia. Non per rendervi tristi, ma per farvi sentire il grande amore che ho per voi.

Perdonare il colpevole

[5] Se qualcuno mi ha fatto soffrire, ha fatto soffrire anche tutti voi. [6] È sufficiente per lui il castigo che la maggioranza di voi gli ha dato. [7] Ora, invece, dovete piuttosto perdonarlo e confortarlo, perché la troppa tristezza non lo porti alla disperazione. [8] Perciò, vi invito ad agire in modo da dimostrargli il vostro amore. [9] Vi avevo scritto per mettervi alla prova, per vedere se siete veramente ubbidienti. [10] Se perdonate a qualcuno, anch'io gli perdono. E quando perdono, se ho qualche cosa da perdonare, lo faccio per amor vostro, davanti a Cristo. [11] Noi conosciamo le intenzioni di Satana, e non vogliamo essere le sue vittime.

L'ansia di Paolo a Tròade

[12] Quando arrivai a Tròade, il Signore mi offrì un'occasione favorevole per predicare il suo messaggio. [13] Tuttavia ero molto preoccupato perché nella città non avevo trovato il nostro fratello Tito. Allora salutai quelli di Tròade e andai in *Macedonia.

Vincitori con Cristo

[14] Ringraziamo Dio che ci fa sempre trionfare con *Cristo, e per mezzo di noi diffonde ovunque, come un profumo, la conoscenza di Cristo. [15] Siamo infatti come il profumo dell'incenso offerto a Dio da Cristo, e lo siamo tanto per quelli che sono sulla via della salvezza come per quelli che vanno verso la perdizione. [16] Per questi ultimi è un odore di morte che procura la morte. Per quelli che sono sulla via della salvezza è invece un odore di vita che dà la vita. Chi è all'altezza di questo compito? [17] A ogni modo, noi non ci comportiamo come molti che inquinano la *parola di Dio. Noi parliamo con sincerità davanti a Dio, che ci ha inviati per mezzo di Cristo.

Servi di una nuova alleanza

3 [1] Cerco forse ancora di raccomandare me stesso? Non ho bisogno, come altri, di lettere di raccomandazione scritte per voi o da voi. [2] Perché siete voi la mia lettera!

Essa è scritta nei vostri cuori, e viene letta e riletta da tutti.
[3] È evidente che voi siete una lettera di *Cristo, scritta da
me, non con l'inchiostro, ma con lo Spirito di Dio vivente;
non su tavole di pietra, ma nei vostri cuori. [4] È così, perché ho fiducia in Dio per mezzo di Cristo.
[5] Infatti, io non posso pretendere di compiere da me stesso
un'opera di questo genere. Solo Dio mi dà la capacità di
compierla. [6] Lui mi ha reso capace di essere servo di una
nuova *alleanza, che non dipende da una legge scritta, ma
dallo Spirito: la legge scritta porta alla morte, ma lo Spirito
dà la vita.
[7] La missione della legge, scritta su tavole di pietra, fu inaugurata con tanta gloria che gli israeliti, per un po' di tempo,
non potevano guardare la faccia di Mosè. Ora, se la missione della *legge, che pure conduceva alla morte, fu così
gloriosa, [8] non sarà forse più gloriosa la missione dello Spirito? [9] Se la missione della legge che annunziava la condanna,
fu piena di gloria, assai più lo è la missione di chi annunzia
che Dio ci salva. [10] Anzi, quello che prima era glorioso, ora
scompare di fronte a questa gloria infinitamente superiore.
[11] Dunque, se ciò che dura per poco è stato glorioso, molto
più glorioso sarà ciò che dura per sempre.

Il velo di Mosè

[12] E poiché abbiamo questa speranza, possiamo parlare con
grande franchezza. [13] Non facciamo come Mosè che si metteva un velo sulla faccia, perché gli ebrei non vedessero
scomparire quello splendore di breve durata. [14] Ma quel velo
rimane fino a oggi, e la loro intelligenza rimane oscurata
quando leggono l'Antico Testamento. Perché, solo per mezzo
di *Cristo quel velo viene abolito. [15] Anche adesso, quando
leggono i libri di Mosè, quel velo ricopre la loro intelligenza
[16] perché, come la *Bibbia dice di Mosè, *quel velo è tolto
solo quando ci si rivolge al Signore.* [17] In questo testo, il Signore è lo Spirito, e dove c'è lo Spirito c'è la libertà. [18] Ora
noi tutti contempliamo a viso scoperto la gloria del Signore,
una gloria sempre maggiore che ci trasforma per essere simili a lui. Questo compie lo Spirito del Signore.

Un tesoro in vasi di terra

4 ¹ È Dio che ha avuto misericordia di noi, e ci ha affidato questo compito: perciò noi non ci scoraggiamo. ² Rifiutiamo ogni azione segreta e disonesta, non ci comportiamo con malizia e non falsifichiamo la *parola di Dio. Anzi, facciamo chiaramente conoscere la verità, e così presentiamo noi stessi di fronte al giudizio di tutti gli uomini e dinanzi a Dio.

³ Se poi la nostra predicazione appare oscura, essa è oscura per quelli che sono sulla via della perdizione: ⁴ Satana, il dio di questo mondo, acceca le loro menti perché non risplenda per loro la luce gloriosa dell'annunzio di Cristo, immagine di Dio, e così essi non credono. ⁵ Infatti, noi non esaltiamo noi stessi: annunziamo che Gesù *Cristo è il Signore. Noi siamo soltanto vostri servi a causa di Gesù. ⁶ E Dio che ha detto: « Risplenda la luce nelle tenebre », ha fatto risplendere in noi la sua luce per farci conoscere la gloria di Dio riflessa sul volto di Cristo.

⁷ Noi portiamo in noi stessi questo tesoro come in vasi di terra, perché sia chiaro che questa straordinaria potenza viene da Dio e non da noi. ⁸ Siamo oppressi, ma non schiacciati, sconvolti, ma non disperati. ⁹ Siamo perseguitati, ma non abbandonati, colpiti, ma non distrutti. ¹⁰ Portiamo sempre in noi la morte di Gesù, perché si manifesti in noi anche la sua vita. ¹¹ Siamo vivi, ma continuamente esposti alla morte a causa di Gesù, perché anche la sua vita si manifesti nella nostra vita mortale. ¹² Così, la morte agisce in noi, perché in voi agisca la vita.

¹³ È scritto nella *Bibbia: *Ho creduto perciò ho parlato.* Anche noi abbiamo quello stesso spirito di fede, anche noi crediamo e per questo parliamo. ¹⁴ Sappiamo infatti che Dio, il quale ha risuscitato Gesù il Signore, risusciterà anche noi insieme con Gesù e ci porterà con voi davanti a lui. ¹⁵ Tutto questo avviene per voi, perché se la grazia si estende a un maggior numero di persone, aumenteranno anche le preghiere di ringraziamento a lode di Dio.

La casa che viene dal cielo

¹⁶ Noi dunque non ci scoraggiamo. Anche se materialmente camminiamo verso la morte, interiormente, invece, Dio ci dà una vita che si rinnova di giorno in giorno. ¹⁷ La nostra

attuale sofferenza è poca cosa, e ci prepara una vita gloriosa che non ha l'uguale. [18] E noi concentriamo la nostra attenzione non su quel che vediamo, ma su ciò che non vediamo: infatti, quel che vediamo dura soltanto per breve tempo, mentre ciò che non vediamo dura per sempre.

5 [1] Noi sappiamo infatti che la tenda nella quale abitiamo, cioè il nostro corpo terreno, viene distrutta. Sappiamo però di avere in cielo un'altra abitazione costruita da Dio, che dura per sempre. [2] Finché siamo in questa condizione, noi sospiriamo per il desiderio di avere quell'abitazione che viene dal cielo. [3] Speriamo così di esserne rivestiti e di non essere trovati nudi. [4] Mentre viviamo in questa tenda terrena, gemiamo oppressi da un peso. Infatti non vogliamo essere privati della tenda terrena, ma ricevere anche quella celeste. Così, quello che è destinato alla morte sarà assorbito dalla vita. [5] Dio ci ha preparati per questo, e come caparra ci ha dato il suo Spirito.

[6] Coraggio dunque! È certo che finché viviamo in questa vita terrena siamo lontani da casa, lontani dal Signore: [7] viviamo nella fede e non vediamo ancora chiaramente. [8] Però abbiamo fiducia, e preferiamo lasciare questa vita pur di essere vicini al Signore. [9] Soprattutto desideriamo fare quel che piace al Signore, sia che continuiamo la nostra vita terrena, sia che dobbiamo lasciarla. [10] Perché, tutti noi, dovremo presentarci davanti al tribunale di Cristo per essere giudicati da lui. Allora ciascuno riceverà quel che gli è dovuto, secondo il bene o il male che avrà fatto nella sua vita.

Riconciliáti con Dio

[11] Sappiamo che cosa significa avere timore di Dio, e ci sforziamo di convincere gli uomini. Dio ci conosce perfettamente, e spero che anche voi ci conosciate nelle vostre coscienze. [12] Non cerchiamo affatto di raccomandarci a voi un'altra volta. Vogliamo solo darvi l'occasione di essere fieri di noi, e di potere così rispondere come si deve a quelli che si vantano delle apparenze e non della sostanza. [13] Perché, se ci comportiamo da pazzi lo facciamo per Dio; se ci comportiamo da persone sagge lo facciamo per voi. [14] Infatti, l'amore di Cristo ci spinge, perché siamo sicuri

che uno morì per tutti, e quindi che tutti partecipano alla sua morte. [15] *Cristo è morto per tutti, perché quelli che vivono non vivano più per se stessi, ma per lui che è morto ed è risuscitato per loro.

[16] Perciò, d'ora in avanti non possiamo più considerare nessuno con i criteri di questo mondo. E se talvolta abbiamo considerato così Cristo, da un punto di vista puramente umano, ora non lo valutiamo più in questo modo. [17] Perché quando uno è unito a Cristo è una creatura nuova: le cose vecchie sono passate; tutto è diventato nuovo.

[18] E questo viene da Dio che ci ha riconciliati con sé per mezzo di Cristo, e ha dato a noi l'incarico di portare altri alla riconciliazione con lui. [19] Così, Dio ha riconciliato il mondo con sé per mezzo di Cristo: perdona agli uomini i loro peccati, e ha affidato a noi l'annunzio della riconciliazione. [20] Quindi, noi siamo ambasciatori inviati da Cristo, ed è come se Dio stesso esortasse per mezzo nostro. Vi supplichiamo, da parte di Cristo: lasciatevi riconciliare con Dio. [21] Cristo non ha mai commesso peccato, ma Dio lo ha caricato del nostro peccato per riabilitarci dinanzi a sé per mezzo di lui.

6 [1] Come collaboratore di Dio vi esorto a non trascurare la grazia di Dio che avete ricevuto. [2] Infatti, Dio dice:

Nell'ora della mia misericordia ti ho ascoltato,
nel giorno della salvezza ti ho dato aiuto.

Ecco, questa è l'ora della misericordia di Dio, questo è il giorno della salvezza.

Le prove dell'apostolo

[3] Nessuno critichi il mio lavoro di *apostolo: in ogni situazione mi comporto in modo da non scandalizzare nessuno. [4] Anzi, in ogni circostanza cerco di presentare me stesso come si presentano i servi di Dio: sopporto con grande pazienza sofferenze, difficoltà e angosce. [5] Sono bastonato e gettato in prigione. Sono vittima di violenze. Mi affatico, rinunzio al sonno e soffro la fame. [6] Mi presento come servo di Dio mostrando onestà, saggezza, pazienza, bontà, presenza dello *Spirito Santo, amore senza ipocrisia, [7] annunziando il messaggio della verità con la potenza di Dio. Sia per attaccare, sia per difendermi ho una sola arma: vivere come piace

a Dio. [8] Qualcuno mi stima, altri mi disprezzano. Taluni dicono bene di me, altri male. Sono considerato un imbroglione, e invece dico la verità. [9] Sono trattato come un estraneo, e invece sono assai ben conosciuto; come un moribondo, e invece sono ben vivo. Sono castigato, ma non ucciso; [10] tormentato, ma sempre sereno; povero, eppure arricchisco molti. Non ho nulla eppure possiedo tutto.
[11] Corinzi cari, vi ho parlato francamente, a cuore aperto. [12] Io non vi ho sottratto il mio affetto, voi invece mi avete chiuso il vostro cuore. [13] Vi parlo come a figli: ricambiate il mio affetto, apritemi anche voi il vostro cuore.

O Dio o gli idoli

[14] Non mettetevi con gli infedeli sotto un peso che non fa per voi. Infatti, che rapporto ci può essere fra ciò che è giusto e ciò che è ingiusto? La luce può essere unita alle tenebre? [15] Vi potrà mai essere un'intesa fra Cristo e il *demonio? E cosa hanno da spartire un credente e un incredulo? [16] Vi può essere accordo fra il tempio di Dio e gli idoli? E noi siamo il tempio del Dio vivente. Egli stesso ha detto:

> Abiterò in mezzo a loro e camminerò con loro,
> sarò il loro Dio
> ed essi saranno il mio popolo.

[17] Perciò dice il Signore:
> non abbiate nulla a che fare con quello che è impuro,
> separatevi dagli altri, abbandonateli
> e io vi accoglierò.

[18] Sarò per voi come un padre,
> e voi sarete per me come figli e figlie,
> dice il Signore onnipotente.

7 [1] Dal momento che abbiamo queste promesse, carissimi, liberiamoci da tutto ciò che ci sporca, sia nel corpo sia nello spirito. Viviamo nel timore di Dio, e sforziamoci di essere come Dio ci vuole.

Tristezza e gioia di Paolo

[2] Cercate di capirmi: non ho fatto torto a nessuno, non ho sfruttato nessuno. [3] Lo dico perché è così, non per rimproverarvi. Ve l'ho già detto: vi voglio bene, voi siete uniti

a me per la vita e per la morte. ⁴ Sinceramente, sono molto fiero di voi. Malgrado tutte le sofferenze, Dio mi riempie di gioia e di consolazione.

⁵ Infatti, neanche arrivando in *Macedonia ho avuto riposo. Ho trovato difficoltà di ogni genere: circondato da persecutori, tormentato da preoccupazioni.

⁶ Ma Dio che consola gli sfiduciati, mi ha ridato forza con l'arrivo di Tito. ⁷ E non solo con il suo arrivo ma anche con la notizia della buona impressione che gli avete fatto. Infatti Tito mi ha detto che desiderate rivedermi e ha parlato della vostra nostalgia e del vostro affetto per me, e così la mia gioia è aumentata.

⁸ Se vi ho rattristati con la lettera che vi ho scritto, non me ne pento. Prima sono stato un po' dispiaciuto quando ho visto che effettivamente quella lettera vi ha rattristati, sia pure per breve tempo. ⁹ Ma ora sono contento di averla scritta, non perché vi ha addolorati, ma perché questa vostra tristezza vi ha fatto cambiare atteggiamento. Il vostro dolore era come Dio lo desiderava, quindi io non vi ho fatto alcun danno. ¹⁰ Infatti, la tristezza che rientra nei piani di Dio fa cambiar vita in modo radicale e porta alla salvezza; invece la tristezza che viene dalle preoccupazioni di questo mondo porta alla morte. ¹¹ La vostra tristezza era nei piani di Dio, ed essa ha suscitato in voi desiderio di difendervi, indignazione, timore, desiderio di rivedermi, premura e zelo nel punire il male. In ogni modo avete dimostrato di non avere alcuna colpa in questa faccenda.

¹² Se vi ho scritto non è stato per accusare chi ha offeso e per difendere chi è stato offeso, ma proprio perché vi rendeste conto, dinanzi a Dio, della stima che avete per me. ¹³ E questo vostro modo di agire mi ha consolato.

Ma oltre a questa consolazione mi sono anche rallegrato perché ho visto che Tito era contento di voi. Infatti, tutti voi lo avete tranquillizzato. ¹⁴ Con lui io mi ero un po' vantato di voi, e voi non mi avete deluso. Come è vero che ho sempre detto la verità a voi, così è risultato vero anche l'elogio di voi che avevo fatto a Tito. ¹⁵ E così il suo affetto per voi aumenta ancora quando ricorda come avete ubbidito e come lo avete accolto con premura e con riguardo. ¹⁶ Mi rallegro perché io posso contare su voi in ogni occasione.

Invito alla generosità

8 [1] Fratelli, desidero farvi conoscere quello che la grazia di Dio ha compiuto nelle chiese che sono in *Macedonia. [2] Quei credenti sono stati duramente provati dalle sofferenze, tuttavia hanno conservato una grande serenità, e malgrado la loro estrema povertà sono stati veramente generosi. [3] Vi assicuro che hanno offerto volentieri aiuti secondo le loro possibilità; anzi, hanno fatto anche di più. [4] Con moltissima insistenza mi hanno chiesto il privilegio di partecipare anch'essi all'invio di aiuti per i credenti di Gerusalemme. [5] Sono andati molto al di là di quanto speravo: prima hanno offerto se stessi al Signore e poi, ubbidendo a Dio, si sono messi a mia disposizione. [6] Per questo ho incoraggiato Tito a condurre a termine tra voi questo generoso impegno, visto che lui stesso l'aveva iniziato. [7] Voi avete di tutto e in abbondanza: la fede, il dono della parola, la conoscenza, un grande entusiasmo, e fra voi c'è quell'amore che vi ho insegnato ad avere. Fate in modo di essere ricchi anche in questo impegno generoso.

[8] Non vi sto dando un ordine: vi ricordo la premura che gli altri hanno avuto, per vedere se anche il vostro amore è genuino. [9] Voi conoscete infatti la generosità del Signore nostro Gesù *Cristo: per amor vostro lui che era ricco si è fatto povero per farvi diventare ricchi con la sua povertà.

[10] A questo riguardo vi do un consiglio adatto a voi che sin dall'anno scorso avete incominciato ad agire, ma anche a volere questa iniziativa. [11] Ora, fate in modo di portarla a termine. Come siete stati pronti nel prendere l'iniziativa, siatelo anche nel realizzarla con i mezzi che avete a disposizione. [12] Perché il risultato è gradito a Dio, se chi dona ci mette buona volontà. E Dio tiene conto di quel che uno possiede, non certo di quel che non ha.

[13] Questa colletta infatti non ha lo scopo di ridurre voi in miseria perché altri stiano bene: la si fa per realizzare una certa uguaglianza. [14] In questo momento voi siete nell'abbondanza, e perciò potete recare aiuto a loro che sono nella necessità. In un altro momento saranno loro, nella loro abbondanza, ad aiutare voi nelle vostre difficoltà. Così vi sarà sempre uguaglianza, [15] come dice la *Bibbia:

> *Chi aveva raccolto molto non ebbe di più;*
> *chi aveva raccolto poco non ebbe di meno.*

Paolo raccomanda i suoi inviati

[16] Tito si preoccupa per voi almeno quanto me. Ringrazio Dio che gli ha dato questa premura. [17] Infatti Tito non solo ha accettato il mio invito, ma era talmente pieno di entusiasmo che è partito spontaneamente per venire da voi. [18] Mando con lui quel fratello che tutte le comunità lodano per il suo impegno nell'annunziare Cristo. [19] Inoltre, le chiese l'hanno incaricato di accompagnarmi nel viaggio che faccio per portare a termine questo impegno generoso. Lo abbiamo intrapreso a gloria del Signore per mostrare la nostra buona volontà. [20] Cerchiamo con cura di evitare ogni motivo di critica nell'amministrazione di questa forte somma che ci è affidata. [21] Infatti, ci preoccupiamo di agire correttamente non soltanto dinanzi al Signore ma anche dinanzi agli uomini.

[22] Mando con loro un altro dei nostri fratelli che più volte, in molte occasioni, si è dimostrato pieno di premura. Ora, lo è ancora di più per la grande fiducia che ha in voi. [23] Quanto a Tito, egli è mio collaboratore e mi aiuta in quest'opera presso di voi. Gli altri fratelli che l'accompagnano sono inviati dalle chiese e agiscono a gloria di Cristo. [24] Di fronte alle comunità, dimostrate dunque che li amate veramente. Così, tutti sapranno che ho ragione quando dico che sono fiero di voi.

Aiuti per i credenti di Gerusalemme

9 [1] Veramente non è il caso che vi scriva per gli aiuti destinati ai credenti di Gerusalemme, [2] perché conosco la vostra buona volontà. Ne sono orgoglioso e dico ai macèdoni: « In Grecia sono pronti sin dall'anno scorso ». Il vostro entusiasmo ha stimolato la maggior parte di loro. [3] Perciò, mando questi fratelli, perché l'elogio che ho fatto di voi non sia smentito e perché, come stavo dicendo, siate pronti.

[4] Se qualcuno venisse con me dalla *Macedonia e vi trovasse impreparati, io dovrei arrossire di vergogna per la fiducia che ho posta in voi. In realtà, la vergogna sarebbe anche vostra. [5] Ho quindi ritenuto opportuno chiedere a questi fratelli di venire da voi prima di me e preparare il dono che avete promesso, perché sia veramente una dimostrazione di generosità e non di avarizia.

La generosità di Dio e la nostra

[6] Tenete presente che chi semina poco raccoglierà poco; chi invece semina molto raccoglierà molto. [7] Ciascuno dia quindi il suo contributo come ha deciso in cuor suo, ma non di malavoglia o per obbligo, perché a Dio piace chi dona con gioia. [8] E Dio può darvi ogni bene abbondantemente, in modo che abbiate sempre il necessario e siate in grado di provvedere a ogni opera buona. [9] Come dice la *Bibbia:

Egli dà generosamente ai poveri,
la sua generosità dura per sempre.

[10] Dio dà il seme al seminatore e il pane per suo nutrimento. Egli darà anche a voi il seme di cui avete bisogno e lo moltiplicherà per farne crescere il frutto, cioè la vostra generosità. [11] Dio vi dà tutto con abbondanza perché siate generosi. Così, molti ringrazieranno Dio per i vostri doni da me trasmessi. [12] Infatti, l'organizzazione di questo soccorso fraterno non serve soltanto ad aiutare i credenti di Gerusalemme che sono poveri, ma anche a fare in modo che molti ringrazino Dio. [13] Il vostro aiuto sarà per loro una prova concreta che voi sapete ubbidire e accogliere l'annunzio di *Cristo. Perciò loderanno Dio per la generosità che dimostrate nel dividere i vostri beni con loro e con tutti; [14] pregheranno per voi e vi manifesteranno il loro affetto per la grazia abbondante che Dio vi ha dato. [15] Ringraziamo Dio per il suo dono meraviglioso.

Paolo difende il suo modo di agire

10 [1] Vi parlo spinto dall'umiltà e dalla bontà di *Cristo, proprio io, Paolo che, come si dice, sono umile quando mi trovo con voi, energico invece quando vi scrivo da lontano. [2] Vi supplico di non costringermi a intervenire energicamente quando sarò tra voi. Infatti, sono pronto ad agire con energia contro quelli che considerano il mio atteggiamento basato su motivi di convenienza umana. [3] Certo, sono un uomo anch'io, ma non mi lascio guidare da semplici interessi umani. [4] Nel mio combattimento non uso armi militari: uso le potenti armi di Dio. Con esse distruggo le fortezze nemiche, cioè i falsi ragionamenti, [5] e demolisco tutto ciò che si oppone orgogliosamente alla conoscenza di Dio. Piego ogni ragionamento umano all'ubbidienza di Cristo,

⁶ e quando la vostra ubbidienza sarà completa, allora potrò intervenire per castigare chi disubbidisce. ⁷ Guardate veramente come stanno le cose. Se qualcuno è convinto in se stesso di appartenere a Cristo, tenga presente che anch'io sono di Cristo, come lui. ⁸ E se mi vanto di qualcosa di più, cioè dell'autorità che il Signore mi ha dato — per far crescere la vostra comunità non per distruggerla — non dovrei vergognarmene. ⁹ Ma non lo faccio per non aver l'aria di spaventarvi con le mie lettere. ¹⁰ Infatti, c'è chi dice: « Le lettere di Paolo sono dure e severe, ma quando egli è tra noi, allora è umile e il suo modo di parlare è debole ». ¹¹ Chi va dicendo questo ci pensi bene, perché intendo essere duro e severo anche di persona, a fatti, come lo sono da lontano a parole, nelle mie lettere. ¹² Certo io non oso mettermi sullo stesso piano di quelli che raccomandano se stessi o paragonarmi a loro. Sono stupidi: mettono se stessi come norma e termine di paragone e si confrontano con se stessi. ¹³ Io invece non mi vanterò oltre i limiti che Dio mi ha fissato. È lui che mi ha permesso di giungere fino a voi. ¹⁴ Io non supero questi limiti. Li supererei se non fossi arrivato per primo in mezzo a voi. Invece sono stato proprio io ad annunziarvi il Cristo. ¹⁵ Io non mi vanto al di là dei limiti, perché non mi intrometto nel lavoro degli altri. Anzi, spero che la vostra fede cresca, e così io possa compiere fra voi un lavoro ancora più vasto, sempre nei limiti che mi sono stati fissati. ¹⁶ Così, potrò evangelizzare anche le regioni che sono più lontane della vostra, senza bisogno di vantarmi dell'opera già compiuta da altri. ¹⁷ La *Bibbia dice: *Chi vuol vantarsi, si vanti di quel che il Signore ha fatto.* ¹⁸ Non chi raccomanda se stesso è capace di compiere un buon lavoro, ma colui che è stimato da Dio.

Paolo e i falsi *apostoli

11 ¹ Lasciatemi parlare per un attimo come se fossi pazzo! Permettetemelo dunque! ² Perché, nei vostri riguardi io provo una gelosia che è quella stessa di Dio per il suo popolo. Vi ho promesso in matrimonio a un solo sposo, a *Cristo, e intendo presentarvi a lui come una vergine pura. ³ Temo però che i vostri pensieri si corrompano,

e come Eva fu sedotta dalla malizia del serpente, così voi possiate perdere la vostra semplicità e purezza nei riguardi di Cristo. ⁴ Infatti, se uno viene ad annunziarvi un Gesù diverso da quello che vi abbiamo annunziato, voi lo accogliete volentieri. Siete anche disposti a ricevere uno spirito e un messaggio di salvezza diversi da quelli che avete ricevuto. ⁵ Ma io sono certo di non essere in nulla inferiore a quei vostri « super-apostoli ». ⁶ Forse sono inesperto nel parlare, ma non lo sono certo nella conoscenza: ve l'ho dimostrato in molte circostanze e in tutti i modi.

⁷ Forse la mia colpa è di essermi abbassato perché voi siate innalzati, e di avervi annunziato gratuitamente la *parola di Dio. ⁸ Ho sfruttato altre chiese accettando da esse il necessario per vivere: ho fatto questo per essere al vostro servizio. ⁹ Quando ero tra voi e mi sono trovato privo di denaro, non sono stato di peso a nessuno. Alle mie necessità hanno provveduto i fratelli venuti dalla *Macedonia. In qualsiasi circostanza ho fatto molta attenzione, e continuerò a farla per non essere a vostro carico. ¹⁰ Nessuno, in tutta la Grecia, mi toglierà questo motivo di fierezza. Ve lo assicuro come è vero che Cristo vive in me. ¹¹ Non dico questo perché non vi voglia bene! Anzi, lo sa Dio quanto vi amo!

¹² Ma continuerò a comportarmi così per togliere ogni pretesto a chi vuol vantarsi e vuol essere uguale a me. ¹³ Non sono altro che falsi apostoli che lavorano con inganno e si fingono apostoli di Cristo. ¹⁴ Non c'è da meravigliarsene, visto che anche Satana finge di essere un *angelo. ¹⁵ Quindi non è strano, se i suoi aiutanti fingono di essere apostoli che lavorano al servizio di Dio. Ma la loro fine sarà degna delle loro opere.

Le sofferenze dell'*apostolo

¹⁶ Lo ripeto: nessuno mi consideri pazzo. Oppure, se mi credete tale, sopportatemi come si sopporta un pazzo, perché anch'io possa vantarmi un poco. ¹⁷ Quello che vi dico ora, mentre mi vanto, non piacerebbe al Signore; ma lo dico come parlerebbe un pazzo. ¹⁸ Molti si vantano per motivi puramente umani; anch'io mi vanterò. ¹⁹ Del resto, voi che siete saggi siete abituati a sopportare i pazzi. ²⁰ Infatti, sopportate chi vi tratta come schiavi, chi vi divora, chi vi sfrutta, chi vi maltratta e vi prende a schiaffi. ²¹ Si vede che io sono stato troppo debole! Lo dico a mia vergogna.

A ogni modo, se quelli osano vantarsi di qualcosa (parlo proprio da pazzo), mi vanterò anch'io. ²² Essi sono ebrei? Lo sono anch'io! Sono israeliti? Anch'io! Sono discendenti di Abramo? Anch'io! ²³ Sono servi di Cristo? Ebbene, dirò uno sproposito: io lo sono più di loro. Io ho lavorato più di loro. Sono stato in prigione più di loro. Sono stato picchiato più di loro. Più di loro ho affrontato pericoli mortali. ²⁴ Cinque volte ho ricevuto le trentanove frustate dagli ebrei. ²⁵ Tre volte sono stato bastonato dai romani. Una volta sono stato ferito a colpi di pietra. Tre volte ho fatto naufragio, e una volta ho passato un giorno e una notte in balìa delle onde. ²⁶ E ancora: lunghi viaggi a piedi, pericoli di fiumi, pericoli di briganti, pericoli da parte degli ebrei e dei pagani, pericoli nelle città, nei luoghi deserti e sul mare, pericoli da parte dei falsi fratelli. ²⁷ Ho sopportato duri lavori ed estenuanti fatiche. Ho trascorso molte notti senza potere dormire. Ho patito la fame e la sete. Parecchie volte sono stato costretto a digiunare. Sono rimasto al freddo e non avevo di che coprirmi. ²⁸ E, oltre a tutto questo, ogni giorno ho avuto il peso delle preoccupazioni per tutte le comunità. ²⁹ Se qualcuno è in difficoltà, io soffro con lui. Se qualcuno è debole nella fede, io sono tormentato per lui.

³⁰ Se proprio bisogna vantarsi, io mi vanterò della mia debolezza. ³¹ Dio, il Padre di Gesù Cristo, nostro Signore, — sia benedetto in eterno — sa che dico la verità. ³² Quando ero a Damasco, il governatore rappresentante del re *Areta aveva fatto mettere delle guardie alle porte della città per catturarmi. ³³ Ma da una finestra io fui calato in una cesta all'esterno delle mura e così gli sfuggii di mano.

Visioni e rivelazioni

12 ¹ Non è bello vantarsi, eppure devo farlo. Perciò vi parlerò delle visioni e delle rivelazioni che il Signore mi ha concesse. ² Conosco un credente che quattordici anni or sono fu portato fino al terzo cielo. (Io non so se egli vi fu portato fisicamente o solamente in ispirito: Dio solo lo sa). ³⁻⁴ So che quell'uomo fu portato sino al paradiso. (Se lo fu fisicamente o solamente in ispirito — lo ripeto — io non lo so: Dio solo lo sa). Lassù udì parole sublimi che per un uomo è impossibile ripetere. ⁵ Di quel tale sono disposto a vantarmi, ma per quanto riguarda me, mi vanterò soltanto

delle mie debolezze. ⁶ Se avessi voglia di vantarmi non sarei un pazzo perché direi la pura verità. Tuttavia non lo faccio: voglio che la gente mi giudichi in base a ciò che faccio e dico, e che non abbia di me un'opinione più alta.
⁷ Io ho avuto grandi rivelazioni. Ma proprio per questo, perché non diventassi orgoglioso, mi è stata inflitta una sofferenza che mi tormenta come una scheggia nel corpo, come un messaggero di Satana che mi colpisce per impedirmi di diventare orgoglioso. ⁸ Tre volte ho supplicato il Signore di liberarmi da questa sofferenza. ⁹ Ma egli mi ha risposto: « Ti basta la mia grazia. La mia potenza si manifesta in tutta la sua forza proprio quando uno è debole ». È per questo che io mi vanto volentieri della mia debolezza, perché la potenza di Cristo agisca in me. ¹⁰ Perciò, io mi rallegro della debolezza, degli insulti, delle difficoltà, delle persecuzioni e delle angosce che io sopporto a causa di *Cristo, perché quando sono debole, allora sono veramente forte.

Le preoccupazioni di Paolo

¹¹ Ho parlato come se fossi pazzo! Siete voi che mi avete costretto. Proprio voi, che invece avreste dovuto parlare a mia difesa. Perché, anche se io non sono nulla, non sono certo stato in nulla inferiore a quei « super-apostoli ». ¹² Io sono un vero *apostolo; lo provano le azioni che ho compiuto in mezzo a voi con grande pazienza: segni, prodigi, *miracoli. ¹³ Che cosa vi fa sentire inferiori alle altre comunità? Solo questo: che io non vi sono mai stato di peso! Vogliate perdonarmi questa ingiustizia!
¹⁴ Eccomi pronto a venire da voi per la terza volta, e non vi sarò di peso. Perché non cerco il vostro denaro, cerco voi. Perché non sono i figli che devono risparmiare per i genitori, ma sono i genitori che devono provvedere ai figli. ¹⁵ Ben volentieri io spenderò quel che possiedo e sacrificherò anche me stesso per voi. Se io vi amo più degli altri, voi dovreste amarmi di meno?
¹⁶ È dunque chiaro che io non vi sono stato di peso. Tuttavia potrebbe darsi che, astutamente, io sia riuscito a sfruttarvi in qualche modo con l'inganno. ¹⁷ Forse qualcuno dei fratelli che vi ho mandato mi è servito per sfruttarvi? ¹⁸ Ho chiesto a Tito di venire da voi, e ho mandato con lui quell'altro fratello che conoscete. Forse Tito vi ha sfruttati in

qualche modo? Forse non abbiamo agito animati dalle stesse intenzioni, comportandoci allo stesso modo? [19] Probabilmente voi pensate da un pezzo che io cerchi di difendermi dinanzi a voi. No! Io parlo dinanzi a Dio, come credente in *Cristo. Tutto quel che dico, carissimi, lo dico per far crescere la vostra fede. [20] Purtroppo temo che quando verrò, non vi troverò come vi vorrei e voi non troverete me come mi vorreste. Temo che ci siano fra voi litigi, invidie, orgoglio, contrasti, maldicenze, pettegolezzi, fanatismi, immoralità. [21] Temo che quando verrò, Dio mi umilierà di nuovo dinanzi a voi, e che dovrò piangere per tutti quelli che hanno peccato e rifiutano di staccarsi dalle immoralità, dai vizi e dalle dissolutezze in cui sono vissuti finora.

Esortazioni finali e saluti

13 [1] Questa è la terza volta che vengo da voi. Secondo la norma biblica: *Ogni accusa dovrà essere provata da due o tre testimoni.* [2] Per tutti quelli che hanno peccato prima, e per tutti gli altri, ora che sono assente, ripeto quello che io vi ho detto di persona in occasione della mia seconda visita: quando verrò di nuovo tra voi non userò indulgenza. [3] Voi cercate una prova che *Cristo parla in me, e l'avrete: Cristo infatti non è debole verso voi, anzi agisce con potenza nei vostri confronti. [4] Certo, al momento della sua morte in croce era debole, ma ora è vivo per la potenza di Dio. Uniti con lui condividiamo la sua debolezza, ma la potenza di Dio ci fa partecipi della sua vita per occuparci efficacemente di voi.

[5] Esaminate voi stessi per vedere se vivete nella fede. Sottoponetevi alla prova. Riconoscete che Gesù Cristo vive fra voi? O è vero il contrario? [6] A ogni modo, spero che ammetterete un fatto: io ho superato la prova. [7] Perciò, prego Dio che non facciate nulla di male. Non per dimostrare che io sono migliore di voi, ma perché facciate il bene in ogni caso, anche se dovesse sembrare che non sono migliore di voi. [8] Infatti, io non posso fare nulla contro la verità, posso solamente agire per la verità. [9] Per questo mi rallegro quando io sono debole e voi siete forti. E pregando, chiedo a Dio che egli vi faccia diventare perfetti. [10] Ecco perché vi scrivo tutto questo, mentre sono lontano da voi: per non dovervi trattare con durezza quando sarò tra voi, usando l'autorità

che il Signore mi ha dato per fortificare la comunità, non
certo per distruggerla.

[11] Fratelli, vivete nella gioia, correggetevi, incoraggiatevi, andate d'accordo, vivete in pace. E Dio che dà amore e pace
sarà con voi. [12] Salutatevi tra di voi con un fraterno abbraccio.
Tutti i credenti vi salutano.

[13] La grazia del Signore Gesù Cristo, l'amore di Dio e la
comunione dello *Spirito Santo siano con voi tutti.

LETTERA DI PAOLO
AI CRISTIANI DELLA GALAZIA

Saluto

1 ¹⁻³ Io, l'apostolo Paolo, scrivo alle chiese della Galazia. Ai miei saluti unisco quelli di tutti i fratelli che sono con me: Dio nostro Padre e Gesù *Cristo il Signore vi diano grazia e pace. Io non sono apostolo perché lo vogliono gli uomini, e nemmeno per autorità di uomo. Questo incarico mi è stato dato da Gesù Cristo e da Dio Padre che lo ha risuscitato dai morti. ⁴ Gesù Cristo è colui che ha sacrificato se stesso per liberarci dai nostri peccati e per strapparci da questo mondo malvagio, perché così ha voluto Dio nostro Padre. ⁵ A Dio sia la gloria per sempre. *Amen.

Vi è un solo vangelo

⁶ Mi meraviglio di voi! Dio vi ha chiamati a ricevere la sua grazia donatavi per mezzo di *Cristo, e voi gli voltate così presto le spalle per ascoltare un altro messaggio di salvezza! ⁷ In realtà, un altro non c'è. Esistono solamente alcuni che vi confondono le idee. Essi vogliono cambiare il *vangelo di Cristo. ⁸ Ma sia maledetto chiunque vi annunzia una via di salvezza diversa da quella che io vi ho annunziata: anche se fossi io stesso, o fosse un *angelo venuto dal cielo. ⁹ Sì! L'ho detto e lo ripeto: chiunque vi annunzia una salvezza diversa da quella che avete ricevuto, sia maledetto.
¹⁰ Ricerco forse l'approvazione degli uomini o quella di Dio? Cerco forse la popolarità? Se cercassi di piacere agli uomini non sarei servitore di Cristo.

Paolo ha ricevuto il *vangelo da Cristo

¹¹ Vi faccio notare, fratelli, che il messaggio di salvezza da me annunziato, non viene dagli uomini. ¹² Nessun uomo me l'ha trasmesso o insegnato! È Gesù *Cristo che me l'ha rivelato.
¹³ Avete certamente udito come mi comportavo un tempo, quando ancora ero nella religione ebraica: perseguitavo ferocemente la Chiesa di Dio e facevo di tutto per distruggerla. ¹⁴ Nella maniera con cui vivevo la religione ebraica,

io superavo molti connazionali della mia età. Ero addirittura fanatico quando si trattava di osservare le *tradizioni dei nostri padri.

¹⁵⁻¹⁶ Ma Dio aveva deciso di rivelarmi suo Figlio, perché lo facessi conoscere fra i pagani. Nella sua bontà, già prima della mia nascita, mi aveva destinato a questo incarico e poi mi chiamò. Allora non chiesi consiglio a nessuno. ¹⁷ Non mi recai nemmeno a Gerusalemme da coloro che erano stati *apostoli prima di me, ma andai subito in Arabia. Poi tornai direttamente a Damasco. ¹⁸ Solo tre anni dopo andai a Gerusalemme per conoscere Pietro. Rimasi presso di lui quindici giorni, ¹⁹ e non vidi nessuno degli altri apostoli, ma solo Giacomo, il fratello del Signore.

²⁰ Non dico il falso e Dio sa che quello che vi scrivo è vero. ²¹ In seguito andai nelle regioni della Siria e della Cilicia. ²² Le chiese della Giudea non mi conoscevano personalmente. ²³ Esse avevano soltanto sentito dire: « Quel tale che una volta ci perseguitava, ora diffonde la nostra fede, mentre prima voleva distruggerla ». ²⁴ Così, per causa mia, rendevano gloria a Dio.

Gli altri apostoli accolgono Paolo

2 ¹⁻² Quattordici anni più tardi, dopo una rivelazione del Signore, ritornai a Gerusalemme. Vi andai insieme con Bàrnaba portando con me anche Tito. Là, predicai la parola del Signore che io annunzio ai pagani. Privatamente ne discussi con le persone più autorevoli della comunità. Non volevo che risultasse inutile il lavoro che avevo compiuto e che stavo facendo. ³ Ebbene, neppure Tito che era con me, benché non fosse ebreo, fu obbligato a sottomettersi al rito della *circoncisione.

⁴ Alcuni intrusi, falsi fratelli, avrebbero voluto farlo circoncidere. Costoro si erano infiltrati tra noi per insidiare la libertà che ci viene da *Cristo e per ricondurci sotto la schiavitù della *legge di Mosè. ⁵ Ma non ci siamo piegati di fronte a questa gente e non abbiamo ceduto neppure per un istante: dovevamo mantenere salda per voi la verità della parola di Cristo.

⁶ Del resto, le persone considerate più autorevoli nella comunità non mi imposero nulla. Per me non ha alcuna importanza chi erano in passato, perché Dio sceglie chi vuole.

Lo ripeto: quelli che hanno autorità [7] riconobbero che Dio aveva affidato a me l'incarico di annunziare la parola di Cristo fra i non ebrei, così come aveva affidato a Pietro di annunziarla fra gli ebrei. [8] Perché Dio che ha fatto di Pietro l'*apostolo degli ebrei, ha fatto di me l'apostolo dei pagani. [9] Giacomo, Pietro e Giovanni, che sono considerate le persone più autorevoli, riconobbero che Dio mi aveva affidato questo incarico particolare, e trovandosi d'accordo con noi, strinsero fraternamente la mano a me e a Bàrnaba. Fu così deciso che noi saremmo andati fra i pagani ed essi fra gli ebrei. [10] Ci raccomandarono soltanto di ricordarci dei poveri della chiesa di Gerusalemme. E questo ho sempre cercato di farlo.

Paolo rimprovera Pietro in Antiòchia

[11] Quando però Pietro venne ad Antiòchia, io mi opposi a lui apertamente, perché aveva torto. [12] Prima infatti egli aveva l'abitudine di sedersi a tavola con i credenti di origine pagana; ma quando giunsero alcuni che stavano dalla parte di Giacomo, egli cominciò a evitare questi che non erano ebrei e si tenne in disparte per paura dei sostenitori della *circoncisione. [13] Anche gli altri fratelli di origine ebraica si comportarono con Pietro in questo modo equivoco. Persino Bàrnaba fu trascinato dalla loro ipocrisia. [14] Ma quando mi accorsi che essi non agivano secondo la parola del Signore, dissi a Pietro, in presenza di tutti: « Se tu che sei ebreo di origine ti comporti come uno che non lo è, vivendo come chi non è sottoposto alla *legge ebraica, perché poi costringi gli altri a vivere come gli ebrei? ».

Tutti sono salvati per fede

« [15] Noi siamo ebrei di nascita. Non proveniamo dagli altri popoli che non conoscono la *legge di Mosè. [16] Eppure noi sappiamo che Dio salva l'uomo non perché questi osserva le pratiche della legge di Mosè, ma perché crede in Gesù *Cristo. E noi abbiamo creduto in Gesù Cristo, per essere salvati da Dio per mezzo della fede in Cristo, e non per mezzo delle opere comandate dalla legge. Nessuno infatti sarà salvato perché osserva la legge ». [17] Ora se noi che cerchiamo di essere salvati da Dio per mezzo di Gesù Cristo, cadiamo in peccato, significa forse che Cristo ci spinge a peccare? No di certo! [18] Significa soltanto che io mi dimostro peccatore perché do ancora valore a una legge scaduta. [19] Ma per me non c'è vita nella pratica della legge. Essa non mi riguarda più: ora vivo per Dio. Sono stato crocifisso con Cristo.

[20] Non son più io che vivo; è Cristo che vive in me. La vita che ora vivo in questo mondo la vivo perché credo nel *Figlio di Dio che mi ha amato e volle morire per me. [21] Io non rendo inutile la grazia di Dio. Ma se fosse vero che Cristo ci salva perché osserviamo le norme della legge, allora Cristo sarebbe morto per niente.

La fede e le opere

3 [1] O stolti Galati, chi vi ha incantati? Eppure Cristo e la sua morte in croce vi sono stati annunziati con la massima chiarezza! [2] Una cosa vorrei sapere da voi: Dio vi ha dato il suo Spirito perché avete ubbidito alla *legge, o non piuttosto perché avete ascoltato la parola della fede? [3] Siete proprio così sciocchi? Avete incominciato a vivere con lo Spirito di Dio e ora volete andare avanti con sforzi umani? [4] Avete dunque fatto invano tante esperienze? È impossibile! [5] Dio vi dà lo Spirito e opera *miracoli fra voi, perché avete ubbidito alla legge o perché avete ascoltato il messaggio della fede? [6] Come dice la *Bibbia: *Abramo credette a Dio e per questo Dio lo considerò come giusto.*

Dio e Abramo

[7] Sappiate dunque che i veri discendenti di Abramo sono quelli che hanno fede. [8] È previsto nella Bibbia che Dio avrebbe salvato i popoli che hanno fede. Infatti Dio ha fatto questa promessa ad Abramo: *Per mezzo tuo benedirò tutti i popoli.* [9] Abramo credette a Dio e fu benedetto e così tutti quelli che credono sono benedetti con lui. [10] Invece tutti quelli che mettono la loro fiducia nella pratica della legge sono sotto la maledizione. Perché la Bibbia dice: *Maledetto chiunque non osserva e non mette in pratica ogni precetto contenuto nel libro della legge.* [11] È chiaro dunque che Dio non salva nessuno per mezzo della legge. Lo dice anche la Bibbia: *Colui che crede è giusto davanti a Dio, egli avrà la vita.* [12] Ma la legge non ha nulla a che fare con la fede. La Bibbia dice: *Chi mette in pratica i precetti*

della legge avrà la vita per mezzo di essa. [13] Quindi noi
eravamo sotto la maledizione della legge. *Cristo ce ne ha
liberati quando sulla croce ha preso su di sé questa maledizione. Infatti la Bibbia dice: *Chiunque è appeso a un
legno è maledetto.* [14] Così, per mezzo di Gesù Cristo, la
benedizione che Dio aveva promesso ad Abramo raggiunge
anche i pagani, e tutti noi che abbiamo fede in Cristo riceviamo lo Spirito promesso.

La legge e la promessa

[15] Fratelli, scelgo un paragone preso dalla vita di ogni giorno.
Quando un testamento è fatto in modo giuridicamente valido, nessuno dice che non vale e nessuno lo cambia. [16] Ora
Dio ha fatto le sue promesse ad Abramo e al suo discendente.
La *Bibbia non dice: « e ai suoi discendenti », come se si
trattasse di molti; dice invece: *e al tuo discendente,* indi-
cando così una sola persona, che è *Cristo. [17] Orbene, Dio
ha fatto una promessa ad Abramo che è come un testamento che non può essere abolito dalla *legge apparsa quat-
trocentotrent'anni dopo. [18] Se infatti l'eredità che Dio ha
promesso si ottiene in base a questa legge, non si ottiene
più in base alla promessa. È invece con la promessa che
Dio ha manifestato la sua bontà ad Abramo.

Dignità subordinata della legge

[19] A che serve dunque la legge? Fu aggiunta in seguito per
mettere in evidenza il peccato fino a che non fosse venuto
il discendente che era stato promesso.
La *legge poi è stata data per mezzo degli *angeli, i quali
si servirono di un intermediario. [20] Ma quando vi è una sola
persona che agisce, non c'è più bisogno di un intermediario,
e Dio agisce da solo.

Scopo della legge

[21] La *legge è dunque contraria alle promesse di Dio? No
di certo! Se infatti fosse stata data una legge capace di
dare la vera vita agli uomini, allora la salvezza dipende-
rebbe dalla legge. [22] Ma la *Bibbia ha dichiarato che tutti
sono prigionieri del peccato affinché il dono promesso da
Dio fosse dato a tutti i credenti in Gesù *Cristo, proprio
per la loro fede.

²³ Prima che giungesse il tempo della fede in Cristo eravamo prigionieri della legge, in attesa che questa fede fosse rivelata. ²⁴ Così la legge fu per noi come uno che ci sorvegliava fino alla venuta di Cristo, per poi essere salvati per mezzo della fede. ²⁵ Ora che la fede è venuta, non siamo più sotto la sorveglianza della legge.
²⁶ Voi tutti siete figli di Dio per mezzo di Gesù Cristo, perché credete in lui. ²⁷ Con il battesimo infatti siete stati uniti a Cristo, e siete stati rivestiti di lui come di un abito nuovo. ²⁸ Non ha più alcuna importanza l'essere ebreo o pagano, schiavo o libero, uomo o donna, perché uniti a Gesù Cristo siete diventati un sol uomo. ²⁹ E se appartenete a Cristo, siete discendenti di Abramo: ricevete l'eredità che Dio ha promesso.

La dignità dei figli maggiorenni

4 ¹ Mi spiego meglio. Se un orfano minorenne ha ricevuto un'eredità, in teoria è padrone di tutto, ma in pratica la sua condizione è come quella di uno schiavo. ² Fino al tempo stabilito nel testamento di suo padre, l'orfano deve dipendere da tutori e amministratori. ³ Così anche noi: prima eravamo come fanciulli sotto il dominio degli spiriti che governavano il mondo. ⁴ Ma Dio, quando fu giunto il tempo stabilito, mandò suo Figlio. Egli nacque da una donna e fu sottoposto alla *legge, ⁵ per liberare quelli che erano sotto la legge e farci diventare figli di Dio. ⁶ E poiché siete suoi figli, Dio ha inviato nei vostri cuori lo Spirito di suo Figlio che esclama: « Abbà! », ossia « Padre! ». ⁷ Non siete dunque più schiavi, ma figli. E se siete figli siete anche eredi. Così vuole Dio.

È assurdo voler tornare in schiavitù

⁸ Quando non conoscevate Dio, eravate schiavi di dèi che in realtà sono soltanto degli idoli. ⁹ Ma ora avete conosciuto Dio; anzi è Dio che vi conosce. Perché dunque volete ritornare a sottomettervi a forze che non possono salvarvi? Volete essere di nuovo i loro schiavi? ¹⁰ Voi osservate scrupolosamente giorni speciali, mesi, stagioni, anni! ¹¹ Sono molto preoccupato per voi! Temo di essermi affaticato invano per voi!

¹² Vi prego, fratelli: diventate come me, perché anch'io sono diventato come voi. Non mi avete fatto alcun torto. ¹³ Vi ricordate la prima volta, quando vi annunziai la parola di Cristo? Ero malato. ¹⁴ La mia malattia fu per voi una vera prova. Ma non mi avete disprezzato né cacciato via. Anzi! Mi accoglieste come un *angelo di Dio, come Gesù *Cristo stesso! ¹⁵ Dov'è ora la vostra gioia? Posso dire che allora, se fosse stato possibile, vi sareste cavati gli occhi per darmeli. ¹⁶ Ora invece sono diventato vostro nemico, perché vi ho detto la verità? ¹⁷ Quegli altri invece sono pieni di premure per voi, ma le loro intenzioni non sono buone. Vogliono staccarvi da me perché vi interessiate di loro. ¹⁸ È giusto interessarsi di ciò che è bene, ma dovete farlo sempre, non soltanto quando io sono tra voi. ¹⁹ Figli miei, per voi io soffro di nuovo i dolori del parto, finché non sarà chiaro che Cristo è in mezzo a voi. ²⁰ In questo momento vorrei essere tra voi e potervi parlare con un tono di voce diverso. Non so più che fare per voi!

L'allegoria di Agar e Sara

²¹ Se volete vivere sottoposti alla *legge, ditemi allora: perché non date ascolto a quello che essa stessa afferma? ²² La *Bibbia dice che Abramo ebbe due figli: uno nato da Agar — una schiava — e l'altro da Sara, sua moglie, che era libera. ²³ Il figlio che egli ebbe dalla schiava fu il frutto del volere umano; il figlio che ebbe dalla donna libera fu invece il frutto della promessa di Dio. ²⁴ Questi avvenimenti hanno un significato più profondo. Le due madri rappresentano due *alleanze: Agar rappresenta l'antica alleanza, quella del monte Sinai, che genera solo schiavi ²⁵ (il monte Sinai è in Arabia, ma corrisponde all'attuale Gerusalemme, che è schiava della legge con tutti i suoi figli); ²⁶ Sara, invece, che è libera, rappresenta la Gerusalemme celeste, ed è lei la nostra madre. ²⁷ Di lei dice la Bibbia:

> *Rallegrati, o sterile che non hai partorito!*
> *Grida di gioia tu che non hai mai provato le doglie*
>   *del parto!*
> *Perché i figli dell'abbandonata saranno numerosi,*
>   *più numerosi dei figli di colei che ha marito.*

²⁸ E voi, fratelli, siete diventati figli di Dio, grazie a una promessa, come Isacco. ²⁹ Ma come allora il figlio nato per

una decisione umana perseguitò il figlio nato per intervento di Dio, così avviene anche ora. ³⁰ Lo dice la Bibbia: *Manda via la schiava e suo figlio, perché il figlio della schiava non abbia nulla dell'eredità del figlio della libera.* ³¹ E così, fratelli, noi non siamo figli della schiava, ma della libera.

5 ¹ Cristo ci ha liberati per farci vivere effettivamente nella libertà. State dunque saldi in questa libertà, e non ritornate a essere schiavi.

Perseverare nella libertà

² Ascoltatemi bene. Ve lo dico io, Paolo: se vi fate circoncidere, *Cristo non vi servirà a nulla. ³ Ancora una volta io vi dichiaro solennemente: chi si sottopone al rito della *circoncisione, è impegnato a fare tutto quello che la *legge comanda. ⁴ Quelli tra voi che pensano di salvarsi perché ubbidiscono alla legge, sono separati da Cristo, sono privati della grazia; ⁵ noi invece siamo guidati dallo Spirito di Dio, e per mezzo della fede, viviamo nella continua attesa di ricevere la salvezza. ⁶ Quando infatti siamo uniti a Cristo Gesù, non conta nulla essere circoncisi o non esserlo. Conta solo la fede che agisce per mezzo dell'amore.

⁷ Eravate partiti bene; chi vi ha fatto inciampare sulla via della verità? ⁸ Quello che vi hanno detto per farvi cambiare idea, non viene certo da Dio che vi chiama. ⁹ Ma badate bene: un po' di *lievito fa fermentare tutta la pasta. ¹⁰ Ma per quanto vi riguarda, il Signore mi dà fiducia: non prenderete un'altra strada. Chi porta confusione in mezzo a voi sarà punito, chiunque egli sia.

¹¹ Quanto a me, fratelli, se dicessi che la circoncisione è ancora necessaria, gli ebrei non mi perseguiterebbero più, ma in questo caso la croce di Cristo non sarebbe più per loro motivo di scandalo. ¹² Quelli che provocano questi disordini in mezzo a voi vadano pure a farsi castrare.

Libertà, servizio, amore

¹³ Fratelli, Dio vi ha chiamati alla libertà! Ma non servitevi della libertà per i vostri comodi. Anzi, lasciatevi guidare dall'amore di Dio e fatevi servi gli uni degli altri. ¹⁴ Perché chi ubbidisce a quest'unico comandamento: *Ama il prossimo tuo come te stesso*, mette in pratica tutta la *legge. ¹⁵ Se

invece vi comportate come bestie feroci, mordendovi e divorandovi tra voi, fate attenzione: finirete per distruggervi gli uni gli altri.

La guida dello Spirito si contrappone al nostro egoismo

[16] Ascoltatemi: lasciatevi guidare dallo Spirito e così non seguirete i desideri del vostro egoismo. [17] L'egoismo ha desideri contrari a quelli dello Spirito e lo Spirito ha desideri contrari a quelli dell'egoismo. Queste due forze sono in contrasto tra loro, e così voi non potete fare quello che volete. [18] Se lo Spirito di Dio vi guida, non siete più schiavi della *legge. [19] Vediamo tutti benissimo quali sono i risultati dell'egoismo umano: immoralità, corruzione e vizio, [20] idolatria, magia, odio, litigi, gelosie, ire, intrighi, divisioni, [21] invidie, ubriachezze, orge e altre cose di questo genere. Io ve l'ho già detto prima, e ve lo dico di nuovo: quelli che si comportano in questo modo non avranno posto nel *regno di Dio.
[22] Lo Spirito invece produce: amore, gioia, pace, comprensione, cordialità, bontà, fedeltà, [23] mansuetudine, dominio di sé. La legge, certo, non condanna quelli che si comportano così.
[24] E quelli che appartengono a Gesù *Cristo hanno fatto morire con lui, inchiodato alla croce, il loro egoismo, con le passioni e i desideri che esso produce. [25] Perciò, se è lo Spirito che ci dà la vita, lasciamoci guidare dallo Spirito. [26] Non dobbiamo quindi più essere gonfi di orgoglio e provocarci a vicenda, invidiandoci gli uni gli altri.

Portare i pesi gli uni degli altri

6 [1] Fratelli, se scoprite qualcuno di voi che sta commettendo un errore, ebbene, voi che avete lo Spirito di Dio, cercate di riportarlo sulla via del bene. Ma fatelo con dolcezza, vegliando su di voi, perché anche voi potete essere messi alla prova. [2] Aiutatevi a portare i pesi gli uni degli altri, e così ubbidirete alla legge di Cristo. [3] Se qualcuno pensa di essere importante, mentre invece non è nulla, inganna se stesso. [4] Ciascuno, piuttosto, rifletta sul suo modo di vivere e così, se potrà essere contento di sé, lo sarà

senza confrontarsi con gli altri. ⁵ Perché ciascuno dovrà rendere conto personalmente di quel che ha fatto.
⁶ Chi viene istruito nella parola del Signore, metta in comune i suoi beni con colui che l'istruisce. ⁷ Non fatevi illusioni: con Dio non si scherza! Ognuno di noi raccoglie quel che ha seminato. ⁸ Chi vive nell'egoismo, raccoglie morte. Chi vive nello Spirito di Dio, raccoglie vita eterna. ⁹ Non stanchiamoci di fare il bene perché, a suo tempo, avremo un buon raccolto. ¹⁰ Così dunque, finché ne abbiamo l'occasione, facciamo del bene a tutti, ma soprattutto ai nostri fratelli nella fede.

Esortazioni finali e saluti

¹¹ Guardate come vi ho scritto grande, di mia mano. ¹² Quelli che insistono per farvi circoncidere desiderano fare bella figura di fronte agli uomini, soltanto per evitare le persecuzioni che si devono subire a causa della croce di Cristo.
¹³ Neppure i sostenitori del rito della *circoncisione osservano la *legge. Vogliono però che voi vi facciate circoncidere per poi vantarsene. ¹⁴ Io invece voglio vantarmi soltanto di questo: della croce del nostro Signore Gesù *Cristo: perché egli è morto in croce, il mondo è morto per me e io sono morto per il mondo. ¹⁵ Perciò non conta nulla essere circoncisi o non esserlo. Essere una nuova creatura, è ciò che importa. ¹⁶ Dio doni pace e misericordia a quelli che seguono questa norma, a loro, e a tutto il vero popolo di Dio.
¹⁷ D'ora innanzi nessuno aumenti le mie difficoltà, perché appartengo a Gesù e le cicatrici che porto nel mio corpo ne sono la prova.
¹⁸ Il Signore Gesù Cristo vi dia la sua grazia, fratelli.

LETTERA DI PAOLO AI CRISTIANI DI EFESO

Saluti

1 ¹ Io, Paolo, *apostolo di Gesù *Cristo per volontà di Dio, scrivo ai fratelli della città di Efeso che credono in Cristo Gesù: ² Dio nostro Padre e Gesù Cristo nostro Signore, diano a voi grazia e pace.

Dio ci ha amato per mezzo di *Cristo

³ Benedetto sia Dio
Padre di Gesù Cristo nostro Signore.
Egli ci ha uniti a Cristo nel cielo,
ci ha dato tutte le benedizioni dello Spirito.
⁴ Prima della creazione del mondo
Dio ci ha scelti
per mezzo di Cristo,
per renderci santi e senza difetti
di fronte a lui.
Nel suo amore
⁵ Dio aveva deciso
di farci diventare suoi figli
per mezzo di Cristo Gesù.
Così ha deciso,
perché così ha voluto
nella sua bontà.
⁶ A Dio dunque sia lode,
per il dono meraviglioso
che egli ci ha fatto
per mezzo di Gesù
suo amatissimo Figlio.
⁷ Perché Cristo è morto per noi
e noi siamo liberati;
i nostri peccati son perdonati.
Questa è la ricchezza della grazia di Dio.
⁸ Egli l'ha data a noi
con abbondanza.
Ci ha dato la piena sapienza
e la piena intelligenza:
⁹ ci ha fatto conoscere
il segreto progetto della sua volontà:

quello che fin da principio
generosamente
aveva deciso di realizzare
per mezzo di Cristo.

¹⁰ Così Dio conduce la storia
al suo compimento:
riunisce tutte le cose,
quelle del cielo e quelle della terra
sotto un unico capo,
Cristo.

¹¹ E anche noi,
perché a Cristo siamo uniti,
abbiamo avuto la nostra parte:
nel suo progetto
Dio ha scelto anche noi
fin dal principio.
E Dio realizza
tutto ciò che ha stabilito.

¹² Così ha voluto
che fossimo una lode della sua grandezza,
noi che prima degli altri
abbiamo sperato in Cristo.

¹³ E anche voi
siete uniti a Cristo.
Quando avete ascoltato
l'annunzio della verità,
il messaggio del *vangelo
che vi portò la salvezza,
e avete creduto in Cristo.
Allora Dio vi ha segnati
con il suo sigillo:
lo *Spirito Santo che aveva promesso.

¹⁴ Lo Spirito Santo
è garanzia della nostra futura eredità:
di quella piena liberazione
che Dio ci darà,
perché possiamo lodare
la sua grandezza.

La preghiera di Paolo

[15] Per tutto questo, per le notizie sulla vostra fede nel Signore Gesù e sul vostro amore verso tutti i fratelli, [16] io ringrazio continuamente Dio per voi. Nelle mie preghiere mi ricordo di voi: [17] al Dio del Signore nostro Gesù *Cristo, a lui che è il Padre glorioso, io chiedo che vi faccia il dono della sapienza che viene dallo Spirito e che egli si riveli a voi, così che voi possiate conoscerlo ancora di più. [18] Chiedo a Dio di illuminare gli occhi della vostra mente e di farvi comprendere a quale traguardo egli vi chiama: così potrete conoscere la grandiosa ricchezza che egli ha preparato per quelli che sono suoi, [19] l'immensa potenza con la quale ha agito per noi che crediamo in lui. È la stessa energia e forza onnipotente [20] che Dio ha mostrato quando ha risuscitato *Cristo dalla morte e lo ha portato nel mondo celeste e gli ha dato potere accanto a sé. [21] Là, egli si trova al di sopra di tutte le autorità, le forze, le potenze di ogni genere, sia quelle di questo mondo, sia quelle del mondo futuro. [22] Infatti, come dice la *Bibbia, *Dio ha messo tutte le cose sotto di lui* e lo ha dato alla Chiesa come capo supremo. [23] E la Chiesa è il corpo di Cristo. E Cristo, il quale domina completamente tutta la realtà, è in essa pienamente presente.

Dalla morte alla vita

2 [1-2] Anche voi, tempo fa, vi comportavate alla maniera di questo mondo, ubbidivate al capo delle potenze che regnano tra cielo e terra, cioè a quello *spirito maligno che ora agisce negli uomini i quali si ribellano contro Dio. Così, avendo commesso molti errori e molti peccati, eravate senza vita.

[3] Del resto, anche tutti noi siamo stati ribelli, come loro: un tempo seguivamo le voglie della nostra debole natura, facevamo tutto ciò che voleva il nostro corpo e la nostra mente corrotta; così che, naturalmente, avremmo dovuto meritare la condanna di Dio, come tutti gli altri.

[4] Ma la misericordia di Dio è immensa, e grande è l'amore che egli ha manifestato verso di noi. [5] Ricordate, è per grazia di Dio che siete stati salvati: infatti, a causa dei nostri peccati, noi eravamo senza vita, ed egli ci ha fatti rivivere insieme con *Cristo. [6] Uniti a Gesù Cristo, Dio

ci ha risuscitati e ci ha portati nel suo regno per farci
regnare con lui.
[7] Così, egli è stato buono verso di noi — per mezzo di
Gesù Cristo —, e così ha voluto mostrare anche a quelli
che verranno, quanto ricca e generosa è la sua grazia. [8] Ricordate, è per grazia di Dio che siete stati salvati, per mezzo
della fede. La salvezza non viene da voi, ma è un dono
di Dio; [9] non è il risultato dei vostri sforzi. Per questo,
nessuno può vantarsene. [10] È Dio che ci ha fatti: egli ci ha
creati e uniti a Cristo Gesù, per farci compiere nella vita
quelle opere buone che egli ha preparato fin da principio.

Cristo elimina la separazione tra ebrei e pagani

[11] Ricordate: voi, per nascita, non siete ebrei. Gli ebrei vi
chiamano i « non *circoncisi », mentre chiamano se stessi
« i circoncisi » a causa del segno fatto sui loro corpi. [12] Voi
eravate lontani dal Cristo; eravate stranieri, non appartene-
vate al popolo di Dio; eravate esclusi dalle sue promesse
e dalla sua *alleanza; eravate nel mondo persone senza
speranza e senza Dio. [13] Ora invece, uniti a Cristo Gesù
per mezzo della sua morte, voi, che eravate lontani, siete
diventati vicini.
[14] Infatti *Cristo è la nostra pace: egli ha fatto diventare
un unico popolo i pagani e gli ebrei; egli ha demolito quel
muro che li separava e li rendeva nemici. Infatti, sacrificando se stesso, [15] ha abolito la *legge giudaica con tutti
i regolamenti e le proibizioni. Così, ha creato un popolo
nuovo, e ha portato la pace fra loro; [16] per mezzo della
sua morte in croce li ha uniti in un solo corpo, e li ha
messi in pace con Dio. Sulla croce, sacrificando se stesso,
egli ha distrutto ciò che li separava. [17] Come dice la *Bibbia:

> Egli è venuto ad *annunziare il messaggio di pace:*
> pace a voi *che eravate lontani*
> e pace a quelli *che erano vicini.*

[18] Per mezzo di Gesù Cristo noi tutti, ebrei e pagani, possiamo presentarci a Dio Padre, uniti dallo stesso *Spirito
Santo.
[19] Di conseguenza, ora voi non siete più stranieri, né ospiti.
Anche voi, insieme con gli altri, appartenete al popolo e
alla famiglia di Dio. [20] Siete parte di quell'edificio che ha
come fondamenta gli *apostoli e i *profeti, e come pietra

principale lo stesso Gesù Cristo. ²¹ È lui che dà solidità
a tutta la costruzione, e la fa crescere fino a diventare un
tempio santo per il Signore. ²² Uniti a lui, anche voi siete
costruiti insieme con gli altri, per essere la casa dove Dio
abita per mezzo dello Spirito Santo.

Paolo, l'apostolo dei non ebrei

3 ¹ Per questo motivo, io, Paolo, rivolgo a Dio una preghiera... A causa di *Cristo ora io sono in prigione,
per voi che non siete ebrei. ² Penso che abbiate sentito
parlare dell'incarico che Dio, nella sua bontà, mi ha affidato
e che riguarda voi. ³ Io ho ricevuto una rivelazione che mi
ha fatto conoscere il progetto segreto di Dio. Già nelle
pagine precedenti ve ne ho scritto, ⁴ e leggendo potete capire
fino a che punto conosco quel segreto che riguarda Gesù
Cristo.
⁵ Nei tempi passati, questo progetto segreto non è stato manifestato agli uomini; ai nostri giorni invece, per mezzo
dello *Spirito Santo, esso è stato rivelato ai santi *apostoli
e *profeti di Dio. ⁶ E il segreto è questo: anche i pagani
accolgono il messaggio della *parola di Dio e si uniscono
a Gesù Cristo, ricevono la stessa eredità che Dio ha promesso al suo popolo e diventano un unico corpo con gli
ebrei.
⁷ Per grazia di Dio, per un gesto della sua potenza, mi è
stato fatto il dono di diventare servitore della parola del
Signore. ⁸ A me, che sono l'ultimo di tutti i cristiani, Dio
ha dato la grazia di annunziare ai pagani le infinite ricchezze
di Cristo. ⁹ Dio, creatore dell'universo, mi ha incaricato di
far conoscere a tutti come egli realizza quel progetto che
aveva sempre tenuto nascosto dentro di sé. ¹⁰ Così, per mezzo
della Chiesa, anche le autorità e le potenze presenti nel
cielo, ora conoscono la misteriosa sapienza di Dio: ¹¹ quella
che egli ha manifestato, compiendo il suo eterno progetto
per mezzo di Gesù Cristo, nostro Signore.
¹² Uniti a Cristo, avendo fede in lui, noi possiamo presentarci a Dio con libertà e piena fiducia. ¹³ Perciò, vi prego,
non lasciatevi scoraggiare a causa delle sofferenze che io
sopporto per il vostro bene: anzi, dovete esserne orgogliosi.

L'amore di Cristo

[14] Per questo motivo, dunque, io mi inginocchio davanti a Dio Padre, [15] a lui che è il Padre di tutte le famiglie del cielo e della terra. [16] A lui chiedo di usare verso di voi la sua gloriosa e immensa potenza, e di farvi diventare spiritualmente forti con la forza del suo Spirito; [17] di far abitare *Cristo nei vostri cuori, per mezzo della fede. A lui chiedo che siate saldamente radicati e stabilmente fondati nell'amore. [18-19] Così voi, insieme con tutto il popolo di Dio, potrete conoscere l'ampiezza, la lunghezza, l'altezza e la profondità dell'amore di Cristo (che è più grande di ogni conoscenza), e sarete pieni di tutta la ricchezza di Dio.

[20] A Dio, che già agisce in noi, con potenza,
   e in tutte le cose può fare molto più
   di quanto noi possiamo domandare o pensare,
[21] a Dio sia gloria,
   per mezzo di Cristo Gesù e della Chiesa,
   in ogni tempo e sempre! *Amen.

L'unità del corpo di Cristo

4 [1] Perciò, io che sono prigioniero a causa del Signore, vi raccomando: fate in modo che la vostra vita sia degna della vocazione che avete ricevuto! [2] Siate sempre umili, cordiali e pazienti; sopportatevi l'un l'altro con amore; [3] cercate di conservare, per mezzo della pace che vi unisce quella unità che viene dallo *Spirito Santo.

   [4] Uno solo è il corpo, uno solo è lo Spirito
      come una sola è la speranza alla quale Dio vi ha
      chiamati.
   [5] Uno solo è il Signore, una sola è la fede, uno solo
      è il battesimo.
   [6] Uno solo è Dio, Padre di tutti, al di sopra di tutti,
      che in ogni cosa è presente e agisce.

[7] Eppure a ciascuno di noi *Cristo ha dato la grazia sotto forma di doni diversi. [8] Dice la *Bibbia:

   *Quando è salito in alto,
   ha portato con sé dei prigionieri,
   ha distribuito doni agli uomini.*

[9] Se la Bibbia dice è salito in alto vuol dire che prima era disceso sulla terra. [10] Colui che è venuto sulla terra è lo

stesso che è salito nella più alta regione del cielo, per riempire tutto l'universo con la sua presenza.

[11] Ebbene, è proprio lui che ha dato diversi doni agli uomini: alcuni li ha fatti *apostoli, altri *profeti, altri evangelisti, altri *pastori e *maestri. [12] Così egli prepara il popolo di Dio per il servizio che deve compiere. E così si costruisce il corpo di Cristo, [13] fino a quando tutti assieme arriveremo all'unità, con la stessa fede e con la stessa conoscenza del *Figlio di Dio; finché diventeremo uomini perfetti, degni della infinita grandezza di Cristo che riempie l'universo. [14] Non saremo allora più come bambini messi in agitazione da ogni nuova idea, portati qua e là come dal vento. Gli uomini che agiscono con inganno e con astuzia non potranno più farci cadere nell'errore. [15] Al contrario, vivremo nella verità e nell'amore, per crescere continuamente e per avvicinarci sempre più a Cristo. Egli è il capo; [16] e ogni parte del corpo, collegata dalle giunture che lo tengono bene unito, riceve da lui quella forza che fa crescere tutto il corpo, nell'amore.

La vecchia vita e la nuova vita

[17] Ora, in nome del Signore, io vi scongiuro: non comportatevi più come quelli che non conoscono Dio, che hanno per la mente pensieri che non valgono nulla. [18] I loro ragionamenti li rendono come ciechi, il loro cuore indurito li fa diventare ignoranti e li allontana dalla vita di Dio. [19] Ormai sono diventati insensibili, e si sono lasciati andare a una vita corrotta; commettono impurità di ogni genere e non sono mai contenti.

[20] Voi invece non avete imparato niente di simile quando avete conosciuto *Cristo [21] se, come è vero, proprio di lui avete sentito parlare e siete stati istruiti nella sua verità. [22] Allora sapete cosa dovete fare: la vostra vecchia vita, rovinata e ingannata dalle passioni, dovete abbandonarla, così come si mette via un vestito vecchio; [23] e invece dovete lasciarvi rinnovare cuore e spirito, [24] diventare uomini nuovi, creati simili a Dio, per vivere nella giustizia, nella santità e nella verità.

[25] Perciò, basta con le menzogne! Come insegna la *Bibbia, *ciascuno dica la verità al suo prossimo*, perché noi tutti formiamo un unico corpo. [26] E se vi arrabbiate, attenti a

non peccare: la vostra ira sia spenta prima del tramonto del sole, [27] altrimenti darete una buona occasione al *diavolo. [28] Se qualcuno rubava, ora non rubi più: anzi si dia da fare, lavorando onestamente con le proprie mani, per avere la possibilità di aiutare chi si trova nel bisogno.
[29] Nessuna parola cattiva deve mai uscire dalla vostra bocca; piuttosto, quando è necessario, dite parole buone, che facciano bene a chi le ascolta. [30] Non rendete triste lo *Spirito Santo che Dio ha messo in voi come un sigillo, come garanzia per il giorno della completa liberazione. [31] Fate sparire dalla vostra vita l'amarezza, lo sdegno, la collera. Evitate le urla, la maldicenza e le cattiverie di ogni genere. [32] Siate buoni gli uni con gli altri, pronti sempre ad aiutarvi; perdonatevi a vicenda, come Dio ha perdonato a voi, per mezzo di Cristo.

Vivere nella luce

5 [1] Poiché siete figli di Dio, amati da lui, cercate di essere come lui: [2] vivete nell'amore, prendendo esempio da *Cristo, il quale ci ha amati fino a dare la sua vita per noi, offrendola come un sacrificio che piace a Dio.
[3] Di impurità, vizi e immoralità di ogni genere, voi non dovreste nemmeno parlare, perché non son cose degne di voi che appartenete a Dio. [4] Lo stesso vale per tutto ciò che è sciocco, volgare ed equivoco: sono cose sconvenienti. Piuttosto dovreste continuamente ringraziare Dio. [5] Sappiatelo bene: i disonesti, i viziosi o gli avari (l'avarizia è un modo di adorare gli idoli), non troveranno posto nel *regno di Cristo e di Dio.
[6] Non lasciatevi ingannare da ragionamenti senza senso: sono queste le colpe di chi non vuole ubbidire a Dio e perciò si tira addosso la sua condanna. [7] Non abbiate niente in comune con questa gente.
[8] Un tempo vivevate nelle tenebre: ora, invece, uniti al Signore, voi vivete nella luce. Comportatevi dunque da figli della luce: [9] bontà, giustizia e verità sono i suoi frutti.
[10] Cercate ciò che piace al Signore. [11] Non fate amicizia con quelli che compiono azioni tenebrose che non danno alcun frutto; piuttosto denunziate quelle loro azioni [12] (perché sono azioni che essi fanno di nascosto ed è vergognoso perfino parlarne).

¹³ La luce mostra la vera natura di tutto ciò che viene messo in chiaro; ¹⁴ poi la luce trasforma ciò che essa illumina, e lo rende luminoso. Per questo si dice:

> Svegliati, tu che dormi
> sorgi dai morti:
> e Cristo ti illuminerà!

¹⁵ Fate molta attenzione al vostro modo di vivere. Non comportatevi da persone sciocche, ma da persone sagge. ¹⁶ Usate bene il tempo che avete, perché viviamo giorni cattivi. ¹⁷ Non comportatevi come persone senza intelligenza, ma cercate invece di capire che cosa vuole Dio da voi.

¹⁸ Non ubriacatevi di vino, perché ciò vi porta alla rovina. Siate invece pieni di *Spirito Santo, ¹⁹ e cantate tra voi salmi, inni e canti spirituali. Cantate, inneggiate al Signore con tutto il cuore. ²⁰ Sempre e per ogni cosa ringraziate Dio nostro Padre, nel nome di Gesù Cristo nostro Signore.

Mogli e mariti

²¹ A causa del rispetto che dovete avere per *Cristo, siate sottomessi gli uni agli altri.

²² Le mogli ubbidiscano al marito come al Signore. ²³ Perché il marito è capo della moglie, come Cristo è capo della Chiesa; anzi, Cristo è il salvatore della Chiesa che è il suo corpo. ²⁴ E come la Chiesa è sottomessa a Cristo, così anche le mogli ubbidiscano in tutto al loro marito.

²⁵ E voi, mariti, amate le vostre mogli come Cristo ha amato la Chiesa, fino a sacrificare la sua vita per lei. ²⁶ Cristo ha sacrificato se stesso per fare in modo che la Chiesa fosse santa, purificata dall'acqua e dalla sua parola; ²⁷ per vederla davanti a sé piena di splendore, senza macchia né ruga, senza difetti. Egli l'ha voluta santa e immacolata.

²⁸ Anche i mariti devono amare così la moglie, come amano il loro proprio corpo. Infatti chi ama la propria moglie ama se stesso. ²⁹ Nessuno mai ha odiato il proprio corpo, anzi ciascuno lo nutre e lo cura. Così fa Cristo con la Chiesa, ³⁰ poiché noi tutti formiamo il suo corpo.

³¹ La *Bibbia dice: *Perciò l'uomo lascerà suo padre e sua madre e si unirà alla sua donna e i due diventeranno un essere solo.* ³² Si tratta qui di una grande e misteriosa verità e io dico che riguarda Cristo e la Chiesa. ³³ Comunque

riguarda anche voi: perciò ciascuno ami la propria moglie come se stesso, e la moglie rispetti il proprio marito.

Genitori e figli

6 [1] Figli, davanti al Signore avete il dovere di ubbidire ai vostri genitori, perché così è giusto. [2] Il comandamento: *Onora il padre e la madre* nella *Bibbia è il solo comandamento accompagnato da questa promessa: [3] *perché tu sia felice e possa godere lunga vita sulla terra.*
[4] E voi, genitori, non esasperate i vostri figli, ma date loro un'educazione e una disciplina degna del Signore.

Schiavi e padroni

[5] Schiavi, ubbidite ai vostri padroni di questo mondo con grande rispetto e con cuore sincero, come di fronte a *Cristo.
[6] Non fatelo per essere visti e per far piacere ai padroni; ma come servi di Cristo, fate la volontà di Dio per convinzione, [7] e compite volentieri il vostro servizio, servendo così il Signore e non gli uomini. [8] Voi sapete infatti che ciascuno, sia schiavo o no, sarà ricompensato dal Signore secondo il bene che avrà fatto.
[9] E anche voi, padroni, comportatevi allo stesso modo verso i vostri schiavi. Lasciate da parte le minacce e ricordate che, per loro come per voi, c'è un unico Padrone in cielo, il quale non fa distinzione di persone.

Le armi del cristiano

[10] Infine, prendete forza dal Signore, dalla sua grande potenza. [11] Prendete le armi che Dio vi dà, per poter resistere contro le manovre del *diavolo. [12] Infatti noi non dobbiamo lottare contro creature umane, ma contro *spiriti maligni del mondo invisibile, contro autorità e potenze, contro i dominatori di questo mondo tenebroso.
[13] Prendete allora le armi che Dio vi dà, per combattere, nel giorno della lotta, le forze del male e per saper resistere fino alla fine. [14] Preparatevi dunque! *Vostra cintura sia la verità, vostra corazza siano le opere giuste e* [15] *sandali ai vostri piedi sia la prontezza per annunziare il messaggio di pace del vangelo.* [16] Sempre tenete in mano lo scudo della

fede con cui potrete spegnere le frecce infuocate del Maligno.

[17] Prendete anche *il vostro elmo, cioè la salvezza, e la spada* dello *Spirito Santo, cioè la *parola di Dio.*

[18] Pregate sempre: chiedete a Dio il suo aiuto in ogni occasione e in tutti i modi, guidati dallo Spirito Santo. Perciò state svegli e non stancatevi mai di pregare per tutto il popolo di Dio [19] e anche per me. Pregate perché Dio mi faccia trovare parole decise con cui far conoscere la verità del suo messaggio. [20] Benché sia in prigione, io sono ambasciatore di questo messaggio del *vangelo. Pregate perché io possa parlare coraggiosamente, come è mio dovere.

Saluti finali

[21-22] Tìchico, nostro caro fratello e fedele ministro del Signore, vi porterà mie notizie, così anche voi saprete come sto e che cosa faccio. Io lo mando a voi proprio per questo, per dare consolazione ai vostri cuori.

[23] Dio nostro Padre e Gesù *Cristo nostro Signore diano pace, amore e fede a tutti i fratelli. [24] La grazia sia con tutti quelli che amano il nostro Signore Gesù Cristo, per la vita eterna.

LETTERA DI PAOLO AI CRISTIANI DI FILIPPI

Saluti

1 ¹ Paolo e Timòteo, servitori di Gesù *Cristo, scrivono a tutti voi della comunità cristiana di Filippi, compresi vescovi e diaconi. ² Dio, nostro Padre e Gesù Cristo, il Signore, diano a voi grazia e pace.

Paolo prega per la comunità di Filippi

³ Ogni volta che mi ricordo di voi ringrazio il mio Dio. ⁴⁻⁵ Con gioia prego per voi, perché dal primo giorno fino a oggi mi avete aiutato a diffondere il messaggio del *vangelo. ⁶ Io sono sicuro che Dio, il quale ha iniziato in voi un buon lavoro, lo condurrà a termine per il ritorno di Gesù Cristo.
⁷ È giusto che io pensi così di voi, perché vi porto sempre nel cuore. Voi tutti infatti partecipate con me alla grazia che Dio mi ha concesso, grazia di difendere fermamente l'annunzio di Cristo, sia quando ero libero, sia ora che sono in prigione.
⁸ Dio mi è testimone del grande affetto che ho per tutti voi, fondato nell'amore di Gesù Cristo. ⁹ Ed ecco ciò che chiedo a Dio per voi: che il vostro amore aumenti sempre di più in conoscenza e in sensibilità, ¹⁰ in modo che sappiate prendere decisioni giuste. Così nel giorno in cui Cristo vi giudicherà, risulterete senza colpe e non si potrà dire nulla contro di voi. ¹¹ Sarete trovati ricchi di opere buone, quelle che Gesù Cristo compie in voi per la gloria e l'onore di Dio.

Cristo è la mia vita

¹² Desidero che sappiate questo, fratelli: la situazione in cui mi trovo è diventata una buona occasione per diffondere il messaggio del *vangelo. ¹³ Nel palazzo del governatore e fuori, ora, tutti sanno che mi trovo in prigione per la causa di *Cristo. ¹⁴ La maggioranza dei fratelli ha acquistato una fiducia più grande nel Signore proprio perché io sono in prigione, e annunziano la *parola di Dio con più coraggio e senza paura.

[15] Alcuni, è vero, predicano Cristo solo per gelosia e in polemica con me; ma gli altri lo fanno con sincerità. [16] Questi, per amore, sapendo che mi trovo qui per difendere la parola del Signore; [17] quelli, invece, spinti da invidia, non annunziano Cristo con sincerità, e pensano di aggravare le mie sofferenze ora che sono in prigione. [18] Ma che importa? In ogni modo, o per invidia o con sincerità, Cristo è annunziato. Di questo sono contento e continuerò a esserlo. [19] So che quanto mi accade, servirà per il mio bene perché voi pregate per me, e lo Spirito di Gesù Cristo mi aiuta.

[20] Per questo, aspetto con impazienza, e spero di non vergognarmi, ma di saper parlare con piena franchezza. Anzi, ho piena fiducia che, ora come sempre, Cristo agirà con potenza servendosi di me, sia che io continui a vivere, sia che io debba morire. [21] Per me infatti il vivere è Cristo, e il morire un guadagno. [22] Ma se la mia vita può ancora essere utile al mio lavoro di *apostolo, non so che cosa scegliere. [23] Sono spinto da opposti desideri: da una parte desidero lasciare questa vita per essere con Cristo, e ciò sarebbe certamente per me la cosa migliore!; [24] dall'altra, è molto più utile per voi che io continui a vivere. [25] Convinto di questo, so che resterò e continuerò a rimanere con voi tutti per aiutarvi ancora, e perché proviate quella gioia che viene dalla fede. [26] Così, avrete un motivo di più per lodare Gesù Cristo, a causa del mio ritorno tra di voi.

Fermezza nella lotta

[27] In ogni caso vivete la vostra vita comunitaria in modo degno, secondo il messaggio del *vangelo di *Cristo. Può darsi che io possa venire da voi e vedervi, oppure che io debba solo avere vostre notizie da lontano; comunque, mi auguro di sentire che siete uniti saldamente in un medesimo spirito, e che lottate in pieno accordo per la fede che nasce dal messaggio di Cristo. [28] Non lasciatevi mai spaventare dagli avversari. Questo vostro coraggio sarà per loro la prova evidente che stanno andando in rovina; per voi, invece, sarà la prova della vostra salvezza. E tutto questo viene da Dio. [29] Egli non soltanto vi ha resi capaci di credere in Cristo, ma anche di soffrire per lui. [30] State infatti sostenendo quello stesso com-

battimento in cui mi avete visto impegnato e che, come sapete, sostengo tuttora.

Umiltà e grandezza di Cristo

2 ¹ Se è vero che *Cristo vi chiama ad agire, se l'amore vi dà qualche conforto, se lo *Spirito Santo vi unisce, se è vero che tra di voi c'è affetto e comprensione... ² rendete completa la mia gioia. Abbiate gli stessi sentimenti e un medesimo amore. Siate concordi e unanimi! ³ Non fate nulla per invidia e per vanto, anzi, con grande umiltà, stimate gli altri migliori di voi. ⁴ Badate agli interessi degli altri e non soltanto ai vostri. ⁵ Comportatevi come Cristo Gesù:

⁶ Egli era come Dio,
ma non pensò di dover conservare gelosamente
il fatto di essere uguale a Dio.
⁷ Rinunziò a tutto;
scelse di essere come servo
e diventò uomo fra gli uomini.
Tanto che essi lo riconobbero come uno di loro.
⁸ Abbassò se stesso e fu ubbidiente a Dio sino alla morte,
alla morte in croce.
⁹ Per questo Dio lo ha posto al di sopra di tutto,
e gli ha dato il nome più grande che esiste.
¹⁰⁻¹¹ Così ora, per onorare il nome di Gesù, ognuno,
in cielo, in terra e sotto terra, pieghi le ginocchia,
glorifichi Dio Padre, e dichiari:
Gesù Cristo è il Signore.

Testimoni della fede

¹² Miei cari, quand'ero fra voi, mi avete sempre ubbidito. Ubbiditemi ancora, soprattutto ora che sono lontano da voi: datevi da fare per la vostra salvezza con grande umiltà, ¹³ perché Dio opera in voi, e vi rende capaci non soltanto di volere, ma anche di agire. Questa è la sua volontà. ¹⁴ Fate ogni cosa senza lamentarvi e senza tante discussioni. ¹⁵ Sarete così autentici figli di Dio, e vivrete senza colpa e con semplicità in un mondo di uomini perversi e malvagi. In mezzo a loro risplendete come stelle nel cielo, ¹⁶ e tenete alta la parola che dà vita. Quando *Cristo verrà, potrò al-

lora essere fiero di non essermi stancato e affaticato inutilmente.
[17] Forse dovrò aggiungere il sacrificio della mia vita al sacrificio che la vostra fede offre a Dio. Io ne sono contento,
e vi comunico la mia gioia. [18] Rallegratevi anche voi e siate
contenti con me.

Timòteo ed Epafrodìto

[19] Se il Signore Gesù lo vuole, spero di mandarvi presto
Timòteo e di ricevere vostre notizie, e ciò sarà per me di
grande conforto. [20] Infatti, nessuno come lui condivide il
mio modo di vedere e, nessuno come lui, si preoccupa tanto
sinceramente di voi. [21] Tutti gli altri, purtroppo, cercano
i propri interessi, non quelli di Gesù *Cristo. [22] Ma Timòteo, come sapete, ha dato buona prova di sé: come un figlio
aiuta suo padre, egli ha collaborato con me alla diffusione
del messaggio di Cristo. [23] Spero dunque di mandarvelo appena avrò visto come si mettono le mie cose. [24] Anzi, per
la fiducia che ho nel Signore, credo di potere presto venire
io stesso.
[25] Intanto, ho pensato bene di rimandarvi Epafrodìto, mio
collaboratore e mio compagno di lotta, che è per me un
fratello. Lo avevate mandato perché mi fosse di aiuto, [26] ma
ora egli ha grande nostalgia di voi tutti, ed è preoccupato
perché avete saputo che era ammalato. [27] È stato molto grave, e quasi in punto di morte; ma Dio ha avuto compassione di lui, e non soltanto di lui, ma anche di me, per non
aggiungermi tristezza a tristezza. [28] Mi sono dunque affret-
tato a farlo partire perché vi rallegriate nel rivederlo, e anch'io non sia più preoccupato. [29] Accoglietelo dunque con
grande gioia, come un fratello nel Signore, e abbiate grande
stima di uomini come lui, [30] perché ha sfiorato la morte lavorando per Cristo. Egli infatti ha rischiato la vita per portare quell'aiuto che voi stessi non potevate dare.

Guadagni e perdite di Paolo

3 [1] Del resto, fratelli miei, rallegratevi perché siete uniti
nel Signore.
Torno a ripetervi quanto vi ho già detto; a me non costa
fatica ed è meglio per voi. [2] Guardatevi da quei cani, quei

falsi missionari che minacciano la fede con il legalismo della
*circoncisione. ³ Siamo noi infatti che abbiamo la vera cir-
concisione, noi che serviamo Dio guidati dal suo Spirito;
noi che siamo fieri di appartenere a *Cristo e non basiamo
la nostra sicurezza su valori che sono soltanto umani.
⁴ Eppure, volendo, anch'io potrei vantarmi di queste cose,
più di chiunque altro. ⁵ Sono stato circonciso otto giorni
dopo la nascita, sono un vero israelita, appartengo alla tribù
di Beniamino, sono ebreo discendente di ebrei, ho ubbidito
alla *legge di Mosè con lo scrupolo del *fariseo, ⁶ fui ze-
lante fino al punto di perseguitare la Chiesa, mi consideravo
giusto perché seguivo la legge in modo irreprensibile. ⁷ Ma
tutte queste cose che prima avevano per me un grande valore, ora che ho conosciuto Cristo le ritengo da buttar via.
⁸ Tutto è una perdita di fronte al vantaggio di conoscere
Gesù Cristo, il mio Signore. Per lui ho rifiutato tutto questo come cose da buttar via per guadagnare Cristo, ⁹ per
essere unito a lui nella salvezza. Non quella salvezza che
viene dall'ubbidienza alla legge, ma quella che si ottiene per
mezzo della fede in Cristo, e che Dio dà a coloro che
credono.
¹⁰ Voglio solo conoscere Cristo e la potenza della sua risurrezione. Voglio soffrire e morire in comunione con lui, ¹¹ per
giungere anch'io alla risurrezione dai morti.

Verso il traguardo

¹² Io non sono ancora arrivato al traguardo, non sono ancora perfetto! Continuo però la corsa per tentare di afferrare il premio, perché anch'io sono stato afferrato da *Cristo
Gesù. ¹³ Fratelli miei, io non penso davvero di avere già
conquistato il premio. Faccio una cosa sola: dimentico ciò
che sta alle mie spalle, e mi slancio verso ciò che mi sta
davanti. ¹⁴ Continuo la mia corsa verso il traguardo per ricevere il premio della vita alla quale Dio ci chiama per mezzo
di Cristo Gesù.
¹⁵ Tutti noi che siamo maturi nella fede, comportiamoci in
questo modo. Se invece qualcuno di voi la pensa diversamente, Dio lo illuminerà. ¹⁶ Intanto, dal punto al quale siamo giunti, continuiamo ad andare avanti, come abbiamo fatto
finora.
¹⁷ Fratelli miei, fate come me, guardate a quelli che seguono

il nostro esempio. [18] È vero, non pochi si comportano come nemici della croce di Cristo. Ve l'ho già detto più volte e ve lo ripeto ancora tra le lacrime. [19] Per questa gente, il ventre è il loro dio, ma stanno camminando verso la rovina. Essi si vantano di cose vergognose e pensano soltanto alle soddisfazioni di questo mondo. [20] Noi invece, cittadini del cielo, è di là che aspettiamo il nostro Salvatore, Gesù Cristo, il Signore. [21] Egli, col potere che ha di sottomettere l'universo, trasformerà il nostro misero corpo mortale e lo renderà somigliante al suo corpo glorioso.

4 [1] Fratelli miei carissimi, ho tanto desiderio di rivedervi! Voi siete per me motivo di gioia e di orgoglio: rimanete saldamente uniti nel Signore.

Esortazioni varie

[2] Raccomando molto a Evòdia e Sìntiche di vivere in pieno accordo tra loro secondo la volontà del Signore. [3] E prego anche te, mio caro compagno di lavoro, di aiutarle. Esse hanno infatti lottato con me per la diffusione del messaggio del *vangelo, insieme con Clemente e gli altri collaboratori, i cui nomi sono scritti nel libro della vita.
[4] Siate sempre lieti. Appartenete al Signore. Lo ripeto, siate sempre lieti.
[5] Vedano tutti la vostra bontà. Il Signore è vicino! [6] Non angustiatevi, ma rivolgetevi a Dio, chiedetegli ciò di cui avete bisogno e ringraziatelo. [7] E la pace di Dio, che è più grande di quanto si possa immaginare, terrà i vostri cuori e i vostri pensieri uniti a *Cristo Gesù.
[8] Infine, fratelli, prendete in considerazione tutto ciò che è vero, ciò che è buono, che è giusto, puro, degno di essere amato e onorato; ciò che viene dalla virtù ed è degno di lode. [9] Mettete in pratica quello che avete imparato, ricevuto, udito e visto in me. E Dio, che dà la pace, sarà con voi.

Paolo ringrazia i filippesi per l'aiuto ricevuto

[10] Ancora una volta mi avete aiutato concretamente. Me ne sono molto rallegrato come di un dono che viene dal Signore. È vero che vi siete sempre occupati di me, ma finora vi era mancata l'occasione di dimostrarlo. [11] Non dico que-

sto perché mi trovi in miseria; ho imparato infatti a bastare a me stesso in ogni situazione. ¹² So essere povero, so essere ricco. Ho imparato a vivere in qualsiasi condizione: a essere sazio e ad aver fame, a trovarmi nell'abbondanza e a sopportare la miseria. ¹³ Posso far fronte a tutte le difficoltà, perché *Cristo me ne dà la forza. ¹⁴ Avete fatto bene, comunque, a dimostrarmi la vostra solidarietà nella difficile circostanza in cui mi trovo.

¹⁵ Voi di Filippi, lo sapete bene: quando lasciai la *Macedonia e cominciai a diffondere altrove il messaggio del *vangelo soltanto voi, e nessun'altra comunità, vi siete fatti miei compagni nei guadagni e nelle perdite. ¹⁶ Anche a Tessalonica mi mandaste, più di una volta, ciò di cui avevo bisogno. ¹⁷ È chiaro però che non cerco regali: cerco piuttosto frutti che tornino a vostro vantaggio. ¹⁸ Ora che Epafrodìto mi ha portato quello che voi mi avete mandato, non ho più bisogno di nulla. Anzi, ho più del necessario. Il vostro dono è un'offerta gradita, è come il profumo di un sacrificio che Dio accoglie volentieri. ¹⁹ Il Dio che servo vi darà generosamente tutto ciò che vi occorre. Per mezzo di Gesù Cristo vi farà partecipare alla sua gloria. ²⁰ A Dio nostro Padre sia gloria, sempre. *Amen.

Saluti finali

²¹ Nel nome di *Cristo salutate uno a uno tutti i fratelli della comunità. ²² Vi salutano tutti i fratelli che sono con me, specialmente quelli che lavorano alle dipendenze dell'imperatore romano.
²³ La grazia del Signore Gesù Cristo sia con voi.

LETTERA DI PAOLO
AI CRISTIANI DI COLOSSE

1 ¹ Paolo, *apostolo di Gesù *Cristo per volontà di Dio, e il fratello Timòteo, ² scrivono a voi che a Colosse siete il popolo di Dio e nostri fratelli nella fede per mezzo di Cristo: Dio nostro Padre dia a voi grazia e pace.

Ringraziamento

³ Quando prego per voi, sempre ringrazio Dio, il Padre di Gesù *Cristo nostro Signore. ⁴ Lo ringrazio perché ho sentito parlare della vostra fede in Cristo Gesù e dell'amore che mostrate verso tutti quelli che appartengono al popolo di Dio: la vostra fede e il vostro amore sono fondati sulla vostra speranza. ⁵ Infatti, quando per la prima volta giunse tra voi il messaggio della verità, cioè il *vangelo, voi avete conosciuto ciò che vi aspetta in cielo.
⁶ E in tutto il mondo il vangelo cresce e porta frutto, come ha fatto in mezzo a voi, da quando avete sentito parlare dell'amore di Dio e avete conosciuto che cosa esso è veramente.
⁷ Voi avete imparato queste cose da Èpafra, mio carissimo compagno, il quale lavora per voi come servitore di Cristo. ⁸ È lui che mi ha parlato dell'amore che lo Spirito di Dio vi ha donato.

Preghiera

⁹ Perciò, da quando ho sentito parlare di voi, prego sempre per voi. Chiedo a Dio che vi faccia conoscere pienamente la sua volontà, e vi conceda la saggezza e l'intelligenza che vengono dallo *Spirito Santo. ¹⁰ Così potrete vivere una vita degna del Signore e fare in ogni cosa la sua volontà. Tutte le vostre opere saranno buone, e la vostra conoscenza di Dio sarà sempre più grande.
¹¹ Chiedo a Dio di farvi diventare sempre più forti per mezzo della sua gloriosa potenza, così che possiate resistere con pazienza di fronte a tutte le difficoltà, ¹² e possiate ringraziarlo con gioia.
Perché Dio, nostro Padre, ci ha fatti partecipare ai beni

preparati per il suo popolo, nel regno della luce; [13] ci ha liberati dal potere delle tenebre e ci ha introdotti nel regno del Figlio suo amatissimo. [14] Grazie a lui siamo stati liberati, perché i nostri peccati sono perdonati.

Inno a Cristo

[15] Il Dio invisibile si è fatto visibile in *Cristo,
    nato dal Padre prima della creazione del mondo.
[16] Tutte le cose create, in cielo e sulla terra,
    sono state fatte per mezzo di lui;
    sia le cose visibili sia quelle invisibili:
    i poteri, le forze, le autorità, le potenze.
    Tutto fu creato per mezzo di lui e per lui.
[17] Cristo è prima di tutte le cose
    e tiene insieme tutto l'universo.
[18] Egli è anche capo di quel corpo che è la Chiesa,
    è la fonte della nuova vita,
    è il primo risuscitato dai morti:
    egli deve sempre avere il primo posto in tutto.
[19] Perché Dio ha voluto essere pienamente presente in lui,
[20] e per mezzo di lui
    ha voluto rifare amicizia con tutte le cose,
    con quelle della terra e con quelle del cielo;
    per mezzo della sua morte in croce
    Dio ha fatto pace con tutti.

[21] Un tempo anche voi eravate lontani da Dio: eravate nemici perché pensavate e facevate opere cattive. [22] Ora invece, per mezzo della morte che Cristo ha sofferto, Dio ha fatto pace anche con voi per farvi essere santi, innocenti e senza difetti di fronte a lui.
[23] Però, rimanete fermi nella fede, restate saldi su solide basi, non permettete a nessuno di portarvi lontano da quella speranza che è vostra dal giorno in cui avete ascoltato l'annunzio del *vangelo. Questo vangelo è stato annunziato a tutti gli uomini in tutto il mondo e io, Paolo, sono diventato il suo servitore.

La missione di Paolo

[24] Ora, io sono felice di soffrire per voi. Con le mie sofferenze completo in me ciò che *Cristo soffre a vantaggio

del suo corpo, cioè della Chiesa. ²⁵ Io sono diventato servitore anche della Chiesa, perché Dio mi ha dato un incarico da compiere in mezzo a voi: devo portare a compimento la sua parola, ²⁶ cioè quel progetto segreto che
egli ha sempre tenuto nascosto a tutti, ma che ora ha
rivelato al suo popolo.
²⁷ Adesso Dio ha voluto far conoscere questo progetto se-
greto, grande e magnifico, preparato per tutti gli uomini.
E il segreto è questo: Cristo è presente in voi e perciò
anche voi parteciperete alla gloria di Dio.
²⁸ Quando, con tutta la saggezza che mi è possibile, predico,
rimprovero e insegno, parlo sempre di Cristo, così che tutti
gli uomini, per mezzo di Cristo, possano diventare uomini
perfetti. ²⁹ Per questo mi affatico e mi impegno nella lotta,
sostenuto dalla potente forza che egli mi dà.

2 ¹ Voglio farvi sapere che io sono impegnato in una
dura lotta per voi, per quelli di Laodicèa e per tutti
i nostri fratelli che non mi conoscono di persona. ² Voglio
che tutti voi siate consolati e, uniti nell'amore, possiate
avanzare verso la ricchezza della piena intelligenza. Potrete
così entrare nella perfetta conoscenza del mistero di Dio,
cioè del Cristo. ³ In lui sono nascosti tutti i tesori della
sapienza e della conoscenza.
⁴ Vi dico queste cose perché nessuno possa imbrogliarvi con
discorsi affascinanti. ⁵ Anche se, con il corpo, sono lontano,
con la mia mente io sono in mezzo a voi, e sono contento
di vedere che vi comportate bene e che restate saldi nella
fede in Cristo.

Morti e risorti con Cristo

⁶ Poiché avete accolto Gesù *Cristo, il Signore, continuate
a vivere uniti a lui. ⁷ Come alberi che hanno in lui le loro
radici, come case che hanno in lui le loro fondamenta,
tenete ferma la vostra fede, nel modo che vi è stato insegnato. E ringraziate continuamente il Signore. ⁸ Fate attenzione: nessuno vi inganni con ragionamenti falsi e maliziosi.
Sono frutto di una mentalità umana o vengono dagli spiriti
che dominano questo mondo. Non sono pensieri che vengono da Cristo.
⁹⁻¹⁰ Cristo è al di sopra di tutte le autorità e di tutte le

potenze di questo mondo. Dio è perfettamente presente nella sua persona e, per mezzo di lui, anche voi ne siete riempiti.
¹¹ Uniti a lui, avete ricevuto la vera *circoncisione: non quella fatta dagli uomini, ma quella che ci libera dalla nostra debolezza. ¹² Infatti, quando avete ricevuto il battesimo, siete stati sepolti insieme con Cristo e con lui siete risuscitati, perché avete creduto nella potenza di Dio che ha risuscitato Cristo dalla morte. ¹³ Un tempo, quando voi eravate pagani pieni di peccati, di fatto eravate come morti. Ma Dio che ha ridato la vita a Cristo, ha fatto rivivere anche voi. Egli ha perdonato tutti i nostri peccati. ¹⁴ Contro di noi c'era un elenco di comandamenti che era una sentenza di condanna, ma ora non vale più: Dio l'ha tolto di mezzo inchiodandolo alla croce. ¹⁵ Così Dio ha disarmato le autorità e le potenze invisibili; le ha fatte diventare come prigionieri da mostrare nel corteo per la vittoria di Cristo.

La libertà

¹⁶ Nessuno dunque vi condanni più a causa di quello che mangiate o bevete, perché non osservate certi giorni di festa, di *sabato o di luna nuova. ¹⁷ Tutte queste cose sono soltanto un'ombra di quella realtà che doveva venire: che è *Cristo. ¹⁸ Non lasciatevi condannare da gente fanatica che si umilia per adorare gli *angeli, corre dietro alle visioni e si gonfia di stupido orgoglio nella sua debole mente. ¹⁹ Questa gente non rimane unita al capo, cioè a Cristo. Mentre è Cristo che tiene unito e compatto tutto il corpo per mezzo delle giunture e dei legami, e gli dà nutrimento e lo fa crescere, così come Dio vuole.
²⁰ Voi siete morti con Cristo e siete stati liberati dagli spiriti che dominano il mondo. Allora, perché vivete come se la vostra vita dipendesse ancora da certe regole imposte da questo mondo? ²¹ Perché vi lasciate dire: « Questo non si può prendere; quello non si può mangiare; queste cose non si possono toccare? ». ²² Sono regole e idee puramente umane, sono tutte cose destinate a scomparire con l'uso. ²³ Possono sembrare questioni serie e sapienti perché si parla di religione personale, di umiltà o di severità verso il corpo. In realtà non servono a niente. Anzi, servono soltanto a nutrire la nostra superbia.

3 ¹ Se voi siete risuscitati insieme con Cristo, cercate le cose del cielo, dove Cristo regna accanto a Dio. ² Pensate alle cose del cielo e non a quelle di questo mondo. ³ Perché voi siete già come morti: la vostra vera vita è nascosta con Cristo in Dio. ⁴ E quando Cristo, che è la vostra vita, sarà visibile a tutti, allora si vedrà anche la vostra gloria, insieme con la sua.

La nuova vita

⁵ Perciò fate morire in voi gli atteggiamenti che sono propri di questo mondo: immoralità, passioni, impurità, desideri maligni e quella voglia sfrenata di possedere che è un tipo di idolatria. ⁶ Tutte queste cose attirano la condanna di Dio su quelli che gli disubbidiscono.

⁷ Un tempo anche voi eravate così, quando la vostra vita era in mezzo a quei vizi. ⁸ Adesso, invece, buttate via tutto: l'ira, le passioni, la cattiveria, le calunnie e le parole volgari. ⁹ Non ci sia falsità quando parlate tra voi. Perché voi avete abbandonato la vecchia vita e le sue azioni, come si mette via un vestito vecchio. ¹⁰ Ormai siete uomini nuovi, e Dio vi rinnova continuamente per portarvi alla perfetta conoscenza e farvi essere simili a lui che vi ha creati. ¹¹ Così, non ha più importanza essere greci o ebrei, circoncisi o no, barbari o selvaggi, schiavi o liberi: ciò che importa è *Cristo e la sua presenza in tutti noi.

¹² Ora voi siete il popolo di Dio. Egli vi ha scelti e vi ama. Perciò abbiate sentimenti nuovi: misericordia, bontà, umiltà, pazienza e dolcezza. ¹³ Sopportatevi a vicenda: se avete motivo di lamentarvi degli altri, siate pronti a perdonare, come il Signore ha perdonato voi. ¹⁴ Al di sopra di tutto ci sia sempre l'amore, perché è soltanto l'amore che tiene perfettamente uniti. ¹⁵ E la pace, che è dono di Cristo, sia sempre nel vostro cuore. Dio vuole che tutti assieme, come un solo corpo, voi arriviate a quella pace. Siate sempre riconoscenti.

¹⁶ Il messaggio di Cristo, con tutta la sua ricchezza, sia sempre presente in mezzo a voi. Siate saggi e aiutatevi gli uni gli altri a diventarlo.

Cantate a Dio salmi, inni e canti spirituali, volentieri e con riconoscenza.

¹⁷ Tutto quello che fate, parole o azioni, tutto sia fatto nel

nome di Gesù, nostro Signore; e per mezzo di lui ringraziate Dio, nostro Padre.

I nuovi rapporti familiari e sociali

[18] Voi mogli, siate sottomesse ai vostri mariti, così come è giusto di fronte al Signore.
[19] Voi mariti, dovete voler bene alle vostre mogli e non dovete trattarle male.
[20] Voi figli, ubbidite ai genitori in tutto, perché è questo che il Signore si aspetta da voi.
[21] Voi genitori, non esasperate i vostri figli, perché non si scoraggino.
[22] Voi schiavi, ubbidite in tutto ai vostri padroni di questo mondo: comportatevi con sincerità e agite per amore del Signore. Non servite i vostri padroni per far piacere a loro, quando vi vedono. [23] Quel che fate, qualunque cosa sia, fatelo volentieri, come per il Signore, e non per gli uomini. [24] Voi sapete che la vostra ricompensa è l'eredità che riceverete dal Signore. Perciò siate i servitori di Cristo, che è il vero padrone. [25] Chi invece fa il male dovrà subire le conseguenze delle sue azioni, chiunque sia; perché Dio non fa preferenze per nessuno.

4 [1] Voi padroni, date ai vostri servi tutto ciò che è giusto. Ricordatevi che anche voi avete un padrone in cielo.

Raccomandazioni

[2] Pregate senza stancarvi e non dimenticate mai di ringraziare Dio. [3] Pregate anche per me, perché Dio mi offra buone possibilità di diffondere il suo messaggio e di parlare del progetto di salvezza rivelato da *Cristo. Per questo mi trovo attualmente in prigione. [4] Ma voi pregate che io possa ancora predicare e parlare, così come è mio dovere.
[5] Sfruttate tutte le occasioni per comportarvi saggiamente con quelli che non sono cristiani. [6] Parlate sempre con gentilezza e intelligenza, per saper rispondere a tutti nel modo migliore.

Notizie e saluti

[7] Il mio compagno Tìchico, nostro caro fratello e fedele servitore del Signore, vi porterà tutte le notizie che mi riguardano. [8] Io lo mando da voi per farvi sapere come sto e per darvi conforto. [9] Con lui verrà anche Onèsimo, fedele e caro fratello che è uno dei vostri. Essi vi informeranno su tutto quello che succede qui.

[10] Aristarco, che è in prigione con me, e Marco, il cugino di Bàrnaba, vi mandano i loro saluti. (Riguardo a Marco ricordatevi le istruzioni che avete già ricevuto: se viene da voi, fateglì buona accoglienza).

[11] Anche Gesù, detto il Giusto, vi saluta. Di quelli che prima erano ebrei, soltanto questi tre hanno lavorato con me per il *regno di Dio; sono stati per me una grande consolazione.

[12] Vi saluta Èpafra; anche lui è dei vostri. Questo servitore di Gesù Cristo è sempre impegnato a pregare per voi, perché siate forti, perfetti e fedeli a tutta la volontà di Dio. [13] Posso dichiarare che egli fa tutto il possibile per voi, per quelli di Laodicèa e per quelli di Geràpoli.

[14] Saluti anche da parte di Luca, il caro medico, e da parte di Dema. [15] Salutate per noi Ninfa, insieme con la comunità che si riunisce a casa sua e i fratelli che vivono a Laodicèa.

[16] Quando avrete letto la mia lettera, passatela a quelli di Laodicèa e voi leggete quella che ho mandato a loro.

[17] Dite ad Archippo: «Cerca di compiere l'incarico che ti è stato dato in nome del Signore».

[18] Queste ultime parole le scrivo io, Paolo, con la mia mano: SALUTI! Ricordatevi di me che sono in prigione.

La grazia di Dio sia con voi.

PRIMA LETTERA DI PAOLO
AI CRISTIANI DI TESSALONICA

Saluto

1 ¹ Paolo, Silvano e Timòteo scrivono alla chiesa di Tessalonica. A voi, che siete di Dio Padre e del Signore Gesù *Cristo, noi auguriamo grazia e pace.

Ringraziamento per la fede dei cristiani di Tessalonica

² Ringraziamo sempre Dio per tutti voi e vi ricordiamo nelle nostre preghiere. ³ Quando siamo di fronte a Dio, nostro Padre, pensiamo continuamente alla vostra fede molto attiva, al vostro amore molto impegnato, alla vostra speranza fermamente rivolta verso Gesù *Cristo, nostro Signore. ⁴ Sappiamo, fratelli, che Dio vi vuol bene e vi ha scelti per farvi essere suoi. ⁵ Infatti, quando vi abbiamo annunziato il messaggio del *vangelo, ciò non è avvenuto solo a parole, ma anche con la forza e l'aiuto dello *Spirito Santo. Come ben sapete, abbiamo agito tra voi con profonda convinzione, e per il vostro bene.

⁶ E voi avete seguito il nostro esempio e quello del Signore. Anche in mezzo a molte difficoltà, voi avete accolto la *parola di Dio con la gioia che viene dallo Spirito Santo. ⁷ Così siete diventati un esempio per i cristiani che vivono in *Macedonia e in tutta la Grecia, ⁸ tanto che la parola del Signore si diffonde dalla vostra comunità in tutte queste regioni. Anzi, la notizia della vostra fede in Dio va anche oltre, si diffonde dappertutto, di modo che noi non abbiamo più bisogno di parlarne. ⁹ Sono gli altri a parlare di noi: raccontano come ci avete accolti quando siamo venuti in mezzo a voi, come vi siete allontanati dai falsi dèi per servire il Dio vivo e vero, ¹⁰ e per aspettare che il *Figlio di Dio venga dal cielo. Questo Figlio è Gesù; Dio lo ha risuscitato dalla morte; egli è colui che ci libera dalla condanna di Dio ormai vicina.

Paolo ricorda la sua attività a Tessalonica

2 [1] Voi stessi, fratelli, sapete bene che non sono venuto da voi inutilmente. [2] Sapete che poco prima, nella città di Filippi, ero stato offeso e avevo sofferto. Eppure, anche in mezzo a molte difficoltà, Dio mi ha dato la forza di annunziarvi il messaggio del suo *vangelo. [3] Nella mia predicazione non c'era nessuna intenzione di dire il falso, di imbrogliare, di parlare con astuzia. [4] Anzi, io parlo sempre come Dio vuole, poiché egli mi ha giudicato degno ed ha affidato a me il messaggio del vangelo. Non cerco l'approvazione degli uomini, ma quella di Dio che giudica anche le nostre intenzioni nascoste. [5] Sapete bene che mai ho detto parole per far piacere a qualcuno o per mio interesse: Dio mi è testimone. [6] E mai ho cercato i complimenti degli uomini, né da voi, né dagli altri, [7] anche se potevo far valere la mia autorità di *apostolo di Cristo. Invece mi sono comportato tra voi con dolcezza, come una madre che ha cura dei suoi bambini. [8] Mi sono affezionato a voi, e vi ho voluto bene fino al punto che vi avrei dato non solo il messaggio di salvezza che viene da Dio, ma anche la mia vita.
[9] Infatti, fratelli, voi ricordate la dura fatica che ho affrontato: ho lavorato notte e giorno per potervi annunziare la *parola di Dio senza essere di peso a nessuno. [10] Voi siete, con Dio, testimoni del mio comportamento. Potete dire quanto è stato giusto, santo e corretto il mio modo di agire verso tutti i credenti. [11] Sapete che ho agito verso ciascuno di voi come fa un padre con i suoi figli. [12] Vi ho esortato e incoraggiato, vi ho scongiurato di comportarvi in maniera degna di Dio, perché Dio vi chiama al suo regno e alla sua gloria.

La fede e le difficoltà dei Tessalonicesi

[13] Anche per questo ringrazio Dio continuamente: perché quando noi vi abbiamo annunziato la *parola di Dio, voi l'avete accolta e non l'avete considerata come semplice parola umana, ma proprio come parola di Dio. Essa è veramente tale, e agisce in voi che credete. [14] Fratelli, voi avete seguito l'esempio delle comunità cristiane che in Giudea appartengono a Dio e credono in Cristo Gesù: infatti, anche voi avete incontrato difficoltà tra la vostra gente come quei

credenti hanno avuto difficoltà in mezzo agli ebrei. [15] Sono quegli stessi ebrei che hanno ucciso il Signore Gesù e i *profeti e che hanno perseguitato anche noi; essi vanno contro la volontà di Dio e sono nemici di tutti gli uomini. [16] Vogliono impedirci di predicare ai pagani e di portarli alla salvezza. Ma così, essi non fanno altro che completare la serie dei loro peccati, e ormai il castigo di Dio è arrivato sopra di loro.

Ricordo dell'angoscia passata

[17] Quanto a me, fratelli, da poco ero stato costretto a separarmi da voi, e già avevo un gran desiderio di rivedervi. Ero lontano materialmente, ma non col cuore. Ero impaziente di rivedervi. [18] Così, per ben due volte ho pensato di venire personalmente, ma Satana me lo ha impedito. [19] Comunque voi, proprio voi, siete la mia speranza, la mia gioia, il segno di vittoria che potrò presentare con orgoglio davanti al Signore nostro Gesù, quando verrà. [20] Sì, la mia gloria e la mia gioia siete voi:

3 [1] Non riuscivo a sopportare quella situazione. Allora decisi di rimanere io solo ad Atene, [2] e di mandare da voi Timòteo, nostro fratello nella fede. Egli lavora al servizio di Dio, per diffondere il messaggio di *Cristo. Ve l'ho mandato per fortificarvi e incoraggiarvi nella vostra fede, [3] perché nessuno si lasci spaventare dalle persecuzioni che deve affrontare. Sapete bene che per noi le persecuzioni sono una cosa normale. [4] Già quand'ero tra voi, vi avevo detto che avremmo dovuto essere perseguitati. E, come sapete, quel che vi ho detto è realmente accaduto. [5] Dunque, io non riuscivo più ad aspettare, e così vi ho mandato Timòteo per avere notizie della vostra fede. Avevo paura che il *demonio avesse potuto prendervi nella tentazione, e che tutto il mio lavoro tra voi fosse risultato inutile.

Gioia e ringraziamento

[6] Ma ora Timòteo è tornato e mi ha portato buone notizie della vostra fede e del vostro amore. Egli mi ha detto che avete sempre un buon ricordo di me, e che desiderate rivedermi come io desidero vedere voi. [7] Così, fratelli, con la

vostra fede, mi avete consolato, mi avete liberato dall'angoscia e dalla sofferenza che provavo pensando a voi. [8] Ora io mi sento rivivere, sapendo che voi rimanete fermamente uniti al 'Signore. [9-10] E non so come ringraziare Dio per voi, per tutta la gioia che provo a causa vostra. Intanto, notte e giorno, sono in preghiera davanti al nostro Dio, e chiedo con insistenza di poter rivedere i vostri volti e di potervi dare ciò che ancora manca alla vostra fede.

Preghiera di augurio

[11] Dio stesso, che è nostro Padre, e Gesù nostro Signore mi aprano una strada per venire fino a voi. [12] E il Signore faccia crescere tutti voi con abbondanza, nell'amore tra di voi e nell'amore verso tutti, così come anch'io vi amo. [13] I vostri cuori siano forti, in modo che possiate essere santi e perfetti davanti a Dio nostro Padre, quando il nostro Signore Gesù verrà con tutti i suoi santi.

Esortazione alla santità

4 [1] Per il resto, fratelli, voi avete imparato da noi come dovete comportarvi per piacere a Dio. E già vi comportate così. Ma ora, nel nome del Signore Gesù, io vi prego e vi supplico di migliorare ancora. [2] Perché voi sapete quali sono le istruzioni che vi ho date da parte del Signore Gesù. [3] Questa è la sua volontà: vivete in modo degno di Dio! e quindi state lontani da ogni immoralità. [4] Ognuno sappia vivere con la propria moglie con santità e rispetto, [5] senza lasciarsi dominare da indegne passioni, come fanno invece i pagani che non conoscono Dio. [6] In queste cose, nessuno deve offendere o ingannare gli altri. Ve l'ho già detto e vi ho già avvertiti seriamente: il Signore punisce chi commette questi peccati. [7] Dio non ci ha chiamati a vivere nell'immoralità, ma nella santità. [8] Perciò, chi disprezza queste istruzioni, non disprezza l'uomo, ma Dio che vi ha dato il suo *Spirito Santo.

Esortazione all'amore e alla pace

[9] Per quel che riguarda l'amore fraterno, non avete bisogno che io vi scriva nulla. Voi stessi, infatti, avete imparato

da Dio ad amarvi gli uni gli altri [10] e manifestate questo
amore verso tutti i nostri fratelli che abitano nell'intera
*Macedonia. Ma io vi incoraggio a fare sempre meglio.
[11] Fate il possibile per vivere in pace; curate i vostri impegni
e guadagnatevi da vivere con il vostro lavoro, come vi ho
insegnato. [12] Così quelli che non sono cristiani avranno rispetto del vostro modo di vivere, e voi non sarete di peso
a nessuno.

Morti e vivi al ritorno del Signore

[13] Fratelli, voglio che siate ben istruiti su ciò che riguarda
i morti: non dovete continuare ad essere tristi come gli
altri, come quelli che non hanno nessuna speranza. [14] Noi
crediamo che Gesù è morto e poi è risuscitato. Allo stesso
modo crediamo che Dio riporterà alla vita, insieme con
Gesù, quelli che sono morti credendo in lui.
[15] Come ci ha insegnato il Signore, io vi dico questo: noi
che siamo vivi e che saremo ancora in vita quando verrà
il Signore, non avremo alcun vantaggio su quelli che saranno già morti. [16] Infatti in quel giorno sentiremo un ordine, la voce dell'arcangelo e il suono della tromba di Dio.
Il Signore scenderà dal cielo, e allora quelli che sono morti
credendo in lui risorgeranno per primi. [17] Noi che saremo
ancora vivi, saremo portati in alto, tra le nubi, insieme con
loro, per incontrare il Signore. E da quel momento saremo
sempre con il Signore. [18] Dunque, consolatevi a vicenda,
con questi insegnamenti.

5 [1] Non è il caso, fratelli, che io vi dica quando questo
accadrà. [2] Voi stessi sapete bene che il giorno del Signore verrà improvvisamente, come un ladro di notte. [3] Quando la gente dirà: « Ora tutto è tranquillo e sicuro », proprio
allora il disastro li colpirà, improvviso, come i dolori del
parto. E nessuno potrà sfuggire.

Esortazione ad essere svegli e pronti

[4] Ma voi, fratelli, non vivete nelle tenebre e quindi quel
momento non vi prenderà di sorpresa come un ladro: [5] tutti,
infatti, siete dalla parte della luce e del giorno. Noi non
siamo dalla parte delle tenebre e della notte.

⁶ Di conseguenza, non dobbiamo rimanere addormentati, come gli altri; dobbiamo rimanere svegli e pronti.
⁷ Quelli che dormono, è di notte che dormono. Quelli che si ubriacano, lo fanno di notte. ⁸ Ma noi che siamo dalla parte del giorno dobbiamo essere pronti: la fede e l'amore siano la nostra corazza, e la speranza della salvezza sia il nostro elmo. ⁹ Perché Dio non ci ha destinati a subire la sua condanna, ma piuttosto a possedere la salvezza, per mezzo di Gesù *Cristo nostro Signore. ¹⁰ Egli è morto per farci vivere con lui, sia che noi siamo morti o vivi quando egli verrà. ¹¹ Perciò incoraggiatevi e aiutatevi a vicenda, come già fate.

Raccomandazioni finali

¹² Fratelli, vi prego di rispettare quelle persone che, per incarico del Signore, lavorano in mezzo a voi, sono responsabili della comunità e vi rimproverano. ¹³ Trattatele con molto rispetto e con amore, a causa dell'attività che devono svolgere. Vivete in pace tra voi.
¹⁴ Vi raccomando, fratelli: rimproverate quelli che vivono male, incoraggiate i paurosi, aiutate i deboli, siate pazienti con tutti. ¹⁵ Non vendicatevi contro chi vi fa del male, ma cercate sempre di fare il bene tra voi e con tutti.
¹⁶ Siate sempre contenti. ¹⁷ Pregate continuamente, e ¹⁸ in ogni circostanza ringraziate il Signore. Dio vuole che voi facciate così, vivendo uniti a Gesù *Cristo. ¹⁹ Non ostacolate l'azione dello *Spirito Santo. ²⁰ Non disprezzate i messaggi di Dio: ²¹ esaminate ogni cosa e tenete ciò che è buono. ²² State lontani da ogni specie di male.
²³ Dio, che dona la pace, vi faccia essere completamente degni di lui e custodisca tutta la vostra persona — spirito, anima e corpo — senza macchia fino al giorno in cui verrà il Signore nostro Gesù Cristo. ²⁴ Potete fidarvi di Dio: egli vi ha chiamati e farà tutto questo.
²⁵ Fratelli, pregate anche per noi.
²⁶ Salutate tutti i nostri fratelli con un bacio santo. ²⁷ Vi scongiuro, per il Signore: fate leggere questa lettera a tutti i fratelli.
²⁸ La grazia del Signore nostro Gesù Cristo sia con voi!

SECONDA LETTERA DI PAOLO AI CRISTIANI DI TESSALONICA

Saluto

1 ¹ Paolo, Silvano e Timòteo scrivono alla chiesa di Tessalonica, a voi che siete di Dio Padre e del Signore Gesù *Cristo. ² Lo stesso Dio Padre e il Signore Gesù Cristo diano a voi grazia e pace.

Ringraziamento

³ Fratelli, dobbiamo sempre ringraziare Dio per voi. È giusto che lo facciamo, perché la fede vostra fa grandi progressi, e l'amore che avete gli uni per gli altri aumenta ogni giorno. ⁴ Io sono orgoglioso di voi e lo dico in tutte le comunità cristiane, perché voi siete forti, e continuate a credere anche in mezzo alle persecuzioni e alle difficoltà che dovete affrontare.

Il giudizio di Dio

⁵ Ciò che dovete sopportare è un segno del giusto *giudizio di Dio. Queste sofferenze vi faranno diventare degni di quel *regno di Dio per il quale ora soffrite. ⁶ Infatti, Dio è giusto, e quindi darà tribolazione a quelli che vi perseguitano; ⁷ mentre a voi, che ora siete tribolati, darà sollievo, come a noi. Questo accadrà quando il Signore Gesù verrà dal cielo e apparirà con i suoi *angeli potenti. ⁸ Allora, come dice la *Bibbia,

> porterà fuoco ardente
> per punire quelli che non conoscono Dio,

cioè quelli che non accolgono il messaggio di Gesù nostro Signore. ⁹ Essi saranno condannati a una distruzione definitiva,

> lontani dalla faccia del Signore,
> lontani dalla sua gloriosa potenza.

¹⁰ In quel giorno, egli verrà per essere accolto da tutti quelli che sono suoi, per essere riconosciuto e ammirato da tutti quelli che credono in lui. E anche voi ci sarete, perché anche voi avete creduto a ciò che vi ho annunziato.

Preghiera

[11] Perciò, io prego continuamente per voi. Domando a Dio
che vi faccia degni della vita alla quale egli vi chiama. Gli
domando che, con la sua potenza, egli vi aiuti a realizzare
i vostri desideri di fare il bene, e renda perfette le opere
che nascono dalla vostra fede. [12] Così darete gloria al nome
di Gesù nostro Signore, e voi stessi sarete glorificati da
lui. Questo è un dono che viene dal nostro Dio e dal Signore nostro Gesù *Cristo.

Il ritorno del Signore

2 [1] Fratelli, per ciò che riguarda il ritorno del nostro Signore Gesù *Cristo e il nostro incontro con lui, vi raccomando una cosa: [2] non lasciatevi confondere le idee tanto
facilmente. Non mettetevi in agitazione se qualcuno dice
che il giorno del Signore è ormai presente o afferma di averlo
saputo per mezzo di una rivelazione, o da qualche discorso,
oppure da una lettera che fanno passare come mia. [3] Non
lasciatevi imbrogliare da nessuno, in nessun modo! Perché
il giorno del Signore non verrà prima che ci sia stata la
ribellione finale e si sia manifestato l'uomo malvagio destinato alla distruzione. [4] Come dice la *Bibbia, *costui verrà
a mettersi contro tutto ciò che gli uomini adorano e chiamano Dio. Egli andrà fin dentro il tempio di Dio*, si metterà
in trono con la pretesa di essere Dio.
[5] Non ricordate che vi ho già detto queste cose quando ero
tra voi? [6] Ora sapete perché quel malvagio non riesce a
manifestarsi: c'è qualcosa che lo trattiene fino a quando
non sarà venuto il suo momento. [7] La forza misteriosa del
male è già in azione, ma perché si manifesti pienamente
è necessario che sia tolto di mezzo chi la impedisce. [8] Soltanto allora quel malvagio si manifesterà, ma il Signore Gesù,
come dice la Bibbia,
    lo ucciderà con il soffio della sua bocca,
lo distruggerà con lo splendore del suo ritorno. [9] Il malvagio verrà con la potenza di Satana, con tutta la forza di
falsi *miracoli e di falsi prodigi. [10] Userà ogni genere di
inganno maligno per fare del male a quelli che andranno
in rovina. Questi si perderanno perché non hanno accolto
e non hanno amato la verità, quella verità che li avrebbe

salvati. ¹¹ Perciò, dunque, Dio manda a questa gente una
forza di inganno, in modo che essi credano alla menzogna.
¹² Così, tutti quelli che non hanno creduto alla verità ma
hanno trovato gusto nel male, saranno condannati.

Incoraggiamento

¹³ Noi però dobbiamo sempre ringraziare Dio per voi, fratelli, amati dal Signore. Perché Dio vi ha scelti e ha voluto
farvi essere i primi salvati, per mezzo dello Spirito che
santifica e per mezzo della fede nella verità. ¹⁴ Con il messaggio del *vangelo che io annunzio, Dio vi ha chiamati
alla salvezza, cioè a possedere la gloria del Signore nostro
Gesù Cristo.
¹⁵ Perciò, fratelli, restate forti e conservate gli insegnamenti
che io vi ho dati, sia a parole, sia con questa lettera. ¹⁶ Lo
stesso Signore nostro Gesù Cristo e Dio, nostro Padre, che
ci ha amati e generosamente ci ha dato una consolazione
eterna e una buona speranza, ¹⁷ diano conforto ai vostri
cuori; vi concedano la forza di compiere e dire tutto ciò
che è buono.

Richiesta di preghiere

3 ¹ E poi, fratelli, pregate per me. Pregate perché la parola del Signore si diffonda e sia bene accolta, come
accade tra voi. ² Per le vostre preghiere Dio mi liberi da
certa gente cattiva e malvagia. Infatti non tutti arrivano
alla fede. ³ Ma il Signore è fedele: egli vi darà forza e vi
proteggerà dal male.
⁴ Il Signore mi fa aver fiducia in voi. Penso che voi fate
e farete ciò che io vi raccomando.
⁵ Il Signore conduca i vostri cuori verso l'amore di Dio e
verso quella pazienza che è un dono di *Cristo.

L'impegno a lavorare

⁶ Fratelli, in nome del Signore Gesù *Cristo, vi do un comando: state lontani da quei fratelli che vivono una vita
disordinata e vanno contro le istruzioni che hanno ricevuto
da me. ⁷ Voi sapete bene come dovete fare per seguire il
mio esempio. Quando sono stato in mezzo a voi, io non

sono rimasto in ozio: [8] non mi sono fatto mantenere da
nessuno, ma ho lavorato giorno e notte con grande fatica,
perché non volevo essere un peso per nessuno. [9] Certamente
avevo qualche diritto; ma ho fatto così per darvi un esempio
da imitare.

[10] Infatti, quando ero con voi, vi ho dato questa regola:
chi non vuol lavorare, non deve neanche mangiare. [11] Ora,
sento dire che alcuni tra voi vivono in maniera sregolata:
non fanno niente, anzi fanno continue sciocchezze. [12] In nome del Signore Gesù Cristo, io ordino e raccomando a
questi fratelli di lavorare tranquilli e di guadagnarsi da
vivere.

[13] Voi altri, fratelli, non lasciatevi scoraggiare nel fare il
bene. [14] Se qualcuno non obbedisce a queste istruzioni che
mando per lettera, prendete nota e interrompete i rapporti
con lui, in modo che abbia vergogna. [15] Però non trattatelo
come un nemico; rimproveratelo come fratello.

Benedizione e saluti

[16] Il Signore della pace, vi doni egli stesso la sua pace,
sempre e in ogni maniera. Il Signore sia con tutti voi.
[17] Questi saluti sono scritti da me, Paolo, personalmente.
Questa è la mia firma in tutte le mie lettere. Io scrivo così.
[18] La grazia del Signore nostro Gesù *Cristo sia con tutti voi.

PRIMA LETTERA DI PAOLO A TIMOTEO

Saluto

1 ¹ Io, Paolo — *apostolo di Cristo Gesù per comando di Dio nostro Salvatore e di Gesù *Cristo nostra speranza — ² scrivo a Timòteo, mio vero figlio nella fede. Dio nostro Padre e Gesù Cristo nostro Signore diano a te grazia, misericordia e pace.

Avvertimento contro le false dottrine

³ Quando partii per andare in *Macedonia ti raccomandai di rimanere a Èfeso. Restaci ancora, ti prego, perché vi sono alcuni che insegnano false dottrine e tu devi ordinare che smettano. ⁴ Digli di non interessarsi più a quelle favole, a quei lunghi elenchi di antenati: sono cose che provocano solo discussioni e non riguardano quella salvezza che Dio ci fa conoscere mediante la fede.

⁵ Questa mia raccomandazione ha uno scopo: vuole far sorgere quell'amore che viene da un cuore puro, da una buona coscienza e da una fede sincera. ⁶ Alcuni si sono allontanati da questa strada e si sono persi in stupide discussioni. ⁷ Pretendono di essere *maestri nella legge di Dio, ma in realtà non capiscono quel che dicono, anche se l'affermano con tanta sicurezza.

⁸ Certo, noi sappiamo che la legge è una buona cosa, se è usata come si deve. ⁹ Ricordiamo che una legge non è fatta per quelli che agiscono bene, ma per quelli che agiscono male. Per i ribelli e i delinquenti, per i malvagi e i peccatori, per quelli che non rispettano Dio e quel che è santo, per gli assassini e per quelli che uccidono il padre o la madre; ¹⁰ per le persone immorali e i maniaci sessuali, per i mercanti di schiavi, per i bugiardi e gli spergiuri: insomma per tutti quelli che vanno contro la sana dottrina. ¹¹ Questa dottrina è contenuta nel messaggio del Signore che è stato affidato a me; esso viene da Dio, glorioso e benedetto.

Ringraziamento per la bontà di Dio

¹² Ringrazio Gesù Cristo, nostro Signore: egli mi ha stimato degno di fiducia e mi ha dato un incarico e mi dà la forza

di compierlo. [13] Eppure, prima, io avevo parlato male di lui, l'avevo offeso e l'avevo perseguitato. Ma Dio ha avuto misericordia di me perché allora ero lontano dalla fede e non sapevo quel che facevo. [14] Così la bontà del Signore è stata abbondante su di me: mi ha dato la fede e l'amore che vengono dall'unione con Gesù *Cristo.

[15] Questa è una parola sicura, degna di essere accolta da tutti: « Cristo Gesù è venuto nel mondo per salvare i peccatori ». Io sono il primo dei peccatori, [16] ma proprio per questo Dio ha avuto misericordia di me. Perché Gesù Cristo mostrasse in me per primo tutta la sua pazienza, per dare un esempio a tutti quelli che in futuro crederanno in lui e riceveranno la vita che viene da Dio.

[17] A Dio, unico e invisibile, al re eterno e immortale, a lui onore e gloria per sempre! *Amen.

Le responsabilità di Timòteo

[18] Timòteo, figlio mio, ti lascio queste raccomandazioni ricordando ciò che i *profeti della comunità hanno detto di te. Quelle parole siano la tua forza nella buona battaglia che devi combattere. [19] Conserva la fede e una buona coscienza. Alcuni non hanno ascoltato la loro coscienza e hanno rovinato la loro fede. [20] Tra questi ci sono Imenèo e Alessandro: io li ho consegnati al potere di Satana, così impareranno a non parlare più contro Dio.

Istruzioni sulla preghiera

2 [1] Innanzitutto, ti raccomando che si facciano preghiere a Dio per tutti gli uomini: domande, suppliche e ringraziamenti. [2] Bisogna pregare per i re e per tutti quelli che hanno autorità, affinché si possa vivere una vita tranquilla, in pace; una vita dignitosa e dedicata a Dio. [3] Tutto ciò è buono e piace a Dio nostro Salvatore. [4] Egli vuole che tutti gli uomini arrivino alla salvezza e alla conoscenza della verità.

[5] Perché uno solo è Dio, e uno solo è il mediatore tra Dio e gli uomini: l'uomo Gesù *Cristo. [6] Egli ha dato la sua vita come prezzo del riscatto di tutti noi. A questo modo, nel tempo stabilito, egli ha dato la prova che Dio vuol salvare tutti gli uomini. [7] Per questo io sono stato fatto

messaggero e *apostolo, con l'incarico di insegnare ai pagani la fede e la verità. Sono sincero, non dico menzogne.

⁸ Dunque, voglio che in ogni luogo gli uomini facciano preghiere, che alzino verso il cielo mani pure, senza collera o rancore. ⁹ E così preghino anche le donne: con abiti decenti, con modestia e semplicità. I loro ornamenti non siano complicate pettinature, gioielli d'oro, perle e vestiti lussuosi. ¹⁰ Invece siano ornate di opere buone, adatte a donne che dicono di amare Dio. ¹¹ Durante le riunioni le donne restino in silenzio, senza pretese. ¹² Non permetto alle donne di insegnare, né di comandare agli uomini. Devono starsene tranquille. ¹³ Perché Adamo è stato creato per primo e poi Eva. ¹⁴ Inoltre, non fu Adamo che si lasciò ingannare: fu la donna a lasciarsi ingannare e a disubbidire agli ordini di Dio. ¹⁵ Tuttavia anche la donna si salverà, nella sua vita di madre, se conserva la fede e l'amore e la santità, nella modestia.

I pastori della comunità

3 ¹ Ecco una parola sicura: se qualcuno desidera avere un compito di *pastore nella comunità, desidera una cosa seria. ² Un pastore deve essere un uomo buono, fedele alla propria moglie, capace di controllarsi, prudente, dignitoso, pronto ad accogliere gli ospiti, capace d'insegnare. ³ Egli non deve essere un ubriacone, un violento o uno che litiga facilmente: deve invece essere gentile e non attaccato ai soldi.

⁴ Sappia governare bene la sua famiglia, i suoi figli siano ubbidienti e rispettosi. ⁵ Perché se uno non sa governare la propria famiglia, come potrà aver cura della Chiesa di Dio? ⁶ Egli non deve essere convertito da poco tempo: altrimenti potrebbe andare in superbia e finire condannato come il *diavolo. ⁷ Infine, bisogna che egli sia stimato anche da quelli che non sono cristiani, perché nessuno lo disprezzi ed egli non cada in qualche trappola del diavolo.

I diaconi

⁸ Anche i diaconi devono essere uomini seri e sinceri: non siano ubriaconi e non cerchino guadagni disonesti. ⁹ Essi devono conservare la verità della fede con una coscienza

pura. [10] Perciò, prima siano messi alla prova e poi, se non si troverà niente da dire contro di loro, potranno lavorare come diaconi. [11] Anche le donne devono essere serie, non pettegole, capaci di controllarsi e fedeli in tutto. [12] Il diacono deve essere fedele alla propria moglie, deve saper governare bene la famiglia ed educare i figli. [13] I diaconi che svolgono bene il loro compito, saranno onorati da tutti e potranno parlare con sicurezza della fede in Gesù *Cristo.

Il mistero rivelato

[14] Ti scrivo questa lettera, ma spero di poter venire presto da te. [15] Tuttavia, può darsi che io non venga presto; perciò voglio che tu sappia come devi comportarti nella casa di Dio, cioè nella Chiesa del Dio vivente, colonna e sostegno della verità.
[16] Davvero grande è il mistero della nostra fede:

Cristo si è manifestato come uomo
Fu dichiarato giusto mediante lo *Spirito Santo
Apparve agli *angeli
Fu annunziato ai popoli pagani
Molti credettero in lui
Fu portato nella gloria di Dio.

I falsi maestri

4 [1] Lo Spirito parla chiaro: ci dice che negli ultimi tempi alcuni abbandoneranno la fede, seguiranno *maestri di inganno e dottrine diaboliche. [2] Si lasceranno affascinare da ipocriti e imbroglioni che hanno la coscienza segnata con il marchio a fuoco di criminali. [3] Questa gente insegnerà che è proibito sposarsi e che non si devono mangiare certi cibi. Ma Dio ha creato questi alimenti per quelli che credono in lui e conoscono la verità, perché li mangino facendo preghiere di ringraziamento. [4] Infatti tutto ciò che è stato creato da Dio è buono: non c'è niente da scartare. Tutto deve essere accolto ringraziando Dio, [5] perché la *parola di Dio e la preghiera rendono ogni cosa gradita a Dio.

Un buon servitore di Gesù Cristo

⁶ Se darai queste istruzioni ai fratelli nella fede, tu sarai un buon servitore di *Cristo Gesù; mostrerai di essere stato nutrito dalle parole della fede e dalla buona dottrina che hai seguito. ⁷ Non dare ascolto a favole stupide e contrarie alla fede.

Allenati continuamente ad amare Dio. ⁸ Allenare il corpo serve a poco; amare Dio, invece, serve a tutto. Perché ci garantisce la vita quaggiù e ci promette la vita futura. ⁹ Questa è una parola sicura, degna di essere accolta e creduta. ¹⁰ Infatti noi lavoriamo e lottiamo perché abbiamo messo la nostra speranza nel Dio vivente, che è il Salvatore di tutti gli uomini, soprattutto di quelli che credono. ¹¹ Queste sono le cose che tu devi raccomandare e insegnare. ¹² Nessuno deve avere poco rispetto di te perché sei giovane. Tu devi essere di esempio per i credenti: nel tuo modo di parlare, nel tuo comportamento, nell'amore, nella fede, nella purezza. ¹³ Fino al giorno del mio arrivo, impegnati a leggere pubblicamente la *Bibbia, a insegnare e a esortare. ¹⁴ Non trascurare il dono spirituale che Dio ti ha dato, che tu hai ricevuto quando i *profeti hanno parlato e tutti i responsabili della comunità hanno posato le mani sul tuo capo. ¹⁵ Queste cose siano la tua preoccupazione e il tuo impegno costante. Così tutti vedranno i tuoi progressi. ¹⁶ Fa' attenzione a te stesso e a quello che insegni. Non cedere. Facendo così, salverai te stesso e quelli che ti ascoltano.

Responsabile verso tutti

5 ¹ Non rimproverare duramente un uomo anziano, ma esortalo come se fosse tuo padre. Tratta i giovani come fratelli, ² le donne anziane come madri, quelle giovani come sorelle, con assoluta purezza.

Le vedove

³ Abbi cura e rispetto per le vedove che sono veramente sole. ⁴ Se invece una vedova ha dei figli o nipoti, bisogna che questi imparino a mettere in pratica la loro fede prima di tutto verso le persone della propria famiglia. Devono imparare ad aiutare i loro genitori, perché così Dio vuole.

⁵ La donna che è veramente vedova e non ha nessuno, mette la sua speranza in Dio e giorno e notte gli chiede aiuto con la preghiera. ⁶ Invece la vedova che pensa solo a divertirsi, anche se vive è già morta. ⁷ Tu raccomanda che le vedove non si comportino male. ⁸ Se poi qualcuno non si prende cura dei suoi parenti, specialmente di quelli della sua famiglia, costui ha già tradito la sua fede ed è peggiore di uno che non crede.

⁹ Accetta nella lista ufficiale delle vedove solo quelle che hanno passato i sessant'anni. Inoltre, bisogna che siano state fedeli al marito ¹⁰ e che siano conosciute per le loro opere buone. Devono aver educato bene i loro figli, devono essere state generose nell'ospitalità e servizievoli verso tutti i credenti; devono aver aiutato i bisognosi e fatto ogni specie di opera buona.

¹¹ Non mettere in quella lista le vedove giovani, perché se poi sono prese dal desiderio di sposarsi di nuovo, abbandonano Cristo, ¹² e così si rendono colpevoli di aver abbandonato il loro primo impegno. ¹³ Inoltre, trovandosi senza niente da fare, queste vedove imparano a girare qua e là per le case; non solo vivono nell'ozio, ma diventano anche curiose e pettegole, parlano di cose delle quali non dovrebbero interessarsi.

¹⁴ Perciò, desidero che le giovani vedove si sposino di nuovo, abbiano figli e si prendano cura della loro casa; in modo che non diano ai nostri avversari occasione di parlar male di noi. ¹⁵ Purtroppo già alcune hanno abbandonato la strada giusta e sono andate dietro a Satana.

¹⁶ Se poi una donna cristiana ha delle vedove nella sua parentela, se ne occupi lei, senza essere di peso alla comunità: così la comunità potrà aiutare le vedove che sono veramente sole.

I responsabili della comunità

¹⁷ I responsabili che governano bene la comunità, meritano doppia ricompensa, specialmente quelli che faticano nella predicazione e nell'insegnamento. ¹⁸ Dice infatti la *Bibbia:

  Non mettere la museruola al bue che trebbia il grano;
e poi: Il lavoratore ha diritto alla sua paga. ¹⁹ Non ascoltare accuse contro un responsabile se non sono confermate da *due o tre testimoni*, come dice la Bibbia.

²⁰ Se qualcuno ha commesso una colpa, rimproveralo pubblicamente, in modo che anche gli altri ne abbiano timore.
²¹ Ti scongiuro, davanti a Dio, a *Cristo Gesù e agli *angeli santi: ubbidisci a queste mie istruzioni e mettile in pratica con tutti, senza fare preferenze per nessuno.
²² Non aver fretta quando scegli qualcuno per un incarico nella comunità mediante l'imposizione delle mani, altrimenti sarai responsabile anche dei suoi peccati. Conservati puro.
²³ Smetti di bere soltanto acqua; prendi anche un po' di vino per favorire la digestione, visto che sei spesso malato.
²⁴ I peccati di certe persone si vedono chiaramente anche prima che siano condannati; i peccati di altre persone si scoprono soltanto dopo. ²⁵ Anche le opere buone si manifestano e anche quelle non buone non possono restare nascoste.

Gli schiavi credenti

6 ¹ Quelli che si trovano ad essere schiavi, siano molto rispettosi verso i loro padroni, perché nessuno possa bestemmiare il nome di Dio e parlar male della nostra fede.
² E se i padroni sono cristiani, non gli possono mancar di rispetto per il semplice fatto che sono fratelli nella fede. Anzi, devono servirli ancor meglio, proprio perché compiono un servizio verso persone credenti e amate da Dio.

Le false dottrine e la vera ricchezza

Sono queste le cose che tu devi insegnare e raccomandare.
³ Se qualcuno insegna diversamente, se non segue le sane parole di Gesù Cristo nostro Signore e l'insegnamento della nostra religione, ⁴⁻⁵ è un superbo e un ignorante, un malato che va in cerca di discussioni e vuol litigare sulle parole. Da queste cose nascono invidie, contrasti, maldicenze, sospetti cattivi e discussioni senza fine. Chi fa così è gente squilibrata lontana dalla verità. Essi pensano che la religione sia un mezzo per far soldi.
⁶ Certo, la religione è una grande ricchezza, per chi si contenta di quel che ha. ⁷ Perché non abbiamo portato nulla in questo mondo e non potremo portar via nulla. ⁸ Dunque, quando abbiamo da mangiare e da vestirci, contentiamoci.
⁹ Quelli invece che vogliono diventare ricchi, cadono nelle tentazioni, sono presi nella trappola di molti desideri stupidi

e disastrosi, che fanno precipitare gli uomini nella rovina e nella perdizione. [10] Infatti l'amore dei soldi è la radice di tutti i mali. Alcuni hanno avuto un tale desiderio di possedere, che sono andati lontani dalla fede e si sono tormentati da se stessi con molti dolori.

Raccomandazioni a Timòteo

[11] Ma tu, uomo di Dio, evita tutte quelle cose. Cerca sempre la giustizia, il timor di Dio, la fede, l'amore, la pazienza e la bontà. [12] Combatti la buona battaglia della fede: afferra la vita eterna perché Dio ti ha chiamato a viverla quando hai fatto la tua bella dichiarazione di fede di fronte a molti testimoni. [13] Davanti a Dio, che dà vita a tutte le cose, e davanti a Gesù Cristo che ha dato la sua bella testimonianza di fede di fronte a Ponzio Pilato, io ti faccio questa raccomandazione: [14] ubbidisci al comandamento ricevuto, conservati puro e senza macchia fino al giorno in cui verrà il Signore nostro Gesù *Cristo. [15] Al tempo stabilito, la sua apparizione sarà decisa da Dio.

Egli è il Sovrano unico e beato,
il Re dei re, il Signore dei signori.
[16] Egli solo è immortale,
e abita in una luce alla quale nessuno si può avvicinare.
Nessun uomo l'ha mai visto,
né potrà mai vederlo. A lui onore e potenza, per sempre!
*Amen.

I ricchi

[17] A quelli che possiedono ricchezze in questo mondo devi raccomandare di non essere orgogliosi. Non mettano la loro speranza in queste ricchezze incerte, ma in Dio: è lui che ci dà tutto con abbondanza, perché noi possiamo esserne contenti. [18] Facciano il bene, siano ricchi di opere buone, generosi e pronti a mettere in comune quel che possiedono. [19] Così si prepareranno un tesoro sicuro per l'avvenire, per ottenere la vera vita.

Ultime raccomandazioni

[20] Timòteo, custodisci con cura tutto quello che ti è stato affidato. Evita le chiacchiere contrarie alla fede, le obiezioni che vengono da una falsa conoscenza. [21] Alcuni hanno preteso di avere questa conoscenza, ma poi si sono allontanati dalla fede.
La grazia di Dio sia con voi!

SECONDA LETTERA DI PAOLO A TIMOTEO

Saluto

1 [1] Io, Paolo — *apostolo di *Cristo Gesù per volontà di Dio, mandato ad annunziare la vita a noi promessa mediante Cristo Gesù — [2] scrivo a Timòteo, mio carissimo figlio. Dio Padre e il Signore nostro Gesù Cristo diano a te grazia, misericordia e pace.

Ringraziamento e incoraggiamento

[3] Ringrazio Dio: io lo servo con coscienza pura, come hanno fatto i miei antenati, e lo ringrazio ogni volta che mi ricordo di te nelle mie preghiere. [4] Notte e giorno ricordo le tue lacrime e ho un grande desiderio di rivederti per essere pieno di gioia. [5] Ricordo la tua fede sincera, quella fede che hanno avuto anche tua nonna Lòide e tua madre Eunìce. Sono certo che anche tu la possiedi.
[6] Per questo ti raccomando di tener vivo in te quel dono di Dio che hai ricevuto quando io ho posto le mie mani sul tuo capo. [7] Perché Dio non ci ha dato uno spirito che ci rende paurosi; ma uno spirito che ci dà forza, amore e saggezza. [8] Dunque non aver vergogna quando dichiari di essere dalla parte del Signore e non vergognarti di me che sono in prigione per lui. Piuttosto anche tu, aiutato dalla forza di Dio, soffri insieme con me per il *vangelo.
[9] Perché Dio ci ha salvati e ci ha chiamati a essere il suo popolo; non a causa delle opere che noi abbiamo compiuto, ma per sua decisione e per sua generosità. Da sempre, Dio

è generoso verso di noi, per mezzo di Gesù Cristo; [10] ma la sua generosità si è chiaramente manifestata ora che è venuto Gesù Cristo, il nostro Salvatore. Egli ha distrutto il potere della morte e, con l'annunzio della sua parola, ci ha fatto conoscere la vita immortale.

[11] Dio mi ha incaricato di annunziare questo messaggio, di essere apostolo e *maestro. [12] Per questo io soffro tanti mali, ma non me ne vergogno. Infatti io so a chi ho dato la mia fiducia e sono convinto che egli è capace di conservare fino all'ultimo giorno ciò che mi è stato affidato.

[13] Le sane parole che hai ascoltato da me, siano per te come un modello, e continua nella fede e nell'amore che ci vengono da Cristo Gesù. [14] Con l'aiuto dello *Spirito Santo che abita in noi, custodisci il buon deposito che ti è stato affidato.

[15] Come tu sai, tutti quelli dell'*Asia Minore mi hanno abbandonato. Tra gli altri, anche Fìgelo ed Ermògene. [16] Il Signore benedica la famiglia di Onesìforo, perché molte volte egli è venuto a darmi conforto. Non ha avuto vergogna di me che sono in prigione. [17] Anzi, quando è venuto a Roma mi ha cercato con premura, finché non mi ha trovato. [18] Il Signore gli faccia trovare la misericordia di Dio nel giorno del *giudizio. E tu sai meglio di me quanto egli mi sia stato utile mentre ero ad Èfeso.

Il buon soldato di Cristo

2 [1] Figlio mio, prendi forza dalla grazia che ci viene da *Cristo Gesù. [2] Ciò che io ho detto alla presenza di molti testimoni, affidalo a persone fidate che siano in grado — a loro volta — di insegnarlo anche ad altre persone.

[3] Prendi anche tu la tua parte di sofferenze, come un buon soldato di Cristo Gesù. [4] Quando uno fa il soldato non perde tempo con i problemi della vita comune: si preoccupa soltanto di far contento il suo comandante. [5] Anche nelle gare sportive, un atleta può ottenere il premio soltanto se rispetta le regole. [6] E il contadino che lavora duramente deve essere il primo a raccogliere i frutti. [7] Cerca di capire quello che ti dico. Certamente il Signore ti darà l'intelligenza per comprendere ogni cosa.

[8] Ricordati di Gesù Cristo e di ciò che io annunzio:
Fu un discendente del re Davide,
Dio lo risuscitò da morte.

⁹ Per lui io soffro fino ad essere incatenato come delinquente. Ma la *parola di Dio non è incatenata! ¹⁰ Perciò io sopporto ogni difficoltà a vantaggio di quelli che Dio si è scelti, perché anch'essi possano raggiungere la salvezza che ci viene da Cristo Gesù e la gloria eterna. ¹¹ Queste sono parole sicure:

> « Se noi moriamo con lui, con lui anche vivremo.
> ¹² Se con lui soffriamo, con lui anche regneremo.
> Se noi lo rifiutiamo, anche lui ci rifiuterà.
> ¹³ E anche se noi non gli siamo fedeli, egli rimane
> fedele,
> perché non può mettersi in contraddizione con se
> stesso ».

Il buon servitore di Cristo

¹⁴ A tutti ricorda queste cose. Scongiurali, davanti a Dio, di evitare discussioni sulle parole; sono discussioni che non servono a niente e portano alla rovina quelli che le ascoltano. ¹⁵ Tu cerca di essere degno di lode davanti a Dio, come un lavoratore che non deve vergognarsi del suo lavoro, come un onesto predicatore della parola di verità.
¹⁶ Evita le chiacchiere inutili; chi le fa, si allontana sempre più da Dio, ¹⁷ e insegna dottrine malsane, che si diffondono come cancrena in una ferita. Così hanno fatto anche Imenèo e Filèto. ¹⁸ Essi si sono allontanati dalla verità, e ora mettono in difficoltà la fede di altri insegnando che la nostra risurrezione è già avvenuta.
¹⁹ Tuttavia le solide fondamenta poste da Dio sono resistenti. Vi sono scolpite queste parole:

> « Il Signore conosce quelli che sono suoi » e
> « Chi invoca il nome del Signore deve allontanarsi
> dal male ».

²⁰ In una grande casa, però, non vi sono soltanto vasi d'oro e d'argento; vi sono anche vasi di legno e di terracotta. Quelli preziosi sono riservati per occasioni speciali, gli altri si usano ogni giorno. ²¹ Se uno si purifica da tutti i mali che ho detto, sarà come un vaso prezioso, santificato, utile al suo padrone, pronto per ogni opera buona.
²² Stai lontano dalle passioni che attirano i giovani. Insieme con tutti quelli che si rivolgono al Signore con cuore puro, tu devi impegnarti a raggiungere la giustizia, la fede, l'amore,

la pace. ²³ Evita le discussioni stupide e disordinate: tu sai che provocano litigi. ²⁴ Invece, uno che lavora per il Signore non deve essere litigioso. Deve esser gentile con tutti, capace di insegnare, paziente di fronte alle offese. ²⁵ Deve rimproverare con dolcezza quelli che gli si mettono contro, con la speranza che Dio darà anche a questa gente l'occasione di cambiar vita e di conoscere la verità. ²⁶ Cosí ritroveranno il buon senso, si libereranno dalla trappola del *demonio che li aveva presi per farli ubbidire alla sua volontà.

Negli ultimi giorni

3 ¹ Devi sapere che negli ultimi tempi si avranno giorni difficili. ² Gli uomini saranno egoisti, avari, fanfaroni, orgogliosi e bestemmiatori; si ribelleranno ai genitori, non avranno riconoscenza per nessuno e non rispetteranno le cose sante. ³ Saranno senza amore, duri, maldicenti e intrattabili. Saranno violenti, nemici del bene, ⁴ traditori e accecati dalla superbia, attaccati ai piaceri più che a Dio. ⁵ Conserveranno l'apparenza esterna della fede, ma avranno rifiutato la sua forza interiore.
Sta' lontano anche da questa gente! ⁶ Tra questi vi sono alcuni che entrano nelle case e riescono a dominare certe donnette, cariche di peccati, schiave di ogni passione. ⁷ Sono donne sempre pronte a imparare, ma non arrivano mai a conoscere la verità. ⁸ E quegli uomini si comportano come i maghi Iannes e Iambres, che si erano messi contro Mosè: essi si mettono contro la verità. Sono uomini dalla mente corrotta, la loro fede non vale nulla. ⁹ Ma non andranno molto lontano: presto tutti vedranno che sono stupidi, come è accaduto per quei maghi antichi.

Raccomandazioni

¹⁰ Tu invece mi sei stato sempre vicino; hai seguito il mio insegnamento, il mio modo di fare, i miei progetti, la mia fede, la mia pazienza, il mio amore, la mia resistenza. ¹¹ Hai visto le mie sofferenze e le mie persecuzioni, anche quelle che mi hanno colpito ad Antiòchia, a Icònio, e a Listra: eppure il Signore mi ha liberato da tutte le difficoltà. ¹² Del resto, tutti quelli che vogliono rimanere fedeli a Dio e uniti a Gesù Cristo, saranno perseguitati. ¹³ Ma gli uomini

malvagi e impostori, andranno sempre peggio: nello stesso tempo saranno imbroglioni e imbrogliati.

[14] Tu però rimani fermo, fedele alla verità che hai imparato e della quale sei pienamente convinto. Ricorda da chi l'hai imparata. [15] Tu conosci la sacra *Bibbia già da quando eri bambino: essa può darti la saggezza che conduce alla salvezza, per mezzo della fede in *Cristo Gesù. [16] Tutto ciò che è scritto nella Bibbia è ispirato da Dio, e quindi è utile per insegnare la verità, per convincere, per correggere gli errori e educare a vivere in modo giusto. [17] E così ogni uomo di Dio può essere perfettamente pronto, ben preparato a compiere ogni opera buona.

4 [1] Davanti a Dio e davanti a Cristo Gesù che si manifesterà come re quando verrà a giudicare i vivi e i morti, voglio farti una raccomandazione: [2] predica la *parola di Dio, insisti in ogni occasione, rimprovera, raccomanda e incoraggia, usando tutta la tua pazienza e la tua capacità d'insegnare. [3] Perché ci sarà un tempo nel quale gli uomini non vorranno più ascoltare la sana dottrina, ma seguiranno le loro voglie: si procureranno molti nuovi *maestri i quali insegneranno le cose che essi avranno voglia di ascoltare. [4] Non daranno più ascolto alla verità e andranno dietro alle favole.

[5] Tu però sta' sempre in guardia, sopporta le sofferenze, continua il tuo lavoro di predicatore del *vangelo, porta a termine il tuo impegno a servizio di Dio.

Paolo sente vicina la morte

[6] Quanto a me, ormai è giunta l'ora di offrire la mia vita come sacrificio a Dio. È il momento di iniziare il mio ultimo viaggio. [7] Ho combattuto la buona battaglia, sono arrivato fino al termine della mia corsa e ho conservato la fede. [8] Ora mi aspetta il premio della vittoria: il Signore, che è giudice giusto, mi consegnerà la corona di uomo giusto. Nell'ultimo giorno egli la consegnerà non solo a me, ma anche a tutti quelli che aspettano con amore il momento del suo ritorno.

Ultime raccomandazioni

⁹ Fa' il possibile per venire presto da me, ¹⁰ perché Dema mi ha abbandonato: ha preferito le cose di questo mondo ed è andato a Tessalonica. Anche Crescente e Tito sono andati via, uno verso la *Galazia e l'altro in Dalmazia. ¹¹ Soltanto Luca è con me. Porta con te anche Marco, perché mi sarà utile nel lavoro a servizio di Dio. ¹² Tìchico l'ho mandato a Èfeso.

¹³ Quando vieni, portami il mantello che ho lasciato a Tròade, in casa di Carpo. Portami anche i libri, ma soprattutto le pergamene.

¹⁴ Alessandro, il fabbro, si è comportato molto male con me: il Signore lo ripagherà in proporzione di quel che ha fatto. ¹⁵ Non fidarti di lui, perché si è messo decisamente contro ciò che noi abbiamo predicato.

¹⁶ La prima volta che ho dovuto difendermi in tribunale, nessuno mi è rimasto vicino. Mi hanno abbandonato tutti. Dio non voglia tenerne conto! ¹⁷ Però il Signore è rimasto con me e mi ha dato la forza: di modo che, anche in quella occasione, io ho potuto annunziare il suo messaggio e farlo ascoltare a tutti quelli che non conoscono Dio. Allora il Signore mi ha liberato dal pericolo estremo.

¹⁸ Egli mi libererà ancora da ogni male e mi salverà per farmi entrare nel suo regno eterno. A lui la gloria, per sempre! *Amen.

Saluti e auguri

¹⁹ Salutami Prisca, Aquila e la famiglia di Onesìforo. ²⁰ Eràsto è restato a Corinto. Tròfimo l'ho lasciato a Milèto perché si era ammalato. ²¹ Cerca di venire prima dell'inverno! Ti salutano Eubùlo, Pudènte, Lino, Claudia e tutti gli altri fratelli nella fede.

²² Il Signore sia con te. La grazia di Dio sia con voi.

LETTERA DI PAOLO A TITO

Saluto

1 ¹ Io, Paolo, servo di Dio e *apostolo di Gesù *Cristo, sono incaricato di portare la fede a quelli che Dio ha scelti. Devo fare loro conoscere la verità che è fondamento della genuina religione, ²⁻³ perché abbiamo la speranza della vita eterna. Dio, nostro Salvatore, non inganna nessuno. Egli ha promesso quella vita fin dai tempi più antichi, e nel tempo stabilito mi ha fatto conoscere la sua parola dandomi l'incarico di predicarla.

⁴ Per questo io scrivo a te, Tito, che mi sei vero figlio per la fede comune. Dio, nostro Padre, e Gesù Cristo, nostro Salvatore, diano a te grazia e pace.

I responsabili nella comunità

⁵ Ti ho lasciato nell'isola di Creta perché tu finisca quel che è rimasto da fare: perché tu stabilisca in ogni città alcuni responsabili seguendo le mie 'istruzioni. ⁶ Essi devono avere un'ottima reputazione. Ognuno sia fedele alla propria moglie, i suoi figli siano credenti che non possano essere accusati di comportamento disordinato o di disubbidienza. ⁷ Perché un vescovo è come un amministratore di Dio, perciò non deve dare occasioni a rimproveri. Non deve essere superbo, collerico, ubriacone, violento, avido di guadagno. ⁸ Deve essere invece generoso con chi chiede ospitalità, amante del bene, saggio, giusto, integro nella fede, capace di controllarsi. ⁹ Dev'essere tenacemente legato alla parola degna di fede che gli è stata insegnata. Così egli sarà capace di esortare gli altri con un sano insegnamento e di mostrare gli errori di chi insegna in modo contrario.

Contro gli eretici

¹⁰ Infatti vi sono molti ribelli, imbroglioni e chiacchieroni specialmente fra gente di origine ebraica. ¹¹ Bisogna farli tacere perché per amore di guadagno disonesto portano disordine in famiglie intere insegnando quel che non si deve. ¹² Proprio uno del loro paese fu vero indovino quando disse:

« I cretesi sono sempre bugiardi, cattive bestie, pigri pancioni ».
13 Questa affermazione è vera. Riprendili perciò severamente perché abbiano una fede sana 14 e la smettano di correre dietro a favole ebraiche e comandamenti di uomini che rifiutano la verità. 15 Tutto è puro per chi è puro, al contrario niente è puro per i corrotti e gli increduli perché la loro mente e la loro coscienza sono *impure. 16 Dichiarano di conoscere Dio, ma lo rinnegano con i fatti. Sono detestabili, ribelli e incapaci di qualsiasi opera buona.

Anziani, giovani e schiavi credenti

2 1 Insegna quel che è conforme alla giusta dottrina. 2 Gli uomini anziani siano sobri, seri, saggi, maturi nella fede, nell'amore, nella pazienza.
3 Anche le donne anziane tengano un comportamento degno di persone credenti: non facciano pettegolezzi e non siano schiave del vino. Invece sappiano dare buoni consigli 4 per insegnare alle donne più giovani ad amare il marito e i figli, 5 le aiutino a essere prudenti, caste e buone, ad aver cura della casa e a essere sottomesse ai loro mariti. Così nessuno potrà dir male della *parola di Dio.
6 Esorta anche i giovani a essere responsabili. 7 Tu stesso devi essere in tutto un esempio di buone opere. Il tuo insegnamento sia genuino e serio. 8 Usa parole corrette, che non possano essere criticate, in modo che gli oppositori si sentano a disagio non avendo nulla da dire contro di noi.
9 Quelli che sono schiavi siano pienamente sottomessi ai loro padroni: li accontentino, non li contraddicano. 10 Non devono rubare, anzi dimostrino sempre completa lealtà. Così renderanno onore in tutto all'insegnamento di Dio, nostro Salvatore.

Un popolo che appartiene a Dio

11 Dio infatti ha manifestato per tutti gli uomini la sua grazia che salva. 12 Questa grazia ci insegna a respingere ogni malvagità e i nostri cattivi desideri per vivere invece in questo mondo una vita piena di saggezza, di giustizia e di amore verso Dio. 13 Intanto aspettiamo che si manifesti la gloria del nostro grande Dio e Salvatore Gesù *Cristo. Egli è la

nostra gioia e la nostra speranza. [14] Egli ha dato se stesso per noi, per liberarci da ogni malvagità e avere un suo popolo puro e impegnato in buone opere.
[15] Questo devi dire usando tutta la tua autorità quando insegni, esorti e rimproveri. Nessuno deve disprezzarti.

Il comportamento dei credenti

3 [1] Ricorda a tutti che devono essere sottomessi alle autorità e ai governanti, che devono ubbidire ed essere pronti per ogni buona azione. [2] Non parlino male di nessuno, non siano litigiosi; anzi, siano umili e siano gentili con tutti.
[3] Prima, anche noi eravamo pazzi, ribelli, corrotti, schiavi di molti desideri e pensieri malvagi. Vivevamo nella cattiveria e nell'invidia: odiosi agli altri e pieni di odio fra noi.
[4] Ma ecco che Dio, nostro Salvatore, ci ha rivelato la sua bontà e il suo amore per gli uomini. [5] Noi non abbiamo fatto nulla che potesse piacere a lui, ma egli ci ha salvato perché ha avuto pietà di noi. Ci ha salvato con lo *Spirito Santo in un battesimo che fa risorgere a nuova vita, [6] perché Dio ha sparso abbondantemente su noi lo Spirito Santo per mezzo di Gesù *Cristo nostro Salvatore. [7] Così, perdonati e rinnovati dalla sua grazia, riceviamo la vita eterna che speriamo.
[8] Queste parole meritano fiducia e desidero che tu insista nel ripeterle, perché quelli che hanno creduto in Dio si impegnino fedelmente nel compiere buone opere. Questo è buono e utile per tutti. [9] Evita invece le questioni sciocche, le genealogie, le discussioni e le polemiche a proposito della *legge di Mosè perché sono inutili e vane. [10] Dopo averlo ammonito una prima e una seconda volta schiva chi è fazioso; [11] tu sai che questa gente si è allontanata dalla giusta strada, continua a peccare e si condanna da sé.

Istruzioni personali

[12] Quando ti avrò mandato Àrtema o Tìchico, fai di tutto per raggiungermi a Nicòpoli perché ho deciso di passare là l'inverno. [13] Provvedi con cura al viaggio di Zena, l'avvocato, e di Apollo: fa' in modo che non manchino di nulla.
[14] Anche i nostri devono imparare a impegnarsi in buone

opere per saper affrontare precise necessità e non essere gente inutile.

Saluti finali

[15] Tutti quelli che sono con me ti salutano. Tu saluta tutti i nostri amici nella fede.
La grazia di Dio sia con tutti voi.

LETTERA DI PAOLO A FILEMONE

Saluto

[1] Paolo, prigioniero a causa di Gesù *Cristo, e Timòteo nostro fratello scrivono a te Filèmone amico e compagno di lavoro, [2] alla nostra sorella Appia e ad Archippo nostro compagno nella lotta e alla comunità cristiana che si riunisce nella tua casa.
[3] Dio nostro Padre e Gesù *Cristo nostro Signore diano a voi grazia e pace.

Ringraziamento e preghiera

[4] Quando prego mi ricordo sempre di te e ringrazio il mio Dio, [5] perché sento parlare del tuo amore verso tutti i cristiani e della tua fede nel Signore Gesù. [6] Tu hai la nostra stessa fede: mostraci concretamente tutto il bene che possiamo fare vivendo per *Cristo.
[7] Carissimo amico, tu hai saputo dare sollievo e conforto a molti cristiani, e questo tuo amore generoso ha dato grande gioia e consolazione anche a me.

Richiesta in favore di Onèsimo

[8] Con la forza che mi viene da *Cristo, potrei facilmente ordinarti di compiere quel che devi fare. [9] Tuttavia, preferisco rivolgerti una domanda in nome dell'amore. Così come sono, io, Paolo, vecchio e ora anche prigioniero a causa di

Gesù *Cristo, [10] ti chiedo un favore per Onèsimo. Qui in prigione egli è diventato mio figlio. [11] È quell'Onèsimo che un tempo non ti è servito a nulla; ora, invece, può essere molto utile sia a te che a me.

[12] Egli è come una parte di me stesso: io te lo rimando. [13] Sarei stato contento di poterlo tenere con me, ora che sono in prigione per aver annunziato Cristo.

Avrebbe potuto aiutarmi al posto tuo. [14] Ma non voglio obbligarti a questo favore: preferisco che tu agisca spontaneamente. Perciò ho deciso di non fare nulla senza che tu sia d'accordo.

[15] Forse Onèsimo è stato separato da te, per qualche tempo, perché tu possa riaverlo per sempre. [16] Ora non accoglierlo più come uno schiavo. Egli è molto più che uno schiavo: è per te un caro fratello. È carissimo a me, tanto più deve esserlo a te, sia come uomo, sia come credente.

[17] Dunque, se mi consideri tuo amico, accogli Onèsimo come accoglieresti me. [18] E se egli ti ha offeso o se deve restituirti qualcosa, metti tutto sul mio conto. [19] Ecco la garanzia scritta di mia mano: io, Paolo, pagherò per lui. Vorrei però ricordarti che anche tu hai qualche debito verso di me: mi devi te stesso.

[20] Sì, fratello mio, per amore del Signore fammi contento! per amore di Cristo dammi questa consolazione.

[21] Ti ho scritto pieno di fiducia, sicuro che farai quel che ti chiedo; anzi, so che farai anche di più. [22] Nel frattempo, prepara un posto anche per me; perché spero che le vostre preghiere riescano a farmi tornare in mezzo a voi.

Saluti finali

[23] Ti saluta Èpafra, che è in prigione con me a causa di *Cristo Gesù. [24] Anche Marco, Aristarco, Dema e Luca — miei compagni di lavoro — ti salutano.

[25] La grazia di Gesù Cristo, nostro Signore, sia con voi.

LETTERA AI CRISTIANI
DI ORIGINE EBRAICA

Dio ha parlato per mezzo del Figlio

1 [1] Nei tempi passati Dio parlò molte volte e in molti modi ai nostri padri, per mezzo dei *profeti. [2] Ora invece, in questi tempi che sono gli ultimi, ha parlato a noi, per mezzo del Figlio.

Per mezzo di lui Dio ha creato l'universo, e ora lo ha stabilito come Signore di tutte le cose. [3] Egli è lo specchio della gloria di Dio, l'immagine perfetta di ciò che Dio è. La sua parola potente sostiene tutto l'universo.

Ora, dopo aver purificato gli uomini dai loro peccati, il Figlio è salito nei cieli e ha il suo posto accanto a Dio.

Il Figlio è più grande degli angeli

[4] Ora egli è diventato più grande anche degli *angeli, perché più grande è il nome che Dio gli ha dato.
[5] Infatti Dio non ha mai detto a un angelo queste parole della *Bibbia:

> *Tu sei mio figlio;*
> *io oggi ti ho dato la vita.*

oppure:

> *Io sarò per lui un padre*
> *egli sarà per me un figlio.*

[6] E quando Dio sta per mandare nel mondo il suo unico Figlio, la Bibbia dice:

> *Tutti gli angeli di Dio dovranno adorarlo.*

[7] Degli angeli, invece, si dice:

> *Dio fa diventare i suoi angeli come vento,*
> *i suoi servitori come fiamme di fuoco.*

[8] Parlando del Figlio, dice:

> *Il tuo trono, o Dio, durerà per sempre.*

E poi:

> *Con giustizia governi il tuo regno.*
> [9] *Tu ami ciò che è giusto e non sopporti il male.*
> *Perciò Dio, il tuo Dio, ti ha scelto,*
> *ti ha consacrato con gioia e onore,*
> *e fra tutti.*

10 E ancora:

> Sei tu, Signore, che al principio hai creato la terra;
> opera delle tue mani sono i cieli.
> 11 Essi finiranno, ma tu resterai.
> Tutti invecchieranno, come un vestito.
> 12 Come un mantello, li arrotolerai;
> come un vestito, saranno cambiati.
> Ma tu sei sempre lo stesso,
> il numero dei tuoi anni non finisce mai.

13 Dio non ha mai detto a un angelo:

> Siedi accanto a me,
> fino a quando avrò messo i tuoi nemici
> come sgabello dei tuoi piedi.

14 Tutti gli angeli sono soltanto spiriti al servizio di Dio ed egli li manda in aiuto di quelli che devono ricevere la salvezza.

Una salvezza più grande

2 ¹ Proprio per questo dobbiamo fare attenzione, con maggiore impegno, alle cose che abbiamo ascoltato: per non finire fuori dalla strada giusta. ² Già l'antico messaggio di Dio, portato dagli *angeli, si è dimostrato valido e tutti quelli che l'hanno trascurato o gli hanno disubbidito sono stati puniti come meritavano. ³ Perciò come potremo sfuggire al castigo noi, se trascuriamo una salvezza così grande? Prima, essa è stata annunziata dal Signore. Poi, l'hanno ripetuta e confermata per noi quelli che l'avevano udita dal Signore. ⁴ E intanto Dio garantiva il loro messaggio con segni, prodigi e *miracoli d'ogni genere, e con i doni dello *Spirito Santo che egli distribuiva come voleva.

Chi ha portato la salvezza

⁵ Infatti, Dio non ha messo sotto il potere degli *angeli quel mondo futuro di cui parliamo. ⁶ Anzi, in una pagina della *Bibbia qualcuno ha dichiarato:

> Che cosa è l'uomo, o Dio, perché ti ricordi di lui?
> che cosa è un essere umano, perché ti curi di lui?
> ⁷ L'hai fatto di poco inferiore agli angeli,
> l'hai coronato di gloria e d'onore,
> ⁸ gli hai dato potere su tutte le cose.

E se Dio gli ha dato potere su tutte le cose, vuol dire che
non ha lasciato nulla che non sia a lui sottomesso.

Fino a questo momento, tuttavia, non vediamo ancora che
tutte le cose siano sotto il potere dell'uomo. ⁹ Ma guardiamo
a Gesù: egli *per poco tempo fu fatto inferiore agli angeli*;
ora invece lo vediamo *coronato di gloria e di onore* a causa
della morte che ha sofferto. Così, per grazia di Dio, la sua
morte è stata un vantaggio per tutti.

¹⁰ Dio — che crea e conserva in vita tutte le cose — voleva
portare molti figli a partecipare della sua gloria. Quindi era
giusto che egli rendesse perfetto mediante la sofferenza, Gesù,
il capo che li guida verso la salvezza.

¹¹ Infatti, tutti hanno un unico Padre: sia Gesù che purifica
gli uomini dai peccati, sia gli uomini che da lui vengono
purificati. Per questo, Gesù non si vergogna di chiamarli
fratelli. ¹² Egli dice:

> *Parlerò di te ai miei fratelli, Signore;*
> *canterò le tue lodi in mezzo all'assemblea.*

¹³ E poi:

> *In Dio metterò la mia fiducia.*

E ancora:

> *Eccomi, io e i figli che Dio mi ha dato.*

¹⁴ Questi « figli » sono uomini, fatti di carne e sangue. Per
questo anche Gesù è diventato come loro, ha partecipato
alla loro natura umana. Così, mediante la propria morte,
ha potuto distruggere il *demonio, che ha il potere della
morte; ¹⁵ e ha potuto liberare quelli che vivevano sempre
come schiavi, per paura della morte.

¹⁶ Certamente non è degli angeli che Gesù si prende cura.
Piuttosto, egli si prende cura dei discendenti di Abramo.
¹⁷ Per questo, doveva diventare del tutto simile ai suoi fratelli. Così è stato per loro un *sommo sacerdote misericordioso, fedele ai suoi impegni verso Dio, e ha liberato il popolo dai peccati.

¹⁸ E ora egli può venire in aiuto di quelli che sono nella
tentazione, perché anche lui ha provato la tentazione e ha
sofferto personalmente.

Gesù è più grande di Mosè

3 ¹ Fratelli, voi appartenete a Dio che vi ha chiamati. Perciò, guardate attentamente Gesù: Dio lo ha mandato

come *sommo sacerdote della fede che professiamo. [2] Egli
è stato fedele verso Dio, che gli ha dato questa autorità,
come è stato fedele Mosè del quale la *Bibbia dice: *Fu fedele in tutta la casa di Dio.*
[3] Anzi, Gesù è stato giudicato degno di una gloria più grande
di quella di Mosè. Infatti, chi costruisce una casa è più importante della casa stessa. [4] Perché ogni casa è costruita da
qualcuno, ma colui che costruisce tutto, è Dio.
[5] *Mosè* fu *fedele in tutta la casa di Dio,* ma come un servitore che doveva preparare ciò che Dio avrebbe detto solo
più tardi. [6] Cristo, invece, fu fedele a Dio come un figlio
che ha autorità nella casa del Padre. E quella casa siamo
noi, se conserviamo la libertà e la speranza di cui ci van-
tiamo.

Il riposo che Dio darà al suo popolo

[7] Perciò, come dice lo *Spirito Santo nella *Bibbia,
> *Oggi, se udite la voce di Dio,*
>   [8] *non indurite i vostri cuori*
>   *come avete fatto nel giorno della ribellione,*
>   *quando nel deserto avete messo Dio alla prova.*
> [9] *Là — dice il Signore —*
>   *i vostri padri mi hanno messo alla prova*
>   *benché avessero visto per quarant'anni*
>   *ciò che ho fatto per loro.*
> [10] *Perciò mi sono adirato contro di loro.*
>   *Ho detto: I loro pensieri*
>   *seguono sempre strade sbagliate,*
>   *non hanno mai conosciuto le mie vie.*
> [11] *Mi sono adirato e ho fatto un giuramento:*
>   *non entreranno mai nel luogo del mio riposo.*

[12] Fate dunque attenzione, fratelli: nessuno di voi sia tanto
malvagio e senza fede da allontanarsi dal Dio vivente. [13] Piuttosto, incoraggiatevi a vicenda, ogni giorno, per tutto il tempo
che dura questo lungo *oggi* di cui parla la Bibbia. Incoraggiatevi, affinché nessuno di voi sia ostinato e si lasci ingannare dal peccato. [14] Perché, noi siamo diventati compagni di
Cristo e lo saremo ancora, se conserveremo salda sino alla
fine la fiducia che abbiamo avuto in principio.
[15] La Bibbia dice:

Oggi, se udite la voce di Dio,
non indurite i vostri cuori
come avete fatto nel giorno della ribellione.

[16] Chi sono quelli che udirono la voce di Dio e poi si ribellarono? Sono tutti quelli che Mosè aveva fatto uscire dall'Egitto. [17] E chi sono quelli contro i quali Dio *fu adirato per quarant'anni*? Sono quelli che avevano peccato, e poi caddero cadaveri nel deserto. [18] Quando Dio *giurò che non sarebbero mai entrati nel suo riposo*, di chi parlava? Parlava di quelli che non si erano fidati di lui. [19] E noi vediamo che veramente essi non sono potuti entrare nel luogo del riposo, a causa della loro mancanza di fede.

4 [1] La promessa di Dio dura ancora: si può ancora entrare nel luogo del suo riposo. Perciò stiamo attenti: nessuno di voi pensi di essere rimasto escluso. [2] Perché, anche noi abbiamo ricevuto la *parola di Dio come quelli che erano nel deserto. Essi però non ebbero alcun vantaggio dalla parola udita, perché quando la udirono non la ricevettero con fede. [3] Noi che abbiamo fede, invece, possiamo entrare nel luogo del suo riposo, a proposito del quale Dio ha detto:

Perciò mi sono adirato contro di loro
e ho fatto un giuramento:
non entreranno mai nel luogo del mio riposo.

Eppure le opere di Dio erano già compiute fin dalla fondazione del mondo. [4] Infatti, in qualche pagina della Bibbia, parlando del settimo giorno si dice: *E nel settimo giorno Dio riposò da tutte le sue opere.* [5] E ancora si dice: *Non entreranno mai nel luogo del mio riposo.*
[6] Quelli che per primi avevano ascoltato la parola di Dio non sono entrati nel suo riposo, perché non hanno avuto fede. Quindi, per altri, è ancora possibile entrare. [7] Per questo, Dio stabilisce di nuovo un giorno, chiamato *oggi.* Ne ha parlato molto tempo dopo, per mezzo di Davide, nel modo che abbiamo già visto:

Oggi, se udite la voce di Dio,
non indurite i vostri cuori.

[8] Infatti, se Giosuè avesse portato il popolo in questo riposo, Dio non avrebbe mai parlato di un altro giorno. [9] Dunque, resta ancora possibile per il popolo di Dio un riposo simile a quello del settimo giorno. [10] Perché, chi entra nel riposo di Dio, riposa dalle proprie opere, come ha fatto Dio stesso.

[11] Perciò affrettiamoci a entrare in quel riposo; facciamo in modo che nessuno di noi cada nella disubbidienza, come i nostri padri.
[12] La parola di Dio, infatti, è viva ed efficace. È più tagliente di qualunque spada a doppio taglio. Penetra a fondo, fino al punto dove si incontrano l'anima e lo spirito, fino là dove si toccano le giunture e le midolla. Conosce e giudica anche i sentimenti e i pensieri del cuore. [13] Non c'è nulla che possa restar nascosto a Dio. Davanti ai suoi occhi tutte le cose sono nude e scoperte. E noi dobbiamo rendere conto a lui.

Gesù sommo sacerdote

[14] Restiamo dunque saldi nella fede che dichiariamo di avere, perché abbiamo un *sommo sacerdote grande che è giunto fino a Dio: Gesù che è Figlio di Dio. [15] Infatti non abbiamo un sommo sacerdote incapace di soffrire con noi per le nostre miserie. Anzi, il nostro sommo sacerdote è stato messo alla prova in tutto, come noi, ma non ha commesso peccato. [16] Dunque, accostiamoci con piena fiducia a Dio, che è re misericordioso. Così riceveremo misericordia e grazia per essere aiutati al momento opportuno.

5 [1] Ogni sommo sacerdote è scelto fra gli uomini, ed è stabilito per servire Dio a vantaggio degli uomini. Egli offre a Dio doni e sacrifici per i loro peccati. [2] Egli è in grado di sentire compassione per quelli che sono nell'ignoranza e commettono errori, perché anche lui è un uomo debole. [3] Proprio a causa della sua debolezza egli deve offrire sacrifici non solo per i peccati del popolo, ma anche per i suoi. [4] Nessuno può pretendere per sé l'onore di sommo sacerdote. Lo riceve solo chi è chiamato da Dio, come nel caso di *Aronne.
[5-6] Nemmeno *Cristo si è preso da sé l'onore di sommo sacerdote, ma glielo ha dato Dio. Infatti, Dio dice nella *Bibbia:

> Tu sei mio figlio;
> io oggi ti ho dato la vita.

E ancora:

> Tu sarai sacerdote per sempre,
> alla maniera di Melchìsedek.

[7] Durante la sua vita terrena, Gesù si rivolse a Dio che po-

teva salvarlo dalla morte, offrendo preghiere e suppliche accompagnate da forti grida e lacrime. E poiché Gesù era sempre stato fedele a lui, Dio lo ascoltò. [8] Benché fosse il *Figlio di Dio, tuttavia imparò l'ubbidienza da quel che dovette patire. [9] Dopo essere stato reso perfetto, egli è diventato causa di salvezza eterna per tutti quelli che gli ubbidiscono. [10] Infatti Dio lo ha proclamato sommo sacerdote alla maniera di Melchìsedek.

Una vita cristiana adulta

[11] Su questo argomento c'è molto da dire, ma è difficile spiegarlo a voi, perché siete diventati duri a capire. [12] Ormai dovreste già essere *maestri; invece, avete ancora bisogno di qualcuno che vi insegni le cose fondamentali del messaggio di Dio. Vi dovete nutrire ancora di latte, invece che di cibo solido. [13] Ma chi si nutre di latte è ancora un bambino, e non sa capire un discorso su ciò che è giusto. [14] Il nutrimento solido, invece, è per le persone adulte: per quelli che con l'esperienza si sono allenati a distinguere il bene dal male.

6 [1] Perciò lasciamo da parte gli insegnamenti più semplici su Cristo, e passiamo a un insegnamento più profondo. Non vogliamo riprendere gli argomenti fondamentali, e cioè: la necessità di cambiare vita abbandonando le opere morte; la fede in Dio; [2] la dottrina dei battesimi; l'imposizione delle mani; la risurrezione dei morti; il *giudizio eterno. [3] Andiamo avanti! Se è volontà di Dio, faremo così.

[4-6] Quelli che sono caduti di nuovo nel male, non possono più cambiare vita ed essere rinnovati ancora una volta. Già una volta hanno avuto la luce di Dio, hanno provato il dono celeste, hanno ricevuto lo *Spirito Santo, hanno gustato la buona *parola di Dio e le meraviglie del mondo futuro. Eppure, per quanto sta in loro, essi crocifiggono nuovamente il *Figlio di Dio, e lo mettono di fronte agli insulti di tutti. Perciò, non possono cambiar vita ancora una volta.

[7] Dio benedice una terra che riceve piogge frequenti e produce piante utili a quelli che la coltivano. [8] Ma se invece produce cespugli spinosi, non vale niente: sarà maledetta da Dio e finirà per essere bruciata.

[9] Tuttavia, carissimi, anche se parliamo così, noi siamo con-

vinti che voi siete sulla buona strada, quella che porta alla salvezza. ¹⁰ Dio non è ingiusto. Non dimentica quel che avete fatto e l'amore che avete mostrato verso di lui, aiutando i vostri fratelli nella fede, come fate anche ora. ¹¹ Ma desideriamo che ciascuno di voi mostri sempre lo stesso impegno sino alla fine, in modo che la vostra speranza possa realizzarsi. ¹² Non dovete diventare pigri; al contrario, dovete seguire l'esempio di quelli che, con la fede e la perseveranza, ricevono ciò che Dio ha promesso.

La promessa di Dio e la speranza cristiana

¹³ Quando Dio fece la sua promessa ad Abramo, fece anche un giuramento. E poiché non c'era nessuno più grande per il quale giurare, *giurò per se stesso*, ¹⁴ e disse: *Ti prometto che ti benedirò e ti darò molti discendenti.* ¹⁵ Abramo aspettò con pazienza e ottenne ciò che Dio aveva promesso. ¹⁶ Quando gli uomini fanno un giuramento, giurano per qualcuno più importante di loro, e il giuramento è per loro una garanzia che mette fine a ogni discussione. ¹⁷ Ebbene, Dio voleva mostrare chiaramente a quelli che avrebbero ricevuto i beni promessi, che egli non avrebbe mai cambiato la sua decisione. Per questo, accompagnò la promessa con un giuramento. ¹⁸ Dunque, ci sono due atti di Dio — la promessa e il giuramento — che non possono essere modificati, e nei quali è impossibile che Dio non sia sincero. Così, noi che abbiamo cercato rifugio in lui, siamo fortemente incoraggiati ad afferrare con forza la speranza che è messa di fronte a noi. ¹⁹ Tale speranza è come l'àncora della nostra vita: è sicura e robusta e, attraverso il velo del tempio celeste, penetra fino al *santuario di Dio. ²⁰ Là, è entrato Gesù, prima di noi e per noi: è diventato *sommo sacerdote per sempre, alla maniera di Melchìsedek.

Melchìsedek, un grande personaggio

7 ¹ Questo Melchìsedek, come dice la *Bibbia, era *re di Salem e sacerdote del Dio onnipotente. Quando Abramo tornava dalla battaglia dove aveva vinto i re, Melchìsedek gli andò incontro e lo benedisse.* ² A lui *Abramo* diede *la decima parte di ogni cosa.* Il suo nome significa « re di giustizia »,

e inoltre egli è anche *re di Salem*, che significa « re di pace ».
[3] Nella Bibbia non si parla né di suo padre né di sua madre né dei suoi antenati; né della sua nascita né della sua morte. Fatto simile al *Figlio di Dio, egli rimane sacerdote per sempre.
[4] Considerate dunque la grandezza di questo personaggio! Il patriarca Abramo gli diede la decima parte di tutto ciò che aveva conquistato in battaglia. [5] È vero che anche i discendenti di Levi, quando diventano sacerdoti, per *legge devono prendere dal popolo la decima parte di tutto. Ma la prendono dai loro fratelli, i quali sono anch'essi discendenti di Abramo. [6] Melchìsedek, invece, non era uno della famiglia di Levi; eppure prese da Abramo la decima parte di quel che aveva. Inoltre, fu lui a benedire Abramo, il quale aveva ricevuto le promesse di Dio. [7] E senza dubbio, colui che dà la benedizione è più importante di colui che la riceve.
[8] E mentre nel caso dei sacerdoti di Levi si tratta di uomini mortali che prendono la decima parte, nel caso di Melchìsedek la prende un uomo che, secondo la testimonianza della Bibbia, vive. [9] Anzi, in un certo senso, si può dire che anche Levi pagò la decima parte a Melchìsedek quando la pagò Abramo, benché ora i suoi discendenti ricevano la decima parte dagli altri. [10] Infatti Levi non era ancora nato, ma in un certo senso era già presente nel suo antenato Abramo, quando Melchìsedek gli andò incontro.

Un nuovo sacerdozio

[11] Il sacerdozio dei discendenti di Levi era alla base della legge che è stata data al popolo d'Israele. Se quei sacerdoti avessero realizzato un perfetto rapporto con Dio, non c'era bisogno che venisse un sacerdote diverso, che non è alla maniera di *Aronne, ma alla maniera di Melchìsedek. [12] Perché se cambia il sacerdozio, deve cambiare anche la legge.
[13-14] Quelle parole si riferiscono a Gesù, nostro Signore, il quale appartiene a una tribù nella quale mai nessuno fu sacerdote dell'*altare. Infatti, è noto che Gesù viene dalla tribù di Giuda, e Mosè non ha detto nulla di essa quando ha parlato del sacerdozio.
[15] E tutto questo è ancora più chiaro dal momento che è venuto un altro sacerdote, simile a Melchìsedek. [16] Egli non

è diventato sacerdote a causa di leggi umane, ma per la potenza di una vita che non ha fine. [17] Così infatti testimonia la *Bibbia:

> Tu sarai sacerdote per sempre,
> alla maniera di Melchìsedek!

[18] A questo modo vengono abolite le regole antiche perché erano deboli e inutili: [19] infatti la *legge di Mosè non ha portato nulla alla perfezione. Al suo posto, ci viene data una speranza migliore, e grazie ad essa ci avviciniamo a Dio.
[20] Per di più, c'è il giuramento di Dio. Gli altri diventavano sacerdoti senza giuramento. [21] Gesù, invece, lo è diventato con il giuramento di Dio, come si dice di lui:

> Il Signore ha giurato e non si pentirà:
> Tu sarai sacerdote per sempre.

[22] Per questo, Gesù è diventato colui che ci garantisce un'*alleanza migliore.
[23] C'è anche un'altra differenza: gli altri sacerdoti sono stati numerosi perché morivano e non potevano durare a lungo. [24] Gesù invece vive per sempre, e il suo sacerdozio non finisce mai. [25] Perciò, egli può salvare perfettamente quelli che per mezzo di lui si avvicinano a Dio. Infatti, egli è sempre vivo per pregare Dio a loro favore.
[26] Gesù è proprio il *sommo sacerdote di cui avevamo bisogno: è santo, senza peccato, senza difetto, diverso dai peccatori, elevato al di sopra dei cieli. [27] Egli non è come gli altri sommi sacerdoti: non ha bisogno di offrire ogni giorno sacrifici, prima per i propri peccati e poi per quelli del popolo. Perché egli ha offerto il sacrificio una volta per tutte, quando ha offerto se stesso. [28] La legge di Mosè stabilisce come sommi sacerdoti uomini segnati dalla debolezza; invece, la parola del giuramento di Dio, pronunziato dopo la legge, stabilisce come sommo sacerdote il Figlio, che è perfetto in eterno.

Una nuova alleanza

8 [1] Il punto più importante di quel che stiamo dicendo, è questo: noi abbiamo un *sommo sacerdote così grande, che si è posto accanto a Dio, che regna nei cieli. [2] Egli svolge la sua funzione nel *santuario vero costruito dal Signore, non nella tenda dell'*alleanza costruita dagli uomini.
[3] Ogni sommo sacerdote è scelto per offrire doni e sacrifici:

anche il nostro, quindi, deve avere qualcosa da offrire. [4] Se
fosse sulla terra, Gesù non sarebbe nemmeno sacerdote, poiché vi sono già sacerdoti che offrono i doni stabiliti dalla
*legge di Mosè. [5] La funzione di questi sacerdoti, tuttavia,
è soltanto una copia e un'ombra di quello che avviene in
cielo. Vale anche per loro ciò che Dio disse a Mosè quando
stava per costruire la tenda dell'alleanza: *Cerca di fare ogni
cosa simile al modello che ti è stato mostrato sul monte.*
[6] Ma ora Gesù è incaricato di una funzione nuova e più
grande: quella di essere mediatore di un'alleanza molto migliore, fondata su migliori promesse.

[7] Infatti, se la prima alleanza fosse stata perfetta, non sarebbe stato necessario sostituirla con un'altra. [8] Ma Dio, rim-
proverando il suo popolo, dice nella *Bibbia:

> *Ecco verranno giorni — dice il Signore —*
> *quando io farò un'alleanza nuova*
> *con il popolo di Israele*
> *con la tribù di Giuda.*
> [9] *Non sarà come l'alleanza*
> *che ho fatto con i loro padri,*
> *quando li ho presi per mano*
> *e li ho fatti uscire dall'Egitto.*
> *Essi non sono stati fedeli a quella alleanza:*
> *perciò non mi sono più curato di loro*
> *— dice il Signore.*
> [10] *Questa è la nuova alleanza*
> *che io concluderò con il popolo d'Israele*
> *dopo quei giorni — dice il Signore:*
> *metterò le mie leggi nella loro mente,*
> *le scriverò nel loro cuore;*
> *io sarò il loro Dio,*
> *ed essi saranno il mio popolo.*
> [11] *Nessuno dovrà più istruire i suoi compagni,*
> *nessuno dovrà dire al fratello:*
> *« Cerca di conoscere il Signore! ».*
> *Perché tutti mi conosceranno,*
> *dal più piccolo fino al più grande.*
> [12] *Io perdonerò i loro errori,*
> *non mi ricorderò più dei loro peccati.*

[13] Così Dio parla di un'*alleanza nuova*, e perciò dichiara su-
perata l'alleanza precedente. E quando una cosa è antica
e invecchiata, le manca poco a scomparire.

Un nuovo tempio e un nuovo sacrificio

9 [1] Anche la prima *alleanza aveva alcune norme per il culto a Dio, e aveva un tempio su questa terra. [2] Infatti, fu costruita una grande tenda che era chiamata il Luogo Santo. Là, stavano il candelabro e la tavola con i pani offerti a Dio. [3] Dietro il secondo velo della prima tenda c'era un'altra tenda, chiamata il Luogo Santissimo. [4] Là, stavano l'*altare d'oro dove si bruciava l'incenso e una cassa di legno tutta ricoperta d'oro, chiamata Arca dell'alleanza. In questa cassa c'erano: un vaso d'oro che conteneva la *manna, il bastone di *Aronne che Dio aveva fatto fiorire, e c'erano le lastre di pietra sulle quali erano scritti i comandamenti dell'alleanza. [5] Sopra il coperchio c'erano due statue d'oro, i cherubini: indicavano la presenza di Dio, e con le loro ali coprivano il luogo dove si offriva il sangue per il perdono dei peccati.
Ma ora non è necessario parlare di tutto questo nei particolari.
[6] Dopo aver disposto così queste cose, ogni giorno i sacerdoti entrano nella prima tenda per compiere il loro servizio sacerdotale. [7] Nella seconda tenda, invece, entra soltanto il *sommo sacerdote, una sola volta all'anno. E quando vi entra deve portare sangue di animali che egli offre a Dio, per sé e per gli sbagli del popolo.
[8] A questo modo lo *Spirito Santo fa capire che, fino a quando rimane la prima tenda, non è ancora aperta la strada verso il vero *santuario. [9] Infatti, la prima tenda è solo un'immagine di ciò che avviene ora. Quei doni e quei sacrifici di animali offerti a Dio non possono rendere perfetto il cuore di chi li offre.
[10] Sono soltanto cibi, bevande, cerimonie di purificazione...: tutte regole valide fino a quando Dio non le cambia.
[11] Cristo, invece, è venuto come sommo sacerdote della realtà definitiva. Egli è entrato in una tenda più grande e perfetta, non costruita dagli uomini, e non di questo mondo. [12] E da lì, Cristo è passato una volta per sempre nel vero santuario. Là, non ha offerto il sangue di capri e vitelli, ma ci ha liberato per sempre dai nostri peccati offrendo il suo sangue per noi.
[13] Infatti, il sangue di capri e di tori e la cenere di una vitella bruciata purificano i sacerdoti dalle impurità mate-

riali e li rendono adatti a celebrare i riti. [14] Ma quanto più efficace è il sangue di Cristo! Mosso dallo Spirito Santo, egli si è offerto a Dio come sacrificio perfetto. Il suo sangue purifica la nostra coscienza liberandola dalle opere morte, e ci rende adatti a servire il Dio vivente.

[15] Quindi, *Cristo è il mediatore di una nuova alleanza tra Dio e gli uomini, per fare in modo che gli uomini, chiamati da Dio, possano ricevere quei beni eterni che Dio ha promesso. Questo è possibile perché Cristo è morto, e così ha liberato gli uomini dalle colpe commesse durante la prima alleanza.

[16] L'alleanza è come un testamento: bisogna esser certi che è morto chi l'ha stabilita. [17] Perché un testamento non vale finché vive chi l'ha fatto, e ha valore soltanto dopo la sua morte. [18] Per questo, anche la prima alleanza fu inaugurata con uno spargimento di sangue.

[19] Per prima cosa, Mosè proclamò davanti all'assemblea del popolo tutti i comandamenti, come erano scritti nella *legge di Dio. Poi, prese dall'altare il sangue dei vitelli e lo mescolò con acqua; prese un ramo di *issòpo e un po' di lana rossa, li bagnò nel sangue e spruzzò di sangue il libro della legge e tutto il popolo. [20] Intanto diceva: *Questo è il sangue dell'alleanza stabilita da Dio per voi.* [21] Allo stesso modo, bagnò di sangue anche la tenda e tutti gli oggetti che servivano per il rito. [22] Infatti, la legge stabilisce che quasi tutte le cose vengano purificate con il sangue, e senza spargimento di sangue i peccati non sono perdonati.

Il sacrificio di Cristo, unico ed efficace

[23] Dunque, le realtà terrene della prima *alleanza sono soltanto un'immagine delle realtà del cielo; perciò esse dovevano essere purificate in quel modo. Ma per le realtà del cielo c'è bisogno di sacrifici molto più grandi. [24] Infatti, *Cristo non è entrato in un *santuario costruito dagli uomini, che sarebbe solo un'immagine del santuario vero. Egli è entrato proprio nel cielo, e ora si presenta davanti a Dio per noi.

[25] Il *sommo sacerdote entra nel santuario ogni anno per offrire sangue di animali. Cristo, invece, non è entrato per offrire se stesso molte volte: [26] altrimenti, avrebbe dovuto patire molte volte da quando esiste il mondo. Invece, egli

si è presentato soltanto una volta, ora che siamo alla fine
dei tempi, per eliminare il peccato offrendo se stesso in
sacrificio.
[27] Tutti gli uomini sono destinati a morire una volta sola,
e poi sono giudicati da Dio. [28] Così anche Cristo: si è
offerto in sacrificio una volta per sempre, per prendere su
di sé i peccati degli uomini. Verrà anche una seconda volta,
non più per eliminare i peccati, ma per dare la salvezza
a quelli che lo aspettano.

10 [1] La *legge di Mosè non rappresenta la vera realtà;
è soltanto un'ombra dei beni futuri. Con quei sacrifici che si offrono continuamente, di anno in anno, la legge
non è capace di far diventare perfetti gli uomini che si
avvicinano a Dio. [2] Altrimenti, avrebbero smesso di offrirli;
finalmente purificati dai loro peccati, i fedeli non si senti-
rebbero più colpevoli. [3] E invece, per mezzo di quei sacrifici, si rinnova di anno in anno il ricordo dei peccati. [4] Perché, non è possibile eliminare i peccati con il sangue di
tori e di capri.
[5] Perciò *Cristo, quando sta per entrare nel mondo, dice
a Dio:

> Signore, tu non hai voluto sacrifici e offerte,
> ma mi hai formato un corpo.
> [6] Non ti piacciono offerte di animali,
> e sacrifici per togliere i peccati.
> [7] Allora ho detto: Eccomi, o Dio,
> io vengo a fare la tua volontà
> — come è scritto di me nel libro della legge.

[8] Prima dice: Non hai voluto e non ti piacciono sacrifici
e offerte, animali e sacrifici per togliere i peccati. Eppure
sono tutte offerte stabilite dalla legge.
[9] Poi aggiunge: Eccomi, vengo a fare la tua volontà. Con
ciò, Gesù elimina gli antichi sacrifici e ne stabilisce uno
nuovo. [10] Gesù Cristo ha offerto se stesso una volta per
sempre, e ha compiuto la volontà di Dio; per questo, Dio
ci ha liberati dalle colpe e ci ha resi santi.
[11] I sacerdoti stanno nel tempio ogni giorno a svolgere il
loro servizio: offrono molte volte gli stessi sacrifici che
non possono mai eliminare i peccati. [12] Cristo, invece, ha
offerto un solo sacrificio per i peccati, una volta per sempre. Poi, come dice la *Bibbia, si è messo accanto a Dio.

¹³ Ora, aspetta soltanto che i suoi nemici siano messi sotto i suoi piedi. ¹⁴ Così, con una sola offerta, egli ha fatto diventare perfetti per sempre quelli che sono purificati dai peccati.
¹⁵ Anche lo *Spirito Santo, nella Bibbia, testimonia queste cose. ¹⁶ Prima dice:

> Questa è l'*alleanza che io farò con loro
> dopo quei giorni — dice il Signore.
> Metterò le mie leggi nei loro cuori,
> le scriverò nella loro intelligenza.

¹⁷ Poi dice:

> Dimenticherò i loro peccati e le loro malvagità.

¹⁸ Ora, se i peccati sono perdonati, non c'è più bisogno di fare offerte per il perdono dei peccati.

Una fede coerente e robusta

¹⁹ Così fratelli, ora siamo liberi di entrare nel Luogo Santo del cielo, grazie al sangue della croce di Cristo. ²⁰ Egli ci ha aperto una via nuova e vivente, attraverso quel velo che è il suo corpo. ²¹ Ora abbiamo un sommo sacerdote a capo nel vero *santuario di Dio. ²² Dunque, avviciniamoci a Dio con cuore sincero, e con piena fiducia; i nostri cuori siano purificati da ogni falsa coscienza, e i nostri corpi siano lavati da acqua pura. ²³ Conserviamo senza incertezze la speranza che dichiariamo di avere, perché Dio mantiene le sue promesse.
²⁴ Inoltre, cerchiamo di incoraggiarci a vicenda nell'amore e nelle opere buone. ²⁵ Non smettiamo di frequentare le nostre riunioni; non facciamo come alcuni che hanno preso l'abitudine di non venire. Invece, esortiamoci a vicenda; tanto più che, come vedete, il giorno del Signore è ormai vicino.
²⁶ Se noi volontariamente continuiamo a peccare anche dopo che abbiamo imparato a conoscere la verità, allora non c'è più nessun sacrificio che possa togliere i peccati. ²⁷ In questo caso resta soltanto la terribile attesa del *giudizio di Dio e del fuoco ardente che distruggerà i ribelli.
²⁸ Quando uno va contro la *legge di Mosè, viene condannato a morte senza misericordia, sulla parola di due o tre testimoni. ²⁹ Quale castigo dovrà ricevere chi avrà rifiutato il *Figlio di Dio, chi avrà disprezzato il sangue della nuova

*alleanza che lo aveva purificato, chi avrà offeso lo Spirito
che dà la grazia? Certamente riceverà un castigo molto più
grave! [30] Noi infatti conosciamo chi è colui che dice nella
*Bibbia:

> Io farò vendetta! Io castigherò chi ha fatto il male!

E la Bibbia dice anche:

> Il Signore giudicherà il suo popolo.

[31] È terribile cadere nelle mani del Dio vivente!

[32] Ripensate a ciò che avete provato nei primi giorni, subito
dopo aver ricevuto la luce di Dio. Allora avete dovuto
soffrire molto, sopportando una dura lotta. [33] A volte, eravate insultati e maltrattati di fronte a tutti; altre volte, do-
vevate difendere quelli che venivano offesi a questo modo.
[34] Voi avete partecipato alla sofferenza dei carcerati, e quando
vi hanno portato via i vostri beni avete accettato con gioia
di perderli, sapendo di possedere beni migliori che nessuno
può portar via.

[35] Dunque, non perdete il vostro coraggio: esso vi procura
una grande ricompensa. [36] Avete solo bisogno di fermezza:
così potrete fare la volontà di Dio e ottenere ciò che egli
promette. [37] Dice infatti la Bibbia:

> Ancora un po' di tempo, appena un poco,
> e colui che deve venire verrà; non tarderà!
> [38] Chi è giusto di fronte a me,
> vivrà mediante la fede.
> Ma se torna indietro,
> io non sarò contento di lui.

[39] Noi però non siamo di quelli che tornano indietro per
poi andare verso la rovina eterna. Noi abbiamo la fede e
camminiamo verso la nostra salvezza.

Grandi esempi di fede

11 [1] La fede è un modo di possedere già le cose che
si sperano, di conoscere già le cose che non si vedono. [2] A causa di questa fede la *Bibbia dà una buona
testimonianza ad alcuni uomini del passato.
[3] Perché abbiamo fede in Dio, noi comprendiamo che l'universo è stato creato dalla sua parola; così che le cose visibili non sono state fatte a partire da altre cose visibili.
[4] Per fede, Abele offrì a Dio un sacrificio migliore di quello
di Caino. A causa di questa fede Dio lo dichiarò uomo

giusto e accettò i suoi doni. Per la sua fede, benché sia morto, Abele parla ancora.

⁵ Per fede, Ènoch fu preso da Dio senza aver conosciuto la morte: come dice la Bibbia, *nessuno lo trovò più, perché Dio lo portò via con sé*. Prima di dire che fu portato via, la Bibbia dice che Ènoch *era vissuto come piace a Dio*. ⁶ Ma nessuno può essere gradito a Dio se non ha la fede. Infatti, chi si avvicina a Dio deve credere che Dio esiste e ricompensa quelli che lo cercano.

⁷ Per fede, *Noè ascoltò gli avvertimenti di Dio a proposito di ciò che doveva accadere e che ancora non si vedeva. Fu ubbidiente e costruì l'arca nella quale si salvarono lui e la sua famiglia. Con la sua fede egli condannò il mondo, e per la sua fede Dio lo giudicò uomo giusto.

⁸ Per fede, Abramo ubbidì quando fu chiamato da Dio: e partì senza sapere dove andava, verso un paese che Dio gli avrebbe dato.

⁹ Ancora per fede, egli visse come uno straniero nel paese che Dio gli aveva promesso. Abitò sotto le tende, insieme a Isacco e Giacobbe che pure avevano ricevuto la stessa promessa. ¹⁰ Infatti, egli aspettava una città con solide fondamenta, quella città che solo Dio progetta e costruisce.

¹¹ Per fede, Abramo diventò capace di essere padre, anche se ormai era troppo vecchio e sua moglie Sara non poteva avere figli. Ma egli fu sicuro che Dio avrebbe mantenuto la sua promessa. ¹² Così, a partire da un solo uomo, che per di più era già come morto, nacque una moltitudine di gente: numerosa come le stelle del cielo, come gli infiniti granelli di sabbia lungo la riva del mare.

¹³ Nella fede morirono tutti questi uomini, senza ricevere i beni che Dio aveva promesso: li avevano visti e salutati solo da lontano. Essi hanno dichiarato di essere su questa terra come stranieri, in esilio. ¹⁴ Chi parla così dimostra di essere alla ricerca di una patria: ¹⁵ se avessero pensato a quel paese dal quale erano venuti, avrebbero avuto la possibilità di tornarvi; ¹⁶ essi invece desideravano una patria migliore, quella del cielo. È per questo che Dio non si vergogna di essere chiamato il loro Dio. Infatti egli ha preparato per loro una città.

¹⁷ Per fede, Abramo offrì a Dio suo figlio Isacco, come un sacrificio, quando Dio lo mise alla prova. Proprio lui che aveva ricevuto la promessa di Dio, offrì fiduciosamente il

suo unico figlio. [18] Eppure Dio gli aveva detto: *Per mezzo di Isacco tu avrai discendenti che porteranno il tuo nome.* [19] Ma Abramo pensava che Dio è capace anche di far risuscitare i morti. Perciò, Dio gli restituì il figlio e questo fatto ha il valore di un simbolo.

[20] Per fede, Isacco diede ai suoi figli — Giacobbe ed Esaù — una benedizione che riguardava cose future.

[21] Per fede, Giacobbe, poco prima di morire, benedisse i figli di Giuseppe; poi *si appoggiò alla cima del suo bastone e adorò Dio.*

[22] Per fede, Giuseppe, alla fine della sua vita, disse che un giorno gli ebrei sarebbero usciti dall'Egitto, e stabilì che cosa dovevano fare delle sue ossa.

[23] Per fede, i genitori di Mosè, dopo la sua nascita, lo tennero nascosto tre mesi. Avevano visto che il bambino era molto bello, e non ebbero paura di disubbidire agli ordini del re.

[24] Per fede, Mosè, quando fu adulto, non volle essere considerato figlio della figlia del re egiziano. [25] Egli preferì essere maltrattato insieme con il popolo di Dio, piuttosto che vivere bene per poco tempo, ma nel peccato. [26] Pensava che essere disprezzato come il *Messia era una cosa più preziosa dei tesori degli egiziani: infatti egli guardava sempre verso la ricompensa futura.

[27] Per fede, Mosè partì dall'Egitto, senza aver paura dell'ira del re. Rimase fermo nella sua decisione, come se vedesse il Dio invisibile. [28] Per fede, egli celebrò la prima Pasqua e ordinò di mettere sangue sulle porte delle case, perché l'*angelo sterminatore non uccidesse i figli primogeniti degli ebrei.

[29] Per fede, gli ebrei attraversarono il Mar Rosso come se fosse terra asciutta. Anche gli egiziani tentarono di fare la stessa cosa, ma furono travolti dall'acqua.

[30] Per fede, gli ebrei girarono attorno alle mura di Gèrico e alla fine esse crollarono.

[31] Per fede, Raab, la prostituta, non morì con quelli che avevano disubbidito a Dio; perché aveva accolto con benevolenza gli esploratori mandati dagli ebrei.

[32] E che dirò ancora? Mi mancherebbe il tempo se volessi parlare di Gedeone, di Barak, di Sansone, di Iefte, di Davide, di Samuele e dei *profeti. [33] Con la fede essi conquistarono paesi, praticarono la giustizia, ottennero ciò che

Dio gli aveva promesso. Chiusero le fauci dei leoni, [34] riuscirono a spegnere fuochi violenti, evitarono di essere uccisi con la spada. Essi erano deboli e diventarono forti, furono potenti in battaglia e cacciarono indietro invasori stranieri. [35] Per fede, alcune donne riebbero i loro morti risuscitati. Altri furono torturati fino alla morte: ma rifiutarono di essere liberati perché volevano arrivare a una vita migliore, dopo la risurrezione. [36] Altri ancora subirono offese e frustate, furono legati con catene e messi in prigione. [37] Furono massacrati a colpi di pietre, tagliati in due o uccisi con la spada. Oppure andavano in giro vestiti con pelle di pecora o di capra, poveri, perseguitati e maltrattati. [38] Il mondo non era degno di questi uomini! Essi andavano qua e là, nei deserti e sui monti; vivevano nelle caverne e nelle grotte della terra.

[39] Tutti questi uomini, Dio li ha approvati a causa della loro fede. Eppure essi non hanno raggiunto ciò che Dio aveva promesso. [40] Infatti Dio aveva previsto per noi una realtà ancora migliore, e non ha voluto che essi giungessero alla meta senza di noi.

12 [1] Eccoci dunque posti di fronte a questa grande folla di testimoni. Anche noi quindi liberiamoci da ogni peso, liberiamoci dal peccato che ci trattiene, e corriamo decisamente la corsa che Dio ci propone.

L'esempio di *Cristo e l'azione paterna di Dio

[2] Teniamo lo sguardo fisso in Gesù: è lui che ci ha aperto la strada della fede, e ci condurrà sino alla fine. Egli ha accettato di morire in croce e non ha tenuto conto che era una morte vergognosa, perché pensava alla gioia riservata per lui in cambio di quella sofferenza. Ora egli si trova accanto al trono di Dio.

[3] Pensate a lui che ha sopportato un attacco tanto violento da parte di peccatori. Così non vi lascerete scoraggiare, e non cederete. [4] Perché la vostra lotta contro il peccato non è ancora finita, non avete ancora combattuto fino alla morte. [5] Avete già dimenticato le parole di incoraggiamento che Dio vi rivolge esortandovi come suoi figli? Dice la *Bibbia:

> Figlio mio, considera seriamente la correzione
> che il Signore ti manda.

Non scoraggiarti quando ti rimprovera.
[6] *Perché il Signore corregge quelli che ama,*
punisce tutti quelli che riconosce come suoi figli.

[7] Sopportate le sofferenze con cui Dio vi corregge. Egli vi
tratta come figli. Infatti, è normale che un figlio sia corretto da suo padre. [8] Se non ricevete nessuna correzione
mentre tutti gli altri hanno avuto la loro parte, siete dei
bastardi e non veri figli! [9] Del resto, i nostri padri terreni
ci hanno punito più volte, eppure noi li abbiamo rispettati.
Perciò, a maggior ragione, per avere la vita, dobbiamo sot-
tometterci a Dio nostro Padre che è in cielo.
[10] I nostri padri ci punivano per pochi giorni, come gli pa-
reva giusto. Ma Dio ci punisce per il nostro bene, per farci
essere santi come lui è santo. [11] Quando riceviamo una correzione, sul momento non ci sembra che porti gioia, ma
solo tristezza. Più tardi, invece, quelli che sono stati formati
dalla correzione ne godono i frutti: la pace e una vita
giusta.

Fedeltà alla vocazione cristiana

[12] Come dice la *Bibbia, *rialzate le vostre mani stanche, for-
tificate le vostre ginocchia indebolite,* [13] *camminate su strade
diritte*, così che il piede zoppicante non diventi storpio, ma
guarisca.
[14] Cercate di essere in pace con tutti e di vivere come piace
a Dio. Altrimenti, nessuno di voi potrà vedere il Signore.
[15] Fate attenzione che nessuno si allontani dalla grazia di Dio.
Nessuno diventi come una pianta velenosa che cresce e fa
male a molti. [16] Non ci siano tra di voi persone immorali
o persone che non rispettano le cose sacre. Non fate come
Esaù, che per un piatto di minestra vendette il suo diritto
di figlio primogenito. [17] E voi sapete che in seguito Esaù
volle ricevere la benedizione di suo padre Isacco, ma fu
respinto. Non riuscì più a modificare la sua situazione, anche se lo domandò piangendo.
[18] Voi non vi siete avvicinati a una montagna terrena, come
fece il popolo d'Israele: là c'era un fuoco ardente, oscurità,
tenebre e tempesta; [19] squilli di tromba e suono di parole.
Il popolo udiva e chiedeva a Dio di non far più sentire la
sua voce. [20] Infatti non riuscivano a sopportare questo ordine: *Chiunque, anche solo una bestia, toccherà la monta-*

gna, dovrà essere ucciso a colpi di pietra. [21] In realtà quella visione era talmente terribile che Mosè disse: « *Ho paura e tremo* ».

[22] Voi, invece, vi siete avvicinati al monte Sion, alla città del Dio vivente, alla Gerusalemme del cielo e a migliaia di *angeli. Vi siete avvicinati alla riunione festosa, [23] all'assemblea dei figli primogeniti di Dio che hanno i nomi scritti nel cielo. Vi siete avvicinati a Dio, giudice di tutti gli uomini, agli spiriti degli uomini giusti finalmente portati alla perfezione. [24] Vi siete avvicinati a Gesù, mediatore della nuova *alleanza, al suo sangue sparso, che ha una voce più potente di quella di Abele.

[25] Dunque fate attenzione! Non rifiutate di ascoltare colui che vi parla. Quelli che non vollero ascoltare chi li avvertiva sulla terra, furono condannati. A maggior ragione, saremo condannati noi se volteremo le spalle a colui che ci parla dal cielo. [26] In passato, la sua voce ha fatto tremare la terra. Ora invece ha fatto questa promessa: *Ancora una volta, io farò tremare* non solo *la terra*, ma anche *il cielo*. [27] Quando dice *ancora una volta*, vuol dire che le cose create possono crollare e sparire, perché rimangono soltanto le cose incrollabili.

[28] Perciò, dobbiamo essere riconoscenti, perché riceviamo in dono il *regno di Dio, che è incrollabile. Ringraziamo Dio e serviamolo come piace a lui, con rispetto e venerazione. [29] Perché, come dice la Bibbia, *il nostro Dio è un fuoco che divora*.

Ultime raccomandazioni

13 [1] Continuate a volervi bene come fratelli. [2] Non dimenticate di ospitare volentieri chi viene da voi. Ci furono alcuni che, facendo così, senza saperlo ospitarono degli *angeli. [3] Ricordatevi di quelli che sono in prigione, come se foste anche voi prigionieri con loro. Ricordate quelli che sono maltrattati, perché anche voi siete esseri umani.

[4] Il matrimonio sia rispettato da tutti e gli sposi siano fedeli. Perché Dio condannerà chi commette adulterio o altre immoralità.

[5] La vostra vita non sia dominata dal desiderio dei soldi. Contentatevi di quello che avete, perché Dio stesso ha detto nella *Bibbia:

Non ti lascerò mai,
non ti abbandonerò mai.

⁶ E così anche noi possiamo dire con piena fiducia:

Il Signore viene in mio aiuto,
non avrò paura.
Che cosa mi possono fare gli uomini?

⁷ Ricordatevi di quelli che vi hanno guidato e vi hanno annunziato la *parola di Dio. Pensate come sono vissuti e come sono morti, e imitate la loro fede. ⁸ Gesù Cristo è sempre lo stesso, ieri, oggi e per sempre. ⁹ Non lasciatevi ingannare da dottrine diverse e strane. È bene che il nostro cuore sia fortificato dalla grazia di Dio e non da regole a proposito dei vari cibi: chi obbedisce a quelle regole non ne ha mai avuto un vantaggio.

¹⁰ I sacerdoti che servono nel tempio degli ebrei non hanno il diritto di mangiare l'offerta presentata sul nostro altare. ¹¹ Il *sommo sacerdote degli ebrei porta nel Luogo Santissimo sangue di animali, e l'offre come sacrificio per i peccati. I corpi di questi animali sono bruciati fuori della città. ¹² Per questo anche Gesù è morto fuori delle mura della città, per purificare il popolo con il suo sangue.

¹³ Dunque, usciamo anche noi fuori della città, andiamo verso di lui portando la sua stessa umiliazione. ¹⁴ Perché, noi non abbiamo quaggiù una città nella quale resteremo per sempre; noi cerchiamo la città che deve ancora venire. ¹⁵ Per mezzo di Gesù, offriamo continuamente a Dio — come sacrificio — le nostre preghiere di lode, il frutto delle nostre labbra che cantano il suo nome.

¹⁶ Non dimenticate di fare il bene e di mettere in comune ciò che avete. Perché sono questi i sacrifici che piacciono al Signore.

¹⁷ Ubbidite a quelli che dirigono la comunità e siate sottomessi. Perché essi vegliano su di voi, come persone che dovranno rendere conto a Dio. Fate in modo che compiano il loro dovere con gioia; altrimenti lo faranno malvolentieri e non sarebbe un vantaggio nemmeno per voi.

¹⁸ Pregate per noi. Noi crediamo di essere tranquilli in coscienza, perché desideriamo comportarci bene in ogni occasione. ¹⁹ In particolare vi chiedo di pregare, perché Dio mi permetta di tornare presto in mezzo a voi.

Benedizione finale e saluti

²⁰ Io prego per voi Dio che dà la pace. Egli ha liberato dalla morte Gesù, il nostro Signore, diventato il grande *Pastore delle pecore, perché ha dato il suo sangue per la nuova ed eterna *alleanza. ²¹ Il Dio della pace vi renda capaci di compiere ogni bene per fare la sua volontà. Egli agisca in voi per farvi compiere ciò che piace a lui, per mezzo di Gesù *Cristo. A lui sia la gloria, per sempre! *Amen.

²² Vi raccomando, fratelli ascoltate con pazienza queste parole di esortazione. In fondo, vi ho scritto solo poche cose.
²³ Sappiate che il nostro fratello Timòteo è stato messo in libertà. Se arriva presto, verrò a vedervi insieme con lui.
²⁴ Salutate quelli che dirigono la vostra comunità e tutto il popolo di Dio. Quelli venuti dall'Italia vi salutano.
²⁵ La grazia di Dio sia con tutti voi.

LETTERA DI GIACOMO

Saluto

1 ¹ Io, Giacomo, servo di Dio e del Signore Gesù *Cristo, saluto voi tutti che siete il popolo di Dio disperso per il mondo.

Fede e saggezza

² Fratelli miei, anche se dovete sopportare prove di ogni genere, rallegratevi. ³ Sapete infatti che se la vostra fede supera queste prove, voi diventerete forti. ⁴ Anzi, tendete a una fermezza sempre maggiore, così che voi siate perfetti e completi, sotto ogni aspetto.

⁵ E se qualcuno di voi non è saggio, chieda a Dio la saggezza e Dio gliela darà; perché Dio dà a tutti volentieri e generosamente. ⁶ Ma bisogna chiedere con fiducia, senza dubitare. Chi dubita è come un'onda del mare mossa dal vento, sospinta qua e là. ⁷⁻⁸ Un uomo simile, indeciso e incoerente in tutto quel che fa, non si illuda di ricevere qualcosa dal Signore.

Povertà e ricchezza

⁹ Fratelli, se qualcuno di voi è povero, sia fiero del fatto che Dio lo onora. ¹⁰ Se invece uno è ricco, sia contento del fatto che Dio lo umilia. Il ricco infatti passa via come un fiore di campo. ¹¹ Il sole si alza, il suo calore fa seccare l'erba; il fiore cade e la sua bellezza svanisce. Così, anche il ricco cadrà con le sue imprese.

Prove e tentazioni

¹² Beato l'uomo che resiste alle tentazioni: dopo aver superato la prova, egli riceverà in dono quella vita eterna che Dio ha promesso a coloro che lo amano. ¹³ Ma se uno è assalito dalle tentazioni, non deve dire: «È Dio che mi tenta»: perché Dio non può essere tentato dal male ed egli non tenta nessuno. ¹⁴ In realtà, ognuno è tentato dal proprio desiderio cattivo, che prima lo attira e poi lo prende

in trappola. ¹⁵ Questo desiderio fa nascere il peccato e il peccato, quando ha preso campo, porta la morte.

¹⁶ Non lasciatevi ingannare, fratelli carissimi: ¹⁷ tutto ciò che abbiamo di buono e di perfetto, viene dall'alto: è un dono di Dio, creatore delle luci celesti. E Dio non cambia e non produce tenebre.

¹⁸ Egli ha voluto darci la vita e ci ha fatto esistere per mezzo della sua parola che annuncia la verità: egli ha voluto così che noi fossimo come le primizie di tutte le sue creature.

Ascoltare e agire

¹⁹ Ricordate una cosa, fratelli carissimi: ognuno deve essere pronto ad ascoltare, ma lento a parlare e lento a lasciarsi prendere dalla collera. ²⁰ Chi è in collera non può compiere ciò che è giusto secondo Dio. ²¹ Perciò liberatevi da tutto ciò che è sporco e cattivo. Siate pronti ad accogliere quella parola che Dio fa crescere nel vostro cuore e che ha il potere di portarvi alla salvezza.

²² Non ingannate voi stessi: non contentatevi di ascoltare la *parola di Dio; mettetela anche in pratica! ²³ Chi ascolta la parola ma non la mette in pratica è simile a uno che si guarda allo specchio, vede la sua faccia così come è, ²⁴ ma poi se ne va e subito dimentica come era. ²⁵ C'è, invece, chi esamina attentamente e osserva con fedeltà la legge perfetta di Dio, la quale ci porta alla libertà. Costui non si accontenta di ascoltare la parola di Dio per poi dimenticarla, ma la mette in pratica: per questo egli sarà beato in tutto quello che fa.

²⁶ Se uno crede di essere religioso, ma poi non sa frenare la propria lingua, è un illuso: la sua religione non vale niente. ²⁷ Questa è la religione che Dio Padre considera pura e genuina: prendersi cura degli orfani e delle vedove che sono nella sofferenza, e non lasciarsi sporcare dalle cose di questo mondo.

Contro le ingiuste preferenze

2 ¹ Fratelli, voi che avete la fede in Gesù *Cristo, nostro Signore glorioso, dovete comportarvi allo stesso modo con tutti, senza ingiuste preferenze. ² Facciamo un esempio:

un uomo ricco viene a una delle vostre riunioni, con anelli d'oro e abiti di lusso; e alla stessa riunione viene anche uno che è povero e vestito male. ³ Voi vi mostrate pieni di premure per quello che è vestito bene e dite: «Siediti qui, al posto d'onore». Al povero, invece, dite: «Tu rimani in piedi, oppure siedi in terra, qui, accanto al mio sgabello». ⁴ Se vi comportate così, non è forse chiaro che fate delle differenze tra l'uno e l'altro e che ormai giudicate con criteri malvagi?

⁵ Ascoltate, fratelli carissimi: Dio ha scelto quelli che agli occhi del mondo sono poveri, per farli diventare ricchi nella fede e dar loro quel regno che egli ha promesso agli uomini che lo amano. ⁶ Voi, invece, avete disprezzato i poveri! Eppure, non sono forse i ricchi quelli che vi trattano con prepotenza e vi trascinano davanti ai tribunali? ⁷ Non sono loro, i ricchi, quelli che bestemmiano il bel nome di Cristo che fu invocato su di voi quando siete diventati cristiani? ⁸ Una cosa è certa: se voi rispettate la legge del regno di Dio così come la presenta la *Bibbia: *Ama il tuo prossimo come te stesso*, voi agite bene. ⁹ Se invece fate delle preferenze tra le diverse persone, voi commettete peccato e la legge di Dio vi condanna, perché avete disubbidito. ¹⁰ Chi va contro anche a un solo comandamento della *legge, è colpevole di aver offeso tutta la legge. ¹¹ Infatti, colui che ci ha detto: *Non commettere adulterio*, è lo stesso che ha detto: *Non uccidere*. Di conseguenza, se tu non commetti adulterio, ma poi uccidi qualcuno, vai contro tutta la legge di Dio.

¹² Dunque, parlate e agite come persone che saranno giudicate da quella legge che ci porta alla vera libertà. ¹³ Perché Dio sarà senza misericordia, quando giudicherà chi non ha avuto misericordia degli altri. Chi invece è stato misericordioso, non avrà alcun timore del *giudizio di Dio.

La fede e i fatti

¹⁴ Fratelli, a che serve se uno dice: «Io ho la fede!», e poi non lo dimostra con i fatti? Forse che quella fede può salvarlo? ¹⁵ Supponiamo che qualcuno dei vostri, un uomo o una donna, non abbia vestiti e non abbia da mangiare a sufficienza. ¹⁶ Se voi gli dite: «Arrivederci, stammi bene. Scàldati e mangia quanto vuoi», ma poi non gli date quel

che gli serve per vivere, a che valgono le vostre parole? [17] Così è anche per la fede: da sola, se non si manifesta nei fatti, è morta.

[18] Qualcuno potrebbe anche dire: « C'è chi ha la fede e c'è invece chi compie le opere ». Ma allora mostrami come può esistere la tua fede senza le opere! Ebbene, io ti posso mostrare la mia fede per mezzo delle mie opere, cioè con i fatti! [19] Ad esempio: tu credi che esiste un solo Dio? È giusto. Ma anche i *demòni ci credono, eppure tremano di paura. [20] Sciocco, vuoi dunque capire che la fede non serve a niente se non è accompagnata dai fatti?

[21] Abramo, il nostro antico padre, perché mai fu riconosciuto giusto da parte di Dio? Per le sue opere, cioè per aver offerto sull'*altare dei sacrifici il figlio Isacco. [22] Vedi dunque che in quel caso la fede e le opere agivano assieme e che la sua fede è diventata perfetta proprio per mezzo delle opere! [23] Così si è realizzato quel che dice la Bibbia: *Abramo credette in Dio e Dio ne tenne conto, per questo lo riconobbe come uomo giusto.* Anzi, egli fu chiamato amico di Dio. [24] Potete così vedere che Dio considera giusto un uomo in base alle opere e non soltanto in base alla fede.

[25] Lo stesso avvenne nel caso di Raab, la prostituta. Dio la considerò giusta per le sue opere, cioè per il fatto che aveva ospitato gli esploratori degli ebrei e li aveva aiutati ad andarsene per un'altra via.

[26] Insomma, come il corpo senza il soffio della vita è morto, così la fede. Senza le opere è morta.

Moderate la lingua

3 [1] Fratelli, non vogliate essere in molti a diventare *maestri degli altri. Sapete infatti che noi maestri saremo giudicati da Dio in modo particolarmente severo. [2] Tutti commettiamo molti errori. Se uno non commette mai errori in quel che dice, è un uomo perfetto, capace di dominare se stesso. [3] Noi mettiamo il morso alla bocca dei cavalli per fare in modo che ci ubbidiscano, ed è così che possiamo dominare tutto il loro corpo. [4] Guardate le navi: anche se grandi e spinte da un vento molto forte, per mezzo di un piccolissimo timone vengono guidate là dove vuole il pilota. [5] Così anche la lingua: è una piccola parte del corpo, ma può vantarsi di grosse imprese. Un focherello può incendiare tutta una grande foresta. [6] La lingua è come un fuoco. È come una cosa malvagia messa dentro di noi, e che porta il contagio in tutto il corpo. Essa infiamma tutta la vita con un fuoco che viene dall'inferno.

[7] L'uomo è capace di domare gli animali di ogni specie: bestie selvatiche, uccelli, rettili, pesci...; e di fatto li ha domati. [8] La lingua, invece, nessuno è capace di domarla. Essa è cattiva, sempre in movimento, piena di veleno mortale.

[9] Noi usiamo la lingua per lodare il Signore che è nostro Padre, ma anche per maledire gli uomini che Dio ha fatto simili a sé. [10] Dalla stessa bocca escono parole di preghiera e parole di maledizione. Fratelli, questo non deve avvenire. [11] Forse che da una stessa fonte può uscire insieme acqua buona e acqua amara? No! [12] Nessun albero di fichi produce olive, e nessuna vite produce fichi. Così una sorgente d'acqua salata non può dare acqua da bere.

La saggezza che viene dall'alto

[13] Qualcuno, tra voi, pensa di essere saggio e intelligente? Bene! Lo faccia vedere con i fatti, comportandosi bene; mostri insieme gentilezza e saggezza. [14] Se invece il vostro cuore è pieno di amara gelosia e di voglia di litigare, fate a meno di vantarvi e non dite menzogne che offendono la verità. [15] Una saggezza di questo genere non viene da Dio; è sapienza di questo mondo, materiale, diabolica.

[16] Infatti, dove regnano la gelosia e l'istinto di litigare, ci sono inquietudini e cattiverie di ogni genere. [17] Invece, la saggezza che viene da Dio è assolutamente pura; è pacifica, comprensiva, docile, ricca di bontà e di opere buone; è senza ingiuste preferenze e senza alcuna ipocrisia. [18] Le persone che creano la pace attorno a sé, sono come seminatori che raccolgono nella pace il loro frutto: una vita giusta.

La causa delle discordie

4 [1] Da dove vengono le lotte e i contrasti che ci sono tra di voi? Vengono dalle passioni che continuamente si agitano e combattono dentro di voi. [2] Voi desiderate qualcosa, e se non potete averlo, allora siete pronti a uccidere. Voi avete voglia di qualcosa, e se non riuscite a ottenerlo,

allora vi mettete a lottare e a far guerra. In realtà, voi non ottenete ciò che desiderate perché non sapete chiederlo a Dio. ³ E se anche chiedete, voi non ricevete niente perché le vostre intenzioni sono cattive: volete sprecare tutto nei vostri piaceri.

⁴ Siete infedeli come una donna adultera. Ma non sapete che essere amici di questo mondo, significa essere nemici di Dio? Dunque, chi vuol diventare amico di questo mondo finisce per diventare nemico di Dio. ⁵ Certamente la *Bibbia non parla invano quando dice: « Dio è geloso e non vuol perdere lo spirito che ha messo dentro di noi ». ⁶ Anzi, egli offre una grazia anche migliore: infatti la Bibbia dice: *Dio si oppone agli orgogliosi, ma tratta con bontà gli umili.*

⁷ Dunque, sottomettetevi a Dio. Resistete invece contro il *diavolo, che fuggirà lontano da voi. ⁸ Avvicinatevi a Dio, ed egli si avvicinerà a voi. Purificate le vostre mani di peccatori; santificate i vostri cuori di uomini ipocriti. ⁹ Piangete sulle vostre miserie, e semmai lamentatevi di voi stessi. Le vostre risa diventino lacrime, la vostra allegria diventi tristezza. ¹⁰ Abbassatevi davanti al Signore, ed egli vi solleverà.

Non giudicate gli altri

¹¹ Fratelli, non parlate male gli uni degli altri. Chi parla male di un fratello o lo giudica, è come se parlasse male della legge di Dio e la giudicasse. Ora, se ti metti a giudicare la legge di Dio, sei uno che giudica e non sei più uno che ubbidisce alla legge. ¹² C'è uno solo che dà la legge agli altri e può giudicare: Dio. Egli può salvare e distruggere. Ma chi sei tu che pretendi di giudicare il tuo prossimo?

Contro l'orgoglio

¹³ Voi dite: « Oggi o domani andremo in quella città e ci fermeremo un anno; faremo affari e guadagneremo molti soldi ». ¹⁴ Ascoltate: in realtà voi non sapete cosa accadrà domani e come sarà la vostra vita. Non siete altro che fumo; un fumo che per un po' si vede e poi scompare. ¹⁵ Fareste meglio a dire: « Se il Signore vuole, noi vivremo e faremo questo e quest'altro ». ¹⁶ Invece continuate a vantarvi e a fare gli orgogliosi. Ma questo genere di superbia

è sempre un male. [17] Allo stesso modo, se uno sa di dover
fare il bene e non lo fa, commette peccato.

Contro i ricchi

5 [1] E ora a voi, ricchi! Piangete e lamentatevi per le
sciagure che stanno per venire su di voi. [2] Le vostre
ricchezze vanno in malora e i vostri abiti sono mangiati
dalle tarme. [3] Il vostro oro e il vostro argento sono pieni
di ruggine, e quella ruggine sarà una prova contro di voi:
essa vi divorerà come un fuoco. In questi giorni, che sono
gli ultimi prima del *giudizio, voi avete accumulato ricchezze.
[4] Voi non avete pagato gli operai che mietono nei vostri
campi: questa paga rubata ora grida al cielo, e le proteste
dei vostri contadini sono arrivate fino agli orecchi di Dio,
il Signore onnipotente. [5] Voi avete vissuto quaggiù sulla
terra in mezzo al lusso e ai piaceri sfrenati: vi siete ingrassati come bestie per il giorno del macello. [6] Avete condannato e ucciso persone innocenti che non hanno la forza
di difendersi.

Pazienza e sincerità

[7] Fratelli, siate dunque pazienti, fino a quando verrà il Signore. Guardate il contadino: egli aspetta con pazienza che
la terra produca i suoi frutti preziosi, aspetta le piogge di
primavera e le piogge d'autunno. [8] Così siate pazienti anche
voi, e fatevi coraggio, perché il giorno del ritorno del Signore è ormai vicino.
[9] Fratelli, non mormorate gli uni contro gli altri, perché il
Signore non vi condanni. Il giudice sta per venire!
[10] Ricordatevi dei *profeti che hanno parlato per incarico
del Signore. Prendeteli come esempio di pazienza e di fedeltà
anche nelle sofferenze. [11] Noi diciamo che sono beati quelli
che, come loro, hanno saputo resistere. Voi avete sentito
parlare della grande pazienza di Giobbe, e sapete quel che
il Signore gli ha concesso, alla fine. Sì, il Signore è *pieno
di misericordia e di compassione*.
[12] Fratelli, soprattutto non fate giuramenti: né per il cielo
né per la terra né in qualunque altro modo. Semplicemente,
dite « sì », quando è sì; dite « no », quando è no. Così
non sarete condannati da Dio.

La preghiera e la vita

[13] Se qualcuno di voi è nella sofferenza, si metta a pregare. Se invece qualcuno è contento, canti le sue lodi al Signore.
[14] Se qualcuno di voi è malato, chiami i responsabili della comunità. Essi preghino per lui e lo ungano con olio, pregando il Signore. [15] Questa preghiera, fatta con fede, salverà il malato e il Signore gli darà sollievo. Inoltre, se il malato avesse commesso dei peccati, gli saranno perdonati.
[16] Confessatevi a vicenda i vostri peccati e pregate gli uni per gli altri, così che possiate guarire. La preghiera sincera di una persona buona è molto potente. [17] Il *profeta Elia era soltanto un uomo, come noi. Egli pregò con insistenza chiedendo che non venisse la pioggia, e non piovve sulla terra per tre anni e sei mesi. [18] Poi pregò ancora, chiedendo che piovesse, e dal cielo venne la pioggia, e la terra fece crescere i suoi frutti.
[19] Fratelli miei, se uno si è allontanato dalla verità e un altro lo riporta sulla giusta strada, [20] sappiate quel che vi dico: chi aiuta un peccatore ad abbandonare la strada sbagliata, lo salverà dalla morte e otterrà il perdono di molti peccati.

PRIMA LETTERA DI PIETRO

Saluto

1 ¹ Io, Pietro, *apostolo di Gesù *Cristo, scrivo a voi che siete stati scelti da Dio e che ora vivete come stranieri, dispersi nelle regioni del Ponto, della *Galazia, della Cappadòcia, dell'*Asia e della Bitinia. ² Dio, nostro Padre, vi ha scelti perché così aveva stabilito: per mezzo dello Spirito Santo vi ha santificati perché siate ubbidienti a Gesù Cristo e siate liberati dai vostri peccati grazie alla sua morte. Dio doni a voi grazia e pace in abbondanza.

Ringraziamento a Dio

³ Benedetto sia Dio, il Padre del Signore nostro Gesù *Cristo! Egli ha avuto tanta misericordia per noi, che ci ha fatti rinascere: risuscitando Gesù Cristo dai morti, egli ci ha dato una vita nuova. Così ora abbiamo una speranza viva, ⁴ perché siamo in attesa di ottenere quell'eredità che Dio ha preparato nei cieli. Un'eredità sicura, che non va in rovina e non marcisce. Essa è preparata anche per voi. ⁵ Intanto Dio vi custodisce nella fede con la sua potenza, fino a quando vi darà la salvezza, quella che sta per manifestarsi negli ultimi tempi.

Esortazione a essere contenti e fedeli

⁶ Perciò siate contenti, anche se ora, per un po' di tempo, dovete sopportare difficoltà di ogni genere. ⁷ Anche l'oro, benché sia una cosa che non dura in eterno, deve passare attraverso il fuoco, perché si veda se è genuino. Lo stesso avviene per la vostra fede, che è ben più preziosa dell'oro: è messa alla prova dalle difficoltà, perché si veda se è genuina. Solo così voi riceverete lode, gloria e onore, quando Gesù *Cristo si manifesterà a tutti gli uomini. ⁸⁻⁹ Voi non avete visto Gesù Cristo, eppure lo amate; ora non lo vedete, eppure credete in lui. Ora state raggiungendo il traguardo della fede, cioè la vostra salvezza: per questo siete pieni di una gioia grandissima, che non si può esprimere a parole.

La salvezza, i profeti e Gesù Cristo

10 Quando gli antichi *profeti parlavano del dono che Dio preparava per voi, essi parlavano di questa salvezza e cercavano di conoscerla e di capirla sempre più.
11 Essi si sforzavano di scoprire anche il tempo e le circostanze degli avvenimenti che lo Spirito annunziava; infatti lo Spirito di *Cristo era già in loro e faceva conoscere in anticipo i dolori che il Messia doveva soffrire e la gloria che poi avrebbe avuto. 12 Dio rivelò ai profeti che quel messaggio non era per loro stessi, ma per voi. E infatti voi ora avete ricevuto l'annunzio di cose che perfino gli *angeli desiderano contemplare. Per mezzo dello *Spirito Santo mandato dal cielo, alcuni uomini vi hanno portato il messaggio del *vangelo.

Esortazione a vivere santamente

13 Perciò siate pronti ad agire, rimanete ben svegli. Tutta la vostra speranza sia rivolta verso quel dono che riceverete da *Cristo Gesù, quando egli si manifesterà a tutti gli uomini. 14-15 Non seguite più i desideri di un tempo, di quando eravate nell'ignoranza. Di fronte a Dio che vi ha chiamati, siate come figli ubbidienti; egli è santo e anche voi siate santi in tutto quello che fate. 16 Nella *Bibbia infatti è scritto: *Siate santi, perché io sono santo.*
17 Quando pregate Dio voi lo chiamate Padre. Egli giudica tutti con lo stesso metro, ciascuno secondo le sue opere. Perciò, nel tempo che dovete passare in questo mondo, comportatevi con grande rispetto verso di lui.

Il prezzo del nostro riscatto

18 Voi sapete come siete stati liberati da quella vita senza senso che avevate ereditato dai vostri padri: il prezzo del vostro riscatto non fu pagato in oro o argento, cose che passano; 19 siete stati riscattati con il sangue prezioso di *Cristo. Egli si è sacrificato per voi come un agnello puro e senza macchia. 20 Dio lo aveva destinato a questo già prima della creazione del mondo; ora, in questi tempi che sono gli ultimi, egli si è manifestato per voi. 21 E voi, per mezzo di lui, credete in Dio che lo ha risuscitato dai morti

e gli ha dato la gloria. Così la vostra fede e la vostra speranza sono rivolte verso Dio.

La nuova vita e la parola di Dio

[22] Ubbidendo alla verità, vi siete purificati e ora potete amarvi sinceramente come fratelli. Amatevi dunque davvero, intensamente: [23] perché voi avete ricevuto la nuova vita non da un seme che muore, ma da quel seme immortale che è la *parola di Dio, viva ed eterna.
[24] Così dice la *Bibbia:

> *Tutti gli uomini sono come erba,*
> *la loro gloria è come un fiore di campo.*
> *Secca l'erba, appassisce il fiore;*
> [25] *ma la parola del Signore dura in eterno.*

E questa è la parola del *vangelo che vi è stato annunziato.

La pietra viva e il popolo santo

2 [1] Allontanate da voi ogni forma di male. Basta con gli imbrogli e le ipocrisie, con l'invidia e la maldicenza! [2] Come bambini appena nati, desiderate il latte puro e spirituale, per crescere verso la salvezza. [3] Voi davvero avete provato quanto è buono il Signore.
[4] Avvicinatevi al Signore. Egli è la pietra viva che gli uomini hanno gettato via, ma che Dio ha scelto come pietra preziosa. [5] Anche voi, come pietre vive, formate il tempio dello *Spirito Santo, siete sacerdoti consacrati a Dio e offrite sacrifici spirituali che Dio accoglie volentieri, per mezzo di Gesù *Cristo.
[6] Si legge infatti nella *Bibbia:

> *Ho scelto una pietra di valore,*
> *e la pongo nella città di *Sion*
> *come pietra principale del fondamento.*
> *Chi crede in essa non resterà deluso.*

[7] Per voi che credete, dunque, questa pietra è molto preziosa. A quelli che non credono, invece, la Bibbia dice:

> *La pietra che i costruttori hanno gettato via*
> *è diventata la pietra principale.*

[8] E poi dice ancora:

> *È un sasso che fa inciampare,*
> *una pietra che fa cadere.*

Essi vi inciampano perché non hanno voluto ubbidire alla *parola di Dio. Questa è la fine che Dio ha stabilito per loro.

⁹ Ma *voi siete la gente che Dio si è scelta, voi siete per il *regno di Dio un popolo di sacerdoti a lui consacrati, il popolo che Dio si è scelto per annunziare a tutti* le sue opere meravigliose.

Egli vi ha chiamati fuori delle tenebre per condurvi nella sua luce meravigliosa.

¹⁰ Un tempo voi non eravate il suo popolo
ora invece siete il popolo di Dio.
Un tempo eravate esclusi dalla misericordia
ora invece avete ottenuto la misericordia di Dio.

La vita dei cristiani in mezzo ai pagani

¹¹ Carissimi, voi siete come stranieri ed emigranti in questo mondo; perciò io vi consiglio di stare lontani da quei desideri egoistici che vi spingono alla rovina. ¹² Comportatevi bene in mezzo ai pagani: anche se parlano male di voi e dicono che siete dei malfattori, nel giorno del *giudizio dovranno riconoscere che le vostre opere sono buone e daranno gloria a Dio.

¹³ Per amore del Signore, ubbidite a tutte le autorità umane: sia all'imperatore che comanda su tutti, ¹⁴ sia ai governatori che egli manda a punire i malfattori e a premiare quelli che fanno bene. ¹⁵ Perché questa è la volontà di Dio: che voi facciate il bene, in modo da chiudere la bocca agli uomini stolti e ignoranti.

¹⁶ Comportatevi da uomini liberi, ma non usate la vostra libertà come un velo per coprire la malizia; piuttosto siate come servitori di Dio.

¹⁷ Rispettate tutti, amate i fratelli nella fede, adorate Dio, rispettate l'imperatore.

La sofferenza e l'esempio di Cristo

¹⁸ Voi servi, ubbidite con grande rispetto ai vostri padroni, non solo a quelli buoni e gentili, ma anche a quelli severi. ¹⁹ Per chi conosce Dio, è una grazia soffrire perché si è trattati ingiustamente. ²⁰ E infatti che merito ci sarebbe a sopportare un castigo quando si è colpevoli? Ma se voi

fate il bene e sopportate con pazienza le sofferenze, allora
è una grazia di Dio.
²¹ Dio vi ha scelti perché vi comportiate come *Cristo quando
morì per voi. Egli vi ha lasciato un esempio da seguire.

²² *Egli non ha mai fatto un peccato,*
   con le sue parole non ha mai imbrogliato nessuno.
²³ Quando lo offendevano, non offendeva;
   quando lo facevano soffrire, non parlava di vendetta,
   ma aveva fiducia in Dio che giudica con giustizia.
²⁴ *Egli ha preso su di sé i nostri peccati,*
   e li ha portati con sé sulla croce,
   per farci morire riguardo al peccato
   e farci vivere una vita giusta.
   Le sue ferite sono state la vostra guarigione.
²⁵ Eravate *come pecore disperse,*
   ma ora siete tornati al vostro *pastore,
   al guardiano delle vostre anime.

Mogli e mariti

3 ¹ Anche voi, mogli, siate sottomesse ai vostri mariti; così,
se qualcuno di loro non crede alla *parola di Dio, potrà
arrivare alla fede guardando il vostro modo di vivere. Non
ci sarà bisogno di tante parole, ² basterà che vedano la vostra vita pura e rispettosa. ³ Non preoccupatevi di essere
belle al di fuori, con pettinature raffinate, gioielli d'oro e
vestiti eleganti. ⁴ Cercate invece la bellezza nascosta e dure-
vole, quella del cuore. Cercate di avere un animo buono e
sereno: queste sono cose preziose di fronte a Dio. ⁵ Questi
erano, un tempo, gli ornamenti delle donne sante che spe-
ravano in Dio. Esse erano rispettose dei loro mariti, ⁶ come
Sara che ubbidiva ad Abramo e lo chiamava « mio signore ».
Se fate il bene e non vi lasciate spaventare da nessuna difficoltà, voi siete autentiche figlie di Sara.
⁷ E così anche voi, mariti: vivete con le vostre mogli tenendo conto che la loro natura è più delicata. Trattatele
con rispetto perché esse devono ricevere da Dio il dono
della vita eterna come voi. A questo modo non vi sarà
difficile pregare insieme.

I rapporti tra cristiani

[8] Infine, fratelli, ci sia perfetta concordia tra voi: abbiate compassione, amore e misericordia gli uni verso gli altri. Siate umili. [9] Non fate il male a chi vi fa del male, non rispondete con insulti a chi vi insulta; al contrario, rispondete con buone parole, perché anche Dio vi ha chiamati a ricevere le sue benedizioni.
[10] È come dice la *Bibbia:

> Chi vuole avere una vita felice,
> chi vuol vivere giorni sereni,
> tenga lontano la lingua dal male,
> con le sue labbra non dica menzogne.
> [11] Fugga dal male e faccia del bene,
> cerchi la pace e sempre la segua.
> [12] Ai giusti guarda il Signore,
> ascolta le loro preghiere
> e va contro chi opera il male.

Di fronte alle persecuzioni

[13] E chi vi potrà fare del male se voi siete sempre impegnati a fare del bene? [14] E anche se qualcuno vi fa soffrire per il fatto che vi comportate bene, beati voi! Come dice la Bibbia: Non abbiate paura di loro, non lasciatevi spaventare.
[15] Piuttosto nel vostro cuore adorate il Signore, cioè *Cristo. Siate sempre pronti a rispondere a quelli che vi chiedono spiegazioni sulla speranza che avete in voi, [16] ma rispondete con gentilezza e rispetto, con la coscienza pulita. In tal modo quelli che parlano male del vostro comportamento cristiano dovranno vergognarsi delle loro parole. [17] Infatti, se questa è la volontà di Dio, è meglio soffrire per aver fatto il bene che per aver fatto il male.

La salvezza per mezzo di Cristo

[18] Anche *Cristo è morto per voi. Egli è morto una volta per sempre, per i peccati degli uomini. Era innocente, eppure è morto per i malvagi, per riportarvi a Dio. Egli è stato ucciso, ma lo Spirito di Dio lo ha fatto risorgere. [19] E con la forza dello Spirito egli è andato ad annunziare la salvezza anche agli spiriti imprigionati, [20] cioè a quelli

che un tempo non ubbidivano a Dio, e che Dio sopportava
con pazienza. Come ai tempi di *Noè, quando egli costruiva
l'arca. Poi Dio fece entrare nell'arca solo poche persone,
otto in tutto, e soltanto esse si salvarono passando attraverso
l'acqua.
²¹ Quest'acqua era un'immagine del battesimo che ora salva
voi. Il battesimo non è un lavaggio del corpo, per togliere
via lo sporco; è invece un'invocazione a Dio, fatta con
buona coscienza. Il battesimo vi salva perché Cristo è risorto,
²² e ora si trova in cielo. Accanto a Dio, egli regna sopra
tutti gli *angeli, le forze e le potenze celesti.

Una vita nuova

4 ¹ Dunque, poiché Cristo ha sofferto nel suo corpo, anche
voi fortificatevi con il suo stesso modo di pensare. Chi
ha sofferto nel corpo, non ha più legami con il peccato, ² non
è più schiavo delle passioni umane, ma vive il resto della
sua vita mortale seguendo la volontà di Dio. ³ In passato
voi siete vissuti per troppo tempo facendo quello che piace
ai pagani: vizi, malvagi desideri, ubriachezze, orge, bagordi
e nel vergognoso culto degli idoli.
⁴ Ora invece i pagani si meravigliano perché voi non vivete
più con loro in questo mare di corruzione, e perciò parlano
contro di voi. ⁵ Ma essi dovranno rendere conto a colui che
è pronto a giudicare tutti, sia i vivi che i morti. ⁶ Per questo
il messaggio del *vangelo è stato annunziato anche ai morti:
perché, pur avendo ricevuto nel loro corpo la condanna
comune a tutti gli uomini, ora per mezzo dello Spirito di
Dio, possano vivere la vita di Dio.
⁷ La fine di tutte le cose è ormai vicina. Siate giudiziosi e
sempre pronti alla preghiera. ⁸ Soprattutto, vogliatevi molto
bene tra voi, perché l'amore cancella una grande quantità
di peccati. ⁹ Siate ospitali gli uni con gli altri, senza mormorare. ¹⁰ Usate bene i vari doni di Dio: ciascuno metta
a servizio degli altri la grazia particolare che ha ricevuto.
¹¹ Così, chi ha il dono di parlare, parli per diffondere la
*parola di Dio; chi ha un incarico, lo compia con la forza
che viene da Dio; in modo che sempre sia data gloria a
Dio, per mezzo di Gesù *Cristo. A lui appartiene la gloria
e la potenza, per sempre. Amen!

Le persecuzioni e la gioia cristiana

¹² Carissimi, non meravigliatevi delle persecuzioni che sono scoppiate in mezzo a voi. Non è un fatto strano: è una prova. ¹³ Piuttosto, siate contenti di partecipare alle sofferenze di *Cristo, perché così potrete essere pieni di gioia anche quando egli manifesterà a tutti gli uomini la sua gloria. ¹⁴ Se vi insultano perché siete *discepoli di Cristo, beati voi! Allora il potente Spirito di Dio rimane su di voi. ¹⁵ Nessuno di voi si metta nella condizione di subire condanne perché è assassino o ladro o delinquente o spione. ¹⁶ Ma se uno soffre perché è cristiano, allora non abbia vergogna. Anzi, ringrazi Dio di portare questo nome. ¹⁷ È arrivato il momento nel quale comincia il *giudizio di Dio, ed è il popolo di Dio ad essere giudicato per primo. Ora, se il giudizio comincia da noi a questo modo, come sarà alla fine, quando colpirà quelli che si rifiutano di credere alla *parola di Dio? ¹⁸ Come dice la *Bibbia: *Se tra tante difficoltà è salvato il giusto, cosa accadrà al malvagio e al peccatore?*

¹⁹ Perciò, quelli che soffrono facendo la volontà di Dio, continuino a fare il bene e si mettano nelle mani del loro Creatore, con piena fiducia.

Le guide della comunità

5 ¹ Ora mi rivolgo a quelli che in mezzo a voi sono i responsabili della comunità. Anch'io sono uno di loro, sono testimone della sofferenza di *Cristo e partecipo alla gloria che Dio mostrerà presto a tutti gli uomini. ² Voi, come *pastori, abbiate cura del gregge che Dio vi ha affidato; sorvegliatelo non solo per mestiere, ma volentieri, come Dio vuole. Non agite per il desiderio di guadagno, ma con entusiasmo. ³ Non comportatevi come se foste i padroni delle persone a voi affidate, ma siate un esempio per tutti. ⁴ E quando verrà Cristo, il capo di tutti i pastori, voi riceverete una corona di gloria che dura per sempre.

Umiltà e attenzione

⁵ Così anche voi, giovani. Siate ubbidienti a quelli che sono più anziani di voi.

E tutti siate sempre umili, pronti a servire gli altri, perché
la *Bibbia dice:

> Dio si mette contro i superbi
> ma è generoso con gli umili.

⁶ Dunque, piegatevi sotto la potente mano di Dio, perché
egli vi innalzi al momento opportuno. ⁷ Affidate a Dio tutte
le vostre preoccupazioni, perché egli ha cura di voi.
⁸ State attenti e ben svegli, perché il vostro nemico, il *diavolo, si aggira come un leone affamato, cercando qualcuno
da divorare. ⁹ Ma voi resistete, forti nella fede! E sappiate
che anche gli altri cristiani sparsi per il mondo devono
soffrire le stesse difficoltà, come voi.
¹⁰ Ma dopo che avrete sofferto per un po' di tempo, Dio vi
darà pace. Da lui viene ogni grazia, ed è lui che vi ha chiamati a partecipare alla sua gloria eterna, per mezzo di *Cristo. Perciò egli vi renderà stabili e forti, vi metterà su solide fondamenta. ¹¹ A lui appartiene la forza, per sempre.
*Amen!

Saluti finali

¹² Vi ho scritto questa breve lettera con l'aiuto di Silvano,
che per me è un fratello fedele. Vi assicuro che questa è la
vera grazia di Dio e vi incoraggio a rimanere in essa, fermamente.
¹³ La comunità cristiana che abita in questa *Babilonia vi
saluta. Anche Marco, mio figlio, vi saluta. ¹⁴ Salutatevi a vicenda con un bacio fraterno.
Pace a voi tutti che appartenete a *Cristo.

SECONDA LETTERA DI PIETRO

Saluto

1 ¹ Io, Simon Pietro, servo e *apostolo di Gesù *Cristo, scrivo a voi che dalla generosità di Gesù Cristo, nostro Dio e nostro Salvatore, avete ricevuto una fede preziosa come la nostra. ² La grazia e la pace siano date a voi con abbondanza, mediante la conoscenza di Dio e di Gesù nostro Signore.

La scelta di Dio e la risposta dell'uomo

³ La divina potenza di *Cristo ci ha dato tutto ciò che è necessario per vivere santamente. Perché egli ci ha fatto conoscere Dio, il quale ha chiamato noi a partecipare alla sua gloria e alla sua potenza. ⁴ Egli ci ha donato quelle cose grandi e preziose che erano state promesse. Così anche voi, lontani dalla corruzione dei vizi di questo mondo, avete potuto partecipare alla natura di Dio. ⁵ Quindi, fate ogni sforzo perché accanto alla vostra fede vi sia una vita virtuosa, e accanto alla vita virtuosa vi sia la conoscenza di Dio. ⁶ E chi conosce Dio impari a controllarsi, a sopportare coraggiosamente le difficoltà e ad adorare il Signore. ⁷ Infine, amatevi fraternamente gli uni gli altri.
⁸ Se vi comporterete sempre così, non vivrete nell'ozio e avanzerete nella conoscenza di Gesù Cristo nostro Signore. ⁹ Chi non si comporta così, invece, è come un cieco; non sa dove va, e non conosce il Signore; dimentica che Dio lo ha liberato dai suoi peccati di un tempo. ¹⁰ Dunque, fratelli, cercate di non dimenticare mai che Dio vi ha scelti e vi ha chiamati. Così facendo, non potrete cadere nel male. ¹¹ Anzi, sarà ampiamente aperta per voi la porta del regno eterno di Gesù Cristo, nostro Signore e nostro Salvatore.

La parola dell'apostolo e la parola dei profeti

¹² Perciò io vi ricorderò sempre queste cose, anche se voi già le sapete e rimanete fermi nella verità che avete ricevuto. ¹³ Penso che sia giusto tenervi svegli con le mie esortazioni, finché sono ancora in vita. ¹⁴ So che tra poco tempo

dovrò lasciare questa vita terrena: il nostro Signore Gesù *Cristo me lo ha fatto capire. [15] Ma farò in modo che anche dopo la mia morte voi possiate ricordarvi di queste cose.

[16] Infatti, quando vi abbiamo parlato di Gesù Cristo nostro Signore venuto in questo mondo e della sua grande potenza, non ci siamo serviti di storie inventate con astuzia. Noi abbiamo visto proprio con i nostri occhi la sua grandezza. [17-18] Egli ha davvero ricevuto onore e gloria da Dio Padre. E noi abbiamo udito la voce di Dio onnipotente, mentre eravamo con lui sulla montagna santa. Diceva: « Questo è il Figlio mio: io lo amo e l'ho mandato ».

[19] Perciò le parole dei *profeti sono degne di fiducia, ancora più di prima. E voi farete bene a considerarle con attenzione. Esse sono come una lampada che brilla in un luogo oscuro, fino a quando non comincerà il giorno, e la stella del mattino illuminerà i vostri cuori. [20-21] Soprattutto sappiate una cosa: gli antichi profeti non parlavano mai di loro iniziativa, ma furono uomini guidati dallo *Spirito Santo, e parlarono in nome di Dio. Perciò nessuno può spiegare con le sue sole forze le profezie che ci sono nella *Bibbia.

Falsi profeti e falsi maestri

2 [1] Un tempo, in mezzo al popolo di Dio ci furono anche falsi *profeti. Allo stesso modo verranno anche tra voi falsi *maestri. Essi cercheranno di diffondere eresie disastrose e si metteranno perfino contro il Signore che li ha salvati; ma andranno presto in rovina. [2] Molti li ascolteranno e vivranno, come loro, una vita immorale. Per colpa loro, la fede cristiana sarà disprezzata. [3] Per il desiderio di ricchezza, vi imbroglieranno con ragionamenti sbagliati. Ma la condanna di questi falsi maestri è già pronta; la loro rovina non si farà aspettare.

Gli esempi della storia passata

[4] Dio non ha lasciato senza punizione quegli *angeli che avevano peccato, ma li ha gettati nell'*abisso buio dell'inferno, tenendoli rinchiusi per il giorno del *giudizio. [5] Allo stesso modo, Dio non ha lasciato senza punizione il mondo antico, pieno di uomini malvagi: ha mandato il diluvio a distruggerlo. Invece ha salvato *Noè, che insegnava come si

17.

vive da uomini giusti, e altre sette persone insieme con lui.
⁶ Dio ha condannato le città di *Sòdoma e *Gomorra: le ha
distrutte con il fuoco, e ha lasciato un esempio per quelli
che in futuro avrebbero vissuto una vita malvagia. ⁷ Invece
Dio ha liberato *Lot che era un uomo giusto e rattristato per
il comportamento immorale dei suoi contemporanei. ⁸ Quest'uomo buono abitava in mezzo a loro e vedeva e udiva
tutto quello che facevano; ogni giorno, quella vita scanda-
losa era un tormento per la sua anima giusta. ⁹ Dunque,
il Signore è capace di liberare dalle difficoltà quelli che lo
amano, ed è capace di tener da parte i malvagi, per punirli
nel giorno del giudizio. ¹⁰ Egli punirà soprattutto quelli che
seguono i desideri più schifosi e disprezzano l'autorità di Dio.

Il comportamento dei falsi maestri

Ora, questi falsi *maestri sono spavaldi e superbi; non hanno
paura nemmeno di offendere gli spiriti dell'universo. ¹¹ Gli
*angeli, invece, che sono ben più forti e potenti, non por-
tano davanti a Dio simili accuse offensive contro di loro.
¹² Ma questa gente agisce solo per istinto, come stupide bestie che nascono per essere catturate e uccise. Essi bestemmiano ciò che non conoscono. Moriranno come bestie, ¹³ e così
riceveranno la ricompensa per la loro vita corrotta.
La loro felicità è il piacere che dura un giorno. Quando
fanno festa con voi e si vantano dei loro imbrogli, la loro
presenza è una vergogna e uno scandalo. ¹⁴ I loro occhi cercano sempre nuove possibilità di adulterio; non sono mai
stanchi di far peccati. Prendono in trappola le persone fra-
gili; il loro cuore è avvelenato dal desiderio di guadagnare.
La maledizione di Dio è su di loro. ¹⁵ Hanno abbandonato
la strada diritta e si sono smarriti. Hanno seguito l'esempio
del *profeta *Balaàm, figlio di Bosòr. Egli volle guadagnare
soldi facendo il male, ¹⁶ ma poi fu rimproverato per la sua
cattiveria da un'asina che si mise a parlare. Ciò, mandò
a vuoto lo stupido progetto di questo profeta.
¹⁷ Questi falsi maestri sono come fontane senz'acqua, come
nuvole spinte dalla tempesta: Dio ha preparato per loro le
tenebre più nere. ¹⁸ Fanno discorsi gonfiati e vuoti di significato; poi si servono dei più vergognosi desideri per tirare
in trappola quelli che da poco si sono allontanati da una
vita di errori. ¹⁹ Promettono libertà, ma in realtà essi stessi

sono schiavi della corruzione. Perché ognuno è schiavo di
ciò che lo ha vinto.
20 Ci sono alcuni che si sono allontanati dalle azioni cor-
rotte del mondo quando hanno conosciuto Gesù *Cristo,
nostro Signore e Salvatore. Ma se poi si lasciano ancora
prendere e dominare da quelle corruzioni, la loro situazione
finisce per essere peggiore di prima. 21 Per loro sarebbe stato
meglio non aver mai conosciuto la strada giusta, piuttosto
che averla conosciuta e poi voltare le spalle al santo comandamento che hanno ricevuto. 22 Si sono comportati proprio
come dicono i Proverbi: *Il cane torna a ciò che ha vomitato; e:* Il maiale lavato torna a rotolarsi nel fango.

Il giorno del Signore e la fine del mondo

3 1 Carissimi, questa è la seconda lettera che vi scrivo.
In tutte e due le lettere ho cercato di risvegliare la vostra memoria e di portarvi a una giusta maniera di pensare.
2 Voglio che non dimentichiate le parole dette dai santi *profeti del passato, e il comandamento del Signore, nostro Salvatore: quello che vi hanno insegnato gli *apostoli.
3 Soprattutto, dovete tener presente una cosa: negli ultimi
tempi verranno uomini che non credono a niente e vivono
ascoltando le proprie passioni. Verranno e rideranno di voi,
4 dicendo: « Voi dicevate che il Signore doveva tornare, ma
dov'è? I nostri padri sono morti, ma tutto rimane come prima, come era fin dalla creazione del mondo ».
5 Hanno la pretesa di parlare così, ma non si ricordano che
già molto tempo fa la *parola di Dio aveva creato i cieli
e la terra. Dio aveva separato la terra dall'acqua e l'aveva
tenuta insieme per mezzo dell'acqua. 6 Ma poi con l'acqua
del diluvio aveva distrutto il mondo di allora.
7 Anche ora la parola di Dio conserva i cieli e la terra at-
tuali, ma Dio riserva anche questi per il fuoco, cioè per
il giorno del *giudizio e della rovina dei malvagi.
8 Carissimi, c'è una cosa che non dovete dimenticare: per
il Signore, lo spazio di un giorno è come mille anni e mille
anni sono come un giorno solo. 9 Il Signore non ritarda a
compiere la propria promessa: alcuni pensano che sia in
ritardo, ma non è vero. Piuttosto, egli è paziente con voi,
perché vuole che nessuno di voi si perda e che tutti abbiate
la possibilità di cambiar vita.

¹⁰ Il giorno del Signore verrà all'improvviso, come un ladro. Allora i cieli spariranno con grande fracasso, gli astri del cielo saranno distrutti dal calore e la terra, con tutto ciò che essa contiene, cesserà di esistere.

La vita cristiana: speranza e santità

¹¹ Ora, visto che tutte le cose finiranno a questo modo, capite bene quello che dovete fare. Comportatevi da uomini consacrati a Dio, che vivono alla sua presenza. ¹² Dovete attendere l'arrivo del giorno di Dio, e fare in modo che possa venire presto. In quel giorno i cieli saranno distrutti dal fuoco e gli astri del cielo si scioglieranno per il calore. ¹³ Ma Dio, come dice la *Bibbia, ci ha promesso *cieli nuovi e una nuova terra*, dove tutto sarà secondo la sua volontà. Questo noi aspettiamo.

¹⁴ Perciò, carissimi, in attesa di questi avvenimenti, fate in modo che Dio vi trovi in pace, senza difetti e senza colpe. ¹⁵ Considerate come un'occasione di salvezza la pazienza che il Signore ora mostra verso di noi.

Anche il nostro carissimo fratello Paolo vi ha scritto così, usando la sapienza che Dio gli ha dato. ¹⁶ Egli scrive così nelle sue lettere dove parla di queste cose. A volte, le sue lettere contengono anche cose difficili a capire: perciò vi sono persone ignoranti e poco mature che ne deformano il significato, come fanno anche con altre parti della *Bibbia. Ma così facendo essi causano la propria rovina.

¹⁷ Dunque, carissimi, siete avvertiti: state bene attenti, non lasciatevi travolgere dagli errori dei malvagi, non indebolite le vostre capacità di resistere; ¹⁸ anzi, crescete sempre più nella grazia e nella conoscenza di Gesù Cristo, nostro Signore e Salvatore. A lui sia gloria, ora e sempre, fino all'eternità. *Amen.

PRIMA LETTERA DI GIOVANNI

Veri testimoni di Gesù

1 ¹ La Parola che dà la vita esisteva fin dal principio: noi l'abbiamo udita, l'abbiamo vista con i nostri occhi, l'abbiamo contemplata, l'abbiamo toccata con le nostre mani. ² La vita si è manifestata e noi l'abbiamo veduta. Siamo i suoi testimoni e perciò ve ne parliamo. Vi annunziamo la vita eterna che era accanto a Dio Padre e che il Padre ci ha fatto conoscere. ³ Perciò parliamo anche a voi di ciò che abbiamo visto e udito; così sarete uniti a noi nella comunione che abbiamo con il Padre e con Gesù *Cristo suo Figlio. ⁴ Vi scriviamo tutto questo perché la nostra gioia sia perfetta.

Rottura con il peccato

⁵ Ciò che ora vi diciamo l'abbiamo udito da Gesù: Dio è luce e in lui non c'è tenebra.
⁶ Se noi diciamo: «Siamo uniti a lui», e poi viviamo nelle tenebre, siamo bugiardi e non viviamo nella verità.
⁷ Invece,
  se viviamo nella luce
  come Dio è nella luce,
  siamo uniti gli uni con gli altri
e la morte di Gesù, il *Figlio di Dio, ci libera da tutti i nostri peccati.
  ⁸ Se diciamo: «Siamo senza peccato»,
  inganniamo noi stessi
  e la verità di Dio non è in noi.
⁹ Se invece riconosciamo pubblicamente i nostri peccati, Dio li perdonerà, perché egli mantiene la sua parola. Egli ci libererà da tutte le nostre colpe, perché è buono.
  ¹⁰ Se diciamo: «Non abbiamo mai commesso peccato»,
  facciamo di Dio un bugiardo,
  e la sua parola non è in noi.

2 ¹ Figli miei, vi scrivo queste cose perché non cadiate in peccato. Se uno cade in peccato, possiamo contare su Gesù *Cristo, il Giusto. Egli è il nostro avvocato presso il Padre; ² egli si è sacrificato per ottenere il perdono dei nostri peccati, e non soltanto dei nostri, ma di quelli del mondo intero.

Chi conosce Dio deve osservare i suoi comandamenti

³ Se mettiamo in pratica i comandamenti di Dio, noi possiamo avere la certezza di conoscere Dio:
⁴ Se uno dice: «Io conosco Dio»,
ma non osserva i suoi comandamenti
è un bugiardo: la verità non è in lui.
⁵ Se uno invece ubbidisce alla sua parola,
l'amore di Dio è veramente perfetto in lui.
Da questo abbiamo la certezza di essere uniti a Dio.
⁶ Chi dice: «Io rimango unito a Dio», deve vivere anche lui come visse Gesù.
⁷ Miei cari, non vi sto insegnando un comandamento nuovo: lo avete fin da quando siete di *Cristo. È un comandamento antico, è il messaggio che avete udito. ⁸ Eppure, il comandamento che vi sto insegnando è anche nuovo, perché la notte sta per terminare e già risplende la vera luce. Non è un'illusione: è realmente accaduto in Gesù e anche in voi!
⁹ Chi pretende di essere nella luce
e odia suo fratello,
è ancora nelle tenebre.
¹⁰ Chi ama suo fratello
rimane nella luce,
e non corre pericolo di inciampare.
¹¹ Chi odia suo fratello
vive nelle tenebre,
e cammina nel buio.
Non sa in che direzione va, perché il buio gli impedisce di vedere.

I credenti di fronte al mondo

¹² Scrivo a voi, figli miei:
i vostri peccati sono stati perdonati per mezzo di Gesù.
¹³ Scrivo a voi, padri,
che avete conosciuto colui che esiste dal principio: Gesù
*Cristo.
Scrivo a voi, giovani:

voi avete sconfitto il *diavolo.

14 A voi, bambini, io scrivo:
voi avete conosciuto il Padre.

A voi, padri, io dico:
voi conoscete colui che esiste dal principio.

Giovani, io vi dico che siete forti,
che la *parola di Dio è radicata in voi
e che avete vinto il diavolo.

15 Non cedete al fascino delle cose di questo mondo. Se uno
si lascia sedurre dal mondo, non vi è più posto in lui per
l'amore di Dio Padre. 16 Questo è il mondo: voler soddisfare il proprio egoismo, accendersi di passione per tutto
quello che si vede, essere superbi di quel che si possiede.
Tutto ciò viene dal mondo, non viene da Dio Padre.

17 Il mondo però se ne va, e tutto quello che l'uomo desidera nel mondo, non dura. Invece, chi fa la volontà di Dio
vive per sempre.

Avvertimenti per chi rifiuta Gesù

18 Figli miei, è giunta l'ultima ora. Voi sapete che deve venire un anticristo. Ebbene, ora ci sono molti anticristi: questo vuol dire che siamo proprio all'ultima ora. 19 Prima essi
erano con noi, ma non erano veramente dei nostri: se lo
fossero stati, sarebbero rimasti con noi. Si sono allontanati,
perciò è chiaro che non tutti quelli che sono con noi sono
veramente dei nostri.

20 A voi però Dio ha dato lo *Spirito Santo, quindi conoscete tutti la verità. 21 Io non vi scrivo: « Voi non conoscete
la verità ». Anzi, vi dichiaro che la conoscete e sapete che
nessuna menzogna può nascere dalla verità. 22 Sapete chi è
il bugiardo, l'anticristo: chiunque afferma che Gesù non è il
*Cristo. Chi dice così, rifiuta non solo il Figlio, ma anche
il Padre. 23 Infatti, chi rifiuta il Figlio è separato da Dio
Padre. Chi riconosce il Figlio è unito al Padre.

24 Voi dunque conservate nei vostri cuori la parola del Signore che avete udito dal principio! Se essa rimane in voi,
sarete uniti col Figlio e col Padre. 25 E questa è la promessa
che Cristo ci ha fatto: la vita eterna.

26 Vi ho parlato di quelli che cercano di ingannarvi; 27 ma
lo Spirito Santo che avete ricevuto da Gesù Cristo rimane
ben saldo in voi, perciò non avete bisogno di nessun *mae-

stro. Infatti è lo Spirito il vostro maestro in tutto: egli insegna la verità e non la menzogna. Voi dunque rimanete uniti
a Gesù come vi è stato insegnato.

La speranza dei credenti

²⁸ Ed ora, figli miei, rimanete uniti a Gesù *Cristo. Così
quando verrà potremo stare a testa alta e non avremo da
vergognarci davanti a lui.
²⁹ Voi sapete che Gesù Cristo compie la volontà di Dio. Perciò, chiunque fa la volontà di Dio è diventato figlio di Dio.

3 ¹ Vedete come ci ha voluto bene il Padre! Egli ci ha
chiamati a essere suoi figli. E noi lo siamo davvero.
Perciò il mondo non ci capisce. Il mondo non ha capito neppure Gesù! ² Miei cari, ora siamo figli di Dio; quello che
saremo ancora non si vede. Ma quando Gesù ritornerà, saremo simili a lui, perché lo vedremo come è realmente.
³ Come Cristo è puro, tutti quelli che fondano in lui la loro
speranza, si purificano dal male.

I figli di Dio non sono più schiavi del peccato

⁴ Chi commette il peccato va contro la legge di Dio, perché
peccare vuol dire mettersi contro la sua volontà. ⁵ Voi sapete che Gesù è venuto tra noi per togliere di mezzo il peccato. In lui non c'è peccato. ⁶ Chiunque rimane unito a Gesù,
non pecca più. Se pecca ancora, dimostra di non aver veramente veduto Gesù, e di non averlo capito.
⁷ Figli miei, non lasciatevi ingannare da nessuno! Chi fa la
volontà di Dio è giusto, così come Gesù è giusto. ⁸ Chi commette il peccato appartiene al *diavolo, perché il diavolo vive
da sempre nel peccato. Gesù, il *Figlio di Dio, è venuto
proprio per distruggere le opere del diavolo. ⁹ Chi è diventato figlio di Dio non vive più nel peccato, perché ha ricevuto la vita di Dio. Non può continuare a peccare, perché
è diventato figlio di Dio.
¹⁰ Così si distinguono i figli di Dio dai figli del diavolo: se uno
non fa la volontà di Dio e non ama suo fratello, dimostra
di non appartenere a Dio.

L'amore di Dio e l'amore per i fratelli

[11] Fin da principio vi abbiamo insegnato questo: che dobbiamo amarci gli uni gli altri. [12] Allora non facciamo come Caino: egli apparteneva al *diavolo e uccise Abele suo fratello. Sapete perché lo uccise? Perché le opere di Caino erano cattive e quelle di Abele erano buone.

[13] Fratelli, non meravigliatevi se il mondo vi odia. [14] Noi sappiamo che dalla morte siamo passati alla vita. La prova è questa: che amiamo i nostri fratelli. Chi non ama il prossimo è ancora sotto il dominio della morte. [15] Chi odia il suo prossimo è un assassino. Voi lo sapete: se uno uccide il prossimo, la vita eterna non rimane in lui.

[16] Noi abbiamo capito che cosa vuol dire amare il prossimo, perché Cristo ha dato la sua vita per noi. Anche noi dobbiamo dare la nostra vita per i fratelli. [17] Se uno ha di che vivere e vede un fratello bisognoso, ma non ha compassione e non lo aiuta, come fa a dire: «Io amo Dio?». [18] Figli miei, vogliamoci bene sul serio, a fatti. Non solo a parole o con bei discorsi!

La fiducia in Dio

[19] Ecco come sapremo che la verità ci ha generati. Allora non avremo più paura davanti a Dio. [20] Anche se il nostro cuore ci condanna, Dio è più grande del nostro cuore. Egli conosce ogni cosa. [21] Se invece, miei cari, il nostro cuore non ci condanna, noi ci possiamo rivolgere a Dio con piena libertà. [22] Da lui riceveremo tutto quello che gli domandiamo in preghiera, perché osserviamo i suoi comandamenti, e facciamo quello che a lui piace.

[23] Il comandamento di Dio è questo: che crediamo in Gesù Cristo, suo Figlio, e che ci amiamo gli uni gli altri come ci ha ordinato. [24] Chi mette in pratica i suoi comandamenti rimane unito a Dio e Dio è con lui. La prova che Dio rimane presente in noi è questa: lo Spirito che Dio ci ha dato.

Spirito di Dio e predicazione di Gesù *Cristo

4 [1] Miei cari, se uno dice di avere lo spirito, non credetegli subito: prima, esaminatelo bene, per vedere se davvero ha lo spirito che viene da Dio. Perché molti predicatori bugiardi sono andati a predicare nel mondo.

² La prova che uno ha lo spirito di Dio è questa: se riconosce pubblicamente che Gesù è il Cristo che si è fatto uomo, ha lo spirito di Dio. ³ Se non lo riconosce non ha lo spirito che viene da Dio, ma quello dell'anticristo. Voi sapete che l'anticristo deve venire: ebbene, è già nel mondo.

⁴ Ma voi, figli miei, appartenete a Dio e avete sconfitto i predicatori bugiardi: infatti lo spirito di Dio che è in voi è più grande dello spirito del *diavolo che è in quelli che appartengono al mondo.

⁵ Essi appartengono al mondo;
  perciò parlano secondo i criteri del mondo,
  e il mondo li sta ad ascoltare.
⁶ Noi invece apparteniamo a Dio;
  chi conosce Dio ascolta la nostra testimonianza,
  chi non appartiene a Dio non ci ascolta.

In questo modo possiamo riconoscere se uno ha lo spirito della verità o lo spirito della menzogna.

L'amore e la fede

⁷ Miei cari, amiamoci gli uni gli altri perché l'amore viene da Dio. Chi ha quest'amore è diventato figlio di Dio e conosce Dio. ⁸ Chi non ha quest'amore, non conosce Dio, perché Dio è amore. ⁹ Dio ha manifestato così il suo amore per noi: ha mandato nel mondo suo Figlio, l'Unico, per darci la vita.

¹⁰ L'amore vero è questo: non l'amore che abbiamo avuto verso Dio ma l'amore che Dio ha avuto per noi; il quale ha mandato Gesù, suo Figlio, per farci avere il perdono dei nostri peccati. ¹¹ Miei cari, se Dio ci ha così amati, anche noi dobbiamo amarci gli uni gli altri.

¹² Dio nessuno l'ha mai visto. Però, se ci amiamo gli uni gli altri, egli è presente in noi e il suo amore è veramente perfetto in noi.

¹³ Dio ci ha dato il suo Spirito: è questa la prova che Dio è presente in noi e noi siamo uniti a lui.

¹⁴ Dio ha mandato Gesù, suo Figlio, per salvare il mondo. Noi l'abbiamo visto e ne siamo testimoni. ¹⁵ Se uno riconosce pubblicamente che Gesù è *Figlio di Dio, allora è unito a Dio e Dio è presente in lui. ¹⁶ Noi sappiamo e crediamo che Dio ci ama. Dio è amore, e chi vive nell'amore è unito a Dio, e Dio è presente in lui.

¹⁷ Così è per Gesù, e così è per noi in questo mondo. Se l'amore di Dio è perfetto in noi, ci sentiamo sicuri per il giorno del *giudizio. ¹⁸ Perché chi vive nell'amore di Dio non ha paura. Anzi, l'amore di Dio quando è veramente perfetto in noi, caccia via la paura. Chi ha paura si aspetta un castigo, e non vive nell'amore di Dio in maniera perfetta.
¹⁹ Noi amiamo Dio perché egli per primo ci ha mostrato il suo amore. ²⁰ Se uno dice: « Io amo Dio » e poi odia suo fratello, è bugiardo. Infatti se uno non ama il prossimo che si vede, certo non può amare Dio che non si vede.
²¹ Ma il comandamento che Dio ci ha dato è questo: chi ama Dio, deve amare anche i fratelli.

La fede e l'amore

5 ¹ Chiunque crede che Gesù è il *Cristo, è diventato figlio di Dio.
Chi ama un padre ama anche i suoi figli. ² Di conseguenza, se amiamo Dio e osserviamo i suoi comandamenti, amiamo anche i figli di Dio.
³ Amare Dio vuol dire osservare i suoi comandamenti. E i suoi comandamenti non sono pesanti, ⁴ perché chi è diventato figlio di Dio vince il mondo. È la nostra fede che ci dà la vittoria sul mondo. ⁵ Solo chi crede che Gesù è il *Figlio di Dio può vincere il mondo.
⁶ Il Figlio di Dio è quel Gesù che è stato battezzato in acqua, e ha versato il suo sangue sulla croce. Non è passato soltanto attraverso l'acqua, ma anche attraverso il sangue. È lo Spirito che dà testimonianza di questo, quello Spirito che è verità. ⁷ Anzi, sono tre a rendere la testimonianza: ⁸ lo Spirito, l'acqua e il sangue, e tutti e tre sono concordi.
⁹ Se siamo disposti ad accettare come testimoni gli uomini, Dio è un testimone migliore: egli ha reso testimonianza al Figlio suo.
¹⁰ Chi crede nel Figlio di Dio ha questa testimonianza in se stesso. Chi non crede a Dio lo fa passare per bugiardo, perché non crede alla testimonianza che Dio ha dato al Figlio suo. ¹¹ La testimonianza è questa: che Dio ci ha dato la vita eterna, ce l'ha data mediante il Figlio suo, Gesù. ¹² Chi è unito al Figlio ha la vita; chi non è unito al Figlio di Dio non ha neppure la vita.

[13] Voi credete nel Figlio di Dio: perciò vi ho scritto queste cose, perché sappiate che avete la vita eterna.

La preghiera

[14] Noi ci rivolgiamo a Dio con fiducia, perché egli ci ascolta se gli chiediamo qualcosa secondo la sua volontà. [15] Sapendo dunque che Dio ascolta le nostre preghiere, noi abbiamo la certezza di possedere già quello che gli abbiamo chiesto.
[16] Se uno vede un fratello commettere un peccato che non porta alla morte, preghi per lui, e Dio darà la vita a quel fratello. Naturalmente, se si tratta di peccati che non portano a morte. Esiste anche un tipo di peccato che porta alla morte. Non è per questi peccati che dico di pregare. [17] Tutto quello che facciamo contro la volontà di Dio è peccato, ma non ogni peccato porta alla morte.

Conclusione

[18] Noi sappiamo che chiunque è nato da Dio non vive nel peccato, perché il *Figlio di Dio lo custodisce e il *diavolo non può fargli alcun male.
[19] Noi sappiamo di appartenere a Dio, e sappiamo che tutto il mondo intorno a noi si trova sotto il potere del diavolo.
[20] Noi sappiamo che il Figlio di Dio è venuto, e ci ha insegnato a conoscere il vero Dio. Noi siamo uniti a lui e a Gesù Cristo, suo Figlio. È lui il vero Dio, è lui la vita eterna.
[21] Figli miei, state attenti a non farvi degli idoli.

SECONDA LETTERA DI GIOVANNI

Saluto

¹ Il vecchio discepolo del Signore scrive alla comunità amata da Dio e ai suoi figli. Io li amo veramente, anzi non soltanto io ma tutti quelli che hanno conosciuto la verità li amano, ² grazie alla verità che è saldamente stabilita in noi e sarà con noi per sempre. ³ Grazia, misericordia e pace saranno con noi come doni di Dio Padre e da parte di Gesù Cristo, Figlio del Padre, e si manifesteranno nella verità e nell'amore.

Vivere nella verità e nell'amore

⁴ Mi ha fatto molto piacere trovare fra i vostri figli alcuni che vivono nella verità, come il Padre ci ha ordinato. ⁵ E ora vi prego: mettiamo in pratica l'amore fraterno. Non vi scrivo un comandamento nuovo, ma quello che abbiamo ricevuto dal principio. ⁶ L'amore consiste nel vivere secondo i comandamenti di Dio. E questo è il comandamento che vi è stato insegnato fin dal principio: che viviate nell'amore.

Il pericolo dell'eresia

⁷ Si sono sparsi nel mondo molti falsi *maestri, i quali non vogliono riconoscere che Gesù è venuto come vero uomo. Questi falsi maestri, sono proprio loro il seduttore e l'anticristo. ⁸ State attenti, e così non perderete il frutto del vostro lavoro, ma anzi riceverete la piena ricompensa. ⁹ Chi va fuori strada e non sta saldo nell'insegnamento di *Cristo, non è in comunione con Dio; chi rimane fermo nell'insegnamento di Cristo, è unito al Padre e al Figlio.
¹⁰ Se arriva da voi uno che non porta quest'insegnamento, voi non dovete accoglierlo né dargli il benvenuto. ¹¹ Chi lo accoglie volentieri si rende complice delle sue imprese malvagie.

Saluto finale

¹² Avrei ancora tante cose da scrivervi, ma non voglio farlo per lettera. Spero di venire da voi e parlarvi personalmente. Così la nostra gioia sarà completa. ¹³ I figli della vostra chiesa sorella, amata da Dio, vi salutano.

TERZA LETTERA DI GIOVANNI

Saluto

¹ Il vecchio discepolo del Signore scrive al carissimo amico Gaio.
² Carissimo, so che stai bene spiritualmente, e mi auguro che anche la tua salute sia buona e tutto ti vada bene.

Lodi a Gaio

³ Sono venuti alcuni nostri fratelli e hanno raccontato che tu ami la verità e vivi nella verità. Questo mi ha fatto un grandissimo piacere, ⁴ perché la mia gioia più grande è di sentire che i miei figli vivono nella verità.
⁵ Carissimo, tu ti comporti bene quando sei ospitale con i fratelli, anche con quelli che non conosci. ⁶ Essi hanno parlato alla nostra comunità della tua affettuosa accoglienza. Faresti bene ad aiutarli a proseguire la loro missione in modo degno di Dio. ⁷ Infatti sono partiti al servizio del Signore, senza accettare niente dai pagani. ⁸ Pertanto, abbiamo l'obbligo di sostenerli, così saremo anche noi collaboratori della verità.

Critiche a Diòtrefe

⁹ Ho scritto una lettera alla vostra comunità. Ma Diòtrefe non mi dà retta, perché gli piace avere sempre il primo posto. ¹⁰ Perciò, quando vengo, gli rinfaccerò quello che fa, e le calunnie che diffonde contro di me. Ma non si contenta di questo: rifiuta anche di accogliere i fratelli di passaggio,

e cerca di impedire ad altri di farlo, minacciando di scacciarli dalla comunità.

[11] Carissimo, imita chi fa il bene e non chi fa il male! Chi fa il bene è stato rinnovato da Dio. Chi fa il male, non conosce Dio per niente.

Lodi per Demetrio e saluti

[12] Tutti parlano bene di Demetrio; anche la verità che egli diffonde è una testimonianza a suo favore. E noi lo confermiamo; tu sai che la nostra testimonianza è vera.

[13] Avrei molte cose da scriverti, ma non voglio farlo per lettera. [14] Spero di vederti presto, e allora parleremo direttamente.

[15] La pace sia con te.

Gli amici che sono qui ti salutano. Saluta uno per uno i nostri amici.

LETTERA DI GIUDA

Saluto

[1] Io, Giuda, fratello di Giacomo e servo di Gesù *Cristo, scrivo a voi che siete stati chiamati alla fede, amati da Dio Padre e protetti da Gesù Cristo. [2] Misericordia, pace e amore siano dati a voi in abbondanza.

I falsi profeti e il loro castigo

[3] Carissimi, avevo un gran desiderio di scrivervi a proposito della nostra comune salvezza. E ora vi scrivo, ma sono costretto a farlo per incoraggiarvi a combattere in difesa della fede. Quelli che appartengono a Dio, hanno ricevuto questa fede una volta per tutte. [4] Ma in mezzo a voi sono venuti certi uomini malvagi che usano la bontà del vostro Dio, come pretesto per giustificare la loro vita immorale. Così essi si oppongono a Gesù *Cristo, il nostro unico padrone e signore. Tuttavia, già da molto tempo, la loro condanna è prevista nella *Bibbia.

[5] Voi conoscete già tutte queste cose, eppure io voglio ricordarvele ancora. Il Signore ha salvato il popolo d'Israele, lo ha liberato dall'Egitto, ma poi ha fatto morire quelli che non avevano fiducia in lui.

[6] Ricordate quegli *angeli che non si accontentarono del potere ricevuto da Dio e abbandonarono la loro posizione: Dio li tiene nelle tenebre, legati in catene eterne per il grande giorno della loro condanna.

[7] Ricordate *Sòdoma, *Gomorra e le città vicine: anche i loro abitanti si comportarono male, si abbandonarono a una vita immorale e seguirono vizi contro natura. Ora subiscono la punizione di un fuoco eterno, e sono un esempio per noi.

[8] Ebbene, anche quegli uomini malvagi che sono venuti in mezzo a voi si comportano allo stesso modo: trascinati dalle loro fantasie, offendono il loro corpo, disprezzano l'autorità del Signore e insultano gli esseri gloriosi del cielo. [9] Neppure l'arcangelo *Michele fece come loro. Quando si trovò a contrasto col *demonio, discutendo per avere il corpo di Mosè, non osò accusarlo con parole offensive; gli disse soltanto:

« Che il Signore ti punisca! ». ¹⁰ Questa gente, invece, *bestemmia tutto ciò che non conosce. E ciò che conoscono per
istinto, come stupide bestie, serve per portarli alla rovina.
¹¹ Guai a loro! Hanno preso la strada di Caino. Per amore
di guadagno, son caduti negli errori del profeta *Balaàm.
Muoiono come morì Kore, il ribelle. ¹² La loro presenza
è uno scandalo quando vi riunite per la Cena del Signore:
vengono a far festa senza vergognarsi e pensano solo a se
stessi. Sono come nuvole trascinate dal vento e che non portano pioggia. Sono come alberi di fine stagione, senza frutti,
morti due volte e sradicati. ¹³ Sono come selvagge onde di
mare che portano la schiuma della loro sporcizia. Sono come
stelle vaganti per le quali Dio ha preparato in eterno un posto nelle tenebre più profonde.
¹⁴ Molto tempo fa anche Ènoch, il settimo patriarca dopo
Adamo, fece una profezia che riguarda uomini del genere.
Disse: « Ecco, il Signore viene con migliaia e migliaia dei
suoi santi. ¹⁵ Egli viene a giudicare tutto il mondo, a condannare tutti i malvagi per tutte le malvagità che hanno
commesso e per tutte le offese che, peccatori svergognati,
hanno lanciato verso di lui ».
¹⁶ Questi sono loro, i malvagi venuti in mezzo a voi. Si la-
mentano sempre e non sono mai contenti, seguono le loro
passioni; dicono parole piene di orgoglio e fanno complimenti alle persone solo per motivo di interesse.

Esortazioni

¹⁷ Ma voi, carissimi, ricordate ciò che hanno detto gli *apostoli del Signore nostro Gesù *Cristo: ¹⁸ « Alla fine dei tempi
verranno degli impostori che si comporteranno male seguendo
le loro passioni malvagie ». ¹⁹ Ecco, si tratta di loro! di quelli
che provocano divisioni: gente dominata dagli istinti e non
guidata dallo Spirito di Dio.
²⁰ Ma voi carissimi, continuate a costruire la vostra vita sulle
fondamenta della vostra santissima fede. Pregate con la potenza dello *Spirito Santo. ²¹ Rimanete nell'amore di Dio,
in attesa che Gesù Cristo nostro Signore manifesti la sua
misericordia e vi dia la vita eterna. ²² Abbiate pietà di quelli
che sono deboli: ²³ salvateli portandoli lontani dal fuoco.
Abbiate pietà anche degli altri, ma con timore: state lon-

tani anche dai loro abiti perché sono sporcati dal loro modo
di vivere.

Preghiera

[24] A colui che può sostenervi e può farvi stare senza difetti,
pieni di gioia di fronte a lui e nella sua gloria; [25] a lui che
è l'unico Dio e ci salva, per mezzo di Gesù Cristo nostro
Signore; a lui sia gloria, maestà, forza e potenza da sempre,
ora e per sempre! *Amen.

APOCALISSE

Introduzione
Beato chi fa tesoro dell'insegnamento di questo libro

1 ¹ Questo libro contiene la rivelazione che Gesù *Cristo ha ricevuto da Dio, per far conoscere ai suoi servitori quello che fra breve deve accadere, e Gesù ha mandato il suo *angelo al suo servo Giovanni per farglielo sapere.
² Giovanni è testimone di tutto quello che Dio ha detto e che Gesù Cristo ha rivelato. Questo è ciò che egli ha veduto. ³ Le cose qui scritte, accadranno tra poco: beato dunque chi legge e chi ascolta questo messaggio profetico, e fa tesoro di quanto qui è scritto.

Saluto ai lettori

⁴ Alle sette chiese che sono in *Asia. Io, Giovanni, vi auguro grazia e pace da parte di Dio — che è, che era e che viene — e dei sette spiriti che stanno davanti al suo trono; ⁵ da parte di Gesù *Cristo, il testimone fedele, il primo risuscitato dai morti, il capo dei re della terra: Gesù Cristo, che ci ama e ci ha liberati dai nostri peccati con il sacrificio della sua vita; ⁶ egli ci ha fatto regnare con lui come sacerdoti al servizio di Dio suo Padre. A lui sia la gloria e la potenza per sempre. *Amen.
⁷ Attenzione! Viene tra le nubi
   e tutti lo vedranno,
   anche quelli che lo uccisero:
   i popoli della terra saranno sconvolti.
   Sì, amen.
⁸ Io sono il Primo e l'Ultimo, dice Dio, il Signore, che è, che era e che viene, il Dominatore dell'universo.

L'autore si presenta

⁹ Io sono Giovanni, vostro fratello in *Cristo e vostro compagno nella persecuzione, nella costanza, nell'attesa del *regno di Dio. Ero in esilio nell'isola di Patmos, perché avevo annunziato la *parola di Dio e la testimonianza portata da

Gesù. ¹⁰ Un giorno — era il giorno del Signore — lo Spirito si impadronì di me e udii, dietro di me, una voce forte come una tromba, ¹¹ che diceva: « Quello che vedi, scrivilo in un libro, e manda il libro alle sette chiese dell'*Asia Minore: a Èfeso, a Smirne, a Pèrgamo, a Tiàtira, a Sardi, a Filadèlfia e a Laodicèa ».

Il Figlio dell'uomo

¹² Mi voltai per vedere chi stava parlando con me, e vidi sette candelabri d'oro ¹³ e, in mezzo a loro, qualcuno simile a un uomo. Portava una tunica lunga fino ai piedi e una fascia d'oro sul petto. ¹⁴ I suoi capelli erano bianchi come lana, come la neve. Aveva gli occhi ardenti come il fuoco. ¹⁵ I suoi piedi splendevano come bronzo nella fornace, e la sua voce risuonava come il fragore dell'oceano. ¹⁶ Teneva sette stelle nella mano destra, e dalla sua bocca usciva una spada affilata, a doppio taglio. Il suo viso era luminoso come sole fiammeggiante.

¹⁷ Quando lo vidi, caddi ai suoi piedi come morto. Ma egli pose la mano destra su di me e disse: « Non spaventarti. Io sono il Primo e l'Ultimo. ¹⁸ Io sono il Vivente. Ero morto, ma ora vivo per sempre. Ho la morte in mio potere, in mio potere è il mondo dei morti. ¹⁹ Scrivi dunque le cose che vedi: prima le cose presenti e poi quelle che presto accadranno. ²⁰ Vedi sette stelle nella mia mano destra, e sette candelabri d'oro: il loro significato nascosto è questo: le sette stelle sono i messaggeri delle sette chiese, e i sette candelabri sono le sette chiese ».

IL MESSAGGIO DEL SIGNORE
ALLE SETTE CHIESE DELL'*ASIA

Per una chiesa senza amore
(Èfeso)

2 ¹ « Per la chiesa che è nella città di Èfeso, scrivi questo: " Così dice il Signore, colui che tiene nella sua mano destra le sette stelle, che cammina in mezzo ai sette candelabri d'oro: ² Io vi conosco bene, so che vi siete impegnati con tutte le vostre forze e che avete perseverato nella fede. So che non potete sopportare i malvagi, che avete

messo alla prova quelli che si dicono *apostoli ma non lo sono, e li avete smascherati. ³ Siete rimasti saldi nella fede, e avete sofferto per causa mia senza stancarvi. ⁴ Ma ho un rimprovero da farvi: non avete più l'amore dei primi tempi. ⁵ Come siete cambiati! Ricordate come eravate da principio, tornate a essere come prima! Se no, verrò, e leverò dal suo posto il vostro candelabro.

⁶ C'è questo, tuttavia, a vostro favore: voi detestate come me ciò che fanno i *nicolaìti ".

⁷ Chi è in grado di udire, ascolti ciò che lo Spirito dice alle chiese: " Ai vincitori darò da mangiare il frutto dell'albero della vita, che si trova nel giardino di Dio " ».

Per una chiesa perseguitata
(Smirne)

⁸ « Per la chiesa che è nella città di Smirne, scrivi questo: " Così dice il Signore, che è il Primo e l'Ultimo, che era morto ed è tornato a vivere: ⁹ io so che siete perseguitati e ridotti in miseria, ma in realtà siete ricchi. So che parlano contro di voi alcuni che pretendono di essere il popolo mio, ma non lo sono, perché sono seguaci di Satana.

¹⁰ Non abbiate paura delle sofferenze che vi aspettano. Sentite: il *diavolo getterà presto alcuni di voi in prigione per mettervi alla prova. Sarete perseguitati per dieci giorni. Siate fedeli anche a costo di morire, e io vi darò la corona della vittoria: la vita eterna ".

¹¹ Chi è in grado di udire, ascolti ciò che lo Spirito dice alle chiese: " La seconda morte non colpirà i vincitori " ».

Per una chiesa che ha tollerato l'idolatria
(Pèrgamo)

¹² « Per la chiesa che è nella città di Pèrgamo, scrivi questo: " Così dice il Signore, che ha una spada affilata, a due tagli: ¹³ Io so che abitate dove Satana ha il suo trono. Ma voi mi siete rimasti fedeli, e non avete rinnegato la fede in me neppure quando il mio fedele testimone Antipa è stato ucciso nella vostra città, dove Satana ha la sua dimora. ¹⁴ Ho però un rimprovero da farvi: ci sono fra voi dei seguaci della dottrina di *Balaàm. Egli insegnò a *Balak il modo di far

cadere in peccato gli antichi israeliti, inducendoli a mangiare carne usata per i sacrifici agli idoli e a tradire il loro Dio. [15] Ci sono anche, fra voi, alcuni che seguono tenacemente l'insegnamento dei *nicolaìti. [16] Cambiate vita, altrimenti fra poco verrò a combattere contro queste persone con la mia parola che taglia come una spada ".

[17] Chi è in grado di udire ascolti ciò che lo Spirito dice alle chiese: " Ai vincitori io darò da mangiare la *manna nascosta, e gli darò anche una pietruzza bianca, dove sarà scritto un nome nuovo che nessuno conosce salvo chi lo riceve " ».

Per una chiesa che ha ceduto al compromesso (Tiàtira)

[18] « Per la chiesa che è nella città di Tiàtira, scrivi questo: " Così dice il *Figlio di Dio che ha occhi ardenti come il fuoco e piedi simili a bronzo splendente: [19] Io so tutto di voi. So che vi amate, che servite gli uni agli altri, e che perseverate nella fede. Anzi, tutto questo ora lo fate più di prima.

[20] Ma ho un rimprovero da farvi: voi tollerate Iezabèle, quella donna che pretende di parlare in nome di Dio. Con il suo insegnamento, svia i miei fedeli inducendoli a tradirmi e a mangiare carne usata per i sacrifici agli idoli. [21] Le ho dato tempo per cambiar vita, ma non vuole abbandonare la sua infedeltà: [22] perciò manderò a lei una grave infermità e una grande sofferenza a quelli che vanno con lei, se non mutano condotta. [23] Infine, farò morire i suoi figli. Così tutte le chiese sapranno che io conosco i pensieri segreti e le intenzioni nascoste degli uomini. Tratterò ciascuno di voi secondo le sue opere.

[24] A tutti gli altri di Tiàtira, cioè a voi che non avete accettato quell'insegnamento e non conoscete ciò che essi chiamano ' i profondi misteri di Satana ', io non impongo nessun obbligo particolare; [25] voi però, tenete saldo ciò che avete, fino al mio ritorno. [26-28] Ai vincitori, quelli che fanno la mia volontà fino alla fine, io darò autorità sopra le nazioni, come io stesso l'ho ricevuta dal Padre mio. Essi le governeranno con un bastone di ferro, le faranno a pezzi come stoviglie di terracotta. E darò loro anche la stella del

mattino ". ²⁹ Chi è in grado di udire, ascolti ciò che lo Spirito dice alle chiese ».

Per una chiesa che dorme
(Sardi)

3 ¹ Per la chiesa che è nella città di Sardi, scrivi questo: " Così dice il Signore, che tiene in mano i sette spiriti di Dio e le sette stelle: Io vi conosco bene. Tutti vi credono una chiesa vivente, ma in realtà siete morti. ² Svegliatevi! Rafforzate la fede dei pochi che sono ancora viventi, prima che muoiano del tutto! Di quello che fate, non ho trovato nulla che il mio Dio possa considerare ben fatto. ³ Ricordate come avete ricevuto la parola e siete diventati credenti: ebbene, mettetela in pratica; cambiate vita! Se continuate a dormire, verrò come un ladro, all'improvviso, e piomberò su di voi senza che sappiate quando.
⁴ Tuttavia, ci sono alcuni di voi a Sardi, che non si sono macchiati di infedeltà. Essi vivranno con me, vestiti di tuniche bianche, perché ne sono degni.
⁵ I vincitori saranno vestiti così, con bianche tuniche; io non cancellerò i loro nomi dal libro della vita. Anzi, li riconoscerò come miei seguaci davanti a Dio, mio Padre, e davanti ai suoi *angeli ".
⁶ Chi è in grado di udire, ascolti ciò che lo Spirito dice alle chiese ».

Per una chiesa piccola ma fedele
(Filadèlfia)

⁷ « Per la chiesa che è nella città di Filadèlfia, scrivi questo: " Così dice il Signore, che è santo e verace, che ha in mano la chiave del regno di Davide; quando egli apre, nessuno può chiudere, e quando egli chiude nessuno può aprire. ⁸ Io so tutto di voi. So che non avete molta forza, eppure avete messo in pratica la mia parola, e non mi avete tradito. Adesso ho aperto davanti a voi una porta che nessuno può chiudere, ⁹ e manderò da voi alcuni di quelli che sono seguaci di Satana, alcuni di quei mentitori che dicono di essere il popolo mio ma non lo sono: li farò inginocchiare davanti a voi, per onorarvi. Dovranno riconoscere che voi siete il popolo che io amo.

¹⁰ Voi avete messo in pratica la mia esortazione e rimanete saldi nella fede: perciò io vi proteggerò quando tutti gli abitanti della terra, fra poco, saranno messi alla prova. ¹¹ Io sto per venire: tenete saldo ciò che avete ricevuto, perché nessuno vi tolga la corona della vittoria. ¹² I vincitori saranno colonne nel tempio del mio Dio e non ne usciranno più. Io scriverò su di loro il nome del mio Dio e il nome della città del mio Dio, della nuova Gerusalemme che viene dal cielo, da parte del mio Dio. Scriverò su di loro anche il mio nome nuovo ".

¹³ Chi è in grado di udire, ascolti ciò che lo Spirito dice alle chiese ».

Per una chiesa che si vanta
(Laodicèa)

¹⁴ « Per la chiesa che è nella città di Laodicèa, scrivi questo: " Così dice il Signore, l'*Amen, il vero e fedele Testimone, il Capo delle creature di Dio: ¹⁵ Io so tutto di voi. So che non siete né freddi né ardenti. Magari foste freddi o ardenti! ¹⁶ Invece, non siete né freddi né ardenti, e mi disgustate fino alla nausea.

¹⁷ Voi dite: Siamo ricchi, abbiamo fatto fortuna, non abbiamo bisogno di nulla — e non vi accorgete di essere dei falliti, degli infelici, poveri, ciechi e nudi. ¹⁸ Io vi do un consiglio: comprate da me oro purificato col fuoco, per diventare ricchi per davvero: abiti bianchi per vestirvi e coprire la vostra nudità vergognosa; collirio per curarvi gli occhi e vederci. ¹⁹ Io tratto severamente quelli che amo; cambiate vita, dunque, e impegnatevi con tutte le forze.

²⁰ Ascoltate, io sto alla porta e busso. Se uno mi sente e mi apre, io entrerò e ceneremo insieme, io con lui e lui con me.

²¹ I vincitori li farò sedere insieme a me sul mio trono, così come io mi sono seduto da vincitore insieme al Padre mio, sul suo trono ".

²² Chi è in grado di udire, ascolti ciò che lo Spirito dice alle chiese ».

LE VISIONI PROFETICHE.
IL LIBRO DELL'AVVENIRE AFFIDATO ALL'AGNELLO

L'adorazione di Dio nel cielo

4 [1] Dopo questi messaggi ebbi una visione: c'era una porta aperta nel cielo e la voce che avevo udita prima, forte come uno squillo di tromba, mi disse: «Sali quassù, e ti mostrerò ciò che deve ancora accadere».

[2] Sull'istante, lo *Spirito Santo si impadronì di me. C'era un trono nel cielo, e sul trono sedeva uno [3] dall'aspetto splendente come pietre preziose, diaspro e cornalina. Il trono era circondato da un arcobaleno luminoso come lo smeraldo.

[4] Intorno al trono c'erano altri ventiquattro troni, e su di essi sedevano ventiquattro *anziani vestiti di tuniche bianche, con corone d'oro sul capo.

[5] Dal trono venivano lampi e colpi di tuono.
Sette fiaccole accese, simbolo dei sette spiriti di Dio, ardevano davanti al trono, [6] e di fronte, si stendeva un mare che sembrava di vetro, limpido come cristallo.
Al centro, ai quattro lati del trono, stavano quattro esseri viventi, pieni d'occhi, davanti e dietro.

[7] Il primo essere vivente somigliava a un leone, il secondo a un torello, il terzo aveva viso d'uomo, il quarto somigliava a un'aquila in volo.

[8] Ognuno dei quattro esseri viventi aveva sei ali, ed era pieno di occhi su tutto il corpo e anche sotto le ali. Continuamente, giorno e notte, ripetevano:

«Santo, santo, santo è il Signore,
il Dio dominatore universale,
che era, che è e che viene».

[9] Ogni volta che gli esseri viventi cantavano un inno di lode, di gloria e di ringraziamento a colui che siede sul trono, che è il Dio vivente per sempre, [10] i ventiquattro anziani si inginocchiavano davanti a lui, e adoravano il Dio che vive per sempre. Essi gettavano le loro corone ai piedi del trono e cantavano:

[11] «Dio nostro e Signore nostro,
tu hai creato tutte le cose
e queste esistono perché tu l'hai voluto.
Perciò sei degno di ricevere la gloria, l'onore e la potenza».

Il libro che nessuno può aprire

5 ¹ Nella mano destra di colui che sedeva sul trono vidi un libro a forma di rotolo, scritto di dentro e di fuori, chiuso da sette sigilli. ² Vidi anche un *angelo vigoroso che gridava con voce tonante: « Chi è degno di togliere i sigilli e di aprire il libro? ». ³ Ma non c'era nessuno, né in cielo né in terra né sotto la terra, che fosse capace di aprire il libro e di leggervi dentro. ⁴ Io piangevo dirottamente, perché non si trovava nessuno degno di aprire e di leggere il libro.

L'Agnello può aprire il libro

⁵ Ma uno degli *anziani mi disse: « Non piangere. Colui che si chiama " Leone della tribù di Giuda " e " Germoglio di Davide ", ha vinto la sua battaglia e può aprire il libro e i suoi sette sigilli ».

⁶ Allora, fra il cerchio degli anziani e il trono con i quattro esseri viventi, vidi un Agnello che sembrava sgozzato, ma stava ritto in piedi. Egli aveva sette corna, e sette occhi che rappresentano i sette spiriti di Dio che sono stati mandati nel mondo. ⁷ L'Agnello si fece avanti e, da Dio, che stava seduto sul trono, ricevette il libro.

⁸ Allora i quattro esseri viventi e i ventiquattro anziani si inginocchiarono davanti all'Agnello. Ognuno di loro teneva in mano un'arpa e una coppa d'oro piena d'incenso — che rappresenta le preghiere di quelli che appartengono al Signore — ⁹ e insieme cantavano un canto nuovo:

« Tu sei degno di prendere il libro e di aprire i suoi sigilli,

perché sei stato ucciso e con la tua morte hai procurato a Dio

un popolo tratto da ogni tribù e razza, nazione e lingua

¹⁰ e li hai fatti regnare con te,

sacerdoti al servizio di Dio.

Essi governeranno la terra ».

¹¹ Mentre guardavo, udii la voce di numerosi *angeli che stavano intorno al trono, agli esseri viventi e agli anziani. Si contavano a migliaia, a milioni, ¹² e formavano un coro possente che diceva:

« L'Agnello che è stato ucciso
è degno di ricevere la potenza,
la ricchezza, la sapienza e la forza,
l'onore, la gloria e la lode ».

[13] Tutte le creature, nel cielo e sulla terra, sotto la terra e
nel mare, e tutto ciò che vive nell'universo, sentii che dicevano:

« A Dio che siede sul trono, e all'Agnello,
la lode, l'onore, la gloria e la potenza
per sempre ».

[14] I quattro esseri viventi rispondevano: « *Amen » e gli
anziani s'inginocchiarono in adorazione.

L'APERTURA DEI SETTE SIGILLI

Il primo sigillo

6 [1] Poi vidi l'Agnello aprire il primo dei sette sigilli, e udii
uno dei quattro esseri viventi che diceva con voce forte
come il tuono: « Vieni! ».
[2] Guardai e vidi un cavallo bianco. Il suo cavaliere teneva
in mano un arco. Dio gli fece dare una corona, simbolo di
trionfo, ed egli passò da una vittoria all'altra, sempre vincitore.

Il secondo sigillo

[3] Quando l'Agnello aprì il secondo sigillo, udii il secondo
essere vivente esclamare: « Vieni! »; [4] e si fece avanti un
altro cavallo, rosso fiammante; al suo cavaliere Dio diede
una grande spada e il potere di far sparire la pace dalla
terra, lasciando che gli uomini si scannassero a vicenda.

Il terzo sigillo

[5] Quando l'Agnello aprì il terzo sigillo, udii il terzo essere
vivente esclamare: « Vieni! ».
Guardai e vidi un cavallo nero. Il suo cavaliere teneva in
mano una bilancia; [6] e sentii una voce che sembrava venire
dai quattro esseri viventi: « Per un chilo di grano, la paga
di una giornata. Per tre chili d'orzo, la paga di una giornata. Ma non far mancare l'olio d'oliva e il vino ».

Il quarto sigillo

7 Quando l'Agnello aprì il quarto sigillo, udii il quarto essere vivente esclamare: « Vieni! ».
8 Guardai e vidi un cavallo color cadavere. Il suo cavaliere si chiamava « Morte », ed era accompagnato da un esercito di morti. Dio gli concesse il potere su un quarto della terra e il diritto di far morire i suoi abitanti con le armi, con le carestie, con le epidemie e con le bestie feroci.

Il quinto sigillo

9 Quando l'Agnello aprì il quinto sigillo, vidi sotto l'*altare coloro che erano stati trucidati per la loro fedeltà alla *parola di Dio e per la loro testimonianza. 10 Essi gridarono con voce possente: « Fino a quando, Signore santo e verace, aspetterai a punire gli abitanti della terra, e a vendicare la nostra morte? ».
11 Allora Dio fece dare a ognuno di loro una tunica bianca, e disse: « Aspettate ancora un poco, finché non sia completo il numero dei vostri fratelli e dei vostri compagni che saranno uccisi come voi ».

Il sesto sigillo

12 Poi vidi l'Agnello aprire il sesto sigillo. Ci fu allora un forte terremoto. Il sole diventò scuro come panno da lutto e la luna diventò color sangue. 13 Le stelle del cielo caddero sulla terra, come i fichi acerbi cadono dall'albero quando è colpito da vento impetuoso. 14 La volta celeste si squarciò e si arrotolò come un foglio di pergamena; tutte le montagne e le isole furono strappate via dal loro posto. 15 I re di tutta la terra, i governanti, i comandanti di eserciti, le persone più ricche e potenti andarono a rifugiarsi nelle caverne e fra le rocce dei monti insieme a tutti gli altri, schiavi e liberi; 16 e dicevano ai monti e alle rocce: « Cadeteci addosso e nascondeteci, che non ci veda Dio che siede sul trono, e non ci colpisca il castigo dell'Agnello, 17 perché questo è ormai il grande giorno della resa dei conti! Chi potrà mai sopravvivere? ».

I servi di Dio segnati in fronte

7 ¹ Poi vidi quattro *angeli. Essi stavano in piedi ai quattro angoli della terra, e trattenevano i quattro venti perché non ci fosse un soffio d'aria né sulla terra, né sul mare, né sugli alberi.
² Dall'oriente apparve un altro angelo. Aveva in mano il sigillo del Dio vivente. Egli gridò con voce possente ai quattro angeli ai quali Dio aveva dato il potere di devastare la terra e il mare: ³ « Non devastate né la terra né il mare né gli alberi, finché non abbiamo segnato in fronte i servi del nostro Dio ».
⁴ Poi udii quanti erano i segnati: erano centoquarantaquattromila, presi da ognuna delle tribù d'Israele:
⁵ dodicimila dalla tribù di Giuda,
    dodicimila dalla tribù di Ruben,
    dodicimila dalla tribù di Gad,
⁶ dodicimila dalla tribù di Aser,
    dodicimila dalla tribù di Nèftali,
    dodicimila dalla tribù di Manàsse,
⁷ dodicimila dalla tribù di Simeone,
    dodicimila dalla tribù di Levi,
    dodicimila dalla tribù di Ìssacar,
⁸ dodicimila dalla tribù di Zàbulon,
    dodicimila dalla tribù di Giuseppe,
    dodicimila dalla tribù di Beniamino.
⁹ Dopo, vidi ancora una grande folla di persone di ogni nazione, popolo, tribù e lingua, che nessuno riusciva a contare. Stavano di fronte al trono e all'Agnello, vestite di tuniche bianche, e tenendo rami di palma in mano ¹⁰ gridavano a gran voce:

« La salvezza appartiene al nostro Dio,
    a lui che siede sul trono
    e all'Agnello ».
¹¹ Tutti gli angeli che stavano in piedi attorno al trono, agli *anziani e ai quattro esseri viventi, si inginocchiarono di fronte al trono, con la faccia a terra, e adorarono Dio, ¹² dicendo:

« *Amen!
Al nostro Dio la lode, la gloria e la sapienza,
la riconoscenza e l'onore,
il potere e la forza,
per sempre!
Amen ».

¹³ Uno degli anziani mi disse: « Chi sono queste persone vestite di bianco, e di dove vengono? ».
¹⁴ Io risposi: « Tu lo sai meglio di me, signore ».
E lui: « Sono quelli che vengono dalla grande persecuzione. Hanno lavato le loro tuniche purificandole con il sangue dell'Agnello. ¹⁵ Per questo stanno di fronte al trono di Dio, e gli prestano servizio giorno e notte nel suo *santuario, e Dio che siede sul trono sarà sempre vicino a loro. ¹⁶ Non avranno più né fame né sete, né soffriranno il sole e l'arsura. ¹⁷ L'Agnello che è in mezzo al trono avrà cura di loro, come un pastore ha cura delle sue pecore; e li guiderà alle sorgenti dell'acqua che dà vita, e Dio asciugherà ogni lacrima dei loro occhi ».

Il settimo sigillo

8 ¹ Quando l'Agnello aprì il settimo sigillo, si fece silenzio in cielo per circa mezz'ora.

LE SETTE TROMBE

² Poi vidi i sette *angeli che stanno davanti a Dio: essi ricevettero sette trombe. ³ Un altro angelo, con un incensiere d'oro, si avvicinò all'altare e ricevette una grande quantità d'*incenso da offrire insieme con le preghiere di tutto il popolo di Dio sull'*altare d'oro posto davanti al trono; ⁴ e dalle mani dell'angelo il fumo dell'incenso salì alla presenza di Dio, con le preghiere del suo popolo.
⁵ Allora l'angelo prese l'incensiere, lo riempì di brace ardente tolta dall'altare e lo scagliò sulla terra. Immediatamente ci fu un terremoto accompagnato da lampi e tuoni.

Le prime quattro trombe

⁶ Allora i sette *angeli si prepararono a suonare le sette trombe.
⁷ Il primo angelo suonò la tromba e una grande tempesta di grandine e di fuoco, mescolati con sangue, si riversò sulla terra. Un terzo della terra fu bruciato, un terzo degli alberi andò in fiamme, e tutta l'erba verde fu arsa.
⁸ Il secondo angelo suonò la tromba, e una massa ardente simile a una montagna infuocata fu precipitata nel mare.

Un terzo del mare diventò sangue, ⁹ e un terzo delle creature viventi che sono nel mare perirono, un terzo delle navi
andò distrutto.
¹⁰ Il terzo angelo suonò la tromba, e cadde dal cielo una
grande stella, ardente come una torcia, che piombò su un
terzo dei fiumi e delle sorgenti. ¹¹ Il nome della stella è
« Assenzio ». Un terzo delle acque diventò amaro come l'assenzio, e molti di quelli che ne bevvero morirono, perché
erano avvelenate.
¹² Quando il quarto angelo suonò la tromba, furono colpiti
un terzo del sole, della luna e delle stelle: la loro luce dimi-
nuì di un terzo, e un terzo del giorno e della notte rimasero
privi di luce.
¹³ Io guardai ancora e udii un'aquila, che volava alta nel
cielo, gridare a gran voce: « Sventura, sventura, sventura,
a voi abitanti della terra, ora che gli altri tre angeli stanno
per suonare le tre ultime trombe ».

La quinta tromba

9 ¹ Il quinto *angelo suonò la tromba, e vidi una stella
che era caduta dal cielo sulla terra. A questa stella fu
data la chiave del mondo sotterraneo.
² La stella aprì il pozzo che conduce al mondo sotterraneo,
e dall'apertura, come da una grande fornace, salì un fumo
che oscurò il sole e l'aria. ³ Dal fumo uscirono nuvole di
*locuste che si riversarono sulla terra. Erano dotate di un
potere simile a quello degli *scorpioni, ⁴ ma con l'ordine
di non danneggiare né l'erba, né le piante, né gli alberi, ma
solo le persone che non hanno il segno di Dio sulla fronte.
⁵ Dio non concesse alle locuste il potere di uccidere quelle
persone, ma solo di farle soffrire per cinque mesi, come soffre chi è stato punto da uno scorpione. ⁶ Durante quel periodo gli uomini cercheranno la morte ma non la troveranno; vorranno morire ma la morte fuggirà da loro.
⁷ Le locuste, a vederle, sembravano cavalli bardati per la
guerra. Sulla loro testa c'erano come corone d'oro, e la loro
faccia era come viso d'uomo. ⁸ Avevano capelli lunghi come
le donne, e denti simili a quelli dei leoni. ⁹ Avevano il to-
race somigliante a una corazza di ferro, e il fruscio delle
loro ali era come il rombo di carri di guerra che vanno
all'assalto trascinati da molti cavalli. ¹⁰ Le loro code, con il

pungiglione, erano come code di scorpione: con quelle riuscivano a tormentare gli uomini per cinque mesi.

[11] A capo delle locuste c'era un re, l'angelo del mondo sotterraneo. Il suo nome in ebraico è « Abaddon » che per noi vuol dire: sterminatore.

[12] Questa è la prima sventura. Ma ecco che stanno per arrivarne altre due.

La sesta tromba

[13] Il sesto *angelo suonò la tromba, e allora intesi una voce dai quattro angoli dell'*altare d'oro posto di fronte a Dio.

[14] La voce disse al sesto angelo che teneva la tromba: « Libera i quattro angeli incatenati presso il grande fiume Eufrate! ».

[15] I quattro angeli, preparati proprio per quell'ora, quel giorno, quel mese, quell'anno, furono liberati per uccidere un terzo degli uomini.

[16] Udii quanti erano i loro soldati a cavallo: erano duecento milioni.

[17] In quella visione, cavalli e cavalieri mi apparvero rivestiti di corazze, alcune rosse come il fuoco, altre azzurre come lo zaffiro, e altre gialle come lo zolfo. I cavalli avevano teste che parevano di leoni e fuoco, fumo e *zolfo uscivano dalla loro bocca. [18] Un terzo degli uomini fu ucciso da questi tre flagelli, dal fuoco, dal fumo e dallo zolfo che uscivano dalla bocca dei cavalli. [19] Il potere dei cavalli sta nella bocca, e anche nella coda: infatti le loro code sono come serpenti che feriscono gli uomini con la testa. [20] Eppure, gli altri uomini, quelli che non erano stati uccisi da questi flagelli, non abbandonarono gli idoli fatti con le loro mani, e non smisero d'inginocchiarsi davanti ai *demòni e agli idoli d'oro, d'argento, di bronzo, di pietra e di legno, che non sono in grado di vedere, di udire e di camminare. [21] Non rinunziarono neppure ai loro delitti, alla magia, alla prostituzione e ai furti.

Il piccolo libro

10 [1] Vidi ancora un altro *angelo vigoroso, scendere dal cielo. Era avvolto in una nuvola, e sul capo aveva un arcobaleno come aureola; il suo viso era simile al sole, e le sue gambe somigliavano a colonne di fuoco. [2] In mano

teneva un libretto aperto. Poggiò il piede destro sul mare e il piede sinistro sulla terra. ³ Poi gridò, con voce forte come il ruggito di un leone. Al suo grido rispose il rombo dei sette tuoni. ⁴ Quando i sette tuoni ebbero parlato, io stavo per mettermi a scrivere, ma udii una voce dal cielo: « No, non scrivere ciò che i sette tuoni hanno detto, perché deve rimanere segreto ».

⁵ E l'angelo che avevo visto in piedi sulla terra e sul mare, alzò la destra verso il cielo, ⁶ e giurò nel nome di Dio che vive per sempre, il quale ha creato il cielo, la terra, il mare e i loro abitanti. Disse: « Non passerà molto tempo ancora, ⁷ e quando il settimo angelo suonerà la tromba, Dio realizzerà il suo piano segreto come aveva promesso ai *profeti che insegnavano nel suo nome ».

⁸ La voce che avevo udita dal cielo mi rivolse di nuovo la parola: « Vai dall'angelo che sta ritto in piedi sulla terra e sul mare, e prendi il libretto che sta aperto nella sua mano ».

⁹ Io mi avvicinai all'angelo e gli dissi: « Dammi il libretto ». Egli mi rispose: « Prendilo e mangialo. Sarà amaro per il tuo stomaco, anche se in bocca ti sarà dolce come il miele ».

¹⁰ Io presi il libretto dalla mano dell'angelo, e lo divorai: nella mia bocca fu dolce come il miele, ma quando lo inghiottii fu amaro per il mio stomaco. ¹¹ Allora mi dissero: « Devi profetizzare ancora su molti popoli, nazioni, lingue e regni ».

I due testimoni

11 ¹ Poi mi fu data una canna adatta a misurare, con questo ordine: « Àlzati, misura il *santuario di Dio e l'*altare, e conta le persone che adorano nel santuario; ² il cortile esterno del santuario però, non misurarlo, perché è stato lasciato per i nemici di Dio. Per quarantadue mesi essi calpesteranno Gerusalemme, la città santa, ³ ma ai miei due testimoni darò la possibilità di annunziare la mia parola per milleduecentosessanta giorni, vestiti a lutto con ruvido panno ».

⁴ I due testimoni sono i due olivi e i due candelabri che stanno di fronte al Signore della terra. ⁵ Se qualcuno tenterà di fargli del male, dalla loro bocca uscirà un fuoco,

e distruggerà i loro nemici. Così morirà chiunque cerchi di fargli del male.
⁶ Essi hanno il potere di chiudere il cielo, e di impedire che piova per tutto il tempo che annunziano la *parola di Dio. Possono anche cambiare l'acqua in sangue, e colpire la terra con ogni sorta di flagelli, tutte le volte che vorranno.
⁷ Quando poi avranno finito di annunziare la mia parola, il mostro che sale dal mondo sotterraneo li assalirà, li sconfiggerà e li ucciderà. ⁸ I loro cadaveri rimarranno esposti nelle piazze della grande città, là dove il loro Signore fu crocifisso, chiamata simbolicamente *Sòdoma ed Egitto.
⁹ Per tre giorni e mezzo, gente di ogni popolo e razza, lingua e nazione, starà a guardare i loro cadaveri e non li lascerà seppellire; ¹⁰ e gli abitanti della terra faranno festa scambiandosi regali, e rallegrandosi della morte dei due testimoni, perché erano stati un tormento per tutti gli abitanti della terra.
¹¹ Ma dopo i tre giorni e mezzo, un soffio di vita verrà da Dio ed entrerà in loro: si alzeranno in piedi, e tutti quelli che li osserveranno resteranno atterriti. ¹² Poi udranno una voce forte che viene dal cielo e dice: « Venite quassù ». Allora saliranno verso il cielo con la nuvola, mentre i loro nemici staranno a guardare. ¹³ Nello stesso istante avviene un gran terremoto. Un decimo della città crolla: settemila persone sono uccise dal terremoto, e gli altri rimangono atterriti e lodano il Dio del cielo. ¹⁴ E questa è la seconda sventura. Ma ecco che sta venendo la terza.

La settima tromba

¹⁵ Il settimo *angelo suonò la tromba e si fecero udire nel cielo voci forti che gridavano:

> « Ora comincia nel mondo
> il regno del Dio nostro Signore
> e del suo Cristo.
> Un regno per i secoli eterni ».

¹⁶ I ventiquattro *anziani seduti sui loro troni davanti a Dio si inginocchiarono con la faccia a terra, e adorarono Dio ¹⁷ dicendo:

> « O Signore, Dio dominatore dell'universo,
> che sei e che eri,
> noi ti ringraziamo

perché hai preso in mano
il potere che ti appartiene
e hai cominciato a regnare.
[18] I popoli si sono sollevati contro di te,
ma è giunta l'ora della resa dei conti,
è venuto il momento di giudicare i morti,
di ricompensare i *profeti tuoi servitori,
e quanti sono tuoi e rispettano il tuo nome,
piccoli e grandi;
il momento di distruggere tutti quelli che corrompono
la terra ».

[19] Il tempio di Dio che è nel cielo si aprì, e apparve l'arca dell'*alleanza. E ci furono lampi e scoppi di tuono, un terremoto e una tempesta di grandine.

LA GRANDE TRIBOLAZIONE

12 [1] Un segno grandioso apparve nel cielo: una donna che sembrava vestita di sole, con una corona di dodici stelle in capo, e la luna sotto i suoi piedi. [2] Stava per dare alla luce un bambino e gridava per le doglie e il travaglio del parto.

[3] Un altro segno apparve nel cielo: un *drago enorme, rosso fuoco, con sette teste e dieci corna. Su ogni testa aveva un diadema, [4] e la sua coda trascinava un terzo delle stelle del cielo e le scagliava sulla terra. Il drago si pose di fronte alla donna che stava per partorire: voleva divorare il bambino appena fosse nato.

[5] La donna dette alla luce un maschio: egli dovrà governare tutte le nazioni con un bastone di ferro. Quel figlio fu rapito, e portato verso Dio e verso il suo trono.

[6] La donna invece fuggì nel deserto, in un posto preparato da Dio. Là doveva trovare ospitalità per milleduecentosessanta giorni.

[7] Poi scoppiò una guerra nel cielo: da una parte *Michele e i suoi *angeli, dall'altra il drago e i suoi angeli. [8] Ma questi furono sconfitti e non ci fu più posto per loro nel cielo, [9] e il drago fu scaraventato fuori. Il grande drago, cioè il serpente antico, che si chiama « Diavolo » e « Satana », ed è il seduttore del mondo intero, fu gettato sulla terra, e anche i suoi angeli furono gettati giù.

[10] Udii allora una voce forte che gridava nel cielo:
« Ora è il tempo della salvezza,
ora il regno del nostro Dio viene con forza,
e il suo *Cristo prende il potere,
perché è stato sconfitto l'accusatore dei nostri fratelli,
colui che li incolpava giorno e notte dinanzi a Dio.
[11] Essi lo hanno vinto
con il sacrificio dell'Agnello
e con la parola che hanno annunziato.
Non hanno risparmiato la loro vita
neppure di fronte alla morte.
[12] Esultate, dunque, o cieli, e voi che li abitate!
Povera terra, invece, e povero mare!
Il diavolo è piombato fra voi pieno di furore,
perché sa che non gli resta più molto tempo ».

[13] Quando il drago si rese conto di essere stato gettato sulla terra, cominciò a perseguitare la donna che aveva dato alla luce il bambino. [14] Ma la donna ricevette due grandi ali d'aquila per allontanarsi dal serpente, e volò al suo rifugio nel deserto. Là rimase in pace tre anni e mezzo. [15] Il serpente vomitò dalla sua bocca una fiumana d'acqua, dietro alla donna, per farla portar via dalla corrente. [16] Ma la terra venne in suo aiuto; aprì la bocca e inghiottì il fiume che il drago aveva vomitato.

[17] Infuriato con la donna, il drago andò a far guerra contro gli altri figli di lei: quelli che mettono in pratica i comandamenti di Dio, e rimangono fedeli a ciò che Gesù ha annunziato.

[18] Il drago si fermò sulla riva del mare.

Il mostro che sale dal mare

13 [1] Vidi allora un mostro che saliva dal mare. Aveva sette teste e dieci corna. Su ogni corno portava un diadema, e su ogni testa era scritto un nome che era una bestemmia.

[2] Il mostro era simile a una pantera. Aveva zampe come quelle di un orso, e una bocca come la bocca di un leone. Il *drago gli affidò il suo potere, il suo trono e una grande autorità.

[3] Una delle teste del mostro sembrava mortalmente colpita, ma la ferita mortale fu guarita. Allora tutta la terra fu presa

da meraviglia e ubbidì al mostro. ⁴ Tutti adorarono il drago
perché aveva dato l'autorità al mostro, e si inginocchiarono
davanti al mostro, dicendo: «Chi è simile al mostro e chi
potrà mai combattere contro di lui?».
⁵ Al mostro fu concesso di dire parole arroganti e di insultare Dio, ed ebbe il potere di far questo per quarantadue
mesi. ⁶ Il mostro cominciò a parlare e a offendere Dio, a maledire il suo nome, a insultare il tempio e tutti quelli che
sono nel cielo; ⁷ e gli fu permesso di far guerra contro quelli
che appartengono al Signore e di vincerli; gli fu dato potere
sopra ogni razza, popolo, lingua o nazione.
⁸ Davanti a lui si inginocchieranno gli abitanti della terra che
non hanno il loro nome scritto fin dalla creazione del mondo
nel libro della vita, che appartiene all'Agnello che è stato
sgozzato.
⁹ Chi è in grado di udire, ascolti:
     ¹⁰ Chi deve andare in prigionia
        andrà certamente in prigionia;
        chi deve essere ucciso di spada
        sarà certamente ucciso di spada.
Qui si vedrà la fermezza e la fede di quanti appartengono
al Signore.

La bestia che sale dalla terra

¹¹ Dopo il mostro vidi un'altra bestia che saliva su dalla terra.
Aveva due corna come quelle d'un agnello, e una voce come
quella d'un *drago. ¹² Essa esercita tutto il potere del mostro in sua presenza, e costringe la terra e i suoi abitanti
ad adorare come un dio il mostro guarito dalla sua ferita
mortale.
¹³ La bestia fa grandi *miracoli: fa persino scendere fuoco
dal cielo sulla terra davanti agli occhi della gente.
¹⁴ Con i miracoli che ha il potere di fare alla presenza del
mostro, inganna gli abitanti della terra, ordinando loro di
fare una statua al mostro, che vive nonostante la ferita
di spada.
¹⁵ La bestia ebbe il potere di dare la vita alla statua del
mostro, perché potesse parlare e far uccidere tutti coloro che
non lo adoravano.
¹⁶ La bestia fece mettere un marchio sulla mano destra e
sulla fronte di tutti, piccoli e grandi, ricchi e poveri, liberi

e schiavi. [17] Nessuno poteva comprare o vendere se non portava il marchio, cioè il nome del mostro o il numero che corrisponde al suo nome.
[18] Qui ci vuole saggezza.
Chi è intelligente calcoli il significato del numero del mostro, un numero che corrisponde a un uomo. Il numero è seicentosessantasei.

Il canto dei 144.000

14 [1] Poi vidi l'Agnello in piedi sul monte *Sion, e con lui centoquarantaquattromila persone che portavano scritto in fronte il nome dell'Agnello e il nome del Padre suo. [2] E udii dal cielo un suono forte, come il fragore dell'oceano e come il rombo del tuono. Era simile al suono di molti strumenti suonati dagli arpisti. [3] Era un canto nuovo cantato di fronte al trono e di fronte ai quattro esseri viventi e agli *anziani. Nessuno poteva intendere quel canto, se non i centoquarantaquattromila riscattati di mezzo agli uomini. [4] Questi sono puri come vergini, non hanno tradito il loro Dio. Essi seguono l'Agnello dovunque vada. Sono stati riscattati fra gli uomini, per essere primizia offerta a Dio e all'Agnello, [5] e nel loro parlare non c'è mai stata menzogna: sono senza macchia.

I tre *angeli annunziano il giorno del *giudizio

[6] Poi vidi volare alto nel cielo un altro angelo che portava la lieta notizia, valida per ogni tempo, da annunziare a ogni nazione e razza e lingua e popolo. [7] Diceva a gran voce: « Date a Dio il rispetto e l'ubbidienza, lodatelo, perché è venuto il momento in cui egli giudicherà il mondo. Inginocchiatevi davanti a colui che ha fatto il cielo, la terra, il mare e le sorgenti ».
[8] Un altro angelo comparve dopo il primo, e disse: « È caduta, è caduta la grande *Babilonia, quella che aveva fatto bere a tutti i popoli il vino inebriante della sua prostituzione ».
[9] Un terzo angelo comparve dopo gli altri due, dicendo a gran voce: « Chiunque adora il mostro e la sua statua, e riceve il suo marchio sulla fronte o sulla mano [10] berrà il vino dell'ira di Dio, versato puro nel calice del suo terribile giu-

dizio, e sarà torturato alla presenza dell'Agnello e degli angeli santi con fuoco e *zolfo. [11] Il fumo del loro tormento non finisce mai. Chi adora il mostro e la sua statua e chiunque riceve il marchio del suo nome, non ha riposo né giorno né notte ».

[12] Qui deve mostrarsi la costanza di quelli che appartengono al Signore, mettono in pratica i comandamenti di Dio e rimangono fedeli a Gesù.

[13] Poi udii una voce che diceva dal cielo: « Scrivi: Beati i morti che d'ora innanzi muoiono uniti al Signore. Sì, beati, dice lo Spirito, perché troveranno riposo dalle loro fatiche, e il bene che hanno fatto li accompagna ».

[14] Poi guardai e vidi una nuvola bianca. Sulla nuvola era seduto uno simile al *Figlio dell'uomo. Sul capo aveva una corona d'oro, e in mano una *falce affilata.

[15] Un altro angelo uscì dal tempio e con voce potente gridò a colui che sedeva sulla nuvola: « Prendi la tua falce affilata e comincia a mietere! L'ora è giunta, la terra è pronta per la mietitura ». [16] Allora colui che sedeva sulla nuvola passò la falce sopra la terra, e la terra fu mietuta. [17] Poi un altro angelo uscì dal tempio che è nel cielo; anche lui aveva una falce affilata.

[18] Un altro angelo, che ha potere sul fuoco, lasciò l'*altare, e con voce tonante disse all'angelo dalla falce affilata: « Prendi la tua falce affilata e vendemmia i grappoli della vigna della terra: le sue uve sono mature ».

[19] L'angelo passò la falce sopra la terra, vendemmiò la vigna della terra, e gettò i grappoli nel grande tino della pigiatura, che rappresenta il terribile castigo di Dio.

[20] La pigiatura avvenne fuori della città, e il sangue sgorgato dal tino fu tanto, che arrivò all'altezza della bocca dei cavalli fino a quasi trecento chilometri di distanza.

LE SETTE COPPE

15 [1] La visione continuò con un altro segno grande e meraviglioso nel cielo: sette *angeli con sette flagelli. Erano gli ultimi flagelli, perché con essi si completa il terribile castigo di Dio.

[2] Poi vidi come un mare di cristallo, mescolato con fuoco. Tutti quelli che avevano vinto la battaglia contro il mostro, la sua statua e il numero che corrisponde al suo nome, sta-

vano in piedi sul mare di cristallo. Suonando le arpe ricevute da Dio, [3] cantavano il cantico di Mosè, servo di Dio, e il cantico dell'Agnello:

« O Signore, Dio sovrano dell'universo,
le tue opere sono grandi e meravigliose;
o Re delle nazioni,
i tuoi interventi sono giusti e veri.
[4] Chi non ti mostrerà rispetto e obbedienza, o Signore?
chi rifiuterà di lodare il tuo nome?
Tu solo sei santo.
Tutte le nazioni verranno
e tutti i popoli ti adoreranno
perché le tue opere giuste sono davanti agli occhi
di tutti ».

Gli angeli con gli ultimi sette flagelli

[5] Dopo queste cose vidi aprirsi nel cielo il *santuario dove Dio è presente. [6] Dal santuario uscirono i sette *angeli con gli ultimi sette flagelli. Avevano vesti di lino candido, splendente, e avevano una cintura d'oro intorno al petto.
[7] Uno dei quattro esseri viventi consegnò ai sette angeli sette coppe d'oro, colme del terribile castigo di Dio che vive per sempre. [8] Il santuario si riempì di fumo, segno della gloria e della potenza di Dio. Nessuno poteva entrare nel santuario, prima che fossero finiti i sette flagelli portati dai sette angeli.

16 [1] Quindi udii una voce potente venire dal santuario, e dire ai sette angeli: « Andate a versare sulla terra le sette coppe del terribile castigo di Dio ».
[2] Il primo angelo andò a versare la sua coppa sulla terra: su tutti gli uomini che avevano il marchio del mostro e avevano adorato la sua immagine, si formò una piaga dolorosa e maligna.
[3] Il secondo angelo versò la sua coppa sul mare: l'acqua del mare diventò come il sangue dei cadaveri, e tutti gli animali che erano nel mare morirono.
[4] Il terzo angelo versò la sua coppa nei fiumi e nelle sorgenti: la loro acqua si trasformò in sangue, [5] e udii le parole dell'angelo che ha potere sulle acque:

« Signore santo, che sei e che eri,
ti sei mostrato giusto giudice :
⁶ a quanti hanno sparso il sangue di quelli che ti
appartengono
e dei *profeti che parlavano per tuo incarico
tu hai dato loro sangue da bere.
Hanno avuto quello che si meritavano ».

⁷ Quindi udii dall'*altare queste parole : « Sì, o Signore, Dio dominatore universale, hai giudicato con verità e giustizia ».

⁸ Il quarto angelo versò la sua coppa sul sole, che si fece così ardente da tormentare gli uomini col suo calore. ⁹ Tutti furono bruciati dalla sua vampa, ma non cambiarono vita e non lodarono Dio, anzi pronunciarono parole oltraggiose contro di lui, perché tiene in suo potere flagelli di questo genere.

¹⁰ Il quinto angelo versò la sua coppa sul trono del mostro e il regno del mostro piombò nell'oscurità. La gente si mordeva la lingua per il dolore, ¹¹ e cominciò a bestemmiare contro il Dio del cielo a causa dei dolori e delle piaghe, però non smise di fare il male.

¹² Il sesto angelo versò la sua coppa sul gran fiume Eufrate : il fiume si prosciugò e si formò una strada, pronta per i re dell'oriente.

¹³ Poi vidi tre spiriti immondi, che saltavano come rane dalla bocca del *drago, dalla bocca del mostro e dalla bocca del falso *profeta. ¹⁴ Erano spiriti di *demòni, che facevano sfoggio di *miracoli e andavano da tutti i re della terra a radunarli per la battaglia del gran giorno di Dio, dominatore universale.

¹⁵ State attenti, però : il Signore dice : « Io vengo all'improvviso, come un ladro ». Beato chi è sveglio e ha i suoi vestiti a portata di mano! Non gli toccherà andare in giro nudo e vergognarsi davanti alla gente.

¹⁶ I tre spiriti immondi radunarono i re della terra in un luogo che in ebraico si chiama *Armaghedòn.

¹⁷ Il settimo angelo versò la sua coppa nell'aria, e dal *santuario del cielo uscì una voce tonante che veniva dal trono, ed esclamò : « È fatto! ».

¹⁸ Allora si videro lampi seguiti da scoppi di tuono e ci fu un violento terremoto. Da quando gli uomini esistono sulla terra non si era avuto un terremoto così violento.

¹⁹ La grande città fu spaccata in tre, e le città del mondo

intero crollarono al suolo. Dio si ricordò anche di *Babilonia, la grande città, per farle bere la coppa del vino che rappresenta il suo terribile castigo.

²⁰ Tutte le isole scomparvero, e le montagne non si videro più.

²¹ Poi cominciò a grandinare, con chicchi enormi che cadevano sopra la gente; e gli uomini maledirono Dio per il flagello della grandine che li colpiva con terribile violenza.

IL CASTIGO DI BABILONIA,
IMMAGINE DEI NEMICI DI DIO

17 ¹ Uno dei sette *angeli che avevano le sette coppe venne a dirmi: « Vieni, ti farò vedere il castigo decretato per la grande prostituta che abita presso molte acque. ² I re della terra si sono prostituiti con lei, e gli abitanti della terra si sono ubriacati col vino della sua prostituzione ».

³ Lo Spirito s'impadronì di me, e io fui trasportato nel deserto. Là vidi una donna seduta su un mostro di colore scarlatto, tutto coperto di parole di bestemmia. Il mostro aveva sette teste e dieci corna. ⁴ I vestiti della donna erano di porpora e scarlatto. Portava gioielli d'oro, perle e pietre preziose e teneva in mano un calice d'oro dal contenuto ripugnante: le impurità della sua prostituzione. ⁵ Sulla sua fronte era scritto un nome misterioso: « *Babilonia », la grande città, la madre delle prostituzioni e delle oscenità di tutto il mondo. ⁶ Allora mi accorsi che la donna era ubriaca del sangue del popolo di Dio e del sangue di quelli che sono morti per la fede in Gesù.

Al vederla fui preso da grande stupore, ⁷ e l'angelo mi disse: « Perché ti meravigli? Io ti spiegherò il significato misterioso della donna e del mostro che la sostiene, quello che ha sette teste e dieci corna.

⁸ Il mostro che hai visto rappresenta uno che viveva una volta, e ora non più, ma sta per salire dal mondo sotterraneo e andare verso la sua distruzione definitiva. Gli abitanti della terra che non sono registrati nel libro della vita fin dalla creazione del mondo, si meraviglieranno vedendo che il mostro una volta viveva e ora non è più, e sta per riapparire.

⁹ Qui ci vuole un po' di intelligenza: le sette teste sono i sette

colli sui quali la donna è seduta. Sono anche sette re. [10] Cinque sono già caduti, uno regna ora, e il settimo non è ancora venuto. Quando verrà, durerà poco. [11] Il mostro che viveva una volta e ora non più, è l'ottavo re, ma è anche uno dei sette, e va verso la distruzione definitiva.

[12] Le dieci corna che vedi sono dieci re, che non sono ancora arrivati a regnare, ma avranno la possibilità di regnare per un'ora insieme con il mostro. [13] I dieci re sono tutti d'accordo: vogliono cedere al mostro la loro forza e il loro potere. [14] Essi combatteranno contro l'Agnello, ma l'Agnello li vincerà, perché egli è Signore sopra tutti i signori e Re sopra tutti i re. Quelli che lo accompagnano nella vittoria sono stati chiamati e prescelti e gli sono fedeli ».

[15] L'angelo continuò a spiegare: « Le acque che hai visto, dove abita la prostituta, rappresentano popoli, moltitudini, nazioni e lingue. [16] Il mostro e le dieci corna che hai visto odieranno la prostituta, la lasceranno nuda e priva di tutto, divideranno la sua carne e distruggeranno i suoi resti col fuoco. [17] È stato Dio a mettere in mente ai dieci re di eseguire il suo progetto. Così agiranno di comune accordo e daranno il loro potere al mostro, fino a che non sia compiuto tutto ciò che Dio ha detto.

[18] La donna che hai visto è la grande città che comanda su tutti i re della terra ».

La caduta di Babilonia

18 [1] Dopo queste spiegazioni vidi scendere dal cielo un altro *angelo che aveva grandi poteri, e il suo splendore illuminò tutta la terra. [2] L'angelo gridò con voce potente:

> « È caduta!
> La grande *Babilonia è caduta!
> È diventata dimora di demòni,
> rifugio di tutti gli spiriti immondi,
> rifugio di ogni uccello *impuro e ripugnante.

[3] Tutte le nazioni hanno bevuto il vino della sua
>   sfrenata prostituzione,
>   i re della terra si sono prostituiti con lei
>   e i mercanti si sono arricchiti della sua ricchezza
>   favolosa ».

[4] Poi intesi un'altra voce che proveniva dal cielo:

« Uscite da Babilonia, popolo mio,
per non diventare complici dei suoi peccati;
fuggite
per non subire insieme con lei il castigo che la
colpisce.
⁵ I suoi peccati si sono accumulati fino al cielo,
Dio ha tenuto conto della sua condotta perversa.
⁶ Trattatela come ha trattato gli altri,
rendetele il doppio del male che ha fatto,
versatele doppia razione
nella coppa che ha fatto bere agli altri.
⁷ Fatele soffrire dolore e tormenti
nella misura in cui si procurò splendore e piacere.
Essa diceva fra sé e sé:
" Sono una regina in trono,
non una povera vedova,
il lutto non mi toccherà ".
⁸ Ecco perché in un giorno solo si abbatteranno di colpo su
di lei tutti i castighi : malattia mortale, lutto, carestia, e sarà
consumata dal fuoco. Potente è Dio che l'ha condannata.
⁹ I re della terra, che vissero con lei una vita di lusso e di
prostituzione, piangeranno per lei e si lamenteranno quando
vedranno il fumo della città incendiata. ¹⁰ Spaventati dai suoi
tormenti resteranno a rispettosa distanza, e diranno :
" Povera e sventurata sei tu, Babilonia,
grande e potente città!
In un attimo la tua condanna ti ha raggiunta ".
¹¹ I mercanti della terra piangeranno e si lamenteranno per
causa sua, perché nessuno comprerà più le loro merci : ¹² oro,
argento, pietre preziose, perle, tessuti raffinati, porpora, seta,
scarlatto, profumi, oggetti di avorio e di legno pregiato, di
bronzo, di ferro e di marmo, ¹³ cannella, spezie, aromi, olio
profumato, vino e olio, farina e frumento, bovini e ovini,
cavalli e carrozze, e persino esseri umani venduti come
schiavi.
¹⁴ " I prodotti che ti piacevano tanto
non sono più a tua disposizione;
splendore e lusso sono finiti per te;
non li ritroverai mai più! ".
¹⁵ I mercanti diventati ricchi trafficando con Babilonia se ne
staranno lontano, atterriti dalle sue sofferenze; piangeranno
e si lamenteranno, ¹⁶ dicendo:

" Povera e sventurata sei tu,
Babilonia, la grande città:
vestita di tessuti preziosi,
di porpora e di scarlatto,
ornata di gioielli d'oro,
di perle e pietre preziose;
[17] in un attimo è svanita la tua grande ricchezza ".

Capitani e marinai, naviganti e chiunque altro lavora sul
mare, staranno anche loro ben lontani, [18] guarderanno il fumo
della città incendiata, e diranno: " Non c'è mai stata una
città grande come questa ". [19] Si spargeranno di polvere il
capo, piangeranno e si lamenteranno:

" Povera e sventurata sei tu,
Babilonia, la grande città:
tutti quelli che avevano navi in mare
si sono arricchiti grazie alla tua ricchezza.
E adesso in un attimo sei diventata un deserto.
[20] Esulta per la sua rovina, o cielo!
Esultate voi tutti che appartenete al Signore,
esultate, *apostoli e *profeti di Dio,
perché Dio l'ha punita
e così vi ha reso giustizia " ».

[21] Allora un angelo vigoroso prese una pietra grande come
una màcina da mulino e la scagliò in mare dicendo:

« Così sarà precipitata Babilonia,
la grande città;
nessuno la vedrà più.
[22] In te non si sentirà più suonare l'arpa né cantare,
non si vedranno più né flauti né trombe.
Non ci sarà più nessun artigiano,
non si sentirà più il rumore del mulino,
[23] non si vedrà più la luce delle lampade,
non si udrà più voce di sposo o di sposa.
I tuoi mercanti erano i padroni del mondo,
e con le tue stregonerie hai ingannato tutte le nazioni.
[24] In Babilonia c'è il sangue dei profeti e dei santi,
di tutti quelli che sono stati ammazzati sulla terra ».

Il trionfo in cielo per la caduta di *Babilonia

19 [1] Dopo queste cose, udii una voce forte nel cielo, simile a quella d'una grande folla. Diceva:
« Alleluia!
Al nostro Dio appartengono la salvezza, la gloria e
la potenza.
[2] Egli giudica con verità e con giustizia.
Ha condannato la grande prostituta
che corrompeva la terra con la sua dissolutezza
e ha vendicato i fedeli che lei aveva ucciso ».
[3] Per la seconda volta la folla dal cielo esclamò:
« Alleluia!
Il fumo della città in fiamme sale per sempre ».
[4] I ventiquattro *anziani e i quattro esseri viventi si prostrarono in ginocchio, e adorarono Dio che siede in trono, dicendo: « *Amen, Alleluia ».
[5] Poi giunse una voce dal trono:
« Lodate il nostro Dio
tutti voi, piccoli e grandi,
che lo servite
e lo rispettate ».
[6] Udii allora una voce simile a quella di una folla numerosa, al rombo dell'oceano e allo scoppio del tuono. Diceva:
« Alleluia!
Il Signore, il nostro Dio,
dominatore dell'universo,
ha stabilito il suo regno.
[7] Rallegriamoci ed esultiamo,
diamogli onore e lode,
perché è venuto il momento delle nozze dell'Agnello.
La sua sposa si è preparata:
[8] le è stato dato da indossare
un abito splendente, di lino puro:
le opere giuste di quanti appartengono al Signore ».
[9] Poi l'*angelo mi disse: « Scrivi: Beati gli invitati al pranzo di nozze dell'Agnello ». E aggiunse: « Sono parole di Dio. Egli dice il vero ».
[10] Allora mi inginocchiai davanti all'angelo, per adorarlo. Ma egli mi disse: « Che fai? Io sono un servitore, come te e come i tuoi fratelli che rimangono fedeli alla testimonianza portata da Gesù. È Dio che devi adorare ».

Infatti, questa testimonianza di Gesù è la forza della nostra predicazione.

LA DISTRUZIONE DELLE NAZIONI PAGANE

La prima battaglia finale

[11] Poi, nel cielo aperto vidi un cavallo bianco. Colui che lo cavalcava è chiamato « Fedele » e « Verace », perché giudica e combatte con giustizia. [12] I suoi occhi brillano come il fuoco: ha molti diademi sul capo e porta scritto un nome che egli solo conosce. [13] È vestito di un mantello bagnato di sangue. Il suo nome è: « La Parola di Dio ». [14] Le schiere celesti lo seguivano su cavalli bianchi, vestite di bianco, di puro lino finissimo.

[15] Dalla sua bocca usciva una spada affilata, per colpire con essa i popoli. Egli li governerà con un bastone di ferro e pigierà nel tino il vino che rappresenta il terribile castigo di Dio, dominatore dell'universo. [16] Sul mantello e sulla coscia porta scritto il suo nome: « Re dei re e Signore dei signori ».

[17] Poi vidi un *angelo, in piedi nel sole. Egli chiamò a gran voce tutti gli uccelli che volano alto nel cielo: « Venite, radunatevi per il grande banchetto di Dio: [18] mangerete carne di re, di comandanti di esercito, di eroi, di cavalli e di cavalieri, di liberi e di schiavi, di piccoli e di grandi ».

[19] Poi vidi il mostro, con tutti i re della terra e i loro eserciti, riuniti per combattere contro colui che stava sul cavallo bianco e contro le sue schiere. [20] Il mostro fu fatto prigioniero, e con lui anche il falso *profeta che faceva prodigi davanti a lui, per ingannare le persone che erano state segnate con il marchio del mostro e avevano adorato la sua statua. Il mostro e il falso profeta furono gettati vivi nel lago di fuoco in cui bruciava lo *zolfo. [21] Gli altri furono uccisi dalla spada che usciva dalla bocca del cavaliere che sedeva sul cavallo bianco, e le loro carni furono divorate dagli uccelli.

I martiri regnano con Cristo per mille anni

20 [1] Poi vidi scendere dal cielo un *angelo che teneva in mano la chiave del mondo sotterraneo e una lunga catena. [2] L'angelo afferrò il *drago, il serpente antico, cioè

Satana, il *diavolo, e lo incatenò per mille anni, [3] lo gettò nel mondo sotterraneo, ne chiuse l'entrata e la sigillò sopra di lui. Così il drago non avrebbe più ingannato nessuno per mille anni. Alla fine dei mille anni però, dev'essere sciolto per un periodo di tempo.

[4] Poi vidi, seduti in trono, coloro che Dio ha incaricato di giudicare: vidi le anime dei decapitati, uccisi perché si erano messi dalla parte di Gesù e della *parola di Dio, e vidi quelli che non si sono mai inginocchiati davanti al mostro e alla sua statua e non hanno avuto il suo marchio segnato sulla fronte o sulla mano. Tornarono in vita e regnarono con *Cristo per mille anni. [5] Gli altri morti non tornarono in vita finché non furono passati i mille anni. Questa è la prima risurrezione.

[6] Beati quanti partecipano alla prima risurrezione! Essi appartengono al Signore, e la seconda morte non ha nessun potere su di loro; anzi, essi saranno sacerdoti di Dio e di Cristo, e regneranno con lui per mille anni.

La seconda battaglia finale e la sconfitta di Satana

[7] Quando saranno trascorsi i mille anni, Satana sarà liberato dalla sua prigione, [8] e andrà a convincere Gog e Magòg e tutti i popoli del mondo numerosi come la sabbia del mare, e li radunerà per la guerra.

[9] Eccoli, dilagano su tutta la terra e assediano il campo di quelli che appartengono al Signore, la città che egli ama. Ma giù dal cielo venne un fuoco che li divorò, [10] e il *diavolo che li ingannava fu gettato nel lago di fuoco e di *zolfo dove c'erano già il mostro e il falso *profeta. Lì saranno tormentati giorno e notte, per sempre.

Il giudizio definitivo

[11] Vidi poi un grande trono bianco e colui che vi stava seduto. Cielo e terra fuggirono davanti a lui, e non ci fu più posto per loro.

[12] Allora vidi i morti, grandi e piccoli, in piedi davanti al trono. Furono aperti i libri, e fu aperto anche un altro libro, quello della vita. I morti furono giudicati secondo le loro opere, come stava scritto in quei libri.

[13] Anche il mare restituì i suoi morti: così pure la morte

restituì quelli che essa custodiva nel mondo sotterraneo, e ciascuno fu giudicato secondo le sue opere. [14] Poi la morte e il soggiorno dei morti furono scagliati nel lago di fuoco: questa è la seconda morte. [15] E chi non fu trovato iscritto nel libro della vita venne gettato anch'egli nel lago di fuoco.

IL MONDO NUOVO DI DIO

I nuovi cieli e la nuova terra

21 [1] Allora io vidi un nuovo cielo e una nuova terra — il primo cielo e la prima terra erano spariti, e il mare non c'era più — [2] e vidi venire dal cielo, da parte di Dio, la santa città, la nuova Gerusalemme, ornata come una sposa pronta per andare incontro allo sposo. [3] Una voce forte che veniva dal trono, esclamò: « Ecco l'abitazione di Dio fra gli uomini; essi saranno suo popolo ed egli sarà " Dio con loro ". [4] Dio asciugherà ogni lacrima dai loro occhi. Non ci sarà più né lutto né pianto né dolore. Il mondo di prima è scomparso per sempre ».

[5] Allora Dio dal suo trono disse: « Ora faccio nuova ogni cosa ». Poi mi disse: « Scrivi, perché ciò che dico è vero, e degno di essere creduto », [6] e aggiunse: « È fatto. Io sono l'Inizio e la Fine, il Primo e l'Ultimo. A chi ha sete io darò gratuitamente l'acqua della vita. [7] Ai vincitori toccherà questa parte dei beni. Io sarò loro Dio ed essi saranno miei figli. [8] Ma i vigliacchi, i miscredenti, i depravati, gli assassini, gli svergognati, i ciarlatani, gli idolatri e tutti i bugiardi andranno a finire nel lago ardente di fuoco e di *zolfo. Questa è la seconda morte ».

La nuova Gerusalemme

[9] Poi venne uno dei sette *angeli che avevano le sette coppe, piene degli ultimi sette flagelli, e mi disse: « Vieni, ti mostrerò la sposa dell'Agnello ». [10] Lo Spirito mi trasportò su una grande montagna, molto alta, e l'angelo mi mostrò Gerusalemme, la città santa che appartiene al Signore. Essa scendeva dal cielo, da parte di Dio. [11] Aveva lo splendore di Dio, brillava come una pietra preziosa, come una gemma cristallina. [12] Le sue mura erano solide ed elevate, con do-

dici porte. Alle porte stavano dodici angeli, e sulle porte
erano scritti dodici nomi, quelli delle dodici tribù d'Israele.
[13] C'erano tre porte a oriente, tre a settentrione, tre a mezzogiorno e tre a occidente. [14] Le mura poggiavano su dodici
basamenti, e su ciascuno di questi era scritto un nome,
quello di uno dei dodici *apostoli dell'Agnello. [15] L'angelo
che parlava con me, aveva una canna d'oro per misurare
la città, le sue mura e le sue porte.

[16] La città era quadrata, di larghezza uguale alla lunghezza.
L'angelo misurò la città: dodicimila stadi (più di duemila
chilometri). La lunghezza, la larghezza e l'altezza sono iden-
tiche.

[17] Poi misurò le mura: centoquarantaquattro cubiti (settanta
metri) secondo la misura umana che usava l'angelo.

[18] La città era d'oro puro, splendente come cristallo; le sue
mura erano di diaspro. [19] I basamenti delle mura erano ornati
di pietre preziose di ogni genere:

di diaspro il primo,
di zaffìro il secondo,
di calcedònio il terzo,
di smeraldo il quarto.

[20] Il quinto basamento era di sardònice,
il sesto di cornalina,
il settimo di crisòlito,
l'ottavo di berillo,
il nono di topazio,
il decimo di crisopazio,
l'undicesimo di giacinto,
il dodicesimo di ametista.

[21] Le dodici porte erano dodici perle: ognuna era ricavata
da una perla sola. La piazza della città era d'oro puro, splendente come cristallo.

[22] Non vidi nessun *santuario nella città perché il Signore
Dio onnipotente e l'Agnello, sono il suo santuario.

[23] Inoltre la città non ha bisogno di sole né di luna per
rischiararla, perché la illumina lo splendore di Dio, e l'Agnello
è la sua luce. [24] Le nazioni cammineranno alla sua luce, e
i re della terra verranno a lei con il loro splendore. [25] Di
giorno le porte non saranno mai chiuse, e non ci sarà più
notte.

[26] A lei le nazioni porteranno il loro splendore e le loro
ricchezze.

²⁷ Nulla di *impuro vi potrà entrare, nessuno che pratichi la corruzione o commetta il falso. Entreranno soltanto quelli che sono scritti nel libro della vita che appartiene all'Agnello.

22 ¹ Poi l'angelo mi mostrò il fiume dell'acqua che dà vita, limpido come cristallo, che sgorgava dal trono di Dio e dell'Agnello. ² In mezzo alla piazza della città, da una parte e dall'altra del fiume, cresceva l'albero che dà la vita. Esso dà i suoi frutti dodici volte all'anno, per ciascun mese il suo frutto. Il suo fogliame guarisce le nazioni. ³ Dio toglierà ogni maledizione dalla terra. Nella città ci sarà il trono di Dio e dell'Agnello, e i suoi servi l'adoreranno. ⁴ Vedranno Dio faccia a faccia, e porteranno il suo nome scritto sulla fronte. ⁵ Non vi sarà più notte: non avranno bisogno né di lampade né del sole, perché il Signore Dio li illuminerà, e regneranno per sempre.

Il ritorno del Signore è vicino

⁶ L'*angelo mi disse: « Queste parole sono vere e degne di fede. Il Signore, che ispira i *profeti, ha mandato il suo angelo per far vedere, a quelli che lo servono, tutto ciò che deve accadere fra poco ».

⁷ Gesù dice: « Io sto per venire. Beato chi prende a cuore il messaggio di Dio contenuto in questo libro! ».

⁸ Io, Giovanni, ho udito e veduto queste cose. Dopo averle udite e vedute, mi inginocchiai ai piedi dell'angelo che me le aveva mostrate, per adorarlo. ⁹ Ma l'angelo mi disse: « Non farlo! Io sono un servitore di Dio come te e come i tuoi fratelli, i profeti che annunziano la *parola di Dio, e come quelli che prendono a cuore il messaggio di questo libro. Inginòcchiati solo davanti a Dio ».

¹⁰ Poi aggiunse: « Non tenere segreto il messaggio profetico di questo libro, perché il tempo è vicino. ¹¹ I malvagi continuino pure a praticare l'ingiustizia, e gli *impuri a vivere nell'impurità; chi fa il bene continui a farlo, e chi appartiene al Signore si consacri sempre più a lui.

¹² Io verrò presto, e porterò la ricompensa da dare a ciascuno, secondo le sue opere. ¹³ Io sono il Primo e l'Ultimo, l'Inizio e la Fine, l'Origine e il Punto d'arrivo.

¹⁴ Beati quelli che lavano i loro abiti nel sangue dell'Agnello: essi potranno cogliere i frutti dell'albero che dà la vita, e

potranno entrare nella città di Dio attraverso le sue porte.
[15] Fuori i cani, i maghi, i porci, gli assassini, gli idolàtri e tutti quelli che amano e praticano la menzogna ».

Epilogo

[16] « Io, Gesù, ho mandato il mio *angelo a portarvi questo messaggio per le chiese. Io sono il germoglio e la discendenza di Davide, la splendida stella del mattino ».
[17] Lo Spirito e la sposa dell'Agnello dicono: « Vieni! ».
Chi ascolta queste cose dica: « Vieni! ».
Chi ha sete venga: chi vuole l'acqua che dà la vita, ne beva gratuitamente!
[18] Io, Giovanni, dichiaro questo a chiunque ascolta il messaggio profetico di questo libro: se qualcuno vi aggiunge qualcosa, Dio lo colpirà con i flagelli descritti in questo libro; [19] se qualcuno toglie qualcosa al messaggio di questo libro profetico, Dio lo escluderà dall'albero che dà la vita e dalla città santa che sono descritti in questo libro.
[20] Gesù conferma la verità di questo messaggio e dice: « Sì, sto per venire ».
*Amen. Vieni, Signore Gesù!
[21] La grazia del Signore Gesù sia con tutti voi. Amen.

PICCOLO VOCABOLARIO

CARTE DI GEOGRAFIA BIBLICA

PICCOLO VOCABOLARIO

Abisso. Nel NT significa il mondo dei morti (*Romani* 10, 7) e la dimora degli spiriti ribelli (*Luca* 8, 31; *Apocalisse* 9, 1.2.11 ecc.). Si tratterebbe di un profondo luogo sotterraneo nel quale, secondo la tradizione biblica, sono imprigionati gli spiriti maligni fino al loro castigo finale.

Agrippa. Erode Agrippa II, nipote di Erode il Grande. Fu re della Calcide, un piccolo territorio al nord della Palestina, nel Libano attuale, e governatore di alcuni vicini territori. Paolo si difese davanti a lui e alla sorella Berenice (*Atti* 25, 13; 26).

Alleanza. Patto o accordo o trattato che Dio, di sua propria iniziativa, concluse prima con Abramo (*Genesi* 17, 1-8), poi col popolo di Israele (*Esodo* 24, 1-8), e infine con tutti quelli che credono in Gesù Cristo (*Marco* 14, 24; ecc.).

Aloe. Nome di un àlbero e di un profumo che si ottiene dal suo legno. Gli ebrei mettevano questo profumo sulle bende di lino con cui avvolgevano il corpo prima di seppellirlo (*Giovanni* 19, 39).

Altare. Una specie di tavola su cui si offrono sacrifici a Dio (*Matteo* 5, 23).

Amen. Parola ebraica che significa « sia così ». Si può anche tradurre con « veramente », « certamente », « sicuramente ». In *Apocalisse* 3, 14 è usato come titolo per indicare il Cristo.

Angelo. Messaggero, inviato. Parlando di angeli, la Bibbia dice che cosa fanno e non tanto chi essi sono. Nell'AT, quando si dice « l'angelo del Signore », a volte sembra che si parli di Dio stesso che entra nella vita dell'uomo (*Genesi* 16, 7-14; *Giudici* 6, 11-24). In genere però, quando nella Bibbia si parla di angeli, essi appaiono come esseri spirituali che ubbidiscono a Dio (*Luca* 16, 22; *Matteo* 13, 49; 18, 10).

Anziani. Nel NT ci sono tre differenti gruppi che vengono chiamati anziani: 1) Nei Vangeli gli anziani sono persone che hanno un posto di responsabilità nella comunità degli ebrei. Alcuni di loro facevano parte anche del tribunale, detto sinedrio o tribunale supremo. 2) Negli Atti degli apostoli 11—21 e in alcune lettere, gli anziani sono quei cristiani che hanno una responsabilità in una comunità. 3) Nell'Apocalisse i 24 anziani fanno parte della corte di Dio in cielo, forse come rappresentanti del popolo di Dio.

Apostolo. Un discepolo del gruppo dei dodici che Gesù scelse per prepararli in modo particolare e per mandarli ad annunziare il suo messaggio. Questa parola significa « inviato » e nel NT è usata anche per Paolo e altri cristiani impegnati a diffondere la fede. In *Ebrei* 3, 1 è un titolo applicato a Cristo.

Areopago. Nome di una collina di Atene dove si riuniva il tribunale della città. Perciò fu pure usato per indicare lo stesso tribunale, anche quando non si riuniva più su quella collina (*Atti* 17, 22).

Areta. Re della Nabatea, territorio che si estendeva a sud e ad est della Palestina (*2 Corinzi* 11, 32).

Armaghedon. Questo nome si legge in Apocalisse 16, 16. Indica un luogo che ancora non si è riusciti a identificare con sicurezza. Probabilmente ha un senso più simbolico che reale, collegato con il luogo tradizionale della battaglia di Meghiddo, che aveva già preso un senso escatologico nella Bibbia (*Zaccaria* 12, 11).

Aronne. È il fratello di Mosè, che Dio scelse come capo dei sacerdoti in Israele. In *Luca* 1, 5 è ricordato come un antenato di Zaccaria, padre di Giovanni il Battezzatore.

Artemide. Nome di un'antica divinità della fecondità, adorata soprattutto in Asia Minore (*Atti* 19, 24-35).

Asia. Nel Nuovo Testamento è quella parte dell'Asia che corrisponde all'attuale Turchia e che è pure chiamata Asia Minore: più precisamente, la sua parte occidentale. Alla lista delle sette città dell'Asia ricordate in

Apocalisse 1, 4.11; 2, 1—3, 22, bisogna aggiungere le altre città ricordate altrove nel Nuovo Testamento: Colosse, Gerapoli, Mileto, Efeso.

Augusto. Uno dei titoli di Caio Ottaviano, imperatore romano dal 27 a.C. al 14 d.C. (*Luca* 2, 1).

Baal. Nome di un dio adorato dagli antichi abitanti del paese di Canaan (*Romani* 11, 4).

Babilonia. Capitale dell'antico paese di Babilonia, a est della Palestina sulle rive dei fiumi Tigri e Eufrate. Nel Nuovo Testamento il nome di Babilonia (*1 Pietro* 5, 13; *Apocalisse* 14, 8; 16, 19; ecc.) indica con tutta probabilità la città di Roma.

Balaam. Personaggio nativo di Petor, vicino al fiume Eufrate. Balak, re di Moab, gli chiese di maledire il popolo d'Israele. Ma Balaam ubbidì al comando di Dio e benedisse Israele (*Numeri* 22—24; *Deuteronomio* 23, 4-6).

Balak. Re di Moab, paese situato a sud-est del Mar Morto. Egli volle indurre il popolo di Israele ad adorare gli idoli (*Numeri* 22—24; *Apocalisse* 2, 14).

Beelzebul. Nome dato al diavolo considerato come capo degli spiriti maligni o demoni (*Matteo* 12, 24; *Marco* 3, 22; *Luca* 11, 15).

Berenice. Sorella del re Erode Agrippa II (*Atti* 25, 13—26, 32).

Bestemmia. Parola offensiva pronunciata contro Dio (*Esodo* 22, 27) o contro il suo potere (*Marco* 2, 7; 14, 64).

Bibbia. Nel Nuovo Testamento col termine « Bibbia » si indica l'insieme dei libri sacri degli ebrei, da noi conosciuti come « Antico Testamento » (*2 Corinzi* 3, 14). Ci sono poi altri nomi per indicarlo: la Parola di Dio o Torah, cioè insegnamento o « legge di Mosè ») e i profeti (*Matteo* 5, 17; 7, 12; *Luca* 2, 22; 24, 44; *Atti* 13, 15; 28, 23): i libri santi (*Romani* 1, 2; *2 Timoteo* 3, 15). Oggi per Bibbia si intende l'insieme dell'Antico e del Nuovo Testamento.

Cavalletta. Insetto molto nocivo alle piante. Le cavallette, nei paesi biblici, volano in masse enormi e divorano completamente i raccolti e le piante sulle quali si abbattono. In *Apocalisse* 9, 3-11 simbolizzano un castigo di Dio. Si potevano mangiare (*Levitico* 11, 22) e ancora oggi costituiscono un alimento nelle regioni dove abbondano: si mangiano arrostite oppure facendo con esse della farina, con la quale si cucinano torte di miele. Giovanni il Battezzatore si nutriva così nel deserto (*Matteo* 3, 4).

Censimento. La registrazione dei cittadini e delle loro proprietà per sapere quanto ciascuno deve pagare di tasse (*Luca* 2, 1-2).

Circoncisione. Un rito degli ebrei (conosciuto anche da altri popoli) durante il quale si taglia una parte del prepuzio. Il rito è simbolo del patto che Dio fece col popolo di Israele (*Genesi* 17, 9-14).

Claudio. Imperatore romano negli anni 41-54 d.C. (*Atti* 11, 28; 18, 2).

Cristo. Vedi *Messia*.

Demonio. Uno spirito maligno che può fare del male all'uomo e che viene considerato come messaggero al servizio del diavolo (*Marco* 1, 23-28; 5, 1-20).

Diavolo. Nel Nuovo Testamento indica il più diretto avversario di Dio, il tentatore e seduttore degli uomini. È pure chiamato Beelzebul o Satana (*Marco* 3, 22.23).

Dieci Città. Un gruppo di città pagane situate la maggior parte a est e a sud-est del lago di Galilea (*Marco* 5, 20; 7, 31).

Digiuno. Stare senza cibo per motivi religiosi, durante un determinato periodo di tempo (*Marco* 2, 18; *Atti* 13, 2.3).

Discepolo. Una persona che ne segue un'altra per ricevere da essa un insegnamento. Nel Nuovo Testamento il termine viene soprattutto usato per indicare coloro che seguono Gesù, particolarmente i dodici. Ma è applicato anche a coloro che seguono Giovanni il Battezzatore e Paolo.

I dodici. Cf. *Apostolo.*

Drago. Animale immaginario che ha la forma di una enorme lucertola. È anche chiamato serpente e, nella Bibbia, rappresenta il diavolo (*Apocalisse* 12, 3—13, 4; 20, 2-3).

Drusilla. Sorella del re Agrippa II e moglie del governatore romano Felice (*Atti* 24, 24).

Elia. Profeta dell'Antico Testamento. Ai tempi di Gesù si credeva che sarebbe apparso per annunziare la venuta del Messia (*Malachia* 3, 23 o 4, 5-6; *Matteo* 17, 10-13).

Epicurei. Sono così chiamati i sostenitori della dottrina del filosofo Epicuro (morto nel 270 a.C.), il quale insegnava che la felicità è il più grande bene della vita. San Paolo discusse con loro ad Atene (*Atti* 17, 18).

Epilettico. Si dice di una persona che soffre una malattia nervosa che provoca convulsioni e svenimenti (*Matteo* 4, 24; 17, 15).

Erode. Sono quattro gli Erode di cui si parla nel Nuovo Testamento. 1) Erode il Grande (*Luca* 1, 5) fu re della Palestina dal 37 al 4 a.C. 2) Erode Antipa (*Marco* 6, 14-27; *Luca* 3, 1, 19-20; 9, 7-9; 13, 31; 23, 6-12; *Atti* 4, 27; 13, 1) regnò sulla Galilea dal 4 a.C. al 39 d.C. Era figlio di Erode il Grande. 3) Erode Agrippa I (*Atti* 12, 1.23) fu re della Palestina dal 41 al 44 d.C.; era nipote di Erode il Grande. 4) Erode Agrippa II, figlio del precedente (*Atti* 25, 13-27; 26, 1-32), è conosciuto solo con il secondo nome (vedi *Agrippa*).

Erode (partito di). Un partito politico (*Marco* 3, 6; 12, 13; *Matteo* 22, 16) composto da quegli ebrei che preferivano avere come re uno dei discendenti di Erode il Grande piuttosto che il governatore mandato da Roma.

Erodiade. Era la moglie di Erode Antipa il quale regnò sulla Galilea. Prima di sposare Erode era stata moglie del fratellastro di lui, Filippo (*Matteo* 14, 3-12; *Marco* 6, 17-28; *Luca* 3, 19).

Espiazione (giorno dell'). Questa festa, una delle più importanti per gli ebrei, è da loro chiamata Yom Kippur. Quando ancora esisteva il tempio, il sommo sacerdote offriva in questo giorno il sacrificio per i peccati del popolo di Israele (*Levitico* 16, 29-34). Essa è ancora oggi celebrata dagli ebrei verso la fine di Settembre. Nella *Lettera agli ebrei* (cc. 9—10) questa festa è presentata come un'immagine del gran giorno dell'espiazione della morte e risurrezione di Gesù.

Falce. Sottile lama di ferro curvato ad arco, col taglio in dentro e infissa su un breve manico. Serve per tagliare il frumento o l'erba. Nel Nuovo Testamento si parla due volte della falce (*Marco* 4, 29; *Apocalisse* 14, 14).

Faraone. Era il nome che si dava ai re dell'antico Egitto. Due di loro sono ricordati nel Nuovo Testamento: colui che regnò ai tempi di Giuseppe, figlio di Giacobbe (*Atti* 7, 10-13; *Genesi* 40, 1—50, 26), e colui che regnò ai tempi di Mosè (*Atti* 7, 21; *Romani* 9, 17; *Ebrei* 11, 24; *Esodo* 1, 8—14, 31).

Farisei. Formavano un gruppo religioso particolare all'interno della religione ebraica, composto soprattutto da laici. Essi erano i rappresentanti della pietà popolare e i maestri della Torah (Legge). Insegnavano una profonda e amorosa ubbidienza all'insegnamento divino secondo antiche e sempre nuove interpretazioni della parola di Dio. Gesù però li accusa di annullare, a volte, la parola di Dio con le loro tradizioni (*Marco* 7, 13), a volte, invece, dice di fare quello che insegnano senza imitare quello che fanno (*Matteo* 23, 3).

Felice. Governatore romano della Giudea negli anni 52-60 d.C. Paolo si è dovuto difendere anche davanti a lui (*Atti* 23, 24—24, 27).

Festo. Governatore romano della Giudea negli anni 60-62 d.C. Davanti a lui Paolo si difende e si appella all'imperatore romano (*Atti* 25, 1—26, 32).

Fiele. Liquido molto amaro estratto da certe erbe.

Figlio dell'uomo. Questa espressione, come il suo originale ebraico: « ben Adam », significa molto spesso semplicemente « uomo ». Nella Bibbia indica tanto l'individuo (*Ezechiele* 2, 1) quanto il popolo (*Daniele* 7, 13.18.27) nella loro umile condizione e nella loro futura gloria. Gesù usava questa espressione per indicare se stesso, per dire che egli era stato scelto da Dio come salvatore (*Marco* 10, 45). Questo titolo indica sia l'umile condizione di Gesù nella sua vita terrena (*Marco* 8, 31; *Luca* 9, 58), sia la sua gloria futura (*Matteo* 25, 31; *Marco* 8, 38).

Figlio di Davide. Così gli ebrei chiamavano il Messia che essi aspettavano, perché sarebbe stato discendente e successore del re Davide, che visse dal 1042 al 962 a.C. (*Marco* 10, 47; *Luca* 20, 41).

Figlio di Dio. Nella Bibbia l'espressione « Figlio di Dio » è usata per indicare il popolo di Israele nel suo insieme (*Esodo* 4, 22), ma soprattutto il re di Israele (*Salmo* 2, 7). Ai tempi di Gesù, quando gli ebrei parlavano del futuro Messia dicevano che sarebbe stato il re della fine dei tempi e lo chiamavano anche Figlio di Dio. Nei Vangeli questo titolo è dato a Gesù con un significato particolarmente profondo; infatti egli si rivolge a Dio chiamandolo « Padre mio » (*Marco* 14, 36) e questo era per le orecchie ebraiche un modo di pregare assai nuovo.

Gabriele. Uno dei tre angeli ricordati per nome nella Bibbia. Gli altri due sono Michele (*Daniele* 12, 1) e Raffaele (*Tobia* 3, 16). Gabriele fu inviato da Dio a Zaccaria, padre di Giovanni il Battezzatore, e a Maria, madre di Gesù (*Luca* 1, 11-20.26-38).

Galazia. Una provincia dell'impero romano situata nella parte centro-settentrionale di quella regione che chiamiamo Asia Minore: oggi fa parte dell'attuale Turchia (*Galati* 1, 2; *1 Corinzi* 16, 1).

Gallione. Governatore romano della Grecia negli anni 51-52 d.C. (*Atti* 18, 12-17).

Gamaliele. Era fariseo e uno dei più grandi maestri ebrei (*Atti* 5, 34). Faceva parte del supremo tribunale degli ebrei. Paolo fu suo discepolo (*Atti* 22, 3).

Genesaret. Nome attribuito al lago di Galilea. È pure il nome di una città e di una pianura poste sulla sponda nord-ovest del lago (*Matteo* 14, 34).

Giudei. Ai tempi di Gesù erano gli abitanti della Giudea, regione della Palestina. Con la Galilea, la Giudea formava parte del territorio degli ebrei occupato dai romani. Per questo, a volte, i termini giudei ed ebrei hanno lo stesso significato. Questa traduzione preferisce, in genere, tradurre il termine *giudei* con *ebrei*.

Giudizio. Con il termine « giudizio » si intende la decisione di Dio sugli uomini secondo le loro opere e, spesso, una sentenza negativa (*Giacomo* 2, 13; 5, 12). Molte volte il « giudizio » è presentato come l'atto finale di Dio sul mondo che non si è convertito a Cristo (*Giovanni* 12, 47-50; *Matteo* 13, 40-43; 25, 31-46).

Gomorra. Era una città situata vicino al Mar Morto. Nella Bibbia si dice che Dio la distrusse col fuoco per la cattiveria dei suoi abitanti (*Genesi* 19, 24-28).

Iesse. Uomo di Betlemme, padre del re Davide (*1 Samuele* 16) e quindi un antenato di Gesù (*Matteo* 1, 6; *Atti* 13, 22; *Romani* 15, 12).

Illiria. Regione marittima situata sulla costa orientale dell'Adriatico e attualmente annessa alla Jugoslavia. San Paolo la cita con questo nome (*Romani* 15, 19).

Impuro. Nella religione degli ebrei era detto impuro tutto ciò che costituiva un ostacolo alla comunione con Dio, dal punto di vista rituale o morale. Nel primo caso l'impurità era causata da certi alimenti (*Marco* 7, 15-23), da certe malattie (lebbra) (*Levitico* 13—14), da uno spirito maligno, dal contatto con un cadavere, ecc. Nel secondo caso era causata dal peccato (*I Corinzi* 6, 15-16; *Galati* 5, 19-21).

Issopo. Una pianta i cui rami venivano usati nei riti religiosi degli ebrei come aspersorio.

Lebbroso. Persona sofferente di una malattia chiamata lebbra (*Luca* 4, 27; 17, 12). Nella Bibbia il termine « lebbra » aveva un significato molto vasto e veniva usato per indicare diverse malattie della pelle, oltre alla lebbra propriamente detta.

Legge. Questo termine è traduzione assai difettosa della parola ebraica « Torah » che significa « insegnamento ». Torah è usato per indicare i primi cinque libri della Bibbia, chiamati anche « libri di Mosè ». A volte è pure usato in un senso più generale e indica tutto l'Antico Testamento (*Matteo* 5, 17-18).

Levita. Si chiamava « levita » un membro della tribù sacerdotale di Levi e aveva il dovere di aiutare nel servizio del tempio (*Numeri* 3, 1-13).

Lievito. È una sostanza che si aggiunge alla pasta del pane perché fermenti prima di essere messa nel forno. Nella Bibbia si parla di lievito come simbolo di qualcosa che penetra e fa crescere e, a volte, nel senso di qualcosa che corrompe (*Matteo* 16, 6; *Marco* 8, 15; *I Corinzi* 5, 6). L'uso del lievito era ed è ancora proibito agli ebrei durante la settimana di Pasqua, nella quale si mangiano soltanto i pani senza lievito, chiamati azzimi (*Esodo* 12, 15-20).

Locusta. Altro nome delle cavallette.

Lot. Nipote di Abramo. Fuggì con le sue figlie da Sodoma nel momento in cui questa città fu distrutta da Dio. La moglie di Lot però non riuscì a salvarsi (*Genesi* 19, 12-29; *Luca* 17, 28.29).

Macedonia. Provincia dell'impero romano che attualmente corrisponde al nord della Grecia. Tessalonica era la sua capitale. Altre città della provincia ricordate nel Nuovo Testamento sono Neapoli, Anfipoli, Filippi, Apollonia e Berea (*Atti* 16, 9-12; 17, 1.10).

Maddalena. Maria Maddalena è una delle donne che seguivano Gesù, alle quali Gesù apparve dopo la sua risurrezione dai morti (*Marco* 15, 40—16, 1; *Giovanni* 20, 1-18). Il nome sembra indicare la sua città di origine: Magdala.

Maestri della legge. Così erano chiamati coloro che insegnavano e interpretavano gli insegnamenti della Bibbia ebraica, specialmente i primi cinque libri, che erano chiamati la « Torah di Mosè », o semplicemente « la Torah » o « la Legge » (*Matteo* 2, 4; 5, 20).

Maestro. Traduzione della parola « Rabbì », il nome degli insegnanti della parola di Dio (*Giovanni* 3, 10) e uno dei modi con cui, nel Nuovo Testamento, la gente chiama Gesù (*Giovanni* 1, 38). Questo titolo richiama quello di « discepoli » dato a coloro che seguono Gesù. Esso non comporta nessuna posizione ufficiale: dice il fatto che uno è il capo di un gruppo, nel senso che le sue parole sono considerate autorevoli.

Manna. È il cibo miracoloso che Dio concesse agli ebrei durante il loro vagare nel deserto dopo l'uscita dall'Egitto (*Esodo* 16, 14-21). Era simile a un piccolo seme e aveva il sapore di una focaccia con miele.

Messia. Titolo che significa « unto », cioè scelto da Dio. Così nella Bibbia sono chiamati re, profeti e sacerdoti e soprattutto il Salvatore annunziato dai profeti dell'Antico Testamento. Il termine « Messia » viene dall'ebraico e ha lo stesso significato del termine « Cristo » che viene dal greco (*Matteo* 16, 15.20; *Atti* 2, 36).

Michele. Un capo degli angeli di Dio (*Giuda* 9; *Apocalisse* 12, 7). Il nome ebraico vuol dire « chi è come Dio? ».

Miracolo. Fatto più o meno straordinario che, in se stesso e per le circostanze in cui si realizza, è compreso e creduto come un segno della presenza di Dio, come un atto di rivelazione e di salvezza (*Luca* 7, 11-17; 18, 35-43).

Mirra. Una resina profumata e costosa. Nella Bibbia è ricordata come un oggetto di regalo (*Matteo* 2, 11; *Apocalisse* 18, 13) e come una droga (*Marco* 15, 23). Gli ebrei la spandevano pure su quelle bende di lino con cui si avvolgeva il corpo dei defunti.

Moloch. Uno degli dèi più antichi delle popolazioni di Canaan (*Atti* 7, 43).

Nardo. Una pianta dalla quale si estraeva un delicatissimo profumo (*Marco* 14, 3; *Giovanni* 12, 3).

Nazareno. Questo aggettivo fu usato per indicare Gesù in quanto abitante di Nazaret (*Matteo* 2, 23). Gli *Atti degli apostoli* (24, 5) lo usano anche per indicare i discepoli di Gesù.

Nicolaiti. Si tratta di un gruppo di persone, ricordate in *Apocalisse* 2, 6.15. I loro insegnamenti e le loro azioni vengono condannate. Sembra che si abbandonassero all'idolatria e all'immoralità; però non si sa con esattezza dove e come questo gruppo si sia formato.

Ninive. Antica capitale dell'impero assiro situata a est del fiume Tigri. In questa città predicò il profeta Giona (*Giona* 3, 1-10; *Luca* 11, 30.32).

Noè. Uno dei dieci patriarchi di cui parla la Bibbia in *Genesi* 5. Fu il costruttore dell'arca nella quale si salvò con la sua famiglia durante il diluvio che Dio mandò sulla terra (*Genesi* 6, 5—9, 28).

Pani azzimi (festa dei). Nella tradizione biblica ed ebraica è una festa che dura sette giorni incominciando con il giorno di Pasqua. Come nella Pasqua, si celebra la liberazione dalla schiavitù in Egitto. Il suo nome è dovuto al fatto che nella settimana in cui si celebra questa festa non si usa il lievito per fare il pane. *Azzimi* significa appunto senza lievito.

Parabola. Racconto o paragone di cui Gesù si serviva per illustrare il suo insegnamento (*Matteo* 13) e presentarlo in modo più efficace. Gesù si adattava così ai metodi di insegnamento dei rabbini del suo tempo.

Paradiso. Nella tradizione rabbinica e nel Nuovo Testamento indica il luogo dove si trovano coloro che sono stati salvati (*Luca* 23, 43; *2 Corinzi* 12, 4).

Paralitico. Si chiama paralitica una persona che non riesce a muovere una parte o tutto il corpo (*Marco* 2, 1-12; 3, 1-6).

Parola di Dio. Si tratta di un'espressione usata dalla Bibbia per indicare il messaggio che Dio rivolge agli uomini per mezzo dei profeti (*Osea* 4, 1; *Amos* 3, 1; 4, 1), di Giovanni il Battezzatore (*Luca* 8, 11), di Cristo (*Luca* 5, 1; 8, 11) e degli apostoli (*Atti* 4, 29.31). Oggi si usa indicare con questa espressione tutta la Bibbia e nella presente traduzione sostituisce a volte il termine Vangelo del testo originale.

Pasqua. Festa nella quale gli ebrei celebrano la liberazione dalla schiavitù dell'Egitto per opera di Mosè (*Esodo* 12, 23-27). Per i cristiani invece è soprattutto la festa della liberazione realizzata da Gesù (*1 Corinzi* 5, 7).

Pastore. Uomo o ragazzo che custodisce le pecore. Nella Bibbia si usa questa parola in senso figurato per indicare i capi del popolo o Dio stesso (*Ezechiele* 34; *Salmo* 23). Nel Nuovo Testamento indica Gesù come capo dei suoi discepoli (*Giovanni* 10, 1-21) o coloro che hanno un compito di responsabilità nella Chiesa (*Efesini* 4, 11).

Patriarchi. I grandi antenati degli ebrei: Abramo, Isacco, Giacobbe e i suoi figli; in senso largo questa parola indica anche Noè (vedi *Noè*).

Pentecoste (festa di). Nella Bibbia indica la festa ebraica del raccolto (*Esodo* 34, 22; *Deuteronomio* 16, 10). Si celebra cinquanta giorni dopo la Pasqua. Durante la prima festa di Pentecoste, dopo la risurrezione di Gesù, lo Spirito Santo discese sugli apostoli (*Atti* 2, 1-4).

Pilato. Ponzio Pilato fu il governatore romano della Giudea, Samaria e Idumea negli anni 26-36 d.C. (*Luca* 3, 1; *Atti* 3, 13). Gesù morì durante il tempo del suo governo.

Portico di Salomone. Cortile coperto situato nella parte orientale del tempio di Gerusalemme (*Giovanni* 10, 23; *Atti* 3, 11; 5, 12).

Profeta. Uno che parla in nome di Dio e che da lui è incaricato di portare un particolare messaggio agli uomini. Nei vangeli il termine è soprattutto usato per indicare i profeti dell'Antico Testamento, ma viene usato anche per indicare Giovanni il Battezzatore (*Matteo* 11, 9), Gesù (*Matteo* 16, 14) e alcuni membri della comunità cristiana che hanno dallo Spirito Santo il dono della profezia (*1 Corinzi* 12, 10; 14, 3).

Refan. Nome di una antica divinità, che a Babilonia sembra corrispondere al dio che è rappresentato dal pianeta Saturno (*Atti* 7, 43).

Regno di Dio. Non indica un determinato territorio, ma il potere che Dio, come un re, esercita sul mondo.

Riconsacrazione (festa della). È una festa degli ebrei che dura otto giorni e che ricorda la restaurazione e la nuova dedicazione dell'altare e del tempio di Gerusalemme, avvenuta al tempo di Giuda Maccabeo nel 165 a.C. (*1 Maccabei* 4, 36-39; *Giovanni* 10, 22).

Sabato. Il settimo giorno della settimana. Gli ebrei lo considerano sacro, cioè dedicato a Dio, e perciò durante questo giorno la loro legge non permette di lavorare (*Esodo* 20, 8-11; *Deuteronomio* 5, 12-15).

Sadducei. Uomini di un gruppo religioso-politico di tendenza conservatrice, composto soprattutto di sacerdoti. Per molti aspetti l'insegnamento dei sadducei era diverso da quello dei farisei (*Atti* 23, 8).

Samaritano. Un oriundo della Samaria, regione posta tra la Giudea e la Galilea. I giudei e i samaritani polemizzavano tra di loro per motivi politici, morali e religiosi (*Luca* 9, 51-56; *Giovanni* 4, 9).

Santuario. Il luogo che è segno della presenza di Dio in mezzo al suo popolo. Durante l'esodo era costituito da una tenda (*Esodo* 26). Dal tempo di Salomone in poi è una costruzione sulla collina di Gerusalemme. A volte la parola non indica tutto il tempio, ma solo la sua parte centrale (*Luca* 1, 9.21).

Satana. Vedi *Diavolo*.

Saul. 1. Così si chiamava il primo re di Israele che regnò tra il 1040 e il 1010 a.C. (*1 Samuele* 13, 1; *Atti* 13, 21). 2. È pure il nome ebreo dell'apostolo Paolo, in genere reso con Saulo (*Atti* 7, 58; 8, 1.3; 9, 1-30; 11, 25-30; 12, 25; 13, 1-9).

Scorpione. Piccolo animale dalla lunga coda che finisce con un pungiglione che emette un veleno capace di uccidere la vittima e di procurarle forti dolori. Si parla di scorpioni in *Luca* 10, 19; 11, 12 e in *Apocalisse* 9, 3.5.10.

Senape. È una pianta molto nota in Palestina i cui semi vengono usati come condimento. Gesù ne parla due volte per paragonare la piccolezza dei suoi semi e la loro grande possibilità (*Matteo* 17, 20; *Luca* 17, 16).

Sinagoga. Edificio dove, in ogni città o villaggio, gli ebrei si riuniscono per celebrare il loro culto. Durante la settimana può essere anche usato come aula scolastica dei fanciulli o come centro sociale.

Sion. Altro nome dato a Gerusalemme. Inizialmente indicava soltanto la collina a sud-est, sulla quale fu costruita la prima Gerusalemme che la Bibbia ricorda (*2 Samuele* 5, 7; *1 Cronache* 11, 5).

Sodoma. Come Gomorra, era una città situata vicino al Mar Morto; Dio la distrusse col fuoco (*Genesi* 19, 24-28).

Sommo sacerdote. Era così chiamato chi aveva la più alta carica tra i sacerdoti; era anche presidente del tribunale supremo degli ebrei. Una volta all'anno (nel giorno dell'Espiazione), entrava nel luogo più sacro del tempio e offriva un sacrificio per se stesso e per i peccati del popolo di Israele (*Ebrei* 9, 7).

Spirito maligno. Vedi *Demonio*.

Spirito Santo. Nella sua concezione più generica « spirito » viene usato nell'Antico Testamento per indicare il vento. Poi il vento può essere considerato messaggero di Dio, manifestazione della sua presenza (*Genesi* 1, 2; *Geremia* 10, 13), e il respiro dell'uomo è visto come manifestazione della vita data da Dio (*Salmo* 143, 7). Lo Spirito di Dio è la potenza con cui Dio opera ed è particolarmente presente in tutti coloro che hanno ricevuto da lui una missione, ad esempio i profeti (*Michea* 3, 8). Nel Messia, lo Spirito di Dio è presente in modo specialissimo; anzi, è proprio per questa perfetta presenza dello Spirito che il Messia è in grado di compiere la sua missione (*Isaia* 42, 1; *Marco* 1, 8).

Stoico. Uno che segue gli insegnamenti del filosofo Zenone, morto nel 265 a.C. San Paolo durante la sua permanenza ad Atene, discusse anche con gli stoici (*Atti* 17, 18).

Tende (festa delle). Festa degli ebrei che dura otto giorni e che vuole ricordare il tempo in cui essi vivevano, dopo l'uscita dall'Egitto, sotto le tende nel deserto (*Giovanni* 7, 2).

Teofilo. È il destinatario del Vangelo di Luca e degli Atti degli apostoli. Di lui non si sa nulla. Anzi non è neppure sicuro che si tratti di una persona. Il nome significa « amico di Dio » e può indicare qualsiasi lettore del libro di Luca (1, 3; *Atti* 1, 1).

Tiberiade. Altro nome del lago di Galilea (*Giovanni* 6, 1; 21, 1). Sulla sponda occidentale del lago c'è anche la città di Tiberiade (*Giovanni* 6, 23). La fondò Erode Antipa tra il 18 e il 22 d.C. e la chiamò Tiberiade in onore dell'imperatore romano Tiberio.

Tiberio. Imperatore romano dal 14 al 37 d.C. Durante il quindicesimo anno del suo impero Giovanni il Battezzatore iniziò il suo ministero (*Luca* 3, 1).

Tradizione (degli antichi o religiosa). Con questo termine si intendono tutte quelle norme da lungo tempo entrate nelle abitudini sociali e religiose. Gesù le chiama « tradizioni degli uomini », quando sono tradizioni contrarie alla legge data da Dio (*Matteo* 15, 1-9; *Marco* 7, 1-13).

Vangelo. Il termine significa « bella notizia », « lieto messaggio », « lieto annunzio ». Il contenuto di questo messaggio è la venuta del regno di Dio per mezzo di Cristo Gesù. Si fa uso di questo termine per indicare il messaggio di Gesù; solo più tardi, passa a indicare i libri che lo contengono.

Vasaio. Un artigiano che fabbrica vasi e altri recipienti con terra argillosa.

Voto. Una dichiarazione solenne o promessa che si fa chiedendo a Dio di essere puniti se ciò che si dichiara non è vero o se la promessa non è mantenuta.

Zelota. Uno che apparteneva al movimento di resistenza palestinese contro i romani. Siccome due dei discepoli di Gesù si chiamavano Simone, per distinguerli uno è detto « Simone del partito degli zeloti » (*Marco* 3, 18; *Matteo* 10, 4; *Luca* 6, 15).

Zolfo. Sostanza gialla che brucia facendo una gran fiamma e che sprigiona un odore sgradevolissimo. In *Apocalisse* 9, 17-18; 14, 10; 19, 20; 20, 10; 21, 8 lo zolfo appare come simbolo di tutto ciò che è demoniaco e come immagine del castigo di Dio nell'altro mondo.

LA TERRA SANTA
AL TEMPO DI GESÙ

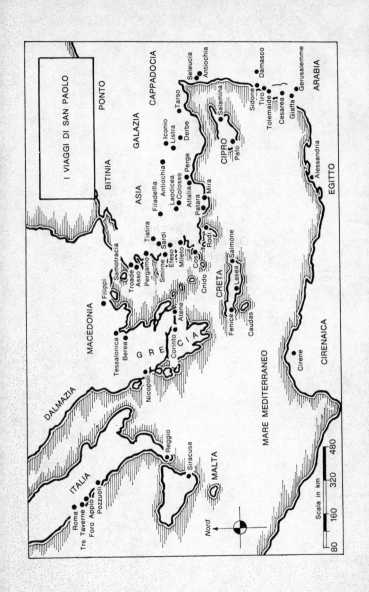

I VIAGGI DI SAN PAOLO

PONTO
BITINIA
GALAZIA
CAPPADOCIA

Seleucia
Antiochia
Tarso
Sidone
Damasco
Salamina
CIPRO
Pafo
Gerusalemme
ARABIA
Tiro
Tolemaide
Cesarea
Giaffa

Iconio
Listra
Derbe
ASIA
Antiochia
Filadelfia
Laodicea
Colosse
Perge
Attalia
Mira
Patara
Alessandria
EGITTO

Tiatira
Pergamo
Sardi
Smirne
Efeso
Mileto
Cos
Cnido
Rodi
Salmone
Lasea
Fenice
Caudas
CRETA

Samotracia
Troade
Asso
Filippi
MACEDONIA
Tessalonica
Berea
G R E C I A
Atene
Corinto
Nicopoli

DALMAZIA

ITALIA
Roma
Tre Taverne
Foro Appio
Pozzuoli
Reggio
Siracusa
MALTA

MARE MEDITERRANEO

CIRENAICA
Cirene

Nord

Scala in km
80   160   320   480

Finito di stampare
nelle Officine Grafiche Fratelli Stianti
Sancasciano - Firenze
— *1983* —